卢中原　著

改革时代的经济学思考

GAIGE SHIDAI DE JINGJI XUE SIKAO

人民出版社

目　　录

第一篇

除旧布新的
敏感问题探索

1.1　效率优先、兼顾公平——通向繁荣的权衡 *

提高经济运行效率，实现社会公平要求，是繁荣社会主义商品经济必须同时达到的经济社会发展目标。这两类不同的目标和价值判断准则，在实际生活中无疑存在着矛盾，往往使社会主义的经济决策陷入两难境地。改革的成功与否，将在很大程度上取决于能否找到协调两大目标的最佳权衡。

一、传统的目标选择及其后果

严重不平等的社会现实和绝对平均主义的传统要求以及二者之间的尖锐冲突，是我国封建主义经济及社会关系的长期统治留给我们的双重历史遗产。新中国诞生以后，这一历史的原因曾决定了我们对社会主义平等内容的特殊理解和对社会公平的特殊偏好。以新的理论形式表达的平等原则，实质上是全体社会成员地位平等基础上的结果均等（即社会财富分配方面的平均主义），在一段时期内这曾被作为经济社会生活中的普遍原则。

这种历史的选择曾经带来了伟大的历史进步。阶级剥削以及由此产生的贫富对立现象被消除，旧中国遗留的普遍失业和恶性通货膨胀奇迹般地迅速治愈，人民的基本生活需要得到了保障。在分配制度、劳动人事制度、社会福利制度等各方面确立起来的平等与平均，使社会呈现出一派稳定景象。在社会主义制度建立以后的最初阶段，这种公平原则不仅不与效率原则相矛盾，甚至它本身还是迅速提高社会经济效率的某种

---

*　本文写于1985年底，是"社会公平和社会保障问题研究组"的集体研究成果，由周为民、卢中原两人执笔，冯仑、柏铮、谢鲁江参加讨论。1993年党的十四届三中全会关于经济体制改革的决定采纳了"效率优先、兼顾公平"的提法。

现实条件，公平原则所激发出来的空前热情和英雄主义，曾经为社会经济的发展提供了巨大动力。

但是，随着稳定秩序和恢复经济的任务基本完成，优先注重平均主义公平目标的选择便不能继续适应社会主义的进程。社会主义的历史使命归根结底是要极大地提高社会生产力的发展水平，创造前所未有的劳动生产率。这就要求我们及时调整社会目标体系，公平优先应为效率优先所替代，并在社会经济系统中建立和完善相应的动力结构和运行机制。然而，由于种种原因，我们长期未能实现这种目标转换，传统选择以巨大的惯性把结果均等（"大锅饭"）推广到经济生活乃至社会生活的各个方面，对我国经济运行机制产生了严重的消极影响。

第一，传统选择加强了高度集权的计划管理体制。公平目标的硬化直接导致传统体制的僵化。在经济活动中贯彻平均主义的公平原则，意味着将"多就业、低工资"的指导思想长期化，使劳动力统包统配制度固定化。为了维持这种体制，国家不得不对宏观与微观经济活动实行全面干预和直接控制，进而导致取消竞争，抑制价值规律作用，排斥市场机制，限制企业及劳动者在生产、经营和选择职业等方面的自主权。

第二，传统选择导致了经济运行过程中宏观调节机制的紊乱和破坏。本来，各种经济杠杆具有各自的作用范围，并分别与不同的经济目标相联系。在一个稳定的经济系统中，多重目标的协调与实现有赖于各种经济杠杆的特殊作用及相互配合。然而，长期以来由于传统选择目标的单一化倾向，几乎所有经济杠杆都被作为实现结果均等的手段，税收、价格、信贷、工资、奖金等失去了对社会经济的积极调节作用。各种经济杠杆的作用关系未能理顺，使理顺经济关系困难重重。

第三，传统选择严重削弱了经济系统的动力结构。在社会变革以后的最初阶段，高涨的革命热情可以直接形成强大的经济动力，但平均主义原则的普遍推行终将导致这种热情的退潮。由于结果均等的贯彻，经济活动中内在的利益动力被否定，优胜劣汰的自然选择功能为一种反淘汰机制所取代。

第四，传统选择阻碍了国民经济进入良性循环。统包在职职工已享有的货币福利和实物福利，使国家财政和企业背负沉重。这种分配格局一方面直接抑制企业活力，另一方面使积累渠道十分狭窄，无力引导储蓄转化为投资。

总之，传统的目标选择不仅明显导致经济活力的严重衰退，经济效率的普遍低下，甚至也未能做到使社会成员享有普遍平等的社会福利（例如，城乡之间、国有企业和集体企业之间的差别相当悬殊，工农业收益很不均等）。牺牲效率换来的公平只是贫穷的公平。而贫穷基础上的公平其最后归宿必然是贫穷与不均的并存。在现实生活中，由于商品短缺而加剧的特权现象、走后门、贪污贿赂等不正之风和违法行为，已多方侵袭和损害了社会公平原则。正是在既要富裕、又要公平的意义上，我们说，结果均等、公平优先的传统目标选择在实践中已走到了它的尽头。

二、社会主义平等观：机会均等、效率优先

马克思主义认为，平等观念从来就是一定历史社会关系的产物。新的历史时期社会关系将确立新的价值判断准则，而新的观念一经确立，又将推动经济发展和社会进步。随着建设一个高度繁荣的社会主义商品经济的客观进程，确立社会主义平等观的科学内容这一要求，已经摆到我们面前。今天，平均就是平等，社会主义平等就是结果均等的传统观念虽然正在被破除，但社会主义平等观的真正要义是机会均等这一点，却还未得到普遍的承认。

在一些人看来，机会均等，似乎有接过资产阶级口号之嫌。其实这是一个误解。资产阶级鼓吹的机会均等首先掩盖了占有生产条件的不平等，进而掩盖了阶级地位和整个社会状况的不平等。甚至存在种族、性别等方面的歧视。我们所说的机会均等是与社会主义的本质要求相联系的，是以人民群众在政治地位和社会地位方面的平等为基本前提的。在社会主义条件下，全体劳动者都享有主人翁地位、平等的劳动权利以及按劳动量领取报酬的平等权利，劳动者之间这种地位平等，为机会均等

的真正贯彻提供了现实的必要条件。机会均等的真正贯彻，又进一步表明劳动者地位平等的实现。在社会主义平等观看来，所谓机会均等，无非是一切能使个人自主活动能力得到充分发挥并由此取得成就的机会，诸如就业、致富、受教育的机会，参与民主管理的机会，合作的机会，直至参政的机会等等，均向每个社会成员开放着。这种机会面前的平等，不承认任何种族、性别、年龄的差别，更不承认那种由血统、门第、宗法关系所决定的封建等级差别和特权，而只承认联合劳动者在个人自主活动能力和努力程度方面的差别，亦即具有同等能力、又付出同等努力的人可以获得同等机会，付出了同样努力，但能力各异的人可以获得不同的机会，如此等等。

提倡机会均等，不仅适应社会主义联合劳动的新型生产关系，而且适应大力发展社会主义商品经济的迫切要求。当经济当事人在经济过程中面临竞争的筛选时，如果不享有自由进入竞争的权利，也不具备可供选择的机会，要想使自身生存、发展从而推动社会主义商品经济的高度繁荣，将是十分困难的。几年来的经济体制改革，为逐步确立科学的社会主义平等观提供了许多有利条件。随着多种经济成分并存、多层次决策、多渠道传播信息以及社会主义计划市场体系的形成和完善，人们将日益强烈地要求普遍贯彻与竞争择优原则密切相关的机会均等原则。

机会均等本身又是一条效率原则。与结果均等的公平要求不同，机会均等所强调的，首先不是现有财富的平均分配，而是使社会财富不断增长，因而效率优先不过是机会均等要求的题中之意。

坚持效率优先原则，在根本上是由发展社会主义生产力的历史任务所决定的，特别是像我国这样一个经济落后的发展中国家。效率优先原则的普遍实施，意味着促进时间的节约，物质消耗和活劳动消耗的减少，人的活动能力和素质的改善，自主联合劳动集体的劳动生产率的提高，这一切同时意味着社会财富的涌流，社会主义生产力的增进和发展。只有效率优先所带来的社会主义生产力的极大发展，才能保证社会公平不断扩大规模、改善质量、提高水平。效率优先是使财富不断扩大和积累，从而实现社会公平的根本途径。

　　从劳动者收入分配的角度看，机会均等、效率优先原则是与社会主义按劳分配的要求密切联系着的。在劳动者平等占有生产资料的基础上，等量劳动领取等量报酬，即劳动机会、按劳动量获得个人收入的权利是平等的。劳动者要得到更多的收入，首先就必须为社会财富的增进作出更大的贡献。因此，按劳分配的真正贯彻恰恰又体现了效率优先的原则。

　　在整个社会范围内，效率优先的平等观认为，财富的分配和再分配，必须使那些能够最有效地促进社会财富增长的人或集团获得最大利益。否则，社会的经济效率、繁荣与进步就将受到损害。在经济体制的改革中，我们提出了让一部分人先富起来的口号，它所代表的也正是效率优先的要求，并且确实刺激了经济效率的提高，因而是十分正确的。当然，这里还需要着重指出如下两点：其一，提倡一部分人先富起来，是指靠劳动（无论是在生产领域还是在流通领域）致富，在国家政策法令允许的范围内，以正当的途径和手段获得的高额收入，是社会承认的公平的报酬。舍此而外的非正当收入，则是对他人劳动的无偿占有，既违背公平原则，也损害效率原则，属于应严加管束之列。其二，提倡一部分人先富起来，并不是否定共同富裕，恰恰相反，只有这样，才能强化社会主义经济的动力结构，从而保证全体人民在高度繁荣的基础上踏上共同富裕的坦途。

　　将机会均等、效率优先确立为社会主义平等观的真正要义，不仅不忽视社会公平原则和必要的结果均等，相反，还以兼顾后者作为自身真正得以确立的保证手段，在目标转换过程中尤为如此。商品经济条件下的机会均等因其自身缺陷（往往与市场的缺陷联系在一起），也要求以必要的结果均等作为补偿。需要坚持的社会主义公平原则至少有以下几点：第一，不允许贫富差别过于悬殊而导致两极分化。第二，必须坚持团结、互助、合作原则，不能因展开竞争而弱肉强食，相反却要扶助弱者迎头赶上。第三，维护社会稳定感和安全原则，以必要的结果均等即适当的社会保障措施消除对暂时失业的恐惧，帮助个人和集体摆脱非经营性困难，以及保障社会成员的基本需要和福利水平等。第四，坚持社会利益优先的原则。这些原则的坚持对机会均等、效率优先原则绝不是替代关系和并列关系，而是补偿辅助关系。

社会主义历史阶段向人们提供的各种机会，无疑受到社会生产力水平的制约。能够使个人自主活动能力得到充分发挥并取得成就的各种机会的种类和范围，都将随着生产力水平的发展而增加、扩大，同时劳动者也随之锻炼出新的品质，提出新的需求，并为满足这些需求开拓新的手段和机会。尽管现代大工业改变了旧的劳动分工的某些局限性，个人对自由全面发展的要求也日益强烈，但是个人自主活动仍受有限的生产工具、劳动产品和有限的交往形式的束缚。在旧的社会分工还将长期统治人们的时候，劳动者对局部生产资料的固定性、排他性占有和使用，把自身局限在某一特殊部门，形成了一种片面的发展；劳动者对产品的支配关系和由此形成的财产所有关系，约束着联合劳动者的交往形式；劳动仍然主要是谋取物质生活条件的手段，而不是自主活动的积极实践；劳动者被迫服从这种非自愿的社会分工，他本身的活动就不能达到充分的自主和自由。现实中呈现出这样一种矛盾，一方面，人们对现有生产力的占有表明了同物质生产工具相适应的个人才能的发挥；另一方面，由社会分工固定在特定范围内的个人无法驾驭自己的活动。现实中的这一矛盾使单个人不能随意选择社会可能和已经提供的机会。现阶段社会主义的机会均等是不完全和不充分的。机会有限，对机会的选择也有限，这将持续较长时期。这就是提高个人自主活动能力的现实条件，也是每个人都不能不正视的基本事实。如果完全实现机会均等的客观条件一应俱全，这一平等要求也就完成了历史使命。正是为了创造这种客观条件才显示出机会均等这一要求的现实合理性。

三、目标调整与机制转换

既然社会主义平等观的实质——机会均等本身就是一条效率原则，那么，它的贯彻就意味着调整我们的经济与社会发展目标。所谓调整，首先是指在效率与公平这两大类目标中，改变以往公平优先于效率的目标序列，把效率目标放在首位。但是，与过去那种目标单一化倾向相反，这种调整绝不意味着只追求经济效率而忽视社会公平。我们所要寻求的，是效率目标与公平目标的协调，是在保证最必要的公平程度前提下，最大限度提高社会经济效率。

可以说，这种新的目标选择在国民经济现代化的进程中已经得到了确立。然而，目标的调整必须有机制的转换与之配合。我们的整个经济体制改革，其基本任务正在于建立和健全一整套新的经济运行机制。

与效率和公平这两类目标相联系，可以把经济运行机制分为动力机制与稳定机制这两种类型，前者主要是市场机制，如价格（包括利率、工资）；后者则主要是国家的调节手段，如税收、转移支付。两类目标之间的协调只有通过两类运行机制之间的协调才能实现。而运行机制的协调则要求各类机制能够各司其职，充分发挥其特有的调节作用。

从健全动力机制以实现效率目标的要求来看，我们的主要任务是发展和完善社会主义的统一、开放的计划市场体系。除了扩大商品（包括生产资料）市场以外，还要开辟并完善与商品市场相适应的资金市场和劳动市场（这里仅就劳动力的合理流动而言）。

完善社会主义市场体系的关键是价格改革。价格改革的根本，不在于对原有价格体系的调整，而在于彻底改革原有的价格管理体制。传统经济模式中价格指示器严重失灵来自国家统一定价的管理体制。这种僵硬的管理体制之所以被长期维持，与我们在价格政策中有意识地把价格作为满足某些福利要求和社会公平偏好的手段有密切关系，由此形成的价格补贴种类繁多、数目浩大。这种价格管理体制割断了价格与市场供求、资源的稀缺性和产品效用之间的正常联系，结果就不能不使价格这一最有力的效率实现手段蜕变成否定和损害经济效率的机制。因此，为了恢复价格体系的正常功能，以往那种价格与社会公平目标之间的联系必须彻底切断，价格由国家统一制定的管理体制必须根本改变。在价格改革的目标模式中，除了少数关系国民经济全局的产品价格应由国家管理以外，其他产品的价格均应放开。只有这样，价格机制才能在促进经济效率、实现资源的最优配置方面充分发挥作用。当然，这需要有一个

GAIGE SHIDAI DE JINGJIXUE SIKAO

过渡阶段。目前对生产资料实行的"双轨制"价格，不失为一个可行的过渡措施，但必须在实践中逐步创造健全的市场条件，以促使它渐次逼近上述理想的目标模式。

其次是工资制度的改革。在传统目标选择的制约下，我们几乎完全把工资作为福利手段来运用。为了打破这种"大锅饭"式的平均主义，在改革中实行了工资与企业经济效益挂钩的做法。当时，这一做法是我们为了"过河"而摸着的"一块石头"，但是随着改革的深化，它的弊病已经明显地表现出来。由于缺乏必要的劳动市场，缺乏劳动力供给与需求方面的竞争和选择，工资与企业效益的挂钩不可避免地导致了工资在相互攀比中的普遍的不合理上涨。这种相互攀比并不是简单的思想觉悟问题，它的背后隐藏着重大的现实经济矛盾。一方面，目前有很多客观因素影响甚至歪曲了企业经济效益；另一方面，劳动力流动的凝滞化使企业和职工无法相互选择。这样，在工资与效益挂钩的条件下，不仅缺乏抑制工资攀比的客观机制，而且这种抑制本身也不是合理的，因为它意味着强迫企业与职工对种种非主观因素和外部不平等的竞争条件负责。近年来消费基金的膨胀已经表明工资与效益挂钩并不是改革工资制度的好办法。相反，为了真正把工资从福利手段中分离出来，就必须割断它与企业效益之间的联系。对工资制度的改革应当与健全劳动市场的任务结合起来，一切工作岗位都应向市场开放，劳动者应通过择业竞争获得就业机会。这就要求就业政策和劳动人事制度相应变动。而工资改革的方向就在于使工资接受市场机制的调节，使它反映劳动市场上的供求关系，从而反映劳动的边际生产率。不如此，工资就不能成为服务于效率目标的经济杠杆之一。

金融体制改革的重点应是：第一，以中央银行独立化、专业银行企业化为方向，加强银行系统的宏观调节作用；第二，广泛地、形式多样地发展横向的资金筹集和融通；第三，发挥利率的杠杆作用，使之成为资金供求关系的灵敏的指示器和调节器，提高资金使用效率。

随着社会主义经济的动力机制和统一、开放的计划市场体系的逐步完善，国家对经济生活的干预方式将发生很大变化，微观经济活动的环境将得到根本改造。在机会均等和竞争原则的市场条件之下，企业和劳动者都将自觉成为经济效率的积极追求者。同时，在这种健全的微观基础之上，国家的财政政策和货币政策就会成为有效的宏观控制手段。

再从完善稳定机制以保证社会公平目标的要求来看，我们的主要任务是充分发挥税收杠杆的作用，并建立和健全新的福利制度与社会保障制度。

市场动力机制的作用加强以后，收入差距的扩大将不可避免。撇开以非法手段攫取高额收入这种属于应取缔之列的现象不说，扩大的收入差距又有两种情况：一种是与所付出的劳动和所承担的风险成比例的收入差距，这是合乎竞争原则和效率要求的正常现象；另一种是由实际机会的不均等、某些不利的主观条件等原因造成的贫困者与其他社会成员之间的收入差距，这类现象表明市场分配机制的某种缺陷。而不论哪一种情况，都与社会公平目标存在着矛盾。为了防止这种收入差距的悬殊可能造成的社会矛盾和不安定局面，有必要通过税收杠杆来实现合理的收入再分配。这里，以个人收入为计征对象的所得税制亟待建立和完善。为了适应公平目标，这种所得税应当是累进的。同时，对于某些高档消费品和奢侈品也应征收较高的间接税。另一方面，为了有效地给某些社会成员提供必要的保障，可以考虑把原有的救济、补助办法改为根据我国各地区的实际情况确定保障水平线，用负所得税的形式来补贴低于这一生活水平的社会成员。但是从根本上说，税收杠杆不应干扰效率目标。

为了使福利制度有效地发挥社会稳定机制的作用，并不致与市场动力机制发生矛盾，除前述分离价格、工资与福利的联系外，尚需把过去以实物为主的福利形式转变为以货币为主，这是因为货币化的结果不仅能够更真实地显示成本，而且可以更有效地发挥作用。在全体社会成员中，除了儿童、老人和伤残人，一般也不应以免费或低费的方式获得享受和社会服务。并且，配合干部制度的改革，对党和政府领导人在货币收入以外所享有的若干特殊待遇应当考虑取消，其中为满足特殊需要的部分，可以折入薪金或给予公开的货币津贴。这样做可以用社会的统一尺度向人民真实地显示干部的工作报酬与其工作重要性之间的关系，并使全体社会成员能以统一的尺度与同一的方式来计算和获得物质生活资料，从而增强社会心理的平等感，而这种平等感的增强恰恰是促进社会稳定与健康的重要因素。相反，如果上述尺度与方式在社会中不相统一，且有公开与隐蔽之分，则特权现象、不正之风就难以根绝，权力的社会示范效应就可能是消极的或具有腐蚀性的。

健全福利制度的另一个重要问题，是要把企业办福利转变为社会办福利。作为商品生产者和经营者的企业承担着大量福利工作，是对经济效率的严重伤害。而且，由于企业情况千差万别，企业办福利的方法也十分不利于社会范围内的公平。

社会保障制度的完善是健全社会稳定机制的关键。这里重要而又迫切的主要任务是：

第一，必须改革退休保险制度。我国现行退休保险制度的基本做法是由企业各自负担职工的全部退休养老费用，并采取现收现付的方式，即从企业现有收入中支付职工的退休金，实报实销。这种制度给企业造成了很大的拖累，其根本缺陷是它同时与效率目标和公平目标发生矛盾。因此，必须考虑逐步把这种企业保险转为社会保险，逐步实现以职工个人缴纳养老保险金为主，以国家财政收入给予资助为辅的统一、稳定的保险制度。

第二，必须建立职工失业保障制度。由"铁饭碗"的就业保障方式形成的大量"在职失业"，严重削弱了企业的生机与活力，因而这种就业保障方式必须改革。为了促进落后企业的淘汰更新，企业破产制度也已开始付诸实践。然而，如果没有一个与劳动市场的开放相配套的失业保障制度，要顺利实现这一类改革，是无法想象的。在我们应当建立的各类社会保险制度中，职工的失业保险制度至关重要，事实上，没有这一制度，也就不会有保证市场动力机制有效运行的社会稳定机制。因此，它的建立将是我国新经济体制获得成功的一个标志。

第三，必须认真解决农村的社会保障问题。反映社会公平程度的一个重要方面，是城乡社会保障水平之间的差别。由于多种因素的制约，我国现有福利、保险制度主要还局限于城市。在改革与现代化进程中，为了促进农村商品经济的发展，进一步缩小城乡差别，并配合我国人口政策在农村的推行，如何提高农村的社会保障水平，使保险制度的覆盖面扩展到广大的农村，是需要及时研究和解决的重大问题。

建立健全社会福利和社会保障制度是一个与经济体制改革综合配套，从整体上实现经济运行机制转换的重大问题。但应该强调的是，它的主旨是为了以必要的稳定机制所实现的社会公平，配合社会的效率目标，以某种程度的结果均等补足机会均等的不完全和弱化它的某些消极影响。也就是说，效率目标与市场动力机制是为主，公平目标与社会稳定机制是为宾，无论如何不可喧宾夺主。这是由我国经济与社会发展的客观要求决定的正确选择。

这种目标调整与机制转换将给社会心理承受力带来严峻的考验。在它的实现过程中难免要出现某些摩擦、震动。如果我们将因此付出一定代价的话，那么这也是为完成改革而必须支付的成本。不过，几年来的实践已经证明，一方面，社会心理承受力随着改革进程在逐步增强（这同时就是变革传统观念的过程）；另一方面，积极稳妥的改革步骤和它的实际成效，使改革完全能够在稳定的社会环境中深入展开。更为重要的是，在实现了目标调整与机制转换以后，我们将基本奠定有中国特色的、充满生机和活力的社会主义经济体制的基础，走出社会主义经济的"两难境地"，协调地实现社会经济的多重目标。因此，效率优先、兼顾公平，必将是人民所欢迎的通向繁荣的权衡。

（原载《经济研究》1986 年第 2 期）

1.2　结束陈腐的历史回声

　　20世纪70年代末期在中国大地上开始的改革开放事业，表明了中华民族"睁开眼睛看世界"的又一次觉醒，表明中国共产党带领全中国人民拉开了一场新时期伟大实践的序幕，这就是：建设一个真正优越于资本主义的、有中国特色的社会主义现代化强国。8年的改革进程，首先使8亿农民，进而使10亿人民看到了生产发展、生活改善的事实。但是，伴随着这一进程，我们也会时常听到某些陈腐的历史回声。

　　——当土地承包受到广大农民欢迎而成为农村经济变革的起点时，人们曾听到这样的议论："这不是以前早就批过了吗？怎么又倒回去了？"

　　——面对物价、工资和就业制度改革所造成的收入差距拉大等现实矛盾和新的冲突，有的同志会发出由衷的义愤："这搞的是社会主义，还是资本主义？"

　　——随着改革的深化，责难改革措施与社会主义背道而驰的言论也冒出来。比如把企业承包租赁说成是"搞私有制"；把厂长负责制说成是"削弱党的领导"；把家庭承包说成是"破坏集体经济基础"，把发展商品经济说成是"干资本主义"。似乎社会主义本来好端端的，现在反被改革弄糟了。

　　如此等等。

　　尽管人们对身边发生的深刻变化还存在惊诧、观望、疑虑、担忧甚至责难等等各种各样的态度，或是几种情感复杂地交织在一起，但是，人民普遍穷困的社会主义已不为人们所接受。和今天的老百姓聊一聊，虽然言语中怨气都不小，可是凭良心说又都承认现在的日子比过去强，没有人再想重温那"宁要""不要"的历史噩梦了。

　　那么，为什么又会出现上述糊涂观念和错误说法呢？人们为什么又总是习惯拿"这是搞的哪门子社会主义"来评判他们周围的事情呢？

从积极的意义上说，这种习惯说明人民群众掌握了一些正确的社会主义原则，敢于拿这些原则去抨击生活中的不正之风。但是，由于我们对社会主义的认识有偏差，附加了许多缺乏科学的理论依据和实践依据的东西，很多问题本来就没有搞清楚，致使人们自觉不自觉地用这些似是而非的东西来批评社会主义改革的新探索。问题的严重性更在于，我们的社会中，"左"的东西往往很盛行，"左"的东西和陈腐没落的东西合在一起（当然有漂亮的色彩），就为社会主义的探索带来很大阻力。仔细思索一下，几乎在改革中每前进一步，都要为克服这些障碍付出代价。一些"左"的、僵化的、陈旧的观点屡屡使人们的改革热情受挫。

看来，清理一下我们对社会主义的认识是十分必要的。这里我们并不打算（实际上也不可能）交给人们一个关于社会主义的十全十美的定义，也不想简单地重复"公有制""按劳分配"这些人们熟知的社会主义普遍原则，而只是想从思想方法和观念变革的角度，同大家讨论一下应当怎样看待我们的社会主义理论和实践。

社会主义是不断自我更新、自我完善的实践。我们面对的社会主义制度是活生生的历史运动，它是人类按照社会经济内部矛盾运动的客观规律积极实践的结果，又是人类社会迄今为止由最广泛的人民大众参与的社会经济变革。这一新事物的发展取决于人们对其自身运动的内部规律的认识程度、把握程度和自觉应用程度，没有一本万古不变的、完美的经典或教科书可以让人们从中找到自己国家既定的发展道路，更不可能向人们提供解决各种难题的现成方法和答案。除了人们自己的实事求是的态度和积极创造以外，没有任何先哲可以永远把握一国的社会主义实践而使其一帆风顺。社会主义只能在实践中而不是在书本上发展。

既然社会主义是由最广泛的大众参与的社会经济变革，那么它本身就具有不断自我更新完善的生机。当人们发现传统的信条和模式阻碍社会主义生产力的极大解放时，改革开放就成为历史的选择。社会主义各国纷纷走上改革道路，正是这种历史必然性的显现。但是，恰恰由于社会主义还处于很不成熟的时期，自身运动规律的展开尚不充分，人们对这些规律的认识和应用程度都受到局限，因而，企图通过改革一下子解决所有问题，是脱离实际的。相反，改革打破了旧模式的一统天下，触动了原有的利益格局，失算和新矛盾很难避免，落后的历史积习和"左"的思想也不会自动就范。因此，改革的阻力是不小的，阵痛期也不会很短。我们只能保持坚定的改革信念和冷静的头脑，让改革的成果在改革的推进中巩固和发展，让改革的问题在深化改革中得到解决。改革是社会主义自我更新和完善能力在今天的充分体现。

社会主义应当贯彻机会均等、竞争择优、效率优先、兼顾公平的目标序列。社会主义之所以具有强大的生命力，本质上在于它能创造出比以往任何社会都高得多的劳动生产率，在于它能激发出人民群众中蕴藏的巨大的主动进取精神和建设新社会的热情（而不仅仅是破坏旧社会的革命要求）。任何有利于解放社会生产力的举动都是符合社会主义本质要求的。机会均等、效率优先原则就是这一本质要求的具体体现。机会均等的普遍贯彻，将进一步使竞争的劳动者的平等地位得到真正实现；而效率优先原则的坚持，必将使那些能够最有效地促进社会财富增长的人和集团获得最大利益，这同时也就是按劳分配的真正实现。

社会正义、社会公平是社会主义制度的重要伦理调节手段。在消灭了阶级剥削造成的贫富对立的前提下，社会主义公平观的历史任务已经发生了根本改变，它首先必须为贯彻机会均等、效率优先的原则服务，不能以过分的结果均等损害之，更不能以牺牲效率来换取普遍贫穷的公平。只有效率优先所推动的社会生产力的极大发展，才能保证社会公平的不断扩大和提高。这样做，不仅不忽视社会公平原则和必要的结果均等，相反，还以兼顾后者作为保证自身得以确立的手段。需要坚持的社会公平原则至少包括这样几点：第一，不允许贫富差别过于悬殊而导致两极分化。第二，必须坚持团结、互助、合作，不能因展开竞争而弱肉强食，相反却要扶助弱者迎头赶上。第三，维护社会安全和稳定感，以适当的社会保障措施消除失业恐惧，保证社会成员的基本生存需要和福利水平。第四，保证社会利益不受损害，等等。应当说明，现阶段的机会均等囿于生产力水平和旧有分工而尚不完全和充分，公平手段也是有限的，因而不宜把群众的胃口吊得太高。但是，只要坚持效率优先、兼顾公平的目标序列，满足新的需求的手段和机会势必得到不断的扩展。

社会主义能够而且必须吸收一切现代文明的先进成果。我们是在半封建半殖民地的基础上搞社会主义的，尽管我们取得了远远优于旧中国的成就，但是我们的经济实力和人民生活水平仍落后于西方发达国家，也不如苏联、东欧社会主义各国。如果总是拿自己的社会主义成就同历史比较，那就既显得苍白无力，又容易掩盖自己的落后，销蚀人民的危机感。对外开放使人们产生了强烈的横向国际比较意识，这是一件好事。社会主义既然是迄今为止最有生命力的社会制度，它就没有理由惧怕改革开放会使自己的命运遭到威胁。相反，企图以保持所谓纯洁性而拒绝一切外来先进经验和技术成果，才会危及自己的生存。如果坚信社会主义是在人类文明大道上成长起来的生机勃勃的新社会，那就必然会承认，社会主义必将也只有在改革开放中吸取现代文明的一切先进成果，包括资本主义管理现代化商品经济和社会化大生产的先进技术方法和手段，并和本国的创造结合起来，才能改变我们落后与贫困的现状。我们终于承认商品经济是社会主义不可逾越的阶段，就是因为商品经济体现着人类社会组织生产力的积极成果，没有经过商品经济熏陶的社会必然会苦于贫穷、愚昧、落后的纠缠。中国要彻底甩掉历史和自己的失误造成的落后负担，只有在社会主义制度下充分发展现代商品经济，而这又必须端正经济和政治的关系，不要再让经济建设屈从于政治运动，不要再按政治斗争的需要强行塑造经济活动的面貌。可以说，能够吸收和包容一切人类文明的积极成果的社会主义，必然是最富有吸引力的。

社会主义要具有高度的民主和完备的法制。没有法律保障的社会，势必导致经济活动和政治生活的失常，甚至历史的倒退。没有法制当然也不会有民主可言，而没有民主权利的人群必然缺乏对社会的义务感，不是容易滋生奴隶主义，就是容易导向无政府主义。缺乏法制和民主的社会主义显而易见是无法正常发展的。我们所要确立的社会主义民主制度，并不只意味着停留在"与民做主"的水平上，而必须是努力形成"人民自主"的新条件和新观念。社会生产力的解放归根到底是人的解放，社会主义的使命归根到底也是为每个人的自由发展从而为全体人民的全面发展创造充分的机会和条件。尽管由于种种局限，我们现在的民主政治还不健全，但一定要坚定不移地朝这个方向走，这才是人们心向往之的社会主义。

当然，对社会主义的认识仅此几点是远远不够的，这是一个大题目，需要对改革抱有热情、对社会主义抱有信心的青年人来思索和讨论。随着改革事业的深入，我们会一步步深化对社会主义的认识，这是毫无疑问的。

（原载《中国青年》1987 年第 8 期）

1.3　经济理论研究：在民主科学旗帜下走向新的繁荣

在经济体制改革比较顺利时，经济理论界听到的赞扬挺多；而当改革陷入困境时，经济理论界遭受的尖锐抨击也不少。从经济理论工作者自身的角度作一番反省，形成一种民主讨论、科学争鸣的气氛，或许是经济理论走向新的繁荣的契机。这并不是替什么人承担责任的问题，而是在民主科学旗帜下繁荣经济理论研究的需要，毕竟经济学研究首先是经济学家的事情。我以为，经济理论研究的进展可能需要做以下努力。

1. 无须追求唯一适用的某种"标准理论"，而宜致力于说明现实经济的运行机制，致力于说明某种经济理论所适用的范围和条件。改革以来，人们曾把中国经济学界分为传统的马克思主义学派、东欧经济学派、西方经济学派、"价格改革优先"学派、"企业改革优先"学派等等。其实所谓学派之分应是指基本理论方面的不同学术体系，而不是简单地按国别或不同的改革战略来区别。只要有助于认识现实经济运行，不管什么主义、学派，都可拿来一用，但要弄清它所要求的条件和适用范围，而且应尽量使用通用的分析方法和分析工具。基本理论的作用在于帮助人们认识世界，而不在于直接用来改造世界。急于改造世界而临时搬用或不断变换理论支点，无助于提高决策者的认识能力，也无助于提高中国的经济理论水平。中国经济理论研究在基本理论层次上，将需要一次新的综合，综合本身会结出创造性果实。

2. 经济学研究要为确立正确的改革指导思想、清理模糊甚或错误的口号提供理论支持。对于改革初期提出的某些口号，应依据经济学阐明的正确道理加以审视、修正或清理，不宜再任其混淆视听。例如，在分配方面，就没有明确一部分人富了以后怎么引导的理论和实践问题，结果原有的平均主义未消除（甚至加剧），新的收入分配不公又严重分解了改革的向心力。在当前的治理、整顿中，经济理论研究应深入探讨市场机制的作用条件和作用形式，例如价格调节与数量调节的相互关系等，以促使决策部门在治理、整顿中正确运用数量调节方式，为价格调节方式发挥正常创造条件。经济理论要支持改革，就必须坚定不移地提供有助于市场机制作用的研究成果，以防止改革被一些似是而非的呼声所冲击。目前，各地纷纷要求"不要一刀切"及"反滞胀"、"防滑坡"的呼声日渐高涨，经济学应当有理有据地说明总量政策的"一刀切"性质，因为当前的危险仍是经济过热，继续下去，市场机制就将面临更严厉的行政性管制的威胁。

3. 经济学研究应立足于揭示现实经济的内在运动规律，而不应一味追求领导人的批示和认可。经济理论无疑要为提高经济决策的科学性做出自己的贡献，但高层次决策往往受到许多非经济因素的制约。如果为了获得某种"批示效应"而热衷于对策研究，则经济理论将不仅难以成为政策选择的依据，反会有沦为新的政策解释学的危险。在受政治因素较强影响的某些决策中，很可能越是符合经济内在逻辑的理论研究成果，越是难于被高层次决策所接受。这时恰恰更需要冷静的全面的研究，即使坐了冷板凳，也比在一项失误的决策中推波助澜要好得多。当然，我们希望有越来越多的经济理论的科研成果参与决策的民主化、科学化进程，但我们更希望经济理论不要为了博得领导人首肯而放弃应当坚持的真理。

4. 经济理论研究需要勇于争鸣的气氛，也需要敢于自我批评的学术品德。谁也不能保证自己的理论见解不发生错误，如果是学术上的争鸣，不妨指名道姓，也不妨采取比较严肃的批判态度，但要充分说理，这可能正是学派纷呈所必备的条件。如果是为了争得某种形象或地位而失去冷静客观的态度，甚至推过揽功，那就不利于学术的发展。我们所有从事经济理论研究的中青年学者，应当在民主讨论、科学争鸣和自我批评方面，展现出新的面貌来。

（原载《经济研究》1989 年第 6 期）

1.4 关于治理整顿和深化改革的若干思考

　　一年来的治理整顿已初见成效，人们从困境中已能看到经济形势的某种转机。但是，我们面临的困境不仅导源于数年来改革方略上的某些重大失误，而且受制于旧体制、旧发展模式未能根本转轨，甚至一些固有的欠发达因素也产生着长期深刻影响。因此，目前的转机并不表明困境的深层原因已经消失。相反，如果满足于表层的或一时的成效，或是仅仅停留在治表不治本的措施和步骤上，转机便可能稍纵即逝，甚或被引向行政协调下的强制性稳定。根本的出路依然是在治理整顿所创造的适宜环境下，不失时机地深化改革。

经济形势依然严峻　紧缩方针不可松懈

　　经过一年多的治理整顿，我国多年累积而成的经济困境开始缓解。比较明显的迹象是社会总需求涨势减缓、工业生产结构有所改善、货币收支保持净回笼、物价涨幅回落、部分商品市场疲软，等等。但是，不仅体制性矛盾尚未解决，而且经济形势也依然严峻：

　　1. 总量压缩远未达到要求。在社会投资总规模中，尽管全民所有制单位固定资产投资在 1989 年 1—10 月份已累计压缩 10.3%，但是仍然距压缩 20% 的要求相去甚远。预算外投资规模的压缩还很难说。在消费需求方面，银行对工资和其他个人现金支出的付款仍在增长，居民收入总额增长速度就全年看很难低于国民收入和劳动生产率的增长速度。社会集团购买力虽有下降，也未能保证比 1988 年压缩 20%。

　　2. 结构调整成效不显著。尽管工业生产的部门结构有所改善，例如一些基础工业 1989 年 1—10 月份保持 6%—10% 的较高增长率，但仍低于上半年整个工业部门 10.8% 的增长速度，短线产业并未拉长。此外，企业组织结构没有明显好转，大中型企业在紧缩环境下首当其冲，普遍面临资金、能源、原材料的供应难关。长线加工部门的企业、效益差的企业和众多的乡镇企业还在争夺着本就紧张的资金和物资。

3. 物价控制指标难于达到。1989 年 1—10 月份，35 个大中城市物价水平比去年同期上涨 21.4%，即使新涨价因素不占很大比重，"翘尾巴"因素也会使物价水平居高不下。1989 年物价上涨指数明显低于 1988 年的计划看来难以实现。

4. 企业效益下降势头未减。1989 年 1—10 月份，预算内国营工业企业实现利润比去年同期下降 17.7%，可比产品成本超支 21.1%，亏损企业的亏损额增长 1.35 倍，产成品积压问题更为严重。

5. 货币回笼比重失常。尽管货币收支情况好转，到 1989 年 10 月份已净回笼 15.9 亿元（而上年同期为净投放 465 亿元），然而不能不看到，一是回笼货币占货币流量的比重未能达到正常年份的标准，例如按上半年应达到 10% 的正常标准计，1989 年上半年比 1988 年同期少回笼 130 亿元。二是促使货币回笼的因素所占比重不正常，正常情况下商品性回笼占较大比重，而信用性回笼所占比重较小。但据 1989 年 10 月 16 日《经济参考》披露，目前两者比重是颠倒的：在整个货币回笼中，信用性回笼已由 32.8% 上升到 38.7%，而商品性回笼则由 42.3% 下降到 37.2%。如果靠商品销售回笼货币的比重不能恢复正常，信用性货币回笼比重过高的状况势必压迫财政增支减收，最终导致整个货币回笼发生逆转。

6. 消费品市场局部过剩受到整体短缺和洋货充斥的威胁。国内消费品市场销售疲软的表面分析表明，需求不足的商品仅限于高档家用电器和针棉织品，大量必需品依然短缺；而且，1989 年 8 月份社会商品零售额比上年同期下降 0.7%，是以高达 40.1% 的超常增长率为基数的，这并不等于潜在购买力已被化解。相反，深层的分析则提醒人们：强大的潜在购买力已成"悬河"，随时都有决堤的危险。1989 年，我国城乡居民拥有 6 千多亿元的结余购买力，相当于 10 个月的社会商品零售总额。而在正常情况下，社会结余购买力应该相当于6个月的社会商品零售总额，1元人民币应当有4元商品相对应，可是目前即使加上工业库存，也只能拿出1.24元商品做保证。另据研究，我国的消费品市场有一个波动周期，约为两年，1988—1989年正处于下落期，1990—1991年将进入上升期，这对于普遍短缺的商品市场无疑会产生新的强劲的需求拉动。更为有害的是，在国内市场疲软的情况下，进口高档消费品和普通消费品却充斥全国各大中城市，不仅吞吃了巨额的宝贵外汇，而且严重恶化我国的供给结构，打击民族工业，挤占已不景气的国内市场。

7. 经济波动和市场波动相继进入上升期并重合，紧缩将遇到强大的需求膨胀压力。据研究，我国1950—1988年经历了6次经济周期，每次约为6年，其中扩张期3年半，收缩期2年半。1987年我国经济进入第7次经济周期，目前正处于扩张期。在无重大经济调整的情况下，扩张期可能持续到1990年上半年。届时，市场波动也正处于扩张期，消费需求和投资需求会再度回升。由于从1988年开始实行紧缩政策以治理通胀，第7次经济波动的扩张期可能提前结束，转而进入收缩期。一方面，过猛的紧缩不利于经济的稳定，人为地提前收缩期或缩短扩张期都无助于减少经济的剧烈震荡；另一方面，紧缩不到位，就难以遏制经济周期和市场波动同时处于扩张期的强劲需求，无法造就宽松的经济环境。没有正常的市场需求扩张就难以扩大商品性的货币回笼；而过旺的市场需求又危及紧张的供给能力。处于在短缺经济的困扰中，我们应把尽量防止经济扩张期和市场扩张期重合时出现的总需求膨胀，当做注意的重点。

8. 财政收支仍有恶化的趋势。我国10年改革，9年赤字，1978—1989年累计赤字已有651亿元，加上外债和国内公债1046亿元（人民币），真实赤字累计高达1697亿元。1991—1992年开始进入还偿高峰期，每年债务支出至少100亿元以上，这对财政无疑是一个沉重的负担。多年来，在财政收入增加缓慢的情况下，财政支出的扩张却十分迅速，最突出的是物价补贴迅猛增长和行政经费膨胀。1978—1987年，国家财政收入年均增长 8.7%，同期，物价补贴却以 20.3% 的速度递增，行政管理费也年均递增 11.6%。我国近年来行政管理费的绝对额甚至接近国防开支，这在世界上是罕见的。从近期看，即使在整顿过程中，财政收支的缺口仍在扩大。1989 年第一季度，财政收入比上年同期有所增长（4.9%），但增长速度却比上年同期下降 6.6 个百分点；同时，财政支出增长仍很强劲，高达 16.3%，比上年同期高出 3.2 个百分点，一季度财政支出增长率比财政收入增长率高出 11.4 个百分点。这种势头发展下去，财政赤字便有扩大的危险。

凡此种种，都提醒我们：困境远未摆脱，形势依然严峻。我们有必要记取前几次紧缩半途而废的教训，有必要加强紧缩的"代价意识"。不能指望任何一种无痛苦、无代价的治理整顿，不能用"防滑坡"、"反对一刀切"为借口，行躲避紧缩之实。这次面临的治理难度已比前几次大得多，不仅中央宏观控制能力大不如前，而且群众情绪也因通货膨胀打击而极为敏感。如果重蹈 1985—1988 年之间数次半途放弃紧缩方针的覆辙，就可能由此而引发更为严重的经济震荡乃至政治危机。

以改革和发展相协调的态度 审视治理整顿中的新矛盾

无论是治理整顿还是深化改革，目的都在于把国民经济引上持续、稳定、协调的发展轨道。无疑，就纠正改革中的失误、稳定经济形势、理顺重大比例关系、整顿混乱的市场秩序等等而言，治理整顿工作一方面为推进改革创造宽松的经济环境，另一方面也将由于设定必需的市场规则而直接包含一些改革的内容。简单地把治理整顿同深化改革对立起来，甚至片面认为治理整顿意味着倒退，显然是不正确的。

但如果仅仅停留在紧缩上也是远远不够的。事实上，所谓紧缩经济通常是指总量控制，即使它可以影响结构也是间接的和缓慢的，因而紧缩只是稳定经济的手段之一。此外，治理通货膨胀、整顿经济秩序总免不了要动用行政性手段，在旧体制惯性还很强大，新体制不健全，新手段也不为人所熟悉的情况下，整治工作可能出现过分依赖旧手段、强化旧体制因素的偏向。因为稳定经济毕竟不需要处处使用新手段，旧体制和旧手段也能达到稳定经济的目的，而且在紧急情况下，往往见效更快。这在客观上，可能为后续治理整顿和深化改革设置始料不及的障碍。在当前的复杂局面下，由于体制性障碍和非体制性障碍交织在一起，治理整顿中发生了一些新的矛盾，若单纯强调稳定经济，有可能忽略必要的改革，丧失改革的有利时机；若高估有利条件而盲目推进改革，又可能使阶段性整治成效前功尽弃，最终危及经济持续、稳定、协调发展。因此，本着改革和发展相协调的精神，审视一下整治过程中的新矛盾，对于找到正确的解决途径是十分必要的。

（一）压缩需求困难重重，有效供给增加缓慢

对现代商品经济实行宏观管理的国际经验一再表明，治理通货膨胀必须同时采用总量政策抑制需求，采用结构政策刺激有效供给。我国在原则上也是遵循这一双管齐下的整治之道，但实行起来却阻力颇多，甚至变形。

压缩需求和增加供给本来就有不同的难易度和时间过程，例如压缩需求属于适应现有供给能力的治标措施，应能较快见效，但又受到消费不可逆性的抵制而难于做到；增加供给属于创造新的生产力的治本措施，受资源约束、投资周期和自然条件影响而需较长时间。在我国现行体制下，矛盾更为突出。

就压缩需求而言，消费需求的压缩举步维艰，除了对社会集团购买力较易动用硬性直接控制外，对职工和居民消费需求的调控则苦无良策。一方面，以工资侵蚀利润、滥发实物福利和盲目攀比为标志的消费需求扩大仍未得到遏制；另一方面，又需要认真考虑物价上涨补偿、打破平均主义和解决收入分配不公问题。投资需求的压缩也困难重重。在社会投资总规模中，预算内投资项目被伤筋动骨，而对更广泛的预算外投资却苦无良策；当年新开工项目可以忍痛下马，在建总规模却总想保下来；中央负责的基础设施和基础工业投资明显不足，地方的长线投资却边砍边增。由通货膨胀引起的产品涨价和库存升值所增加的收入，往

往没有用于相应补充企业的自有流动资金，而是转为投资和消费，这也对压缩需求的努力产生抵消作用。

就增加供给而言，有效供给的增加由于多种因素影响而不甚有力。一是投资大、周期长、因价格失真而效益差的农产品、能源、原材料等基础产品，以及运输通信等基础设施，对资源流动缺乏吸引力。二是作为经济骨干的大中型企业在紧缩中受到不适当的资金限制，难以起到"火车头"的作用。据调查，预算内国营企业自有流动资金占全部流动资金的比重，已由 1978 年的 42.5% 下降到 1988 年的 18%，很难维持原有生产规模。三是结构调整不力，长线部门仍在争抢有限资源。有些生产能力早已过剩的加工行业，在价格失真的情况下却表现为市场短缺，成为地方重复投资的托词。

要扭转这种状况，一方面，必须坚持进行总量控制，向人们讲明总量紧缩措施的"一刀切"性质。因为压缩总需求的财政信贷双紧政策，在任何国家都是通过综合性的手段如削减财政支出和信贷支出规模，提高税率和利率，直接作用于经济活动总量。只不过在市场经济国家，市场机制的传递和调节可以使总量紧缩比较缓和、间接而灵活。我国现有条件下的总量紧缩没有这种传递机制，需要较为偏重直接控制，它所伴随的不灵活和强制性弱点是迫不得已的，如果各地、各部门、各企业都以"反对一刀切"为由而要求照顾，那就根本无法实施压缩需求的计划。另一方面，为尽量减少总量紧缩的副作用，必须采取行之有效的供给刺激政策，如调整利率结构、工资结构等要素价格，实行差别税率，调整产品比价关系，调整信贷结构，以支持必保的产品增长和产业壮大。

（二）"防滑坡"、"反滞胀"呼声甚高而控速度、上效益重视不足

工业总量增长过速一直掩盖着结构恶化和效益下降的痼疾，治理恶性通货膨胀的全国共识和中央决心，终于为我们根治这一痼疾提供了良机。然而，1989 年 9 月份工业增长速度仅为 0.9%，又引起"防滑坡"、"反滞胀"的强烈呼声，实际上 9 月份日平均产值仍比 8 月份增长

5.6%，1—9月份平均增长仍保持8.9%，速度并不低。相反，企业经济效益却未好转，反而继续恶化。对速度下降的一种主要担心在于怕影响财政收入的增加，事实上效益高低才是决定财政收入增减的更根本因素。在效益越来越差的情况下，只能靠越来越高的工业速度维持财政增收，而这势必永远走不出提价——增税——补贴——提价的恶性循环。以往，财政收入增长和工业产值增长大体保持1∶1的同步速度，现今这一比率已变为1∶1.5甚至 1∶2，财政收入占国民收入的比重降到建国以来的最低点。显然，靠速度维持财政收入的路子再也不能走下去了。

客观地说，"防滑坡"、"反滞胀"的呼声，对于提醒人们避免经济降温过猛，注意短期消费利益对长期积累的侵蚀，是有积极意义的。但是，鉴于我国长期忽视结构优化和效益改善而看重速度的偏向，我们更应加强结构调整和提高效益的努力。至于是否出现滞胀，不宜以短期速度判断，而宜用国际惯例上的年度为标准。对于国民经济的一些主要增长指标，也应当在结构改善和效率提高的前提下，做出科学预测，设置合理的界限。例如，应当使财政收入占国民收入的比重保持在历史上证明是适度的水平，财政收入保持实际增长（即高于物价上涨率），这样才有利于稳定价格，调控需求，并为工资改革、物价改革提供必要的财力支持。今后，宏观调控应当把重点放到控制速度、优化结构和刺激供给上来。

（三）通货"一放就乱、一控就死"

市场均衡和经济稳定，在微观上取决于企业和消费者根据预算约束实现各自利益最大化，在宏观上则主要取决于货币发行量符合经济发展的正常需要。但改革以来这两个条件创造得都不理想。在微观上，国有工商企业和金融企业的预算约束没有硬化，对固定资金和流动资金的需求饥渴难以自行约束；专业银行一方面搞交叉放贷大战，一方面又搞割据性的资金吸收；国家统包体制导致居民资产结构单一，消费指向过于集中，家庭预算约束也出现软化倾向。在宏观上，"财政挤银行、银行发票子"的格局没有实质性变化，连年财政赤字几乎都通过透支而转化为货币增发。这样，基建投资"拨改贷"和流动资金全额信贷难于收到预期效果。而且，即使中央银行动用存款准备金、利率等货币控制手段，也顶不住财政透支压力和微观需求压力。

在整治过程中，控制通货更是主要靠行政性的指标控制和现金管理。从效果看，它对紧缩货币起到了一定积极作用，但同时也堵塞了资金融通的正常渠道，引发了严重的"体外循环"现象。本来我国就缺乏调动社会资本（或民间资本）的融资机制，而过于依赖国家资本的积累渠道，严重的货币、资金"体外循环"又更使中央宏观控制能力缺乏财力支持。在货币-商品流通和资金周转中，企业"三角债"久拖不决，加上支付打白条、套购大面额货币等典型现象，已表明流通不畅和金融混乱。更为有害的是，"体外循环"的货币和资金，很容易流向与宏观意图相违背的重复投资和短期消费中去。

准确地说，在双重体制并存局面下，紧缩通货"一控就死"，主要是指国家资本和正常渠道的资金融通，民间社会资本和非正常渠道却仍然是乱而无治。虽然人们已认识到稳定通货必须持之以恒，并要根据产业政策制定松紧搭配、宽严有别的信贷政策，但是如何贯彻产业政策，如何恢复正常金融秩序，如何疏通正常融资渠道，如何有效而广泛地动员国内民间资本，却值得做更深入的研究，继而制定正确的金融改革方案。国际经验和我国实践的比较研究提供了一些有益的启示：第一，在通货膨胀率高、实际汇率正在上升的情况下，稳定政策应优先于金融改革。宏观调控部门需要对非均衡的金融市场加强计划管理和法规建设，同时也可在数量控制的伴随下调整利率、汇率等要素价格，适当发挥经济参数的作用。第二，"金融抑制"（即人为压低利率）的解除是充分调动国内资金来源的关键，但须加强国有金融企业的竞争程度，防止不适当的金融垄断，特别是工业-金融垄断集团的形成。同时，真正用破产法和失业救济法敦促工商企业面向市场竞争。中央银行应切实监督专业银行体系，使搞活大中型企业的"启动资金"投向正确。第三，产业政策的贯彻不宜单纯依赖行政干预，否则将使产业政策变成徒有其名的清单。贯彻产业政策的主体不应是地方政府，而应是中央银行监督下的政策性金融中介机构，以及国有资产委托经营机构。在近期内各专业银行不实行企业化经营，以便贯彻产业政策和相应的金融政策，带有过渡性质。培育宏观调控下的金融市场，才是使产业政策和资金融通摆脱地方和部门行政干预的彻底解决办法。

（四）宏观紧缩和微观扩张

稳定宏观、搞活微观的目标，在治理整顿期间遇到的新矛盾是：现行承包体制下的微观经济不乏扩张冲动，微观行为往往化解甚至抗衡宏观紧缩意图；宏观紧缩计划却缺少新的手段，强硬的紧缩措施影响微观活力和效率，反过来又难收到宏观平衡和稳定的实效。

面临投入品价格和产出品价格不断上涨的形势，买方囤积和卖方囤积一度同时出现在微观领域，一遇宏观信贷紧缩企业便立刻感到资金吃紧。利润递增包干的承包经营方式无异于强化企业的数量扩张冲动，很难促使企业由外延式扩大再生产积极转向集约式经营。地方财政包干体制加强了地方维护局部利益的动机，进而使承包企业的微观利益和地方局部利益结成利益共同体，一方面都向中央叫喊资金紧缺，一方面又想方设法从各种渠道筹措资金，为完成利润递增指标开足马力。企业承包人和职工切身利益同利润递增指标和资金增值指标休戚与共，虽然有利于调动企业积极性和增加企业后劲，但却等于承认承包期内的投资都是合理的、必要的，无疑增加了中央调整产品结构和产业结构的难度。

为了减少总量紧缩的"一刀切"副作用，按照产业政策的序列放松信贷虽是必需的结构性政策，但是不能不考虑到，在现行承包体制下，放松的信贷也会"一刀切"地转化为支持微观经济的数量扩张，或是有可能泄露到投资和消费领域，其结果既不能优化结构，又不能改善微观效率。这样发展下去，还会迫使高层决策和调控部门进一步扩大强硬控制的范围，延长紧急性的非经济手段，进而在相当长时间内靠集中计划直接协调宏观稳定和微观活力的目标，宏观调控方式转轨也就很难排上日程了。

在治理整顿期间，积极处理好宏观紧缩和微观扩张的矛盾，实际上是为协调宏观稳定和微观活力两大目标服务的，同样也是为向宏观间接调控方式转轨创造条件。当前抑制微观扩张的重点主要是完善企业承包制。地方财政包干体制也宜按照加强自我约束，便于向分税制过渡的方向加以改进。在新手段、新组织、新方法尚未建立和不宜出台的情况下，以及在投资、外贸、金融和严重短缺品的生产、流通等重大经济活动领域，中央不应轻易放弃直接控制，但要尽可能不与已生成的新体制因素相冲突，不为后续改革设置新障碍。在已有新组织、新方法、新手段可供替代的情况下，以及在便于放松直接控制的一般性（主要是竞争性强的）生产和流通领域，则应尽可能采取间接调控方式。

（五）整顿流通秩序和培育市场关系

整顿流通秩序迄今采取了清理整顿公司、限价、专营及关闭部分产品市场等措施，这对于解决流通秩序混乱、市场物价上涨、收入分配不公和腐败等问题，起到了一定的积极作用。考虑到整顿公司的同时加强了企业资格审查和登记制度，并相应地作了一些健全市场竞争规则的工作，因而包含着一定程度的改革，发展下去确实可为市场制度创新和市场关系的发育奠定某些基础。培育社会主义市场体系作为确立新体制的一项重要改革内容，实质上取决于是否在制度和组织方面形成了等价交换、平等竞争的市场关系，而不仅仅在于形式上组建了多少个专业市场。如果整顿流通秩序仅限于用行政命令或其他强制手段限制市场关系，那就不能促进市场制度创新和市场体系的健全。

同时，虽然不能武断地说一搞限价、专营和关闭市场就等于恢复旧体制，却依然应当对其消极面和固有缺陷有清醒的认识。清理公司、扫除"官倒"只具有治表的意义，关键在于改变它们赖以生存的环境。发展商业、搞活流通要求确立规范化的制度和规则，澄清模糊的政策界限，诸如公司必须和政府部门彻底脱钩，不能形式上明确新隶属关系而实际上保留官办的特权；正确掌握正当的商业转手和非法倒买倒卖、合理的技术性投机与非法投机倒把、专业经营和兼业交叉等合法与非法的界限；合理调整工、农、商等各产业间的利润分配，等等。如果满足于突击办案式的撤并成果，而不致力于上述制度建设，要么是公司难免再度泛滥成灾，要么是流通不畅，市场萎缩。

限价及与之相配套的专营的不足之处更多。由于生产经营者会采取各种变通办法逃避价格管制，不利于调节近期的供求结构和长期的产业结构变化，因而国际上的物价管制一般不超过半年（或一年）。在我国，限价和专营同价格双轨制并存，执行起来困难和问题更多，不是有价无市，就是逃过限价，以致有些产品实行专营不久便被迫有所放开，产品限价往往也名存实亡。限价和专营不仅会恶化比价关系，还可能强化垄断，强化人际关系网，降低流通效率，不利于竞争和市场发育。我国生产资料市场在限价和专营以来有所萎缩，便是明证。

关闭某些产品（主要是粮食等农产品）市场，对于稳定价格、减少市场供求剧烈波动，可以收到一时之效。但是若无新的市场制度和组织形式来替代，只靠行政强制，并不能真正消除黑市交易、灰市交易等流通混乱现象，也无助于理顺比价，稳定生产，刺激紧缺农产品的供给增加。而按照市场规律，采取经济手段调节供求，完善市场组织形式和交易规则，同时加强市场管理，却证明是有助于理顺农产品价格，搞活农产品流通和稳定农业生产的。

整顿流通秩序是为了有利于确立活而不乱的市场运行新秩序，而不是把市场调节作为可用可不用的次要手段。如果在整顿流通秩序中不注意培育市场关系的制度基础和组织基础，那就会把整治工作同改革割裂开来，两者的辩证统一也就成了空谈。培育市场关系涉及社会主义市场体系的所有组成部分，当然需要配套改革，协调推进。鉴于商品市场的有序运行和兴旺发达是其最基础的一环，因而整顿流通秩序要特别注意同进一步改革流通体制，完善商品市场结合起来，在市场规则、市场基础设施、市场交易形式、市场流通组织等方面认真进行制度创新、组织创新、技术创新和政策引导；在放开市场的同时加强组织和管理工作，以形成竞争充分、规则健全、在计划指导下的社会主义市场经济新秩序。

纠正偏差　推进改革

确立持续、稳定、协调的发展国民经济的战略指导思想，并且以有计划商品经济新模式作为体制依托，这是对建国 40 年来以及 10 年改革的正反两方面经验教训作出的深刻总结。发展模式和体制模式按照这两方面规定的方向实行转轨，是中国经济现代化进程顺利展开的必由之路。改革 10 年以来两方面的转轨既取得了成效，也因指导思想上的某些失误而效果并不理想。改革和发展所遇到的困难和挫折，促使我们冷静下来重新认识国情，检讨失误；同时，也要求我们抛弃对改革丧失信心、无所作为的消极情绪，善于发现和把握治理整顿中出现的有利转机，坚决而稳妥地把市场取向的改革引向深入。

在发展战略方面，近 10 年来的失误在于没有转到以提高效益为核心的持续稳定增长轨道上，实际上是用国民收入超额分配支持高速度，靠赤字财政和通货膨胀政策维系经济表面繁荣。

经济体制改革战略上的失误，主要表现在注重放松中央集权，忽视市场机制生效的制度创新和组织创新；注重利益刺激，忽视风险和责任约束；注重单项突破，忽视整体配套；注重表面近期效果，忽视深层长远的新秩序基础。破字当头，立并未在其中，不触动深层，破也破不彻底，一方面分解旧体制，复制旧功能，另一方面产生新的摩擦，甚至出现既无计划又非市场的无秩序状态。"放权让利"的思路，集中反映了上述缺陷：（1）中央宏观调控能力减弱，各部门和地方政府成了行政协调的主体。（2）市场规则混乱，价格信号失真。（3）微观经济活力片面发展，短期行为抑制长期行为，利益刚性膨胀，约束机制萎缩。

实践证明，沿着"放权让利"的路子走下去，不利于构造社会主义商品经济的新体制基础，也不利于促进经济发展模式的转轨。继续按此思路加以修修补补，充其量是在完善一种改良的行政协调体制。

恢复以指令性计划为主的集中控制体制，也不是根本出路。改革以前的几次经济调整曾采取这种途径，这次治理整顿在形式上与那几次有相同之处，如重新集中一些权力，在一些领域加强计划控制。但是，实际上农村经济改革的进展和城市非国有经济的发展，是一个很难再用集中计划控制的现实制约因素；已经开始尝到市场协调好处的国有经济，也未必愿意再受全面的指令性计划控制。而且历史证明，前几次调整由于缺乏新体制作为依托，并没有开通国民经济在调整后持续、稳定、协调发展的道路。

根本的出路在于抓住转机，推进社会主义有计划商品经济新体制的制度建设。市场化或市场取向的改革，是一种简化的说法，它意在和改良的行政协调相区别，而绝不包含搞完全自由放任的市场经济的意思。因为，自由放任的市场经济体制模式不仅不符合我国国情，而且早已被当代资本主义所超越。凡是在使用这一说法的场合，使用者都是以有计划商品经济为基本出发点的，而且对市场机制的功能性缺陷及市场边界有明确的认识和界定。

在治理整顿期间推进改革，一是要在企业改革、培育市场和宏观管理改革三方面协同动作，避免单兵突进；二是要慎重设计，考虑条件，以免妨碍通货膨胀的治理。基于这些考虑，近期可以展开的改革工作包括：在企业改革方面，以完善承包制、扩大企业兼并为重点，同时加强现有股份制试点的规范化工作。在培育市场体系方面，应以建立公平竞争的市场秩序为主要线索，调整关键性要素价格，理顺关键产品的比价，缩小双轨差价，完善市场组织形式，健全市场法规。在宏观管理改革方面，对财政、金融、投资和社会保障四大体制可做一些经过挑选的改革。

（原载《管理世界》1990 年第 2 期）

1.5 困境和出路

中国科学院国情分析研究小组提出一个很有分量的报告：《生存与发展》（胡鞍钢、王毅执笔），1989年已由科学出版社出版。正如周光召院长在书前所说的，"这篇报告读来也许很不轻松，给人一种忧患和危机的感觉"，但是"报告的用意并不是消极的，而是引导人们用更加科学的、理性的眼光去看待国情，看待中国的改革和现代化事业，看待中国未来的发展，并唤起民众的危机感和责任感，为振兴中华长期艰苦奋斗。"因此，这是一本值得每个关心国事的人一读之书。书中首先展示了摆在我们和子孙后代面前的四大困境：

困境之一：人口增长三大高峰相继来临、彼此叠加，就业、福利、教育负担空前沉重

人口膨胀早已困扰着中国。解放以来我国人口已由5.4亿（1949年）上升到11亿（1988年），目前正处于我国有史以来基数最大、增幅最高的人口剧增特大台阶的中点，即使从现在起就严格控制，总人口在2000年也将突破13亿。若考虑人口老化，问题就更为严重。到21世纪20到40年代，我国将不可避免地进入人口三大高峰：总人口在2020—2030年将达到15亿，劳动年龄人口在2020年达到10亿，60岁以上老年人口在2040年将高达3亿以上。这种局面不仅在中国历史上前所未有，在世界历史上也属罕见。

人口三大增长高峰的交织，对经济、社会产生的压力极其广泛而深远。首先是就业压力和提高效率形成尖锐矛盾。大量的"在职失业"尚待解决，新增劳动人口又会形成潜在失业大军。农村非农产业和城市产业吸纳剩余农村劳力的能力若不提高，改革和发展势将面临失业激增的威胁。其次，老龄化社会面临着社会福利开支的不堪重负。中国进入

老龄化社会时的经济实力之薄弱、老年人口规模之大、老龄化速度之快，在世界上绝无仅有。若无一个合理的社会保障体系，经济社会代价将是惨重的。最后，低素质的人口群将使教育负担空前繁重。我国目前总人口占世界五分之一，文盲半文盲却占世界四分之一以上，况且这部分人口还在大量产生。如不及早采取有效的教育措施，在人口激增洪流中膨胀起来的低素质人口群，必将恶化我国的人力资本状况，这对于世纪之交的国际竞争和现代化赶超过程，只会成为拖后腿的因素，对其严重性若到时再意识到，恐怕为时过晚。

困境之二：农业资源日趋紧张，接近承载极限

在巨大的人口总量面前，中国各种资源的人均占有量都显得相当微小。我国自然资源总量虽不算少，但人均占有耕地、林地、草地和水资源却低于世界平均水平。在未来三四十年间，由于人口将净增四个亿，即使有些自然资源绝对量可望增加，人均占有量仍然是下降趋势。例如天然草地，到 2000 年和 2020 年，总量可由目前的 43 亿亩增加到 48 亿到 50 亿亩，但人均占有量却要从 4.1 亩降至 3.75—3.91 亩。不用说，那些绝对量会下降的自然资源，其相对量当然更会是下降的命运了，耕地和水资源就是如此。届时，耕地人均占有量将由 2 亩降至 1.46 亩和 1.26 亩，水资源人均占有量由 2600 立方米降为 2200 立方米，总缺水量将达 480 亿到 1060 亿立方米。耕地危机和水资源危机构成中国自然资源最突出的两大危机。

人口增多，耕地减少，局部地区和一些城市供水不足，是我国人口与自然资源矛盾的基本格局。除了总人口的增长外，由于经济增长进入高速阶段，对资源的需求量和消费量迅速增大，人口与资源的矛盾日趋尖锐，许多地区仍在超量消耗本已不堪重负的资源，致使有限的资源在相当长时间内超负荷地承载庞大的人口。按照土地资源的潜在自然生产力（包括粮食在内的年生物生产量）和温饱标准计算，其理论上的最大人口承载能力为 15 亿到 16 亿人，若严格控制人口，这一极限可能在

2030 年被突破；若目前人口发展势头不减，就要提前 15 年突破土地资源的承载极限了。

困境之三：环境污染迅速蔓延，生态平衡日趋恶化

国情分析小组无意简单重复一般认识水平上的环境污染问题，而是以科学家的敏锐眼光，对危及中华民族未来生存与发展基础的生态环境的恶化发出警告。他们对我国生态环境现状得出了如下基本判断：先天不足，并非优越；后天失调，人为破坏；退化污染，兼而有之；局部改善，整体恶化；治理赶不上破坏，环境质量每况愈下。我们以中国历史上最严峻的生态环境，负担着中国历史上最庞大的人口最耗费资源的活动能力，大自然许多生态系统的平衡岌岌可危，已直接威胁着当今和后世的生存条件，并有可能演化成下世纪上半叶中华民族生存与发展所面临的最主要危机之一。

困境之四：粮食需求迅速扩张，粮食增产举步维艰

推动粮食总需求增长的巨大压力，无疑首先来自总人口的持续增长；此外，跨越温饱阶段向小康水平过渡，人均农副产品需求不可抑制地迅速扩张，也是一个强大的刺激因素。据预测，到 2000 年人均粮食需求量将达到 500 公斤，2020 年将上升为 600 公斤。面对强劲的需求增长势头，粮食增长前景却未可乐观。耕地逐年下降，粮食播种面积大幅度减少；灌溉面积有减无增，供水不足在拖后腿；增施化肥的效果逐年衰减；农村劳动力充裕，但对资源和资本的替代作用越来越小；农民资金积累水平低下，农业投入明显不足，粮食增产后劲乏力。如此这般，从多方面制约着粮食持续增产的可能性。专家们预计，1990 年达到粮食增产的第一个台阶即 4500 亿公斤的目标基本落空，2000 年登上粮食增产的第二个台阶即 5000 亿公斤的抱负也将困难重重。今后三四十年，中国粮食市场将长期困扰于需求远远大于供给的紧张状态。

　　以上四方面的困境，从严重程度上看是前所未有的，从复杂程度上看是多重矛盾交织而成的。其中农业自然资源的现状和发展趋势，以及粮食供求的基本格局和未来增产可能性，是决定未来时期中国人口总规模的最关键的制约因素，也是决定中国现代经济发展水平和速度的最基本的制约因素。无论人们多么不情愿，这些比任何发达或欠发达国家在现代化进程中所遇问题都要深刻、复杂而严峻的困境，总是人们继承的历史遗产和自身实践的结果，它们构成中国改革与发展的客观约束条件。本书指出，中国现代经济发展的起飞时间和资源条件是被严格限定的。在三大人口高峰相继来临之前的三四十年，是中华民族未来生存与发展的关键时期；相对贫乏、潜力有限、余地狭小的农业资源是可供至少15亿人口生存与发展的基础。历史与未来留给我们及后代的回旋余地是狭小的，调整时间是短暂的，基础条件是苛刻的，发展机会是最后的。

　　这里重要的是，我们对于中国国情的危机与困境，对于中国经济发展的客观约束条件的认识程度是否足够。以往我们对此知之不多、知之不深，因而急性病、速胜论几乎成了总是困扰经济发展过程的最大障碍。《生存与发展》严肃地指出，我们以往的经济发展战略，往往失误于三个过高：过高地估计经济发展的形势和有利条件，过高地提出经济发展的目标和要求，过高地估计处理困境和危机的能力。在经济发展高指标、高速度，消费增长高期望、急受益，改革带来高机会、低风险的种种错误认识影响下，经济增长过热，投资、消费需求屡屡膨胀，物价上涨急如脱缰野马，更为使人不安的是，享乐主义、安乐感也同时在社会生活中迅速蔓延，腐败现象趁势急剧扩散。结果，本来就捉襟见肘的自然资源和经济资源，又有相当多的部分被消耗在享乐主义的挥霍中，被侵吞到腐败分子的贪婪胃口里。一方面，我们的教育事业亟待发展；我们的基础产业和民族工业亟待振兴；我们的老、少、边、穷地区亟待脱贫致富，数千万人的温饱问题亟待解决。另一方面，却是耗费巨额外汇和大量紧缺物资的豪华楼堂馆所拔地而起；花费数倍于国内汽车工业总投资的上百亿美元，使外国汽车尤其是豪华型小汽车铺天盖地涌进国门；把稀缺的铝资源大批地用于生产一次性消费的易拉罐；甚至在某些地方，越是贫困的地区越要用紧缺的资金配备豪华小轿车，越要修建现代设备一应俱全的招待所、办公楼和私人官邸；在国民消费水平和需求层次仍呈现明显低收入特征时，却不惜数十万硬通货举办超豪华的外国时装表演……

我们囊中羞涩，资金紧缺，资源稀少，人口庞大，在当今世界，以我国的社会制度，只有客观地承认自己的现实，调整自己的思维方式，才有助于寻找正确的出路。

国情分析小组在分析了我国现代化进程的若干制约因素后，提出了我国今后的长期发展模式——非传统的现代化道路。这种非传统的现代化发展模式，其主要思想是说，我们今后几十年的生产和生活方式，应以控制人口、节省资源、适度消费为基点。在很长的时间视野内，非传统的现代化发展模式意味着建立低度消耗资源的生产体系；适度消费的生活体系；保证经济持续稳定增长、效益不断提高的经济运行体系；保证社会效益和社会公平的社会体系；不断创新、充分吸收新技术、新工艺、新方法的适用技术体系；促进与世界市场紧密联系的、更加开放的贸易与非贸易的国际经济合作体系；并且要合理开发利用自然资源，防止污染，保护生态平衡。这种发展模式的资源消耗和生活消费特点是，在20世纪内和21世纪上半叶，中国人均各类主要资源的消费水平大体保持目前的水平或略有提高，并在此数量约束下调整结构，改善质量。在积累与消费的关系上，应保持较高的积累和适度的消费。

用具体的数字表示，今后我国的消费水平将长期处于这样的低水平：一是较低的食物消费水平，人均粮食400公斤（1986年为396.5公斤），膳食结构仍以植物型食品为主；二是较低的能源消耗水平，人均耗能1000公斤标准煤，人均每月生活用电20度；三是较低的住房水平，城镇人均居住面积10到15平方米，乡村人均居住面积15到20平方米；四是发展以自行车、公共交通为主的居民交通运输体系，而不是普及私人小汽车；五是发展公共娱乐设施，而不是提倡私人别墅和空调等等。

　　这当然不是理想模式，实在是迫不得已而为之。已经或大体实现工业化的国家，都是以高度消耗资源（尤其是不可再生资源）和高消费来支撑其经济高速增长，靠大量输入外部资源和瓜分世界市场来实现经济起飞的。我们没有这样的条件和机会，也没有社会制度上的必然冲动，例如靠血与火的方式积累资本之类，又鉴于我们的生产技术水平落后，开发利用资源的能力不足，资源和人口的矛盾尖锐，我们既无条件与欧美日发达国家的消费水平相攀比，也无能力模仿港澳台地区同胞的消费模式，我们只能另寻他途。假如有一天我们有条件、有能力了，是否就不走非传统的现代化道路了？也不尽然。人类要珍惜自己生存的这个星球，沿着节省资源、适度消费的路子才可能越走越宽广，要不然，就走进死胡同了。值得提一笔的是，我们倒是应该好好学学发达国家在生产上的低能耗本领，且不说达到日本、法国的水平（他们一美元国民生产总值所耗能源只及我国的三分之一到四分之一），若能达到巴西和印度等发展中国家的水平，我们就能使国民生产总值在现有能源产量基础上翻一番。

　　我国实行改革开放以来，已经取得了举世公认的伟大成就。但是，由于我国在相当长的时间内要受到人口、资源、能源、粮食和生态环境等方面困境的约束，我们的改革和发展任务还极其艰巨。因此，专家们指出，在今后几十年甚至更长的时间内，中国的基本国策应当是：计划生育，控制人口；较高积累，适度消费；普及教育，发展科技，推尚文明；节省资源，保护环境；改革开放，持续、稳定、协调地发展，长期奋斗。这些基本国策不应受到形势变化、体制变革、战略调整和人事变动等因素的影响。只要我们继续实行十一届三中全会以来的改革开放的路线和方针；不犯类似于"大跃进"的重大战略失误，不导致大的经济波动；不再重演"文革"那样的政治动荡和社会动乱；能够有效地控制人口总量；不发生特大的全局性的自然灾害；不爆发大规模的外国入侵战争，不卷入他国的军事对抗；那么，中国从现在起，有可能进入现代经济的高速增长阶段，由人均 GNP300 美元向 1700 美元过渡，这一阶段被认为是 1980—2020 年。如果这一阶段过渡得比较成功，报告预测 2020—2050 年中国将进入现代经济稳定增长阶段，国民生产总值以百分之四到五的速度稳定增长，到 2050 年国力将超过苏联，成为仅排在美、日之后的世界第三位，人均 GNP 可望达到 3800 美元。不过，与届时下中等收入国家 4350 美元的水平相比，中国的成就仍然是不能盲目乐观的。

中国科学院国情分析小组在报告最后部分，还从自然资源、劳动力、农业投入、农业科技等方面分析了中国农村长期发展的潜力，探讨了潜在生产力向现实生产力转化的资金条件、技术条件和市场条件，并且强调，政府在现代化进程中必须始终处于主导地位，但又必须率先进行自身的改革，根除腐败，才能有效地领导现代化进程。此外，专家们提醒决策者注意，在迅速扩大农民独立性和自主权的同时，要防止和克服相伴而生的破坏力量。

这份国情研究报告本着告民以实情、晓众以大义的良苦用心，向人们展示了困境与危机，也向人们描绘了谨慎乐观的前景。我想，读完这本小册子之后，人们会同意报告的这一结论：中华民族未来生存与发展的出路所在是，坚定不移地推进和加速整个社会的经济、政治、文化的全面改革，比较顺利地实现整个国民经济的迅速增长和结构变动，坚持不懈地严格控制总人口规模，尽早尽快地提高整个民族的素质，有效地保持动员、控制、协调全社会各种资源和力量的能力，创造使潜在生产力转化为现实生产力的条件，为经济持续稳定增长、为使经济效益、社会效益和生态效益相统一提供必要的规则、制度和组织保证，有步骤地、大规模地、全方面地卷入国际市场，积极开拓出口创汇和输入资源的各种途径，加强国际竞争能力。

中国现代化的最深厚伟力来源于民众的理解、支持和实践，一旦千千万万人民大众认清了民族生存与发展的多重困境，牢固地树立起民族危机意识，振奋起历史使命感和责任感，进行长期的艰苦奋斗，中华民族在下一世纪的复兴是大有希望的。

（原载《读书》1990 年总第 132 期）

1.6　市场化改革对我国经济运行的影响

中国实行改革开放以来，经济体制转轨的进展和经济持续高速增长给人们留下深刻印象。成功的经济发展固然取决于可供利用的资源和生产要素，然而在计划经济向市场经济转型时期，制度变量对经济发展的成功可能具有日益重要的意义。本文试以市场化指数作为制度变量的指标，运用统计检验和计算机仿真模型，来分析市场化改革对物价上涨、经济增长和经济波动的影响程度，以及市场化改革同经济稳定发展存在什么关系。

一、市场化指数：一个新的分析工具

如何度量我国经济运行机制的市场化程度，目前国内尚无计算方法和参考资料。我们从投资、价格、工业生产和商业 4 个方面选取统计资料来编制中国市场化指数，以近似地反映经济运行机制的市场化程度以及变化特征。这是对制度变量指标化和定量化的一种尝试。

市场化指数是一个加权合成指数，即由若干个代表市场因素的指数加权构成综合市场化指数。其数学形式为：

$$M_t = \sum_{i=1}^{n} a_i \cdot M_i$$

其中 a_i 为加权系数，满足关系式 $\sum_{i=1}^{n} a_i = 1$。这一指数比选择单一市场因素更能反映我国市场化程度的变化。

本文选择了四种单项的市场化指数，然后加权，计算出一个综合市场化指数。

1. 投资市场化指数，由全社会固定资产投资总额中"利用外资、自筹投资和其他投资"三项投资的比重来表示。这部分投资额不同于国家预算内投资和国内贷款投资，基本由市场导向，主要是由厂商、个人根据市场变化以及对经济增长和投资回报的预期作出投资决策；后者主要受国家计划（包括年度计划和五年计划）控制，诸如投资计划额度和贷款计划额度控制等，存在很强的政府干预。

2. 价格市场化指数，由农产品收购价格中非国家定价比重来表示。这一指标的数据比较齐全，样本期为 1979—1992 年，而其他价格指标的资料不全，如社会商品零售价格中非国家定价比重只有 1985—1992 年数据，生产资料出厂价格中非国家定价比重仅有 1990—1992 年数据。我们只好用这一指标来部分地反映商品市场中市场调节比重的变化。

3. 生产市场化指数，由工业总产值中非国有经济所占比重来表示。如果要准确地反映生产领域中市场化因素的变化，应当选用国民生产总值或国民收入中非国有经济比重指标。鉴于国家统计局尚未公布这一数据，因此本报告选用代替指标——非国有经济占工业总产值的比重。这一指标暗含了如下假设，即非国有企业生产不受国家计划控制，而国有企业生产受国家计划控制。事实上国有企业生产已在很大程度上市场化，或者说计划化程度变小，若以非国有经济占工业总产值的比重作为生产市场化指数，将低估生产领域的市场化程度，在表 1 的数据中，我们也发现生产市场化指数比其他市场化指数偏低。对此，请读者格外注意，即本文的上述假设并不是严格的，鉴于统计数据之限，不得不选择这一替代指标。

4. 商业市场化指数，由社会商品零售额中非国有经济所占比重来表示。这一指数的缺陷，一是未能反映生产资料市场的市场化因素，二是国有经济相当部分活动已经市场化了，因此对该指标的估计偏低。这些缺陷来自统计口径不一和资料不全，但并不妨碍我们观察流通领域市场化因素的变化情况，这是目前唯一可用的替代指标。

表1　中国市场化指数以及其他四项市场化指数变化

单位：%

年　份	市场化指数	投资市场化指数	价格市场化指数	生产市场化指数	商业市场化指数
1979	24.91	23.10	11.60	21.53	46.01
1980	32.13	38.90	17.70	24.03	48.57
1981	33.66	39.60	20.90	25.24	50.15
1982	35.77	45.00	21.70	25.56	51.30
1983	42.57	64.00	23.90	26.64	53.01
1984	45.56	63.00	32.00	30.91	54.45
1985	54.23	63.90	63.00	35.14	59.58
1986	55.67	64.30	64.70	37.73	60.59
1987	57.61	64.00	70.60	40.27	61.36
1988	61.33	70.20	76.00	43.20	60.54
1989	62.62	74.40	64.70	43.94	60.90
1990	62.17	71.70	74.80	45.40	60.41
1991	62.55	69.70	77.80	47.06	59.81
1992	63.23	71.70	81.80	45.39	58.71
1979—1992 变化量	38.32	48.60	70.20	23.86	12.70

资料来源：根据《中国统计年鉴1992》、《中国统计摘要1993》第21页、第93页以及《财贸经济》1992年11期的数据计算。

对各项市场化指数加权并没有统一的模式和划分原则，这主要取决于如何判断各项市场化指数的重要性，因而在一定程度上带有研究者的主观性和偏好性。在上述四项指标中，作者对投资市场化指数和生产市场化指数给予较大的权重，各按0.3进行加权；对价格市场化指数和商业市场化指数给予较小的权重，各按0.2进行加权，以期近似地反映各项指标在向市场经济转型过程中的不同地位，这样的权重分配不是唯一的或者固定的，用不同的权重分配，会计算出不同数值的综合市场化指数。作者真正用意在于尝试一种定量地反映中国经济转型过程中市场化程度的计算方法，而并不打算在不完全信息条件下去计算一个十分准确的市场化指数。

加权合成的综合市场化指数（简称市场化指数）和其他四项市场化指数列入表1，各指标变化率列入表2。

表2　中国市场化指数变化率

单位：%

	市场化指数 变化率	投资市场化 指数变化率	价格市场化 指数变化率	生产市场化 指数变化率	商业市场化 指数变化率
1980	7.22	15.80	6.10	2.50	2.55
1981	1.53	0.70	3.20	1.21	1.58
1982	2.11	5.40	0.80	0.32	1.15
1983	6.81	19.00	2.20	1.08	1.72
1984	2.99	-1.00	8.60	4.27	1.44
1985	8.67	0.90	30.50	4.23	5.13
1986	1.44	0.40	1.70	2.60	1.00
1987	2.01	-0.30	5.90	2.54	0.77
1988	3.66	6.20	5.40	2.93	-0.82
1989	-0.71	4.20	-11.30	0.74	0.36
1990	1.55	-2.70	10.10	1.46	-0.49
1991	0.38	-2.00	3.60	1.66	-0.60
1992	0.68	2.00	4.00	-1.67	-1.10

注：根据表1数据计算。

　　由表1和表2数据，我们可以定量地描述和分析我国经济改革市场化过程的特点：

　　第一，改革之初，我国经济的市场化程度相当低下，传统的计划经济体制模式占主导地位。1979年我国市场化指数只有24.9%，其中价格市场化指数最低，为11.6%。据调查，1978年农民出售农产品总值中国家定价部分占92.6%，社会商品零售总额中国家定价部分占97%，工业生产资料出厂价格总额中国家定价占100%，[①] 各种商品价格被国家高度控制。1979年生产市场化指数为21.5%，投资市场化指数为23.1%，只有商业市场化指数比较高，为46.0%。应当说，当时中国是一个典型的计划经济国家。

　　第二，经过十几年的市场取向改革，我国市场化指数迅速提高，市

---

　　① 张卓元，《中国经济改革理论三部曲：商品经济论、市场取向论、市场经济论》，《财贸经济》1992年第11期。

场经济已开始居主导地位。尽管中国经济界和理论界就经济改革是否以市场经济为取向争论不休，但是中国经济改革一直是朝着市场化方向发展，并取得了实质性进展，给人们留下深刻的印象。从 1979 年以后，我国市场化指数不断提高，1980 年超过 30%，1983 年超过 40%，1985 年超过 50%，到 1988 年又超过了 60%，1992 年达到 63.2%，1979—1992 年期间，市场化指数提高了 38.3 个百分点，其中前八年平均每年提高幅度最大，后六年提高幅度下降。这反映了改革初期，市场化发展速度相当快，进入改革中期，市场化发展速度减缓，预计今后市场化指数不会以较快的速度提高，这也反映了一个新制度（即市场经济制度）发展过程类似一个生长过程（例如生物生长过程或人体高度增长过程），必然要经历一个速度—减速—缓慢成长的过程。

第三，从四项市场化指标变化看，价格市场化程度最高，由 1979 年的 11.6% 上升到 1992 年的 81.8%，增长幅度最大，约提高了 70 个百分点。这表明在中国经济市场化过程中，价格改革取得的成就最大，市场调节作用最为明显，这是中国改革以来取得的最重要的进展。[①] 投资市场化程度次之，由 1979 年的 23.1%，上升到 1992 年的 71.7%，提高了 48.6 个百分点。生产市场化指数最低，1992 年为 45.4%。此数偏低有两个原因，一是如前文所述，国有工业企业中不受计划指标控制的工业产值比重尚未包括在内；二是说明所有制改革滞后于价格改革和整体改革。

第四，中国存在明显的改革周期，市场化进程不稳定，出现较大幅度波动，按市场化指数变化率（$DM_t = M_t - M_{t-1}$）计算，1980 年以来出现五次高峰年份，例如 1980 年（市场化指数变化率为 7.22%），1983 年（为 6.81%），1985 年（为 8.67%），1988 年（3.66%）和 1990 年（1.55%）；出现五次低谷年份，例如 1981 年（为 1.53%），1984 年（2.99%），1986 年（为 1.44%），1989 年（−0.71%），1991 年（0.38%），波动系数为 98%。这表明，虽然我国市场化改革取得显著成效，但是改革进程曾出现摇摆甚至出现大的反复。

[①] 张卓元，《中国经济改革理论三部曲：商品经济论、市场取向论、市场经济论》，《财贸经济》1992 年第 11 期。

第五，中国处在市场化改革的关键阶段，完成市场化改革目标还需做艰苦努力，而且还需要减少改革过程的不稳定性。中国市场化指数已超过60%，市场化改革总趋势已不可逆转，但是尚未实现市场化目标，如何积极而稳步地推进改革将是今后转轨中的重大现实任务。

二、市场化改革对 GNP 增长的影响

我们运用 Samuelson 模型（1947）[①]，来研究市场化指数对 GNP 增长率的贡献程度。经济系统方程为：

$$Y_t = G_t + \alpha(1+\beta)Y_{t-1} - \alpha\beta Y_{t-2}$$

假定不考虑 G_t 时，该方程简化为总产出的二阶线性差分方程：

$$Y_t = \alpha(1+\beta)Y_{t-1} - \alpha\beta Y_{t-2}$$

式中，$\alpha > 0$，$\beta > 0$。这是著名的 Samuelson 动态方程。该方程反映 t 期总产出是由前期（t−1 期和 t−2 期）总产出所决定的。我们对该方程进行修正，将市场化指数作为外生变量引入该方程，并取对数形式进行参数估计。方程形式如下：

$$\log Y_t = C + C_1 \log Y_{t-1} + C_2 \log Y_{t-2} + C_i \log M_t$$

式中：M_t 为市场化指数，Y_t 为 GNP 增长指数，以 1980 年为 100，样本期为 1979—1992 年。其计算结果为：

$$\log Y = 0.096 + 0.896 \log Y_{t-1} + 0.136 \log M_t$$
$$\quad\quad (0.114)(0.065) \quad\quad\quad (0.080)$$
$$\quad\quad (0.846)(13.691) \quad\quad\quad (1.692)$$
$$R^2 = 0.995 \quad\quad S.E. = 0.030 \quad\quad DW = 1.439$$

注：$\log Y_{t-2}$ 项系数的 t 检验值太小，故略掉。

---

① Samulson（1947）*Fundations of Economic Aualysis*, *Harverd University Press*. 本文数据除另外注明外，均依据《中国统计年鉴》。

logM$_t$ 项系数为 0.136，logY$_{t-1}$ 项系数为 0.896，两个系数相加，略大于单位 1。这表明，随着市场化改革的深入，新的经济运行机制即市场经济机制对经济增长发挥着日益重要的作用，计算显示在 1979—1992 年期间，GNP 增长中约有 14% 来自市场化改革的贡献。

三、市场化改革对经济波动的影响

我们用市场化指数变化率来考察市场化改革同经济波动的关系。表 3 分别计算和比较了市场化指数变化率与 GNP 增长率的波动特性。表 4 用两种回归方程分别计算了市场化指数变化率对 GNP 增长率的影响。研究结果表明：

表 3　GNP 增长率和市场化指数的波动系数

单位：%

	平均值	标准差	最高值	最低值	波动系数
GNP 增长率	9.10	3.44	14.70	4.10	38
市场化指数变化率	2.95	2.88	8.67	-0.71	98

注：根据前表计算。

表 4　市场化指数变化率与 GNP 增长率回归方程及计算结果

$$GNPR = 7.648 + 0.492DM$$
$$(1.329) \quad (0.329)$$
$$(5.757) \quad (1.498)$$
$$R^2 = 0.169 \quad S.E. = 3.276 \quad DW = 1.292$$

样本期为 1980—1992 年

$$GNPR = 5.668 + 0.265GNPR(-1) + 0.382DM$$
$$(2.709) \quad (0.314) \quad (0.358)$$
$$(2.092) \quad (0.843) \quad (1.068)$$
$$R^2 = 0.225 \quad S.E. = 2.715 \quad DW = 1.500$$

样本期为 1980—1992 年

注：GNPR——GNP 增长率；GNPR（-1）——t-1 年 GNP 增长率；DM——市场化指数变化率。

第一，市场化指数波动系数大于经济增长波动系数。在 1980—1992 年期间，市场化指数变化率的波动系数为 98%，大大高于 GNP 增长率波动系数（为 38%）。虽然市场化改革周期与经济波动并不一一严格对应，但是每一次经济低谷期都出现了改革低谷期。尤其是 1989 年，两个低谷期重合，且改革低谷要大于经济增长低谷。

第二，市场化改革没有加剧经济波动。由回归方程计算可知，市场化指数变化率同 GNP 增长率的波动不存在明显的相关性，而且 T 检验值和 DW 值都不符合要求。两种回归分析显示市场化指数变化率对 GNP 增长率的波动的解释程度很低，这说明不能用市场化改革来解释经济波动的成因，换言之，不能认为市场化改革必然引起经济波动。

第三，市场化改革改善了我国经济系统的特性，加强了经济系统抵御外部冲击的能力，有利于缓解经济波动程度。采用动态联立方程和动态响应曲线，对价格波动、消费品市场波动和经济波动进行综合动态分析，我们发现改革以来我国经济系统的特性比改革前有所改善，系统在冲击—响应—振荡—稳定的波动过程中趋于稳定的时间缩短，振荡幅度也比改革前减弱。将市场化指数变化率作为外生变量，对经济波动、货币波动和价格波动进行综合动态分析，结果显示各变量的响应曲线波幅较小，趋于稳定的时间较短。而在未引入市场化指数变化率的情况下，各变量的响应曲线波幅较大，趋于稳定的时间也较长。这就进一步证明，市场化改革不仅没有加剧经济波动，反而在很大程度上有助于减小经济波动幅度，并且有利于经济波动更快地趋于稳定。

四、市场化改革对物价上涨的影响

将市场化指数作为一个重要解释变量，运用回归方程来分别探讨市场化改革同物价上涨的关系，计算结果列入表5。

研究结果表明：第一，货币发行量对零售物价指数变动解释程度较高，市场化指数的解释程度很低。将上一年和本年货币发行量增长率作为解释变量进行回归分析，发现货币发行量与零售物价变动存在较明显

表5　市场化指数变动率对物价波动的影响

PRICER = - 0. 303 + 0. 166 　　　　MONEYR(- 1) + 0. 108 　　　　MONEYR 　（2. 974）　　（0. 073）　　（0. 074） 　（ - 0. 102）　（2. 286）　（1. 447） R^2 = 0. 329　S. E. = 4. 959　DW = 0. 900 PRICER——零售物价指数 MONEYR(- 1)——t - 1 年货币发行量增长率 MONEYR——本年货币发行量增长率 样本期为 1978—1993 年上半年	PRICER = 2. 294 - 0. 352DM + 0. 501 PRICER(- 1) 　（3. 622）　（0. 636）　　（0. 315） 　（0. 633）　（ - 0. 553）　（1. 595） R^2 = 0. 207　S. E. = 5. 550　DW = 1. 698 PRICER(- 1)——t - 1 年零售物价指数 样本期为 1980—1992 年
PRICER = 4. 312 - 0. 498DW + 0. 147 　　　　MONEYR(- 1) 　（2. 894）　（0. 622）　　（0. 103） 　（1. 491）　（ - 0. 800）　（1. 426） R^2 = 0. 173　S. E. = 5. 666　DW = 1. 478 DM——市场化指数变化率 样本期为 1980—1992 年	PRI = 8. 290 + 0. 972DM 　（3. 957）　（1. 130） 　（2. 094）　（0. 860） R^2 = 0. 110　S. E. = 8. 686　DW = 1. 714 PRI——生产资料综合价格指数 样本期为 1985—1992 年

的正相关，相关系数为 0. 329，而上一年货币发行量增长率的解释程度明显高于本年货币发行量增长率，方程整体的解释程度是可接受的。将上一年货币发行量增长率和本年市场化指数作为解释变量，回归方程整体对零售物价指数的解释程度明显下降，相关系数和 T 检验值也都明显下降。用市场化指数和上一年零售物价指数作解释变量，回归分析仍未发现市场化指数与零售物价变动存在相关性。由于所用几种回归分析均未证明市场化指数同零售物价变动存在相关性，而只证明货币发行量增长率与零售物价变动存在明显正相关，故此，不能简单地认为市场化改革（包括放开物价）必然引起物价上涨。相反，对零售物价上涨的影响主要来自货币发行量增长率尤其是上一年货币发行量增长率。

第二，回归分析未发现市场化指数或其变化率与生产资料综合价格指数存在相关性，这表明市场化改革本身没有直接导致生产资料综合价格的上涨。因此，稳定生产资料价格不在于放慢以转换机制为核心的市场化改革，而在于控制其他那些引起生产资料价格上涨的因素。

通过上述实证分析，我们进一步提示了市场化改革同经济稳定增长之间的联系：市场化改革的进展推动了经济增长，两者呈高度正相关；而经济波动与市场化改革则没有必然联系。显然，14 年来的改革正在为、也必将为经济持续稳定增长奠定可靠的新体制依托。因此，努力减少市场化改革本身的摇摆和反复，积极地推进改革，无疑有助于增强新体制对经济增长的贡献。谋求经济稳定增长不应放慢市场化改革，而应主要消除因行政干预导致的经济大起大落现象。同时，推进市场化改革还应筹划可行的市场化改革步骤，把握出台时机。当经济增长处于扩张期，总需求强烈而容易引发短缺和通胀压力时，市场化改革应侧重于具有抑制需求膨胀、缓解通胀压力的措施；当经济增长处于收缩期，总需求较弱和通胀压力较轻时，则可加快可能引起物价上涨的某些市场化改革的步伐。中国经济失稳的最大隐患是行政干预的外部冲击，有效抵御这类冲击的完善机制并非一朝一夕即可形成，而市场化改革的深化无疑会在经济系统中培养起越来越强的缓冲机制。为了促进缓冲机制的形成与壮大，把市场化改革的内容及其出台时机同经济波动规律联系起来加以筹划和实施，将是必要的和可行的。

小　结

需要说明，我们编制的市场化指数是一种全新的尝试，分析方法尚待完善。如果资料更完整（例如各种价格放开程度的数据更全面）的话，市场化指数将能更准确地反映经济运行机制的新变化，分析结果也将有新的进展或改善。

概括以上分析结果，我们得到的主要结论及其政策含义是：首先，以放开价格和转换机制为内容的市场化改革与物价上涨不存在必然联系，超量货币供应才是物价上涨的最关键原因，价格形成机制的转换和企业经营机制的改革应当在控制货币发行量增长率的前提下积极推进。其次，市场化改革产生的新体制因素对经济增长已经做出明显的积极贡献，持续稳定的经济增长要靠新体制因素的成长给予可靠的支撑，因此必须努力推进市场化改革。再次，市场化改革不但没有对经济波动产生推波助澜的影响，反而改善了经济系统特性，增强了经济系统的抗干扰能力。防止市场化改革的摇摆或反复将有助于降低经济波动幅度，市场化改革的积极有序推进对保持经济持续稳定增长具有积极的意义。最后，经济稳定取决于经济系统中缓冲机制的形成和壮大，市场化改革的深入无疑会进一步加强缓冲机制的组织依托和制度依托。如果在经济波动的不同时期采取有助于缓解经济波动程度的改革措施，而不是单纯采取"反周期政策"，则对保持经济持续稳定增长具有长期的建设性作用。

（原载《经济研究》1993 年第 12 期，与胡鞍钢合写）

1.7 知识分子"下海"的经济学分析

高素质的知识分子经商、办企业获得成功后，一般都会正确地使用挣来的财富，他们具有企业家的长远眼光，也具有知识分子的使命感和报效祖国的良心，因而将财富不仅继续用于投资兴办新事业，而且用于利国利民的公益事业。我们的社会更需要清教徒式的资本家，而不是一掷千金的暴发户或封建主。

只要我们的社会消除了选择机会扩大与竞赛规则不完善之间的矛盾，从而也减少了竞争条件的不平等和竞争结果的不合理，大批知识分子"下海"的现象就会成为历史的陈迹。

进入90年代以来，知识分子"下海"形成空前热潮，科技工作者、教师、经济理论工作者、文化人中无不有人以专职或兼职的形式办企业、经商、搞咨询，"下海"人数之多，涉及领域之广泛，在中国经济改革和经济发展进程中都是前所未见的。从80年代初期开始已经有一批知识分子涉足商海了，那时"下海"的知识分子主要是科技界搞应用研究的和企业中的科技人员，大多以兼职的方式利用业余时间为新兴的民办企业、乡镇企业提供技术咨询等等，所谓"星期天工程师"即由此而来。也有一些知识分子将主要精力投入经商、办企业或营利性技术开发，有人干脆辞去公职到商海中闯荡，不过无论在人数上还是在涉及领域的广泛程度上，都是和现在的"下海"所无法比拟的。

笼统地对知识分子"下海"作出价值判断是很困难的。我们很难用"好"或"不好"、"应该"或"不应该"这类简单的价值判断来评判这一复杂的社会现象。不妨从经济学的角度对知识分子"下海"作一番考察，或许能从中得到一些有益的启示。

知识分子通常是指受过高等教育、从事脑力劳动的人。在传统计划经济体制下，知识分子受教育的费用（智力投资）由国家统一投入，知识分子的就业由国家统一分配，知识分子的工资也由国家统一规定。人力资源配置过程不存在市场关系，而是行政协调的一统天下。其结果是个人不承担高等教育的智力投资，对自己未来命运的选择（例如选择具有较高投资回报率的职业）无须费神，个人被国家分配到某个单位后几乎不能再流动，即使用非所学也只好甘当螺丝钉，至于是否"永不生锈"则另当别论；工资你我都一样，抱怨工资低也没用，谁让你享受国家包下来的高等教育费用，你就得服从投资者为你决定的工作报酬。

随着市场化改革的展开和深入，人力资源配置过程发生了重大分化：一部分人从开始接受高等教育到毕业分配再到重新选择职业，整个过程由市场机制来调节。他们自己承担智力投资的全部费用，自己在择业竞争中选择具有最高投资回报率的职业，其择业范围不再局限于政府机关、国有大企业或以往被视为比较理想的科教文卫部门，而是扩及所有市场上有需求的用人单位。一旦工作单位不理想，他们可以比较容易地"跳槽"，到那些更有吸引力的新单位去。另一部分人则自己掏一部分高等教育费用，可以自谋职业，也可以由国家统一分配，这部分人的职业流动性可能没有第一类人那样强，因为他们会受到某种约束，例如偿还一部分国家智力投资。还有一部分人仍完全享受国家统一投入的智力投资，由国家统一分配，分配后的职业再选择余地虽然不及前两部分人（因为他们可能要为"跳槽"支付全部受培养费用），但是比在传统体制下还是有所松动。

大批知识分子"下海"，是人力资源配置过程由行政协调为主转向市场协调为主的必然结果。在整个中国向市场经济转轨的大趋势中，知识分子的个人命运不再由传统计划经济下的部门所有、地方所有和本单位长官意志来摆布，市场机制对于稀缺人力资源的配置开始瓦解行政性的人力资源配置。在市场机制起作用的情况下，稀缺资源的供给者将选择最能有效使用这些稀缺资源的需求者，谁向稀缺资源的供给者付出的价格最能反映该种资源的稀缺性，就表明谁最能有效地使用这种资源。

同样，稀缺资源的需求者也将选择最合意的供给者，谁提供的稀缺资源最能满足需求，带来最大的经济贡献，就表明谁最有资格被录用并获得最佳报酬。资源供给者和需求者之间的双向选择使稀缺资源不断流向最能有效利用该种资源的部门和单位，人力资源从而得到有效的配置。知识分子通常拥有专业知识、技术专长和专业技能等稀缺资源，在市场竞争日益发展为人才竞争的当代社会，尊重知识、尊重人才往往体现为以优厚待遇和高薪聘请来吸引人才、留住人才。首先挣脱传统体制束缚的中国知识分子往往是科技界精英，他们投入的商海领域往往首先是传统计划经济干预不到的乡镇企业、民办科技企业。他们提供的专业知识、技术专长和专业技能等稀缺资源在原单位往往未能得到有效利用，而在乡镇企业、民办科技企业中却找到了真正的用武之地，不仅给企业带来巨大经济收益，而且个人收入也极大提高。市场机制实实在在地落实了对知识和人才的尊重。

知识分子"下海"是人才在市场竞争中加强流动的多种选择之一。对于人尽其才而言，市场机制使人才通过流动发挥其最大能量，实现其最大价值。现在流行一个说法："人才越炒越升值"，这正是市场机制、择业竞争促使人尽其才的通俗注解。据报载，我国与美国联合培养的第一批40人工商管理硕士，毕业后回原单位（大多是在国有大企业）得不到合理使用，其中30多人只好跳槽为其他单位（有不少是三资企业和其他非国有企业）效力，结果使这些企业效益大增或面貌为之一新。本来国有企业应在市场竞争中珍惜这批人才，可惜这些国有企业没有按市场规律尊重知识、尊重人才，大部分工商管理硕士不得不跳进真正的商海，投靠那些按市场经济原则行事、懂得知识和人才之宝贵的非国有企业。这样看来，人们不能不庆幸知识分子有了比较广阔的选择余地。如果没有市场机制提供的选择机会，知识分子的价值实现都困难，更不用谈什么知识升值了。

已经置身于市场关系中的知识分子，包括科技人才、管理人才等等，将其掌握的科技知识和管理知识转化为企业的经济效益，个人才能和抱负得以充分施展，这是知识分子为推动社会生产力进步作出的巨大贡献，他们当之无愧于先进生产力的代表。这样的知识分子在我国不是多了，而是少了，甚至少得很多，应当有越来越多的人成为敢于面向市场、面向经济、面向国际竞争的科技精英和管理人才。应用科学研究者、工程师、高级管理人员越多，越有利于将科学技术转化为现实生产力，这样的知识分子越是广泛地介入市场经济的大海，也越有利于提高我国企业的素质，改善我国经济活动的质量。同时，他们理应得到由市场评价原则决定的高额报酬以及相应的社会声望。高素质的知识分子经商、办企业获得成功后，一般都会正确地使用挣来的财富，他们具有企业家的长远眼光，也具有知识分子的使命感和报效祖国的良心，因而将财富不仅继续用于投资兴办新事业，而且用于利国利民的公益事业。几乎没有听说过成功的现代儒商搞什么挥霍性消费，或以穷奢极侈来与对手一争高下。我们的社会更需要清教徒式的资本家，而不是一掷千金的暴发户或封建主。

处于非市场关系中的知识分子"下海"现象则更为复杂一些。在任何市场经济国家，都有一些部门不能通行市场评价原则，包括政府机构、基础科学研究领域、教育、人文科学理论研究、医疗卫生以及文化事业，这些领域的活动若由市场机制来调节将是不得要领的。道理很明显，政府机构面向市场、接受市场调节将会导致市场秩序严重混乱，基础科学、人文科学的理论研究、教育、文化、医疗卫生事业无法用市场利润来直接评价其活动成果，这些领域的公职人员和知识分子的劳动报酬也无法由市场供求关系来决定，更不能与其所在单位的经济效益挂钩。要求这些领域的单位面向市场去创收，自己解决经费不足和待遇低下问题，是违背经济规律的错误决策。近些年来，以权经商和种种行业不正之风的泛滥，在很大程度上导源于将非市场领域混同于可以由市场关系调节的领域。政府对非市场关系中各部门的收入分配应当负起责任，应当根据不同行业的工作特点和个人贡献制定合理的工资制度，使之能够反映这些领域的劳动复杂程度，能够维护这些领域的职业尊严。遗憾的是迄今为止政府对此建树甚微。人们熟知的一个说法是由于财政困难，国家拿不出钱来提高知识分子待遇，多次提出的改革知识分子工资制度、提高其待遇的方案均不予采纳。这是很难令人信服的借口，现在的国家财力无论如何不能说比解放前和建国初期还要差，但是那时的讲师、教授的实际工资却比现在高得多。为什么有些地方长期拖欠教师工资却有财力购买豪华进口轿车、修建"几十年不落后"的高档办公楼？为什么一边说财政困难一边却大搞劳民伤财的重复建设和纪念碑工程？为什么一边强调教育的重要性一边却对追加教育经费如此谨小慎微？在非市场领域中知识分子待遇长期得不到实质性改善的情况下，知识分子纷纷下海另谋高就，"自己给自己落实知识分子政策"，确实是政府失职的恶果。

非市场领域中的知识分子下海后，许多人脱离了原专业，从事与专业毫不相干的经济活动。如果他们确实利用高智力在新领域卓有建树，例如成为企业家、经营管理人才或咨询专家等等，那无论是对改善个人收入还是对促进社会生产力进步，都是值得称道的。相反，如果他们仅仅从事简单的经济活动，尽管对提高个人收入是有利的，但是对社会进步的需要来说，却完全可能是浪费了稀缺的高智力资源。由于市场竞争的无情和某些专业转向的困难，下海的知识分子能否发挥在原有专业上久已积累的智力优势，将是很不确定的。为避免高智力人才的流失，政府应义不容辞地尽快采取切实措施，负起对非市场关系中知识分子待遇的责任。

近年来，政府对改善知识分子待遇陆续做出一定努力，例如国家对具有高级职称的一部分知识分子给予政府特殊津贴，目前已扩大到了3万人；又如一些部门和地方政府对有突出贡献的知识分子给予重奖。此类做法确实具有积极意义，但也不是彻底解决问题的办法，一来特殊津贴或重奖毕竟只适用于少数人，广大知识分子的辛勤劳动并不总是具有辉煌的业绩（尤其是集体性很强的科研活动需要大量知识分子当配角）；二来奖多必滥，不一定能保证评奖质量；三来在某些单位政府特殊津贴也变了味，或是少数领导每人享受一份，或是大家争得脸红脖子粗，把积极性评没了。根本的解决办法还是要靠一套合理的工资制度，并与竞争性的人才使用制度结合起来。

有一部分从事经济理论教学研究的专家学者走出书斋，办起经济咨询实体，将自己的学识用于经济改革与经济发展的实践，为市场上的需求方提供咨询，从而使长期积累的经济学知识特别是关于市场经济如何运行的专业知识传向社会，这一方面有助于使企业家和其他从事经济活动的人从中获益，减少由于对市场经济的无知而付出的过高学费；另一方面专家学者也从实践中汲取丰富的营养，反过来提高自己的经济理论教学研究水平。一些长期从事现实经济问题研究的专家学者担任了各种公司、企业的董事长或高级管理人员，亲身尝试微观经济的实际操作，然后再将其第一手体验上升为理论。这种由学海到商海再回到学海的经历，无疑会使他们的理论研究呈现出某种新的面貌，其研究成果的实际可操作性会比以前有所增强，学术水平也并不会降低，反而可能提高。社会上有一种看法，批评我国的经济学家研究问题偏重宏观，对微观经济缺乏深入了解，政策建议欠缺可操作性，甚至存在从概念出发进行空洞推理，研究脱离实际，凡此种种，使得经济学家在我国不受欢迎。这种批评所指出的上述现象确实是存在的，也确实需要从多方面努力克服之。如果经济理论界的专家学者有可能并且愿意经历一下学海—商海—学海的历程，那么，对克服上述偏向未尝不是一种补救措施。

大批知识分子"下海"，可能是中国由计划经济向市场经济转轨过程中的一种历史现象。在转轨过程中，以往不存在的机会被创造出来，人们的选择余地扩大了，然而新的竞赛规则还远远没有健全起来，选择机会的扩大和竞赛规则的不完善必然导致竞争条件的不平等和竞争结果的不合理。知识、人才的供求关系可能并不反映真实的状况，知识分子流向的分化从资源长期配置的角度看可能并不是最优的。只要我们的社会消除了选择机会扩大与竞赛规则不完善之间的矛盾，从而也减少了竞争条件的不平等和竞争结果的不合理，大批知识分子"下海"的现象就会成为历史的陈迹。

（原载《投资与合作》1993 年 7—8 期合刊）

1.8 推进收入分配领域的制度创新

党的十四届三中全会通过的《关于建立社会主义市场经济体制若干问题的决定》将效率优先、兼顾公平确立为个人收入分配制度改革的指导原则，这是在市场经济条件下协调效率与公平关系的正确权衡。效率优先，意味着充分发挥市场机制调节个人收入分配的基础作用，最大限度地调动个人的主动进取精神，激发劳动者以诚实劳动和合法经营创造社会财富，从而使稀缺的人力资源得到有效利用，并获取符合效率原则的高额报酬。兼顾公平，意味着在效率提高、生产力发展的前提下，国家通过收入再分配手段维护社会财富分配的公正，使全体社会成员分享经济发展成果，达到共同富裕，从而建立一个繁荣稳定的社会。在个人收入分配领域坚持效率优先、兼顾公平的原则，涉及工资分配、收入调节和社会保障诸方面的制度创新。推进这些方面的制度创新，对于成功地转向社会主义市场经济具有决定性的影响。

工资分配制度的创新应集中体现效率导向的原则，而不宜既考虑效率又考虑公平。因为工资是劳动力要素的价格，其职能是根据劳动力供求状况、通过就业竞争，反映劳动力要素的稀缺程度和使用效率，达到劳动力要素的有效配置。简言之，工资制度属于效率刺激机制，而不属于实现社会公正目标的收入调节手段。工资制度改革的方向要切实体现以效率为导向，在市场经济条件下效率导向原则主要表现为市场评价，但是经济生活中的非市场领域则难以通行市场评价标准，在非市场领域应确立非市场的效率准则。

国有企业工资制度的创新，关键是使工资决定机制同就业竞争和劳动力供求关系建立起市场化的联系，改变半行政化的工资效益挂钩分配方式。工效挂钩的分配方式是和企业承包经营制配套的，其主要缺陷是由政府和企业之间的改良式行政协调来决定工资，缺乏与劳动力市场的联系，没有准确的市场评价标准。因此，无论怎样完善挂钩方法，都免不了政府和企业之间的讨价还价，改变不了工效挂钩的行政协调倾向。既然国有企业改革要走向以有限责任为核心的现代企业法人制度，其工资制度也就应当发生相应的变化。国有企业的工资制度在具体形式上可以是多样化的，基本方向则是由行政协调转向市场协调。决定企业工资分配方案应以国家有关法律（如最低工资法）和政策、劳动力市场的供求状况以及企业在市场竞争中的需要作为基本依据，工资决定既可以采取企业内部董事会议定的方式，也可以采取行业工会与企业进行集体谈判的方式。在不同行业，企业工资制度应反映各自行业的特点，而不必千篇一律。国家对企业的工资制度不再具体干预，主要运用经济手段和法律手段调节企业工资总水平（或人均水平）及其增长率，使其不超过企业经济效益增长幅度，同时保障企业职工的合法权益。

非市场领域中的政府部门和事业单位，收入分配制度的效率导向体现为符合各单位工作特点、个人贡献和有利于提高工作效率的工资制度和工资增长机制。政府公职人员的工资制度要有利于维护公务员职业尊严，激励公务员廉洁奉公和提高工作效率，为此，政府有责任根据经济发展状况和企业平均工资水平确定和调整公务员工资，建立定期晋级增资的新机制，而不要因财政收支状况变化导致公务员工资的不稳定。各类事业单位的工资制度应符合职业特点、劳动复杂程度和个人贡献的差别，对某些特殊职业如文艺、体育工作者的工资分配要体现最佳年龄、最佳贡献、最佳报酬的原则。一些实行企业化管理的事业单位，其工资制度可以仿效企业工资制度。非市场领域工资的确定和调整是政府的责任，政府不能以财政困难为由推卸责任，不能听任这些领域的劳动者通过第二职业改善个人收入状况，更不能让市场评价标准随便左右这些领域的工作和劳动报酬。应当以正常的、货币化的效率型工资制度调动不同职业劳动者的工作积极性和主动进取精神，激励他们在本职工作中创出良好的业绩，并使他们能够维持与职业尊严相称的体面生活。

收入调节政策是维护社会公正、防止贫富两极分化的有效工具，政府运用税收和转移支付两种主要手段对市场机制的分配结果进行抽肥补瘦式的调式，在社会经济效率不断提高的前提下保证改善普遍的社会福利水平。市场机制具有拉大收入差距的天然倾向，合理的收入差距既要考虑效率优先的要求，又要考虑兼顾公平的要求，以免收入差距过大危及社会安定。市场竞争也可能存在歧视或排斥某些特殊社会群体（如妇女、残疾人和少数民族）的倾向，政府也要运用收入调节政策来保护这些弱者或贫困者的基本权利。社会公平原则在收入调节政策中的体现可以具体化为补偿原则和分享原则，不仅要使低收入者得到基本生存保障，补偿因物价上涨造成的实际收入下降；而且要随经济发展提高福利待遇，使他们分享社会经济发展的成果。符合市场经济需要的收入调节政策应具有以下特征：一是适度性，即对低收入者的转移支付要与经济发展水平相适应，对高收入者的征税不致削弱利益动机对资源供给的刺激作用。二是规范性，即应针对全局性问题具有长期稳定的调节作用，以保证人们经济行为的长期化和理性化。三是协调性，即各种转移支付应尽量简明协调，个人所得税制也应统一，并要与个人所得申报制度相配合，以便达到预期的收入再分配效果。

社会保障体系作为市场经济中的社会安全网，其直接作用是实施收入分配政策，维护社会公正，同时可间接地促进效率优先原则的贯彻。事情已经越来越清楚，社会安全网既是企业轻装参与市场竞争的必要条件，也是竞争失败者重新迎接竞争挑战的休养生息之地。社会保障体系的建立涉及资金筹集与管理、保障内容和项目设置、管理机构分工等一系列复杂任务。根据我国向市场经济转轨的迫切需要和具体国情，借鉴国际上的成功经验，我国社会保障体系要在以下几方面加以改革和发展：一是开辟多层次的筹资渠道，从国家、企事业单位、社会团体和个人多方筹集社会保障基金，改变筹资渠道单一的现状。二是建立符合国情的资金收支方式，我国人口众多、老龄化趋势加速，宜采取预先积累和投保的基金收入方式，以政府转移支付作为主要支付方式。三是保障项目、支付标准要符合现有生产力状况，基本保障水平以国民收入、居民生活基本需要为转移，职工集体福利以企业经营成果和竞争需要为转移。实施办法要具有综合配套、简便易行、节约管理费用的优点。四是根据城乡经济特点发展适应性较强的社会保障体系。城市社会保障体系的改革重点在于打破就业、福利、保障三位一体的旧体制，迅速开展失业保障、养老保障、医疗保障的社会统筹和社会化管理。农村社会保障体系应重点解决防病治病、劳动力流动中的失业和养老问题，以家庭和社区相结合，办好养老保障和合作医疗保障。五是行政管理与基金管理分工要明确。政府的社会保障管理机构负责制定统一的社会保障政策和行政事务，社会保障基金由专门机构负责筹集、支付和安排使用。这种分工既有利于政府职能分解转换，也有利于社会保障基金的安全和积累。国际经验证明，社会保障基金的独立化管理是一个成功的做法。

（原载《财贸经济》1994 年第 1 期）

1.9　城镇居民福利收入分析和建议

　　我国长期实行低工资制，同时由国家和单位向城镇职工提供广泛的公共福利，主要包括住房、养老、医疗、教育、物价、交通、实物和其他福利事业等方面的"暗补"。近年来失业救济成为福利收入的一项新内容，但尚未建立完整的统计。我们根据国家统计局现有的资料对城镇居民福利收入状况及作用做一分析，供研究部门和决策部门参考。

一、城镇居民福利收入的增长和构成变化

　　按国家统计局的资料推算，1995 年，城镇居民人均可支配收入（指居民家庭支付个人所得税后的收入余额，未包括福利收入）4612 元，扣除物价上涨因素，比 1990 年实际增长 1.62 倍；同期，城镇居民从国家和单位得到的福利收入人均为 3304 元，比 1990 年实际增长 1.48 倍。人均福利收入相当于可支配收入的比例，1990 年为 78.6%，1995 年为71.6%。这 5 年间，人均福利收入增长速度稍慢于可支配收入，仍是相当快的；人均福利收入相当于可支配收入的比例有所下降，但仍高达 70% 以上。城镇居民福利收入构成 5 年间也发生了很大变化（见表6）。

表 6　城镇居民福利收入构成变化

	1990 年		1995 年	
	绝对额(元/人)	比重(%)	绝对额(元/人)	比重(%)
人均福利收入	1280	100	3304	100
1. 住房补贴	730	57.7	1960	59.3
2. 养老保险补贴	101	8.0	595	18.0
3. 医疗补贴	119	9.4	306	9.3
4. 教育补贴	129	10.2	252	7.6
5. 交通补贴	3	0.2	14	0.4
6. 价格补贴	121	9.6	59	1.8
7. 物品收入	45	3.6	87	2.6
8. 其他福利事业补贴	18	1.4	31	1.0

与 1990 年相比，1995 年变化最大的是养老保险补贴，占人均福利收入的比重由 8% 提高到 18%，增加了 10 个百分点；其次是物价补贴，所占比重由 9.6% 下降到 1.8%，减少了 7.8 个百分点；教育补贴比重由 10.2% 减少到 7.6%，下降了 2.6 个百分点。这表明：养老保险社会化的改革步伐加快，城镇居民得到的养老保险补贴迅速增加；物价改革使大部分"暗补"变为"明补"，价格形成机制基本上已市场化；家庭负担的教育支出逐步增加；同时，住房补贴仍然占福利收入的第 1 位，并有上升趋势，反映了住房的福利性分配还在发展，城镇居民福利收入中比重大、增长快的传统分配格局没有发生根本改变，但是随着养老保险和价格改革的进展，福利收入构成已出现积极的变化。

二、不同收入水平的城镇居民福利收入状况

从绝对额和增长速度看，不同收入水平的城镇居民得到的福利收入存在较大差异，但与可支配收入呈正相关，即可支配收入越高，获取的福利收入也越多。按城镇居民人均可支配收入由低到高排队，1990 年最低 10% 的居民人均福利收入与最高 10% 的居民人均福利收入之比为 1∶1.58；1995 年这一比例为 1∶1.87（见表 7、表 8 和表 9）。

表 7　1990 年城镇居民全部收入测算

单位：元/人

按收入水平排列	合计	最低 10%	20%	20%	20%	20%	最高 10%
人均可支配收入	1629	723	1088	1371	1662	2087	3153
人均福利收入	1280	994	1156	1241	1319	1400	1570
1. 住房补贴	730	481	625	716	778	852	1007
2. 养老保险补贴	101	45	72	90	108	143	174
3. 医疗补贴	119	81	102	116	126	142	157
4. 教育补贴	129	218	175	131	114	71	34
5. 交通补贴	3	3	3	3	3	3	3
6. 价格补贴	121	121	121	121	121	121	121
7. 物品收入	45	32	41	45	49	50	53
8. 其他福利事业补贴	18	13	17	19	20	18	21

表8　1995年城镇居民全部收入测算

单位：元/人

按收入水平排列	合计	最低10%	20%	20%	20%	20%	最高10%
人均可支配收入	4612	1777	2733	3592	4572	6153	10250
人均福利收入	3304	2076	2803	3284	3629	4030	3882
1. 住房补贴	1960	1182	1705	2047	2267	2353	1906
2. 养老保险补贴	595	233	380	495	603	853	1222
3. 医疗补贴	306	226	264	295	325	366	367
4. 教育补贴	252	289	269	255	238	255	185
5. 交通补贴	14	14	14	14	14	14	14
6. 价格补贴	59	59	59	59	59	59	59
7. 物品收入	87	69	83	88	91	95	95
8. 其他福利事业补贴	31	24	29	31	32	35	34

表9　1990—1995年城镇居民全部收入实际增长

单位：%

按收入水平排列	合计	最低10%	20%	20%	20%	20%	最高10%
人均可支配收入实际增长	162	140	144	150	157	169	187
人均福利收入实际增长	148	109	139	151	157	165	141

　　与1990年相比，扣除物价因素，1995年收入最低10%的城镇居民可支配收入增长140%，福利收入增长109%；收入最高10%的城镇居民可支配收入增长187%，福利收入增长141%，均大大快于最低收入家庭；其他各收入组的两类收入增长基本同步。之所以出现人均可支配收入绝对额越高，福利收入绝对额也越高的情况，主要原因在于：高收入家庭就业人员多，工作单位经济实力强，工资水平高，住房较为宽裕，而现有公共福利水平和社会保障程度，主要取决于工作单位的所有制性质和经济实力，养老保险补贴、医疗补贴与职工工资挂钩，住房补贴与人均面积挂钩。这样，产生的客观效果不是向低收入家庭雪中送炭，而是为高收入家庭锦上添花。

三、福利收入对城镇居民总体收入差距的影响

　　城镇居民可支配收入快速增长，同时差距拉大，是改革开放以来的一个客观事实。据国家统计局按可支配收入测算，反映城镇居民总体收入差距的基尼系数1990年为0.23，1995年为0.28，考虑到高收入者少报收入的因素，调整为0.31。如果把福利收入同可支配收入加在一起计算，基尼系数的新结果将明显缩小。据我们测算，1990年基尼系数为0.16，1995年为0.23。这说明，5年来城镇居民总体收入差距拉大的程度并不像可支配收入反映的那样严重，目前仍处于0.2—0.3这一国际通常认为比较平均的区间。换言之，在缩小城镇居民总体收入差距方面，福利收入起了重要作用。这主要是因为，福利收入在低收入家庭全部收入中占的比重明显大于高收入家庭，收入水平越低，福利收入所占比重越大（见表10）。

表 10　城市不同收入居民福利收入相当于可支配收入的比例

单位：%

按收入水平排列	合计	最低10%	20%	20%	20%	20%	最高10%
1990 年	78.6	137.5	106.3	90.5	79.4	67.1	49.8
1995 年	71.6	116.8	102.6	91.4	79.4	65.5	37.9
增长（百分点）	-7	-20.7	-3.7	0.9	0	-1.6	-11.9

　　由表10可见，福利收入所占比重与收入水平呈负相关，这一情况说明，虽然低收入家庭得到的福利收入绝对额不及高收入家庭，但前者全部收入中的福利收入份额高于后者，这从一个侧面体现了福利收入使低收入家庭受益更大的要求。值得注意的是，10%最低收入家庭得到的福利收入份额的下降幅度远大于其他各收入组，问题的主要方面是较高收入群体仍享有绝对额较高和增长较快的福利，这不利于缓解部分社会成员之间过大的贫富差距。

四、几点建议

1. 在评价城镇居民收入差距的状况时，应当把福利收入作为一个重要影响因素。目前关于收入差距的定量分析，通常未将福利收入纳入居民全部收入加以衡量，难以客面、全面反映收入差距的实际扩大程度。现有的研究成果大都注意到统计不完善会引起低估收入差距的问题，但未重视遗漏福利收入会导致对收入差距的高估。在政策研究和学术研究中，对收入差距的低估和高估都应避免。在宣传上，向人民群众讲明福利收入的作用，有利于正确引导社会心理和社会舆论。

2. 进一步改进福利收入的分配方式，使之更好地发挥防止贫富悬殊的作用。国家和各单位提供的公共福利，应当作为一种重要的收入再分配手段，帮助低收入家庭缓解贫困程度。尽快改变不论收入水平高低，一律享有福利收入的平均主义分配方式。抑制低收入家庭福利收入比例下降过快的势头，减少向高收入家庭提供的福利收入，随着家庭可支配收入的增加，获取的福利补贴应递减。可研究借鉴西方负所得税的思路和实践，设计一种级差式补贴机制，使税收和社会保障结合起来。

3. 结合工资制度的改革，推进住房商品化和养老、失业、医疗保险的社会化。清理名目繁多的工资外补贴，将其纳入工资内。保留必要的福利补贴，合理调整福利补贴的结构。在居民福利收入中，逐步减少住房的福利性补贴份额，将购房支出逐步纳入职工工资；同时打破所有制界限，加大养老保险、失业保险和医疗保险的补贴份额，逐步使这三项社会保险补贴成为城镇居民福利收入的主要部分。

（原载《财贸经济》1997 年第 6 期，与陈志理合写）

1.10　城镇居民个人收入差距分析和对策 *

　　本文根据最新调查统计资料，从可支配收入、福利收入、工资内外收入、居民金融资产等多个侧面，对我国城镇居民收入差距进行了总量分析、结构分析和国际比较，论证了这一差距正在由绝对平均向比较合理的方向发展；并剖析了收入差距拉大过程中的突出问题特别是不合理、不合法现象。建议坚持贯彻党和国家关于个人收入分配的基本方针，理顺工资分配关系，注意做好城镇解困和调节高收入工作，加大打击非法收入的力度。

一、我国城镇居民个人收入差距的基本分析

　　改革开放以来，国民经济持续快速增长，城镇居民（非农居民，下同）个人收入总量迅速增加，人均收入和生活水平明显提高。个人收入来源日益多元化，由改革开放前的基本是工薪收入，变为以工薪收入为主，同时利息、股息、租金等财产收入及经营利润收入等比重逐渐增加；工薪收入中，由过去基本是单一职业收入，变为以第一职业收入为主，同时第二职业收入比重逐渐增加；各种灰色收入也在增加。在城镇居民个人收入总量中，劳动所得仍然占主体。

　　在上述背景下，城镇个人收入差距逐渐拉开，近几年在某些方面呈现加速趋势。为全面、客观地反映收入差距的实际状况，避免低估或高估，我们在对收入差距进行总体分析和结构分析时，尽量考虑各方面影响因素，对照多种计算结果。初步得出以下判断：

---

　　*　本文是国务院研究室《收入分配问题和对策》课题的总报告，卢中原为主要执笔人，由王梦奎主持研究并审改，陈志理、陈祖新、丛明和沈晓晖参加了研究和讨论。

(一).城镇居民总体收入差距由绝对平均向比较合理区间发展

从可支配收入、福利收入两个层面进行历史比较，可看出我国城镇居民总体收入差距处在拉大过程中，近两年有所抑制，差距程度仍较和缓。

1. 城镇居民可支配收入的基尼系数①尚处于合理范围。可支配收入指居民货币收入扣除个人所得税后的余额，不包括福利收入。据国家统计局按家计调查资料（与可支配收入口径大体相同）计算，城镇居民收入的基尼系数，1978—1986 年为 0.16—0.19，处于绝对平均区间；1987—1993 年间上升为 0.20—0.27，表明收入差距拉大，但仍比较平均；1994 年达到 0.30，收入差距进入比较合理的区间。1995—1996 年连续两年为 0.28，表明收入差距扩大的势头得到一定抑制。考虑到家计调查样本难以覆盖少数特高收入者等因素，城镇居民收入的实际基尼系数比抽样计算结果要大一些，据统计局估计，目前这一系数应略高于0.30。另据中国人民大学社会调查中心 1994 年在全国范围内作的调查计算，城镇居民人均收入的基尼系数为 0.37。我们对统计局调查的可支配收入进行计算验证，目前城镇的基尼系数在 0.28—0.31 的可能性较大，总体上尚处于合理范围的下限。

2. 可支配收入加上福利收入后，城镇居民收入的基尼系数明显缩小，处于比较平均的区间。我国长期实行低工资制，同时由国家和单位向城镇职工提供广泛的公共福利，主要包括住房、养老、医疗、教育、物价、交通、实物和其他福利事业等方面的"暗补贴"。据我们对统计局的资料进行测算，加上福利收入后，1990 年基尼系数为 0.16，1995年为 0.21，分别比同期可支配收入的基尼系数下降 7 个百分点。这说明，5 年来城镇居民总体收入差距拉大的程度并不像可支配收入反映的那样严重，目前仍处于 0.2—0.3 这一国际通常认为比较平均的区间。

---

① 基尼系数（Gini Coefficient）是社会成员的总体收入分配状况与绝对平均分配状况的相对差距。此系数介于 0 与 1 之间，数值越大，表明社会成员之间的相对收入差距越大，反之越小。国际上通常认为，系数在 0.2 以下为绝对平均，0.2—0.3 之间为比较平均，0.3—0.4 之间为比较合理，0.4—0.5 之间为差距较大，0.5 以上为差距悬殊。

换言之，在缩小城镇居民总体收入差距方面，福利收入起了重要作用。这主要是因为，福利收入在低收入家庭全部收入中占的比重明显大于高收入家庭，收入水平越低，福利收入所占比重越大。1995 年，10% 的最低收入家庭的福利收入相当于可支配收入的比例为 116.8%；而 10% 的最高收入家庭的这一比例仅为 37.9%。这从一个侧面体现了福利收入使低收入家庭受益更大的要求。值得注意的是，较高收入群体仍享有绝对额较高和增长较快的福利。1990 年 10% 的最低收入家庭的人均福利收入 994 元，10% 的最高收入家庭为 1570 亿元，福利收入最低与最高之比为 1:1.58，1995 年分别为 2076 元和 3882 元，两者之比扩大为 1:1.87。这不利于缓解少数社会成员之间过大的贫富差距。

应当指出，使用基尼系数这个指标分析收入差距问题，有两个情况是应该考虑的：

第一，由于农村低收入与城市高收入的差距比城镇居民的收入差距更大，城乡总的基尼系数会大于城镇的基尼系数。据我们按统计局的资料计算，总的基尼系数由 1993 年的 0.375 扩大到 1996 年的 0.39。

第二，我国发展社会主义市场经济，改革平均主义分配制度，收入差距一定程度的扩大是不可避免的。然而正由于我们的起点是"公平"过度，人们对于差距扩大的认同或承受能力，远不如西方国家高。实际政策必须注意到这一点，不能简单地用基尼系数同西方国家相比。

（二）工资收入差距逐步拉开

1. 劳动的复杂程度和个人受教育程度对收入差距的影响日益突出。据国家统计局的调查，城镇居民个人的职务、职称和学历越高，收入水平也越高。1996 年，人均收入较高的前 4 位依次是：高级工程师和相应职称人员，12047 元；司以上领导干部，11967 元；处级领导干部，10507 元；工程师和相应职称人员，9120 元。小学文化与大专以上学历的就业者人均收入之比，由 1990 年的 1:1.2 扩大为 1996 年的 1:1.6 左右。

2. 不同行业的职工工资差距扩大，近几年呈加速趋势。按统计局对 16 个大行业的数据计算，以全国各行业平均工资为指数 1，用工资最低行业和最高行业分别与之相比，则 1978 年为 0.76∶1∶1.38，1985 年降为 0.76∶1∶1.22，1990 年扩大为 0.72∶1∶1.27，1995 年进一步扩大为 0.64∶1∶1.43。人均工资最低行业一直是农林牧渔业，人均工资最高行业主要分布在基础设施和基础工业。

风险性、垄断性和技术性行业工资收入增长较快。1990—1996 年，按职工平均工资排序，位次上升最大的是金融、保险业，由第 12 位上升到第 2 位，房地产业由第 7 位上升到第 3 位，电力、煤气、供水业由第 2 位上升到第 1 位，科研和技术服务业以及交通、运输、邮电业分别保持了第 4、5 位。

3. 不同所有制单位，职工的货币工资差距扩大，实际生活水平差距则相对较小。1990—1996 年，国有、集体和其他单位，职工平均工资之比由 1.36∶1∶1.78 扩大为 1.46∶1∶1.92。1996 年在其他单位（主要是股份制和三资企业）工作的职工平均工资为 8261 元，分别比国有单位和集体单位高 31.5% 和 92%。如果算上国有单位职工尚未货币化的住房、医疗保险等各项福利待遇，并考虑到在三资企业工作比较辛劳等因素，国有单位与其他单位职工的实际收入差别，并不像货币工资所反映的那样大。

4. 不同地区间城镇居民收入和实际生活水平差距扩大。据国家统计局的资料，东中西部城镇居民收入差距显著，1985 年为 1.15∶0.88∶1，1990 年扩大为 1.28∶0.92∶1，1995 年扩大到 1.42∶0.97∶1（西部高于中部，主要是地区津贴较高）。1995 年居民人均收入排在前 5 位的是广东、上海、北京、浙江、天津，处于最后 5 位的是内蒙古、甘肃、吉林、河南、山西。人均收入最高的广东省是人均收入最低的内蒙古的 2.6 倍。财政支出分析表明，在社会公共产品分配方面，东中西部城镇居民间差距也在扩大。所以，实际差距比统计资料反映的差距更大一些。

（三）金融资产快速积累，并开始向部分家庭集中

据国家统计局抽样调查，1984 年我国城市居民户均金融资产仅为 1338 元，1990 年达到 7869 元，比 1984 年增长 4.9 倍；1996 年 6 月末达到30982元，比1990年又增长2.9倍。目前在金融资产总额中，银行存款占83.8%，有价证券占9.1%，手存现金占4%，其他占3.1%。金融资产的增长和分布呈现出以下特点：

1. 金融资产的多寡与收入水平呈正相关，并受消费方式制约。1996年6月，20%的最高收入家庭占有全部金融资产的37%，户均55923元；20%的最低收入家庭占有8.4%，户均12775元；最高与最低之比为4.4∶1。统计分组越细，金融资产与收入水平的正相关越明显，不同收入水平的家庭占有金融资产的数量差距也越大。将家庭月收入以500元级距排序，月收入3000元以上的家庭平均占有金融资产142627元，月收入500元以下的家庭平均只有金融资产12390元，最高与最低之比为11.5∶1。金融资产向少数高收入家庭集中的趋势已很明显。在不同收入组中，银行存款都占最大比重，除此以外，高收入家庭较多地持有有价证券，而低收入家庭手持现金比重较大。

2. 金融资产在不同行业、不同职业的家庭中呈不均匀分布状态。据国家统计局1996年6月的调查，居民家庭拥有金融资产最多的前三个行业依次为：商业餐饮与物资供销业（含个体经营者），科研与技术服务业，交通运输与邮电业。其金融资产分别是平均水平的1.24倍、1.24倍和1.19倍。最少的是农林牧渔与水利业，仅为平均水平的71.4%。另据人民银行1996年8月的调查，在城市（含市辖农村）各主要职业阶层中，人均存款发生额最高的是个体经营者，其次是公司职员，分别为平均水平的2.40倍和2.04倍；最低的是退休人员，其次是农户，分别仅为平均水平的58%和62%。历史资料的比较表明，风险程度较高、科技和脑力劳动含量较大的职业，存款增长较快。

（四）在国际比较中我国城镇居民个人收入差距并不显著

目前能得到的国际资料，都是一国城乡综合的个人收入差距，我国缺少这种统计，只能将城镇居民个人收入差距与之作大致比较。从总体收入差距看，据联合国1990年《人类发展报告》和世界银行1993年政策研究报告《东亚奇迹》，发展中国家和地区1965—1990年间的基尼系数通常在 0.3—0.6 之间。从税前、税后收入差距看，加拿大 1974 年纳税人收入的税前基尼系数为 0.38，税后基尼系数降为 0.34，1993 年分别降为 0.37 和 0.33。英国 1994 年家庭原始收入的基尼系数高达 0.53，税后收入的基尼系数降为 0.37。相比之下我国城镇居民收入差距并不突出。从最高收入与最低收入之比看，也可得出同样结论。1981—1993 年我国城镇居民这一比例由 2.3∶1 扩大为 3.8∶1，比同期发达国家和发展中国家的数字要小。

（五）基本结论

目前，我国城镇居民收入差距处在继续扩大的时期，从总体上看，正在由绝对平均朝比较合理的方向发展。我国在经济迅速增长的同时，保持了收入分配的相对均等，人民生活质量和社会发展水平有很大提高，得到国际上的公认。主要事实根据是：

1. 最低收入阶层的实际生活水平也在不断提高。据国家统计局的抽样调查，1993 年与 1988 年相比，扣除消费价格上涨因素，20% 最低收入户的年人均生活费收入增长 22.9%，消费水平提高 24.2%；其中 5% 的困难户，这两项指标分别增长 47.1% 和 48.9%。

2. 在致富因素中，承担风险的劳动和科技劳动起的作用越来越大。劳动的复杂程度和个人受教育程度同收入水平成正比。一些风险性、技术性行业的工资增长较快。在居民金融资产的职业分布中，近年来排在前几位的主要是个体经营者、科技人员和公司职员，后两者的位次上升很快。

3. 在国际比较中，中国城镇居民收入差距比一般工业化国家和发展中国家要小，并不显著高于有资料对比的任何国家。

4. 我国的人民生活质量水平大大高于经济发展水平，在世界上处于前列。据联合国《人类发展报告 1994》，我国 1994 年的人类发展指数为 0.644。[①] 该报告在重点分析各国收入分配差距后指出：中国等国

---

① 人类发展指数是衡量一国人民生活质量的国际通行指标，由平均寿命、平均受教育程度和人均国民生产总值综合计算而得，该指数介于 0 与 1 之间，0.5 以下为低水平，0.5—0.8 为中等水平，越接近 1，表明人民生活质量和社会发展水平越高。

"人类发展指数排位远高于其收入位次，这表明它们用去许多收入以改善人民的生活。""该国人均收入虽低，但其人类发展指数为中等水平。……表明其国民收入得到有效利用。"

　　事实证明，在邓小平建设中国特色社会主义理论指引下，在改革开放的实践中，实行一部分人通过辛勤劳动和合法经营先富起来的方针是正确的，收入分配逐步由平均主义向合理拉开差距的方向迈进，调动了广大劳动者的积极性，促进了生产力的发展。同时，由于经济体制处于转轨时期，在城镇居民收入差距拉开的过程中，也存在着不少不合理现象，这类现象有的正在克服，有些还在发展，问题不可忽视。

　　应该说明的是，上面所说的收入差距，除城镇居民家计调查大体包括了工资内外的货币收入以外，其他分析依据主要是正式统计的工资性收入。由于工资外收入数量越来越多，各行业、企业和单位之间差别很大，而且透明度差，所以全部收入差距当会大于工资差距。同时，还要把国家和单位支付的福利补贴考虑进来，这会使实际收入的总体差距明显缩小。这是我国收入再分配制度的一个重要结果，也是在国际比较中需要注意的。总的来说，由于统计资料所限，目前衡量收入差距的数字大多只能反映一定范围的情况。

　　在发展社会主义市场经济和多种经济成分的条件下，多种分配方式将长期并存，城镇居民收入来源日益多元化，收入水平不断提高，收入差距还会进一步拉开。公有制和按劳分配为主体的基本格局，使个人收入差距的拉大受到限制。继续坚持党和国家关于个人收入分配的基本方针，完善政策法规和实施体系，不仅能够防止两极分化，而且能够促进今后十几年奋斗目标的实现。

二、当前收入差距中存在的几个突出问题

　　由于体制不完善，调节手段不健全，当前收入分配中存在着不合理、不合法现象，收入差距拉大引起部分社会成员的不满。据国家信息中心1996年7月和12月对3000多户城乡居民（其中绝大部分为城市

居民）做的两次问卷调查，对收入差距扩大状况表示尚可接受的占47%，其中表示能接受的占20.28%，勉强接受的占26.83%。有11%的家庭持无所谓态度。表示难以接受的占42%，其中表示不能接受的占15.54%，不太接受的占26.35%。工人家庭和年收入1.5万元以下的低收入家庭中，表示难以接受的比例高于全国平均水平，分别高达48%和45%。人们对劳动因素导致的收入差距认可程度较高，对含有非劳动因素的收入差距认可程度较低。在问卷列出的导致收入差距的五种因素中，按被调查者的认可程度由高到低排序，依次为劳务收入（54.55%），第二职业收入（52.73%），经商收入（48.19%），行业间不同收入（31.80%）以及不法收入（2.43%）。收入差距中含有的非劳动因素越多，人们越难以接受。这种不满情绪主要是针对收入差距中存在的不合理、不合法因素，对此需要深入分析。

（一）城镇贫困群体扩大

原有的城镇贫困群体，主要是各种丧失劳动能力的人员以及一些家庭负担重的人员等。近些年来，出现大量下岗职工和失业人员，加上一些离退休较早且负担重的职工，造成城镇贫困群体的扩大。据国家统计局和民政部调查，"八五"期间，收入在贫困线（1086元）以下的城镇居民年均约有1330万人，其中，由于企业不景气、发不出工资或欠发工资的约占30%，失业或待业人员约占20%，社会救济和优抚对象约占5%。1996年底，全国城镇贫困人口为1176万（当年贫困线为1671元），比上年减少66万人，但是贫困程度加剧。贫困人口人均生活费收入1321元，比上年减少42元（若考虑物价因素，实际减少162元），比当年贫困线低350元，有一半以上低收入家庭的收入水平比上年下降。在城镇贫困人口中，因结构调整、体制转换等原因而导致收入下降或失业的人员约占84%，比1995年增加了3个百分点，这部分人已成为最大的贫困群体。按经济类型划分，贫困人口的40%分布在国有和集体企业；按地区划分，贫困人口的85%集中在欠发达的中西部城市。自1993年以来，虽然一些城市开始实行居民最低生活保障制度，但由于受财力限制，其中多数城市制定的最低生活保障线低于各地区参考贫困线。目前这一制度覆盖面尚小，中西部绝大多数城镇的贫困人口还没有纳入保障。

随着市场经济体制的建立和经济结构调整，下岗、失业职工有可能增加。其中大部分人会通过再就业逐步摆脱贫困，但也有一部分人可能受种种因素制约，而难以通过就业改善收入状况。据国家统计局调查推算，1996 年底处于无业状态的下岗职工为 534 万人，占同期下岗职工的一半以上。这是需要长期关注的问题。

（二）少数人因非法收入而暴富

牟取非法收入的主要手法是搞权钱交易、走私贩私、制黄售黄、贩卖毒品和其他违法犯罪活动。这是广大人民群众最深恶痛绝的。权钱交易，集中表现为索贿受贿、贪污挪用公款、个人回扣等具体形式。近几年贪污贿赂数额巨大，触目惊心。回扣之风几乎弥漫于整个社会经济的各个流通环节。据审计署调查，目前药品回扣占药品销售收入的 10%—13%。据有关部门调查测算，1993 年国家财政因回扣流失资金达 300 亿元。据海关总署估算，目前全国每年因走私贩私而损失的关税收入约 150 亿美元。此外，一些人通过偷盗、抢劫、诈骗、拐卖妇女儿童、制售假冒伪劣商品、欺行霸市等违法犯罪活动，也攫取了大量非法收入。

由于非法获利数额大，今后仍将不乏铤而走险者。在加大执法力度的情况下，牟取非法收入的手法会日益隐蔽和狡猾，预防性的制度建设显得越发重要。例如公务员和国有企业领导人中存在的"58 岁现象"（因贪污受贿等而晚节不保），就很值得注意。

（三）竞争条件不平等造成职工收入偏高与偏低

竞争条件不平等主要表现为垄断经营、价格结构不合理以及对生产要素初始占有的差异等，使得不同行业间、企业间的经济效益偏离平等竞争条件下的行业平均利润率，工资水平不能准确反映企业经营状况、劳动贡献和风险程度。

一些行业因垄断经营或国家给予的特殊条件而收入偏高。金融保险业、房地产业、外经贸、旅游、电力、煤气、供水、电信、运输、烟草等行业，职工平均工资比全国企业平均水平高出 50%—120%，一些行业的经营者年收入相当于本企业职工平均工资的十几倍甚至几十倍。另外，证券管理机关、政策性银行、全国性总公司等单位的职工工资水平也明显偏高，一般相当于同级国家公务员工资的 2—3 倍。对这些行业缺少有效的工资监督和调控机制，工资收入的漏报现象严重，一些企业（如金融企业）即使出现亏损，经营者和职工工资仍节节攀升。

因比价关系不合理而导致收入低的主要是基础产品部门，如采掘业职工收入过去处于首位，1994 年下降到第 12 位。目前停产、半停产的企业，绝大部分是生产要素初始占有水平低的市属、区属小企业和集体企业。由于竞争条件不平等而造成的收入差距，包含大量的非劳动因素，企业竞争条件处于劣势的职工是难以接受的。

（四）职工工资外收入、灰色收入迅速增加

职工工资外收入数额大，增长快。据统计局调查测算，1995 年职工（不含乡村集体单位和城乡私营单位职工）工资外收入总额约为2790 亿元，为 1990 年的 3.61 倍，扣除物价因素，实际年均递增13.3%，快于同期国内生产总值年均递增 11.9% 的速度；人均工资外收入约 1900 元，为 1990 年的 3.54 倍，实际年均递增 12.9%，快于同期社会劳动生产率年均递增 8.3% 的速度。另据国家税务总局分析，职工从单位获得的工资外收入占工资收入的比重，1978 年为 8%，1990年为 35%，1994 年为 50% 左右，部分单位达到 1 倍以上。一些典型调查的数字更高，如某外贸公司上海分公司，1994 年人均工资的统计数为 6302 元，而审计部门审计的结果实为 28000 元，是工资统计数的 4.4倍。职工工资外收入中，有些项目是合理的，属职工工资的补偿部分，问题在于不合理的部分在迅速膨胀。各单位或提高奖金、津贴发放标准，或扩大范围，巧立名目增大工资外各种灰色收入。灰色收入来源渠道多种多样，最为典型的是"小金库"和预算外资金。

工资外收入扩张的势头在企业将得到明显抑制，在机关事业单位不容易解决。由于养老统筹金与企业工资总额挂钩，企业少报一年工资总额将直接影响职工数年的退休金水平，因此越来越多的企业愿意如实上报工资总额，甚至宁可多报一点。企业工资与效益挂钩，效益不好的企业便没有能力发放工资外收入。这些机制促使企业工资外收入较快地并入工资内。在工资内收入偏低的条件下，机关事业单位普遍绕过计划控制开辟工资外收入渠道，不少事业单位（主要是应用性科研机构和新闻出版单位）的工资外收入远高于企业，这种势头短期内难以有效抑制，单靠加强行政控制不会明显见效，关键仍在理顺国家、单位、个人之间的初次分配关系。

（五）机关、事业单位工资水平偏低与平均主义共存

据人事部和国家统计局调查，1994 年在相应人员中，企业工资水平比机关平均高出 15.7%。单位内部平均主义问题仍未解决。一是现行的工资制度中，不同级别、同一级别中不同档次的工资差距过小。二是工资档次的确定未能充分考虑学历、资历、贡献等因素，同一职务的人员大都处在同一工资档次上，形成"平台"现象。据人事部 1994 年统计，1/3 的机关干部工资档次处在第二档，中央单位更为集中，处在第二档的人员比重高达 43.5%。三是补贴和津贴主要采取平均主义的分配方式，而且在收入中的比重较大，从而导致不同职务人员实际工资收入差距的缩小。

（六）税收对收入差距的调节力度不足

财税部门按统计局公布的收入数测算，1994 年个人所得税税源 150 亿元，实际征收 72.5 亿元，有一半以上税源流失了。统计局公布的收入数，主要是在国家政策范围内的个人收入。实际收入当远高于此数，因而税收流失更多。另据分析，目前征收的个人所得税中，80% 左右来源于职工工资收入。这表明，税收没有调节到应该调节的重点，即各种工资外收入和各种高收入者。据税务部门反映，高收入者偷逃税严重，

个体经营者的 90%、私营企业主的 80% 以上都有偷逃税行为。

个人应纳税款大量流失、税收调节作用乏力的主要原因，一是个人收入透明度差，税法没有明确规定法人支付个人收入应向税务部门申报，也没有建立个人收入申报制，给税收征管工作带来了很大的难度；二是个人所得税采用分项征收，而且是按月收入计征，既难按个人全部收入进行总体调节，又容易使个人收入通过划细项目或多次发放而达到避税目的；三是有关部门执法不严，对偷逃税打击不力，甚至同流合污，客观上助长了偷逃税行为；四是税务部门征管手段落后，征管力量不足；五是调节个人收入的税种单一，缺乏遗产税、赠与税、特别消费税等从不同环节对个人收入进行调节的税种。

目前我国高收入者的分布已相当广泛。据国家统计局分析，1995年，在全国家庭总数中，年收入在 3—10 万元的富裕家庭已占 8%，10万元以上的富有型家庭已达 1%。这部分家庭主要由私营企业主、个体工商户、"三资"企业中方高级管理人员、部分企业承包经营者、歌星影星名模、一些专业紧缺人才、证券投资中高获利者、部分涉外导游等组成。这些人的高收入，很大程度是付出相应劳动所取得的，但其中也有诸多非正常因素，如歌星影星、一些私营企业主收入的畸高，是与公款消费分不开的。从发展趋势看，高收入群体的非劳动所得（如财产性所得和转移性所得）可能逐步上升。据国家计委测算，1995 年我国国内生产总值（58260.5 亿元）的 69.1% 为个人收入，达 40258 亿元。今后，个人收入将成为国家财政收入的一个重要税源。国家保护合法收入，劳动所得仍将是个人收入的主体，非劳动所得则会在高收入群体中占有越来越多的份额。加强对高收入者的个人所得特别是非劳动所得的税收调节，社会阻力较小。

三、理顺城市个人收入分配关系的若干政策建议

分配关系的调整将伴随经济体制改革的全过程，当前应当以反贫困和调节高收入为重点理顺分配关系。

（一）　推行和改进两条保障线制度

一条是最低工资制度。当务之急是解决因企业经营困难、或因临时性停产、半停产而拖欠最低工资发放的问题，可采取地方政府担保、银行贷款或财政贴补的办法。一条是最低生活保障线制度。保障资金应主要由各级地方财政负责；对老工业基地和贫困地区，可通过中央财政的转移支付来解决。保障标准宜按贫困线调整，应专门研究如何帮助财政确实困难的地区筹集保障资金。

（二）　改进福利收入的平均主义分配方式

要使福利收入更多地向低收入家庭倾斜，减少向高收入家庭提供的福利收入。可研究借鉴西方负所得税的思路和实践，使税收调节与社会保障更好地结合起来。合理调整福利补贴的结构，逐步减少住房的福利性补贴份额，将购房支出逐步纳入职工工资；打破人为界限，加大养老保险、失业保险和医疗保险的补贴份额，逐步使这三项社会保险补贴成为城镇居民福利收入的主要部分。

（三）　理顺工资分配关系

对国有企业实行工资总额同实现利税和国有资产保值增值率双挂钩办法。亏损企业要实行工资总额与减亏指标挂钩。经营者收入应同企业经营成果和国有资产保值增值挂钩。既要激励企业家开拓进取，又要防止经营者与职工的收入差距过大。对经营者收入的控制，应考虑劳动力市场竞争等因素，在不同企业、不同地区要有所区别。进行经营者年薪制试点，也应贯彻上述原则。要制定专门办法监督经营者使用公款的情况。

对重点行业的工资收入实行监控制度。各种垄断性行业及高收入行业的工资收入，都要纳入劳动部门统一管理。要剔除垄断因素带来的级差收益，实行工资控制线办法，逐步缩小乃至消除行业间不合理的工资收入差距。

在机关事业单位，推进"收入工资化、工资货币化、发放规范化"的改革进程，疏通合理的工资增长渠道，使制度内的工资成为公务员收入的主要来源，能够维护职业尊严。公务员工资应随经济发展和物价上涨而正常增长，力争到本世纪末实现公务员与企业相应人员工资水平大体持平。

对企业、机关事业单位发放的工资外收入，要查清渠道，分别治理。保留、保护合理合法收入，对其中管理混乱的要加以规范，例如带有工资补偿性的额外收入，一律纳入工资项目。重点整顿和取消在本单位内外取得的不合理、不合法收入，清理"小金库"，严格监管预算外资金的使用。

（四）强化对个人所得的税收调节

实行分类与综合征收相结合的个人所得税制。建立以个人所得税为主体，辅之以股票交易所得税、存款利息税、遗产税、特别消费税和个人财产税等税种的税收调节体系，对个人所得的存量、增量及其转让进行调节。这是调节高收入的主要手段，也有利于为帮助贫困者筹集财政资金，增加中央财政转移支付的能力。

银行、证券、房地产、期货等部门能掌握个人在储蓄、证券期货交易和转让不动产等方面的收入信息，可建立及时向税务部门报送这些资料的制度。对个人纳税统一编号，推广个人支票制度，建立个人金融资产实名制和个人财产登记制度，实行法人支付与个人收入双向申报制。加强税收征管力量的建设。

（五）加大对非法收入的打击力度

健全个人收入分配的法律法规，依法严厉打击各种非法获利者。对偷逃税者，要严加处罚，偷逃税数额较大的，要按刑法处理，排除任何权力和人情的干扰。当前要集中力量处理一批社会反响强烈的大案要案，并广为宣传。应允许税务部门对尚未立案查处的非法收入征收个人所得税。征税并不等于承认非法收入为合法。收税后，若收入性质暴露为非法的，可继续依法取缔。

（原载《经济研究》1997 年第 8 期）

1.11 坚持三个"有利于"标准，推动改革开放进程

20 年前开始的改革开放，真正启动了中国现代化的历史进程。尽管可以把研究这一历史进程的视野回溯到 50 年前新中国的成立，80 多年前辛亥革命的爆发，甚至追溯到一个半世纪以前的鸦片战争，但是，如果没有 1978 年以来改革开放的伟大实践，富民强国、振兴中华的理想就不可能变得像今天这样接近现实，中国就不可能以如此巨大的步伐跨入世界现代文明发展的大道。

实行改革开放，找到了社会主义条件下解放和发展生产力的正确道路，使我国的社会生产力、综合国力和人民生活水平都跨上了新的台阶，人民受教育程度等社会发展指标明显改善，政治民主化进程也逐步展开。在 90 年代初世界巨变和近年亚洲金融危机的冲击下，我国保持了经济快速增长和社会政治稳定，抵御国际风险的能力显著增强。这一切证明了邓小平南方谈话中提出的著名论断是非常正确的：不坚持社会主义，不改革开放，不发展经济，不改善人民生活，只能是死路一条。因此，改革开放是中国实现现代化的必由之路，这个判断确实是颠扑不破的真理。

推进改革开放，必须摆脱姓"社"姓"资"、姓"公"姓"私"的意识形态争论，警惕右，但主要是防止"左"。衡量各项改革和其他各项工作的成败得失，归根到底要看社会生产力是否得到了解放和发展，综合国力是否增强，人民生活水平是否提高，而不能以是否符合貌似革命的意识形态教条来裁决。这方面的教训（有些是极为惨痛的）已经使全中国老百姓和绝大多数干部领教了几十年，绝不能再背负历史的包袱了。党的十四届三中全会指出，在建立社会主义市场经济体制的过程中，我们应当在党的基本理论和基本路线指引下，始终坚持以是否有利于发展社会主义社会的生产力，是否有利于增强社会主义国家的综

合国力，是否有利于提高人民的生活水平，作为决定各项改革措施取舍和检验其得失的根本标准。党的十五大进一步明确，在走向新世纪的新形势下，面对许多从来没有遇到过的艰巨课题，我们应当增强和提高解放思想、实事求是的坚定性和自觉性，以三个"有利于"为根本判断标准，不断开拓我们事业的新局面。这是用沉重的代价换来的经验教训，更是改革开放以来的正确实践所证明的真知灼见。

推进改革开放需要具备创造性、建设性和科学务实的精神。改革开放是前无古人的事业，必然会、也必须突破原有的计划经济体制、传统的思维方式和行为方式。不如此，改革开放就迈不出实质性步伐，只能对原有体制修修补补，无法建立社会主义市场经济新体制，社会生产力也得不到极大的解放。因此，只要符合三个"有利于"的标准，就应当大胆地试验，大胆地创新；同时要讲究方法步骤，注重可行性。风险比较大的改革举措，要周密论证，慎重决策，先试点后推广。邓小平在农村改革初期提出的"鼓励试，允许看，不争论"的方针政策，依然适用于今后的改革开放进程。探索我们不熟悉的领域，难免会遇到失误和挫折，重要的是提出建设性的改进办法，使改革措施趋于完善。而不应热衷于指手画脚，指摘这也不行，那也不行，结果自己却提不出有价值的、建设性的意见。也不能道听途说，不做调查，就对改革开放的一些探索和措施轻易下结论。更不能抓住个别、局部的失误，危言耸听，用大帽子压人，挑起不必要的争论。否则，不仅于事无补，反而可能使改革停顿甚至倒退。

推进改革开放需要不断总结经验，坚持对的，纠正错的，以利于改革开放的顺利进行。三个"有利于"标准具有鲜明的实践特征，它从千百万人民群众的丰富实践出发，又以绝大多数人得到实惠为归宿，绝不拘泥于一成不变的、一时一地的"模式"和经验，更不臣服于种种僵化的教条。一项改革措施的取舍、修正和完善，都要在实践的检验中进行。经过实践检验是符合三个"有利于"标准的，应当坚定不移地走下去。有不少身处改革开放第一线的同志，用心是好的，工作也非常辛苦，为解决当地实际困难绞尽脑汁，但是采取的某些改革措施没有达到预想的效果。这就需要认真查找原因，分析为什么效果不好，对症下药，尽快纠正，使有关改革措施走上正轨。有些改革探索往往可能与现行的政策规定相矛盾，要么是这些政策规定有不合理或不完善之处，已经不适应形势的发展；要么是实践本身走偏了，发生了不规范的行为，现行的政策规定没有得到正确理解和执行。对这样的情况应当冷静、客观、全面地加以分析，不断完善有关法律法规，健全执行监督体系，加强对改革探索的指导，避免发生方向性的偏差和大的失误。

推进改革开放既要有紧迫感，又要有坚忍不拔的精神，做艰苦细致的工作。建立社会主义市场经济新体制，必须坚决改革那些已经被实践证明的束缚生产力发展的生产关系和上层建筑，看准了的事情就要排除各种干扰和非议，尽快付诸行动，不宜久拖不决，丧失加快改革的历史机遇。同时，也要充分估计改革任务的艰巨性和复杂性，不能急于求成，一哄而起，企图找到包治百病的万应灵药。否则，会适得其反，使人们对改革开放的探索和成效产生怀疑甚至抵触情绪，延误改革开放进程。应当把单项突破和整体推进结合起来，防止陷入单兵突进、忽视配套的窘境；应当坚持具体问题具体分析的原则，避免陷入"一把钥匙打开千把锁"的简单化、绝对化思维定势。

推进改革开放需要创造和维护宽松的研究、舆论环境。改革开放以来的 20 年，是经济理论研究空前活跃的 20 年。经济理论工作者和实际工作者为改革开放积极献计献策，基本经济理论、应有经济理论和经济政策研究都有突破性进展，对推动经济改革和对外开放的实践作出了不可磨灭的贡献。在人民共和国的历史上，经济理论的研究视野从来没有像这 20 年间这样开阔，经济理论的研究和舆论环境从来没有像这 20 年间这样宽松，经济理论面对的实践舞台也从来没有像这 20 年间这样宽广。近来读到陕西户县三位普通农民 1962 年 5 月写的《当前形势怀感》（也叫《一叶知秋》），文章对当时农村经济形势、"走后门"现象和政治体制等方面的问题做了分析，勇气之过人，目光之敏锐，见解之精辟，分析之透彻，所提建议之准确，就是今天读来也令人感慨不已。特别是对那些一味从书本教条出发，不顾活生生的现实的所谓"理论家"、"思想家"来说，更应当多读读这样的堪称不朽的文献。不幸的是它被当做"资本主义复辟的反动纲领"，执笔人付出了生命的代价。这样的悲剧今天不会重演，也不应当重演。珍惜和爱护来之不易的宽松的研究环境和舆论环境，是推进改革开放进程的一个重要条件。有了这样一种环境，理论就不会被实践远远甩在后面，实践也可以少走弯路。

（原载《财贸经济》1998 年第 12 期）

第二篇

产权制度和国有资产管理体制改革

2.1　企业制度创新与产权流动

深化企业制度改革，目前已面临着如何改善企业财产组织形式的重大课题。在企业制度创新的过程中，明确的产权归属、市场化的产权流动已经提上日程，积极推动这一创新过程的展开，不仅对构筑现代企业制度，而且对培育市场机制，都具有深刻的影响。

一、改革实践的启示：自主选择企业财产组织形式

现代企业的成长，取决于在产权关系明确化的前提下自主地选择企业财产组织形式，并通过产权流动切实面向市场约束，而不是靠政府给它们规定统一的模式。

近十年的改革实践向人们提供的一条深刻启示在于：围绕着搞活企业这一中心线索展开的经济体制改革，尽管在总方向上是正确的，但是在如何构筑现代企业制度这一关键环节上却存在着尚未引起足够认识甚至未被认识的重大缺陷。迄今为止，企业制度的改革仍未获得实质性进展，我国国有企业尤其是大中型国有企业，距离自主经营、自负盈亏的商品生产者还相差甚远。究其根源，症结所在就是脱离了现代企业制度的构造，不是让各类大中型国营企业自主选择适宜的公有财产组织形式，相反，却是通过政府规定和推行某种范式，由国家承担起直接"塑造"商品生产者的责任。从中央到地方各级政府层层分解此类责任，企业仍然未能摆脱与政府的"血缘关系"，充其量只是在以地方政府积极性为基础的分割式国有资产经营体系中实行某种盈亏责任制，而不是在完整的市场体系中自我生存、自我发展，真正接受市场竞争的选择。

在企业制度改革的过程中，宏观层次对国有资产经营管理体系所作的相应改革，虽然改变了原有的以中央各专业部管理企业的条条体制，更多地发挥了政府的积极性，但仍未摆脱块块管理体制的束缚，国有资

产经营机制面临着地方政府层层分割的危险。目前的状况是，包括固定资产和流动资金在内的 8000 多亿元国有资产，除去少量中央直属的企业资产以外，大部分资产分属各级政府管理和直接控制，国有企业与所在行政区域内的地方政府有着割不断的纽带，企业之间不能跨地区实行兼并，国有资产经营体系缺乏考核和评价制度，缺少竞争择优机制。各级政府作为投资主体，在各自所辖行政地域内自行选择投资项目，自我扩张，各个企业则只能在本企业范围内进行扩大再生产。这种块块分割和自我循环式的国有资产经营体系，必然造成低水平重复建设和盲目扩张，出现大量的"小老树"企业和过多的"短平快"项目，有效率的企业则缺少发展资金，缺乏后劲，全社会投资规模不小，投资效率却不断下降。在这种情况下，企业难以成为自负盈亏的积累主体和投资主体，因而国家财政持续困难的局面也长期不得扭转。

由上分析可见，在国有资产产权关系不明确、资产经营体系形成地方分割的状况下，企业通过所有权和经营权的分离搞活国有企业内部经营机制，尚不足以解决构造现代企业制度的实质性问题，即企业要通过合理选择财产组织形式，形成以财产约束为基础的风险—收益对应机制，从而全面接受市场的约束。如果绕过企业财产组织形式的重新构筑，绕过国有资产经营的合理改造，一味追求企业内部经营机制的合理化，我国数十万国有企业（尤其是大中型企业）就始终不过是政府的生产经营单位，而不是真正的商品经济细胞。在现有的改革思路下，国有企业的日常生产可以通过市场来组织，但是在长期投资和收入分配这样的关键性方面却并未感到市场的压力。事实上，一个名副其实的企业要有独立的财产担保，资产价值应随经营损益状况或减或增，企业内部具有积累与消费的自动平衡机制。宏观经济的总平衡正是以千千万万微观经济单位的自平衡为基础，宏观间接调控也仰仗这种自平衡机制的相应变动，否则国家势必总是疲于应付消费膨胀或投资失衡。

构筑现代企业制度不是用私有制取代公有制，也不是用企业所有制取代国有制，因为这不符合现代社会化大生产的本性，不利于宏观经济与微观经济的内在协调。我国国有资产经营体系的改造和企业制度的改革，必须坚持公有制占主导地位的大前提。在此前提下形成合理的公有资产的产权关系和经营机制，这就是国家以资产收益权实现其资产终极所有者的经济利益，以国税体系实现其宏观调控者的社会管理权，同时，让企业享有独立的法人所有权，不受行政干预，按市场规律行事，对国有资产实行完全自主的经营，并对资产损益负起实责。各级政府不再直接干预资产经营和产权流动，而是通过国有资产委托经营机构实行竞争性选择，让最能保证国有资产完整或增值的企业来从事国有资产的实际经营。不能做到这一点甚至发生经营性亏损的企业，就要面临被拍卖、被兼并、被抽回国家投资的淘汰，高效企业由此而获得不断发展壮大的经营性资源，先进企业和落后企业的优胜劣汰也就不再是行政偏好决定的事情，而真正成为市场机制的自然选择过程。

要而言之，为了形成市场机制完整发挥作用的条件，为了把改革和长期经济发展密切结合起来，改变极不合理的宏观资源配置状态，为了构筑现代企业制度，把国有企业的活力从根本上释放出来，就必须让企业产权流动起来，实行产权有偿转让，培育企业兼并机制，开拓企业产权交易市场。这种必然性和必要性绝不是单纯的理论演绎结果，而是已经转变为改革实践中的活生生的现实，如果能够健康地发展起来，企业产权交易有希望成为深化改革的实质性步骤。

二、企业产权交易活动：对象、形式、主体、价格和特点

（一）企业产权交易对象包括产权关系的诸环节

企业产权交易市场一方面是产权有偿转让的交换关系，一方面是集合形态的生产要素重新组合的非行政性配置方式，进入交换的客体既可以是部分产权，也可以是全部产权。产权关系诸环节的不同结合方式，不过是产权关系内部结构为适应商品经济发展而发生的调整。因此，产权的转让并不仅仅等于所有权的拍卖和收购，而是包括所有权、占用权、收益权等多种内容的转让。

产权所对应的企业资产，包括企业运营中的全部有形资产和无形资产，如固定资产、流动资金、技术、管理能力、收益、商标、信誉、债权债务以及劳动力等等。企业产权的转让，即指所有这些要素的集合形态有偿地向其他企业转移。如果是资产所有权的买卖，那么企业产权交易当然是全要素的有偿转让，亦即包括劳动力要素的买卖，而不仅仅是物的要素的整体转移。这时，即使是全民所有制企业之间的所有权交易，劳动力要素也仍然是商品，这并不必然导致否定企业的社会主义性质。因为，使生产资料成为商品的根本原因——国有企业之间相互独立的经济效益——同样适用于论证劳动力的商品属性；而且，社会主义的劳动力商品并不是出卖人身，也不是生产过程中资本家的奴隶，而是可以通过自由择业的就业竞争，实现同任何公有企业相结合的权利；一旦被结合进去，劳动者又可以作为企业的一员参与对其他劳动力要素的购买，并没有丧失生产资料主人的地位。无论是全部产权还是部分产权的转让，都必然伴随着企业全部要素的重组，而不可能是把劳动力要素排除在外，只调整物的要素。否则，就谈不上是真正的产权交易。

从企业内部的财产组织形式看，随着改革的深入，国有企业的产权结构将日益多样化。尤其是股份制发展起来以后，国有企业的财产组织形式将呈现为国家产权（包括中央政府、部门产权及地方政府、部门产权）、企业产权、公共机构产权以及个人产权并存的多元化产权结构。这样，企业产权交易的对象就更趋复杂，产权交易形式也必须是多样化的，才能适应实际的需要。

（二）企业产权交易形式的多样化

既然产权关系包括上述诸方面内容，那么产权转让相应地就要采取多种形式，既可以采取买卖、租赁或承包经营的形式，实行企业全部或部分有形资产与无形资产的转让，也可以通过合并、参股或合股经营等资本集聚的方式展开企业产权交易。在交易过程中，既可以将实物资产（企业）转换为货币资产（银行存款、债券、股票等），也可以将货币资产转换为实物资产。

在产权交易的诸种形式中，企业拍卖与收购是最彻底的产权流动，即随着所有权的易手，占用权、收益权、处分权全部转向购买方，原企业的债权债务转归新企业，后者要承担起前者的全部民事责任和民事权利。如果拍卖的是国有企业，购买方就要负责保证这部分国有资产的保值和增值，并享有应得的资产经营收益和资产所有权收益。在非国有企业购买国有资产的场合，获得资产所有权收益是合法的；而国有企业之间的所有权买卖，则不允许损害国家资产终极所有权在经济上的实现。

企业租赁属于产权的部分有偿转让形式，即交易对象仅限于资产经营权，资产所有权并未发生转移。这是"两权分离"基础上的产权交易，资产所有者除了通过收取租金实现其资产收益权以外，对企业资产的实际运营不再施加任何干预。目前有些城市开放的企业租赁市场（例如在沈阳），可看做是企业产权交易市场的一个组成部分。不过，以租赁形式出现的企业产权交易还只是产权流动的初级形态，尽管可以发展为转租形式的资产经营权再次流动，但仍然可能因缺乏资产所有权的约束而出现某些不利现象，诸如企业行为短期化等等。

承包经营企业的资产，也是部分产权即资产经营权的有偿让渡，它与租赁一样建立在"两权分离"的基础上，但不如租赁条件下的两权分离程度那样彻底。在西方"市场经济"国家，也有总承包商、二次发包和再承包的概念，不过这样的承包是以明确的产权关系和完备的法律规范为基础的，承包者与资产所有者之间的民事权利义务关系都受到有关法律的详细规定和约束。我国现有承包经营还未达到这样的程度，最根本的问题在于承包经营的产权前提不合理，政府主管局作为国有资产的所有者代表向企业实行发包，总归无法摆脱行政管理者与企业之间的行政调节规则和行政干预关系。如果建立起合理国有资产经营管理体系，找到合法的、合乎商品经济规律的国有资产所有者代表，那么由这类机构代表国家，视不同类型企业实行发包，或由企业自愿选择向国家承包，这时的承包经营制就具有了比较合乎市场规律的资产经营权交易性质。

以合并、合股或参股等资本集聚方式展开的产权交易，是产权流动与重组的高级形态。由于中央和地方各级政府及其各个部门、社会公共团体、不同所有制的企业（国内企业和外国企业）以及个人均可通过类似形式参与企业产权交易，产权流动的选择空间显著地扩大了，这时的产权交易主要是借助货币资本的流出流入来推动的，这就比企业实物资产的转移更为方便、更有效率。在现代商品经济条件下，企业兼并往往并不采取迁移实物资产的方式，而主要靠控股、人事参与等手段来接管或改组被兼并企业，高效企业由此而越滚越大，低效企业也由此而获得新生。社会多方参股而形成的股份制企业，其产权流动更是靠债券、股票这一类货币资本来体现。股份经济的发展表明，股东通过"用脚投票"（即在股票市场买卖股票）而不仅仅是"用手投票"（即在股东大会上表决）来表达自己对企业盈利能力的预期，以此推动企业产权的合理流动，这是企业产权转让的客观发展趋势。我国股份制企业成长起来以后，也必然面临这样的产权交易前景。此外，企业内部产权结构的多元化趋势，不仅会使产权交易日益采取货币资本集聚转移的形式，而且会促使产权交易采取完整产权流动的形式，即产权交易很难分清所有权与经营权的界限，产权关系的各个环节必须一起转让。这是因为，企业内部的财产组织结构包容了社会各方的产权，企业作为所有这些资产的法人代表，有全权处理这些资产，资产所有权和经营权已经在企业法人身上统一起来，而不再是以所有权和经营权相分离的基础从事资产实际运营，当然也就不再以此和"两权分离"为基础展开产权交易。事实上，这时产权交易的基础具有全新的性质，即国有资产终极所有权与法人所有权发生了分离，它属于所有权本身的分裂，而一般所说的所有权和经营权则已在法人所有权的新形式中得到了统一，这种统一的产权结构必然导致产权的完整流动。

（三）企业产权交易主体的多元化

随着企业法和企业破产法的出台以及改革开放的深入发展，企业产权交易将获得法律化的基本制度条件，产权交易范围势必扩大，作为交易对象而进入企业产权交易市场的不会仅限于小企业，也不会仅限于破产企业，甚至不会限于国内企业。从参与企业产权交易的市场主体来看，不仅会有国营企业、城镇集体企业、私营企业、外资企业、中外合资企业以及乡镇企业各自独立地参与产权交易的竞争，而且会有多种资产主体合股购买产权。除了上述直接从事资产运营的各种企业之间的产权交易活动外，还有另外两类交易主体将积极参与产权交易过程。一类是各级政府和部门的资产委托经营机构，它们根据产业政策向产权交易竞争中的高效者转让国有资产权，相当于社会主义的控股公司，它们代表政府经营国有资产，负责选择最有效的资产实际操作运营单位，它们本体是经营性的代理机构，而不是又一级政府。另一类产权交易主体是某些社会性公共团体，主要是指那些非企业性的社团法人，它们掌握一定的社会资金，承担一定的民事责任和民事权力，例如社会保障基金或养老统筹基金等类组织，它们可以将自己掌管或筹措的基金余额用于支持高效企业的发展，通过参股或合股的形式购买企业产权，促进产权向高效生产部门流动。社团法人可以直接参与产权交易，也可以委托金融机构代理其产权交易活动。在发展中国家，社会保障基金这类基金组织可以在一定程度上弥补金融市场的不发达状况，在发达国家，这类基金组织则构成金融市场的活跃力量。我国资金紧缺，金融市场不发达，尤应充分发挥有关社会公共团体在融通资金、促进产权流动方面的积极作用。况且，社会公共团体参与产权交易，比个人参股有更大的现实性，并有助于保证多元化产权结构中公有制成分始终占主导地位。

由各类企业、国有资产经营机构和某些社会公共团体组成的多元化交易主体，在产权交易中按有偿等价交换的原则展开竞争，可望形成不同行业之间、不同地区之间、不同企业之间的产权合理流动机制，开拓出一个由公有制经济成分占主导地位、多种所有制并存共荣的企业产权交易市场。在多种交易主体中，银行、投资公司以及其他各类金融企业具有特殊重要的地位和作用。生产企业、商品流通企业要想扩大生产或经营，必须借助现代信用制度。在实际经济运行过程中，运用贷款来购买其他企业的产权，往往可能是更有助于少投入多产出的捷径。商品经济中的企业产权流动，特别是生产资本的兼并，从来都需要金融资本的支持和推动。因此，金融企业能否积极参与产权交易活动，将标志着企业产权交易市场是否具有人们所预期的那种优化资源配置的功能。

（四）企业产权交易价格的形成

由于企业产权交易的形式是多种多样的，因此企业产权交易价格也具有多种形式。在租赁的场合，租赁经营者向所有者缴纳的租金是前者向后者支付的资产经营权购买价格，或者说，租金是所有者向租赁经营者收取的资产经营权出售价格。在有合理的国有资产发包机构的场合（例如发包机构不是政府主管局，而是企业性质的国有资产委托经营机构，或者是某种打破部门界限的联合发包委员会），承包经营者向发包机构缴纳的承包利润也属于资产经营权的购买价格。但需要说明，现有的大多数承包经营单位上缴的利润还很难说是资产经营权转让价格，因为其承包基数利润的确定尚不科学，发包机构的行政性色彩还较浓厚，即缺乏产权转让价格的合理形成机制以及明确的产权关系前提。一旦纠正了这两方面的偏差，承包经营者上缴的利润就可以真正体现资产经营权转让价格的本质。

除企业租赁、企业承包这一类资产经营权交易产生的经营权转让价格外，企业拍卖、收购以及参股等资产所有权交易则必然产生所有权转让价格。在拍卖或收购企业的场合，必须按等价交换原则对企业全部有形资产和无形资产的整体转移支付双方满意的所有权转让价格。在参股或购买部分股份的场合，则是按等价交换原则支付部分资产所有权的转让价格。概括起来说，从产权交易结构看，存在着资产经营权交易价格和资产所有权交易价格；从产权交易规模看，存在着全部资产所有权的转让价格和部分资产所有权的转让价格。

无论资产交易价格采取什么形式，其形成机制都是以竞争性的市场要素价格变动为基础的。由市场供求和竞争形成的各项生产要素价格信号（利率、地租、工资等），是企业产权交易价格的参照系，但由于企业产权有偿转让不是单项生产要素而是整体生产要素的流动，因而在资产交易价格的形成机制中，制约因素要比单项生产要素的更为复杂。在企业产权交易中，不仅要考虑有形资产（设备、人力、资金等）的价值，而且要考虑无形资产（商标信誉、管理经验、协作关系等）的价值；不仅要考虑现期盈利能力，而且要考虑未来盈利能力（诸如产品市场的供求变动、资金利率的升降等因素）；不仅要接管债权，而且要承担债务，如此等等。可见，在企业产权交易过程中，对成本与收益的比较分析有更高的要求，产权交易价格更有赖于比较完善的资本市场（如股票市场）的客观评价，在股份企业的产权交易场合尤为如此。在资本市场还未发育成熟的我国经济中，目前的产权交易价格主要是由各部门、专家与企业议定，或者是通过招标、协商、拍卖等方式来形成的。由各主管部门、综合部门以及社会专家学者同企业议定产权交易价格，是在缺乏资本市场的条件下"模拟市场"的办法，它比由主管局代表政府同企业一对一谈判是一个进步；而且，在尽量让更多的交易主体参与竞争招标的情况下，产权交易价格的形成机制会具有较多的市场因素，无疑有助于弥补资本市场不发达的缺陷。但是不能不看到，"模拟资本市场"毕竟带有较大的主观随意性和行政色彩，即使"引进竞争机制"也难免出现资产评估的偏差，更有甚者，这会造成模拟市场的专家们享有难以取代的地位，使行政规则在产权交易价格的形成机制中以改头换面的形式膨胀起来。我们务必清楚地认识到，产权交易价格的形成机制也同其他任何要素价格一样，不能脱离市场关系。合理的产权交易价格终究有赖于资本市场的充分发育，企业产权市场的形成和确立，要求人们不能忽视培育资本市场的诸方面努力。

（五）企业产权交易市场的特点

在有计划商品经济总体模式指导下的我国企业产权交易市场，具有以下的基本特征：

第一，产权转让不同于我国以往出现过的行政性的关停并转，尽管有些城市实行的企业兼并是从过去的企业合并中得到的启发，但是新型的企业兼并具有等价交换的市场交易性质。产权转让即使是在全民所有制企业之间展开的，仍然是以不同利益主体之间的独立利益为交换基础。通过市场交易方式进行的企业产权有偿转让，在实质上是一种买卖关系，而不是无偿调拨关系。

第二，在多元化的产权交易主体中，不是私有制企业而是公有制企业始终占主导地位。一方面，企业产权交易并不是把全部国有资产拍卖给私人企业，在企业产权交易市场上，即使允许个人或外国资本参与竞争，我国国有资产的主要经营单位仍然是全民所有制企业、集体所有制企业以及股份制企业。另一方面，代表先进生产力和现代科技进步趋势的大中型企业，最终必然成为引导产权流动和展开企业兼并的骨干力量。这是因为，目前对小型企业实行拍卖、租赁，对大中型企业实行承包的企业经营机制改革，还是产权交易发展过程的起步阶段，随着股份企业的兴起，横向联合企业的发展以及承包制的不断趋于合理化，大中型国营企业势必积极参与产权有偿转让，成为兼并中小企业的活跃力量，成为国有资产产权交易的主导成分，公有制产权关系的不断完善化必然使大中型国营企业的活力极大地释放出来，这就决定了，在我国企业产权交易的主体结构中，大中型企业（不论是全民、集体还是股份制）尽管一开始还不能全面参与企业产权买卖，但伴随着改革的深化，它们终将在企业产权交易中发挥主导作用。

第三，企业产权交易需要在宏观指导下有计划有步骤地进行，尤其不能完全自发地受市场供求关系的驱使。我国是发展中的社会主义大国，特别要有一个协调的宏观资源配置格局，才能顺利推动现代化的进程。企业产权交易是生产要素整体流动的过程，如果流动方向、时机、步骤等是科学合理的，无疑会提高宏观资源配置效率。相反，如果缺乏宏观指导，单纯服从市场利润导向，企业产权流动的失误将对宏观经济的协调发展产生极为重大的影响，这种影响往往比单项要素流动失误的后果可能更为严重。因为单项要素流动主要涉及资源的微观配置问题，而企业产权流动则会涉及宏观经济的重大平衡关系。比方说，在企业兼并中一般会提高企业的规模经济效益，但却可能造成外部经济负效果（破坏生态环境之类）；由于企业交易价格的制约因素较为复杂，容易出现国有资产估价不准和价值流失现象；企业资产所有权交易涉及复杂的法律规范，否则难以处理当事人双方的权利义务关系；企业产权转让还会引起企业裁员，这又会产生职工安置问题，对社会保障体系提出较高要求，否则，将导致局部效益与社会协调发展之间的关系不顺。以上诸方面问题的存在，必然要求政府加强对企业产权交易的宏观指导，建立健全相应的经济调节手段和法规体系，尤其是在产权交易的初期发展中，政府的政策性指导和规划组织更显得至关重要。

第四，企业产权交易的发展与金融企业的成长以及资本市场的发育有着极为密切的关系。在现代商品经济的一般发展趋势中，企业兼并的展开和企业规模经济效益的获得，总是生产企业和金融企业相互兼并的过程和结果。企业产权交易在本质上不是产品的买卖，而是资本的转移，生产资本的高效化组合必然有赖于金融资本的参与和推动。因此，企业产权流动的合理程度，取决于金融企业参与程度以及资本市场的完善程度。认清这一特点，将有助于人们克服对行政性组织企业产权转让的依赖，积极地为企业产权交易创造适宜的金融条件。在这里，金融机构的企业化经营和有价证券市场的开拓，是其中最关键的两个环节。

在企业产权交易的发展过程中，上述特征将以不同的程度显现出来，尤其是第三个特征和第四个特征，将随着产权有偿转让向广度和深度的发展而更为强烈地展示其存在。人们对企业产权交易市场运行特征的认识当然会在实践中不断深化，但就一般特征而言，上面分析的四个方面仍旧不失其典型意义。

三、企业产权交易市场的开拓与管理

产权有偿转让、企业兼并以及产权交易市场的实践虽只有短短两三年，但是，仅这几年的探索就已经显示了不可低估的重大作用。当然在实践中也暴露出同样不可忽视的问题，看来，最关键的是要探讨清楚如何搞好产权关系的界定以及如何同现行承包制相协调这两个课题，才能由现实出发，把企业产权交易市场的开拓向前推动一步。

（一）企业产权关系的明确化是企业产权转让的基本前提，应在多元化产权主体的基础上展开多样化的产权交易，国有资产的产权交易则必须首先实行资产经营机构和政府的分离，构筑新型的企业法人财产制度，然后才能在各个生产企业之间充分展开合理的产权转让。

应该指出，在现行国有资产经营体系中，由于还是由各级政府和企业主管部门充当国有资产的所有者代表，国有企业缺乏有力的财产约束，因此国有企业的产权流动尚未建立起理顺产权关系这一根本前提。如果跨越这一前提，满足于产权关系模糊状态下的企业兼并，那么产权流动至多不过是在生产要素整体转移中注入了一定的市场因素，企业产权的归属并没有脱离各级行政部门，所谓兼并机制也就只能具有促进企业经营资源横向重组的意义，而难以同行政性关停并转发生本质区别。事实上，真正的产权有偿转让必须让企业享有独立的财产所有权，国有资产的人格化代表必须落实到两个层次——第一个层次是作为国有资产终极所有权代表的资产委托经营代理机构，第二个层次是作为法人所有权代表的生产经营企业，这样才能使产权流动具有明确的产权归属前提。

沿着企业法人所有权和国有资产终极所有权相分离的思路来构筑现代企业制度，在国有企业内部形成多元化的产权主体，实行谁投资谁所有的原则，产权归属关系就比较清楚了。在这样的法人财产制度中，各级政府和部门所持有的产权是通过国有资产委托经营机构的控股方式和参与董事会来体现的，国有企业的经营者（或董事会）是法人财产的所有权主体，而不是由设立法人的机关或组成法人的全体成员来独立承担民事责任，行使民事权力。企业对国有资产只具有法权意义上的所有权，不是国有资产的终极所有者，无论怎样处置实物形态上的国有资产，都必须保证国有资产在价值上的完整或增值。换言之，企业拥有依法处分资产的权能，但必须对资产损益负责，决不允许法人所有权侵害国有资产终极所有权在经济上的实现。

法人财产制度不等于企业所有制。企业所有制的根本缺陷在于把国有资产的终极所有权蜕变为企业的自有财产，全体职工成为企业资产的所有权代表，这就很难防止企业出现小团体化倾向，南斯拉夫工人自治企业已经向我们提供了这方面的教训。企业所有制不适合大中型国有企业财产组织形式的变革要求，它只是集体所有制的某种变形。除了那些投资数额较小、其产品和劳务的替代性较强、因而也比较适于完全竞争的小型国有企业，可以实行企业所有制以外，大多数大中型国营企业的财产组织形式不宜采用企业所有制。

产权关系的人格化代表既可以是法人，也可以是自然人。不过，由自然人充当对财产所有、占用、收益和处分真正负责的权利义务主体，一般只限于少数适合个人经营的小型企业，将某些类型的小型国营企业的产权出售给个人，实行自然人所有权制度，实践证明是可行的。但对于大量的国营大中型企业，为了保证规模效益，保证国有资产不致流失（资产存量大部分是国家投资形成的，必须保证国有资产的收益），则应当把产权组织形式建立在法人所有权基础上。

企业法人所有制也不同于国家法人所有制。法人所有制是企业财产组织形式脱离自然人所有者，与自然所有制相对立而产生的现代企业制度。法人所有制与自然人所有制的对立表现为三个独立：独立于自然人的资产，独立于自然人的组织形式，独立于自然人的经济利益和行为能力。由此来看，国家所有制当然属于非自然人所有制，但是国家所有制只是一种特殊形态的法人所有制，即国家法人所有制，它不能与企业法人所有制相混淆。第一，国家代表全民行使国有资产终极所有者的权力，又兼有立法者和行政管理者身份，这就使国家所有制不像企业法人所有制那样需要得到民法意义上的法律保护和法律承认；国家所有制的领导者是行政官员，虽然没有财产关系的特殊利益约束，但也可以轻易逃避民事责任，甚至很难对他们实行全民监督。全体人民即自然人所有者对国家法人所有者的制约不力，必然导致全民财产的经营低效。第二，即使国家所有制具有类似于企业法人所有制的上述三种独立，但是由于国家法人所有制集立法者、行政管理者和全民资产终极所有者三重身份于一身，具有高度的政企不分和非经济垄断性质，普遍推行于国有企业，必然极大地阻碍企业的独立经营和全面竞争。当然，国家法人所有制也有其适用范围。对于那些投资额巨大、产品和劳务的替代性极小，因而具有极强的自然垄断性质的部门和行业（例如某些基础性产业和社会公共服务设施），就有必要使资产终极所有权和法人所有权统一起来，实行国家所有、国家经营的产权组织形式，这种国家法人所有制仅限于极少数特大型垄断企业（诸如邮电、电力、交通等），对一般大中型国营企业并不适用，而且也必须借助商品经济的某些方法搞活经营。

这样一来，在我国国有资产经营体系中，除去对竞争性最强的小型国营企业实行企业所有制或自然人所有制，对自然垄断性最强的特大型国营企业实行国家法人所有制以外，大多数国营大中型企业均需要实行企业法人所有制的财产组织形式。在企业法人所有制内部，可以按谁投资谁所有的原则，形成由中央政府和部门产权、地方政府和部门产权、社会公共团体产权、其他企业产权以及个人产权组成的多元化产权结构。这种产权组织形式的形成过程，也就是向股份制企业发展的过程。

在上述各类企业之间，还要组建一批新的法人组织，即企业性的资产委托经营机构，由它们代表国有资产的终极所有权。中央和地方各级政府和部门可以将各自所管理的国有资产进行清产核资，将所辖生产经营企业和有价证券转交各个资产委托机构，各级政府和部门只保留资产经营效益考核权、资产收益分享权以及资产经营机构的主要人事任免权。各个资产委托经营机构彼此都是平等的法人，可以跨地区、跨行业从事产权交易，拍卖或收购企业，展开对生产经营企业的竞争性选择。在资产委托经营机构和生产经营企业之间，也是法人对法人的关系，不存在行政隶属纽带，但是前者具有资产终极所有者代表身份，有权选聘生产经营企业的领导人，有权招标出售和转让生产经营企业，有权向生产经营单位征收国有资产经营收益，决定抽回投资创办新企业或是向高效企业再投资。生产经营企业要在相互竞争中，从资产委托经营机构那里获得国有资产的实际操作和经营权，获得追加的投资，或通过竞争性投标表明自己的营利能力，获得兼并其他企业的机会。各个生产经营企业有了独立的法人财产，又在新的国有资产经营体系中展开层层竞争，才有希望形成基础坚实、流向合理的产权交易和企业兼并。

（二）改造现有承包制，采取市场化的方式组织发包、承包以及转包，使承包经营制由改良的行政性协调关系转向产权有偿转让的市场协调关系，为企业产权交易市场的发育奠定比较有利的过渡基础。

我国企业租赁、承包经营已全面展开，完全绕过这一既成事实另辟蹊径是不现实的，重构国有资产管理体系在短期内也难彻底实现。无疑，要从根本上解决政府主管部门同企业单独进行承包谈判、直接签订承包合同所带来的政企分离不完全、产权关系模糊不清、企业自主权落实不彻底等问题，就要经过长期艰苦努力，理顺产权关系。不过，基于已展开的企业产权交易还比较弱小、而承包经营势头迅猛这一客观现实，明智的选择就应当是双管齐下：一方面，需要积极扶植企业产权交易的发展，只要有优势企业愿意兼并改造濒于破产的劣势企业，就应允许前者收购后者产权，而不必一概推行承包。另一方面，则要在承包经营机制的推行中扩大市场机制的作用，在现有条件下尽量克服承包制的不足，努力把承包制引向企业产权交易市场的轨道，以市场化的方式组织承包经营责任制的推行，可以采取组建招标承包市场的改革方案。这一方案的基本内容是：

1. 由发包方、承包方和公证方组成竞争性招标承包市场。发包方不再是企业的上级领导机构，而是由企业主管部门、财政、审计、银行以及其他综合经济管理部门组成的联合发包委员会，它负责向企业招标，根据投标者的竞争性答辩选择承包经营者；招标内容可以包括对产品滞销、经营不善或无力完成承包合同的企业实行租赁、转让、拍卖或参股等；招标范围既可以是本市，也可以包括其他地区或国外企业。承包方由个人、各类企业和承包集团组成，特别应鼓励企业承包企业以及集团性承包。公证方由各地法律公证部门充当，负责承包、租赁或产权转让各类合同的法律公证。

2. 设立承包市场的协调性组织。发包方、承包方和公证方的活动构成承包市场的正常性运行，承包市场的正常运行还需要有一个高层次市场协调机构，这一机构可以称作市场协调委员会，由联合发包委员会的成员、公证部门和工会各方派代表组成，其主要职能是负责审评发包条件，审评承包期内合同的变更、撤销以及期满后合同的续订、解除，对发包方与承包方、承包经营者与生产者之间的利益矛盾加以协调，并依法负责制定承包市场的具体运行规则，等等。工会和法律公证部门参与市场协调委员会，有利于发挥全体职工对承包的主人翁作用，有利于保证承包经营更符合法律规范，更具有科学性。市场协调委员会是一种横向协调组织，与发包方、承包方和公证方均无行政隶属关系，日常的市场运行由联合发包委员会依据协调委员会设定的市场规则（如承包经营投标者的资格规定等）具体组织，但要建立发包方向协调委员会定期汇报的制度，以便接受评审和监督。市场协调委员会要由各级人代会确认其合法地位，并负责向各级人代会定期报告承包市场发展情况。在条件成熟时，市场协调委员会和联合发包委员会的职能一并转交国有资产管理部门，最终完成国有资产管理部门同政府行政隶属关系的分离。

通过建立这样一种竞争性承包市场，可望使承包制逐渐与企业产权有偿转让结合起来。在国有资产产权关系逐步理顺、国有资产委托经营机构组建起来以后，仍允许企业自主选择承包经营的形式。不过，这时的发包主体已具有企业法人的性质，生产经营单位同它的承包关系就更加接近法人对法人的市场交换关系了。而目前所设想的承包市场，还只是处于为完善的企业产权交易市场打基础的过渡阶段。

（三）从近期可行性和长远目标相统一的观点出发，积极开展多种形式的产权转让，逐步完善对企业产权交易市场的宏观管理。

企业产权交易市场的长远目标，简言之就是在明确的产权归属前提下，以合理的国有资产经营体系为组织框架，形成企业实物资产和货币资产的高效率流动与重组。基于这一目标，培育企业产权交易市场长期性建设，将包括金融市场条件、法规条件和产业规划条件的创造：首先，要开拓有价证券发行市场和流通市场，运用多种金融工具促进企业货币资产的流动，借此形成企业资产评估的客观标准。其次，产权转让要有完备的法规环境，除了在企业法和破产法中规定某些有关产权转让的基本原则外，还要有专门的产权交易法规，以确保产权交易的公正，保证交易双方享有合法权益和履行义务。最后，产权交易必须符合产业结构和企业组织结构优化的要求，国家应制定相应的宏观经济政策指导资产流动和产业发展方向，既包括制定产业政策，也包括制定与鼓励产权流动相配套的财政、税收和信贷政策。

在上述目标和长期措施的指导下，再从近期可行性着眼，我们应估计到产权关系的理顺和国有资产经营体系的改造是一个较慢过程，因此不妨先承认中央和地方分级管理的国有企业分属各级政府所有，实行跨地区的产权交易，逐渐模糊各级政府的所有权边界；通过竞争性的企业兼并打破国有资产的部门属性，先促成各个部门分离出单独的资产经营机构，然后逐步融合为一些彻底脱离各级政府和部门的、独立的国有资本集团或投资控股公司。也就是说，不必等到产权关系全面理顺之后再来展开产权交易，而是可以借助现有基础中的某些缝隙来加速旧体制的瓦解，通过产权转让促进产权界定的完成。

鉴于我国社会保障体系不完善和普通劳动力供给过剩的客观约束，企业产权转让中一般不宜大规模裁减职工，但对经营管理层则无需有此承诺。因为，他们的再就业机会相对较多，我国的劳动力市场也主要以促进中高级劳动力广泛流动为改革方向；而且如果原有管理层不动，对改善企业经营有更大影响，因此应允许企业调整这部分劳动力。

为避免国有资产估值过低造成的价值流失，除了通过税收手段消除价格失真（例如以资源税、增值税来校正要素价格和产品价格）以外，需要限制私人企业和外国资本参与产权交易的范围，近期内应主要鼓励公有制企业之间的产权转让。选择试点地区的部门时，可以把重复建设严重、经营性亏损企业较多的部门作为重点，暂时以一定区域为交易规模的限度。进入产权交易市场的企业规模顺序也宜先由小型而后至大中型。在发展多种产权交易形式中，实物资产使用权的转让如租赁、承包等是近期内主要形式，资产所有权的永久性买卖则需要在条件更为成熟时才可大规模展开。

（原载《改革与战略》1988 年第 4 期）

103

GAIGE SHIDAI DE JINGJIXUE SIKAO

2.2 效率、市场机制和产权关系改革

一、产权关系改革的前提及其对市场发育的意义

生产资料公有制，作为适应生产社会化趋势而建立的社会化财产组织制度，对于利用大规模生产的好处，在全社会范围自觉运用价值规律分配社会劳动，合理地组织全局性、长远性资源配置，有其历史必然性和不可替代的地位。另一点不容忽视的客观现实是，劳动人民通过掌握国家政权而建立的全民所有制，代表了现阶段自主联合劳动的社会组织形态。需要改变的是单一财产主体形式的国家所有制，发展具有多元财产主体的联合劳动者所有制，更现实地体现全体劳动者占有社会生产力和平等劳动的社会主义性质，而不是否定全民所有制本身。否则，便同社会主义公有制所赖以建立的生产力性质和阶级基础不相容了。这是我们考虑国有制改革的根本前提，换言之，改革国有制是完善公有制的关键，而不是取消公有制的突破口。

国有资产的产权关系能否进一步加以触动，对于社会主义市场体系的长期发展更具有关键意义。这里所说的产权关系，包括财产的所有权以及财产的占用、经营和处分诸环节。只有财产所有权的归属明确了，全部产权的转让和清偿才有章可循。这一点对城市房地产市场和企业产权交易市场的发展尤为重要。目前在城市房地产交易中，许多名为国家所有的房地产，不仅其经营权收益未按适当比例上缴国家，而且国家连所有权收益也未收上来，这就需要通过产权关系改革，培养人们的权利、责任意识，以使房地产交易合理合法地展开，房地产市场也才能健康地发展。随着公有财产组织形式的改革，近年来我国企业产权交易开始活跃，进行经营权交易的承包招标市场和企业租赁市场，以及进行所有权交易的企业买卖市场相继问世。但是，由于国有企业资产的所有权

代表仍由行政主管部门充当，承包期满或租赁期满后新增资产的归属不能割断行政联系，企业买卖过程中也存在着财产主体的行政性冲突问题。这样，通过承包招标进行法人承包，或通过买卖资产所有权进行企业兼并，仍然受到产权关系不顺的阻碍，企业不能按照外部劳动力市场和资本市场的约束进行要素调整，参与承包招标市场或企业买卖市场的积极性也不可能持久。市场化的企业产权交易，只有建立在合理的产权关系基础上，才能得到稳定的制度依托，各类企业产权交易市场也才能摆脱冷冷清清或一时兴旺的局面，走向持续的繁荣。

二、提高效率、运用市场规律并非一定要乞灵于私有化

公有制企业的存在有其经济必然性。有一类成本渐减的行业，其单位生产成本会随着技术进步而不断降低，只要价格不变或降价速度比成本下降速度慢，就会给企业带来大量利润。私有化很可能会使此类行业中的企业不去改善经营、提高技术和降低成本，反而减少企业数量，扩大一个企业的生产量，这势必产生垄断问题。政府一般可以采取限制价格和创办公共企业的途径予以解决，然而限价的意义不大，因为垄断企业根本用不着提价就能获得高利润。而创办公共企业，正是为了增加竞争对手、解除垄断和提高效率所采取的国有化措施。尤其是那些"自然垄断"行业，若在同一地区或国家内由私有企业去平行竞争，势必各搞一套，多占用社会资源。这种行业中由一家企业经营有利于减少浪费，不管是国有或私有，都不能改变其垄断地位，而私有化更有强化私人资本的倾向和损害公众利益的弊端。可见国有企业在这些领域不宜私有化，关键是要改善政府直接干预，督促自然垄断性的国有企业改善经营，提高为社会利益服务的质量。

值得注意的是，自然垄断行业和成本渐减的行业，随着技术进步是可以变为竞争性行业的，这时就需要鼓励非国有企业进入竞争；此外，自然垄断行业中的国有企业并非只有国有国营一种模式，通过委托经营（如承包之类）改善其经营服务，也是有助于提高效率的途径。

在可能产生外部经济负效益的行业中，私有化会使企业完全不考虑社会利益。因为，外部影响问题原本就是超出微观决策的狭小眼界的，何况私有制本身还具有排斥社会利益的内在倾向。私有企业在有利于社会效益但有损于个别效益的场合，势必减少供给。出于提高社会效益、降低社会成本的考虑，公有企业的存在也是必然的选择。

振兴特定的产业，保证资源配置的长期效益和宏观效益，同样是公有企业存在的正当理由。当这些产业由私有企业经营，因亏损而不能保证国计民生的需要时，这个理由的正当性就更为明显。因此可以说，运用市场规律、提高效率的关键因素，在于竞争条件和竞争环境的合适与否，在于社会效益与个别效益的比较，而并不在于私有制还是公有制。只要能够创造适宜的竞争环境，公有制同样可以按市场运行规律组织生产经营，提高微观经济效率。在保证宏观效率和社会利益方面，公有制可能更为有利。

从国际上的"私有化浪潮"提供的经验教训中，也可以得出相同的结论。发达国家和发展中国家的私有化含义较广，包括清理国有企业资产，出售全部所有权，取消国有企业的独立法人资格；出售部分所有权，国有企业的法人资格仍保留；通过出租或承包方式实行国有民营。严格说来，前两种形式属于真正的私有化，而后一种形式并未放弃国家所有权，因此称为民营化更为合适。这种管理由于民营化不改变国有企业的所有权归属，在实际上并不常用。这也是以生产资料私有制为基础的资本主义制度所决定的。

放弃国家所有权的主要目的是分散股权，提高公众对社会资产的关心程度，减少垄断，改善国有企业运营效率。然而问题之一是，在资本主义制度下，股权分散过程中不可避免地出现私人垄断势力由工业部门向金融部门的转移。这一方面是由于投资专业化和个人知识有限，另一方面是由于在发展中国家因资本市场不发达或根本就不存在，公开招股困难，私下交易必然泛滥，最终导致私人金融资本的垄断地位加强，工业企业受银行操纵，竞争难免被削弱。

问题之二是私营部门不愿按政府要价购买国有企业，因为政府要出售的企业通常盈利很低或全无盈利。为了刺激私营部门购买国有企业，政府可能被迫降低售价（在缺乏资本市场的情况下政府还可能对国有企业估值过低），或给予国有企业的购买者以种种优惠，诸如补贴、进入市场和得到资本的便利等，这都会使出售企业的净效益下降，甚至产生负效益。

问题之三是实行私有化在短期内会产生惊人的社会成本，例如企业倒闭、大量失业、产出减少和服务中断等等，而就业、投资和效益的增加则要经过一段较长时间才会显现。这些因素可能引起政治上的麻烦。

私有化对提高国有企业运营效率的作用存在长期争议。国外一些国有企业在私有化之后利润确实大幅度增加，但在私有化之前也存在利润连续几年上升的势头，这就难以将这些国有企业盈利水平的上升绝对地归结为私有化。再从长期趋势看，私有化能否保证国有企业（尤其是自然垄断行业）持续提高盈利能力，还有待事实证明。因为自然垄断行业不管是在私人手中还是在政府手中，垄断性质并不改变。要是不加强监督调节，就不能对其自觉提高效率的长期可能性抱以过高期望。

在我国，以为通过私有化就能解决国有资产经营效率和市场发育问题，更是不切实际的。

首先，生产的社会化和社会主义大工业的发展，要求有一种能够保证财产社会化的积累机制。国家资本的投入是实现社会主义工业化和现代化的重要途径，调动民间的社会资本也是一条重要途径。在旧中国，民间的私有财产囿于半封建半殖民地的社会经济关系，迟迟未能积累成支持工业化和现代化的社会资本。一方面，民族工业资本因封建关系、外国垄断资本和国内官僚垄断资本的压迫而不能独立发展；另一方面，民间的私有财产往往淹没在捐官、买地及其他消费性支出中。因而，财产的社会化没有合理的促进机制。新中国政府通过国有制方式集中支配社会财产，促进了财产社会化的历史过程。当然这种积累机制比较生硬，比较单一，除了本身有待改革外，还有必要在民间的社会资本中形成财产社会化的积累机制。可惜，大量的事实却是消费性支出侵吞生产性积累，即使在私营经济和农民那里也是如此。在现实中财产社会化的积累机制不健全的情况下，企图把国有资产分割到个人手中，可能使大量资本沉淀在消费领域，从而阻抑社会主义大工业的资本积累过程。这有悖于发展社会主义工业化和现代化的历史要求，因而是不可取的。

其次，在公民仍然依附于国家和单位的情况下，分割国有资产到个人的设想可能导致新的部门所有、单位所有和地方政府所有，形成阻碍市场发育、阻碍资源流动的领地经济关系。目前，即使是在股份制的试行中，许多单位尚且向职工提供旱涝保收的"债券化"股份；在住房私有化过程中，公对公购买再转为职工私有的现象也屡有发生。诸如此类的问题说明，把市场化改革的困境仅仅归结为国有制方面的财产关系问题，而不明确企业和个人、国家和个人各自的权责利关系，其结果就可能是各单位、各地方、各部门来瓜分国有资产所有权，继续包、管职工的一切，在各自的领地内复制旧的产品经济体制。由于公民缺乏自主选择、自我负责的能力，对专业化很强的国有企业的投资又缺乏应有的知识，他们必然被所属单位瓜分国有资产的不同能力所左右，身份、等级差别的复杂化反而会变本加厉。

最后，私有化主张只是着眼于财产关系的调整，而对至关重要的劳动选择自由以及由此决定的平等劳动关系有所忽略。这甚至不符合现代市场经济制度重视调整劳资关系的发展趋势。在一些发达的工业国，工人合作企业的兴起，职工参与企业民主管理的实践，为研究现代市场经济制度中如何协调财产关系和劳动关系，为如何改进社会主义公有制企业中的劳动者地位，建立企业内部的合理组织结构，提供了丰富的材料和有益的启发。股份有限公司之所以同样适用于社会主义商品经济，不仅仅在于它是一种有助于完善公有制的财产组织制度，还在于它有助于在所有者、经营者、劳动者以及社会利益代表各方之间，建立起相互依赖、相互制约的平等劳动关系和平等协商关系。在我国改革中出现的私人企业，有不少家存在着劳动条件恶劣、劳动者地位低下的不良现象，这也从反面提醒我们，仅仅重视财产关系而不注意劳动关系的调整，是不利于确立劳动者的主人地位的。

三、国有企业提高效率的决定因素

无论是资本主义国家还是社会主义国家，国有企业大都受困于效率低下。然而，也有相当一些国有企业和私营企业一样有效率。例如联邦德国的大众汽车公司，在该国很少有人知道它是国有企业，它的经营实绩并不亚于私营企业。只要具备一些条件，国有企业可以获得和私营企业同样高的经营实绩。国际经验表明，竞争程度，适宜的经营目标和财务自主权，管理方面责权利受保障的程度，是国有企业成功经营的三大决定因素。

——竞争程度。在提高效率方面，国际比较证明，竞争环境的改善往往比所有权的易手更重要。处于卖方竞争激烈环境中的国有企业，一般都具有较好的经营实绩，而不利于竞争的保护性政策，无论对国有企业还是私有企业的效率都会产生损害。为了刺激国有企业提高效率，可以在促进它们之间的竞争方面采取特殊方法，而不一定非诉诸私有化不可。因为，过多的政府干预对私有企业的竞争精神也是严重抵消因素，所以，私有化能否达到更高的效率，在根本上取决于政府的政策结构和经济管理体制，能否提供一种有利于竞争的环境，尤其是商品市场、生产要素市场在多大程度上由竞争力量来支配。在市场不发达的发展中国家，政府应优先致力于改善竞争环境。例如，减少进出市场竞争的障碍，撤销阻碍生产要素自由流动的人为壁垒，管制垄断，提供良好的基础设施和有效的公共服务等等。而不宜简单放弃国有企业的所有权。简言之，促进竞争是增强市场力量和增进效率的根本。当然，在市场竞争比较充分的那些行业，向私人拍卖、出租小型国有企业，无疑有利于提高资源配置效率。一定范围的私有化是有重大价值的；但它只是为了下放决策权、增强市场竞争力量、改善经营能力和优化资源配置所做的一种努力，而不是全部，也不是最根本的手段。

不放弃国有所有权而实行管理民营化，在资本主义发达国家和发展中国家不易推广，对于发展中的社会主义中国却有十分有益的参考价值。我国的数万家大中型国有企业全部向社会或个人出售所有权是不现实的。当然，其中有些属于竞争性行业的企业，不妨通过分散股权的方式改变单一国有财产主体的旧格局；而在那些高度垄断或自然垄断性行业中，为数不多的巨大企业保留单一的国有制或许是必要的。保留国家所有权并不妨碍经营权的放弃，也不排斥经营权和所有权的统一。具体采取何种产权关系，主要视竞争的需要以及社会利益和个别利益的取舍，来做出决定。

——适宜的经营目标和财务自主权。国有企业放弃利润最大化动机而只服从非盈利目标，依靠财政补贴过日子，已被证明行不通。经济分析和国际比较证明，除了少数自然垄断行业和公共服务性项目不必为利润动机所驱使以外，大部分公有企业仍然有必要以利润为主要目标，这样才能使经理们的财务自主权有实际意义，促使他们像私营企业一样关心经营效率，并且负责地向政府和公有企业的其他持股人支付相应的资本收益。即使是那些非盈利的国有企业，也必须有明确的提高效率的衡量标准，这种标准尽管不同于以盈利为目的的市场评价原则，但也不能无限制仰仗亏损补贴。

——管理权责利的有效保障程度。对国有企业管理者的过细控制和过多干预一般说应尽可能减少，但也需要由法制化的途径明确划分政府（所有者），董事会（企业战略决策集团）和经营者阶层各自的责权利。比较简明的控制指标、稳定的分散决策组织结构以及根据企业垄断程度确定市场调节程度与政府干预职能的恰当组合，有助于提高管理自主权的保障程度和责任的严格程度。在很多国有企业中，管理自主权的保障程度往往随政府承诺程度的变化而很不稳定，这种情况反映在国有企业的承包制度中，不仅在我国时有发生，在国外公有企业的承包经营中也屡见不鲜。因此，减少政府干预特别需要以明确划分不同职能和制度化的决策组织体系来做有效保证。

四、建立财产主体多元化的公有财产组织制度

由多元财产主体构成新型的全民所有制财产关系，将从根本上解决

传统国有制同发展社会主义商品经济的矛盾。传统国有制之所以不适应社会主义商品经济的要求，主要是由于，在微观上，国有企业不具有独立的财产权利、财产能力和财产责任，因而无法对其经营的市场后果严格自负盈亏；在宏观上，国家把资产所有者的职能、经济调控者的职能和行政管理者的职能混为一谈，企业同国有资产所有者的经济关系变成行政隶属关系；由财产关系决定的经济利益和责任，被行政关系决定的行政利益和责任所扭曲；国家的宏观经济调控权和行政管理权取代了国有资产所有权（"税利合一"是其典型体现）；这必然导致对国有企业的直接全面干预，使它们不能面向市场自主经营。放权让利和经营方式的改革没有深入到财产组织制度的层次，市场机制即使局部启动，也难长期维持。

解决传统国有制同发展商品经济的矛盾，必须使微观层次具有对市场后果负责的财产权利、财产能力和财产责任，同时使宏观层次分清不同职能，既能有效监督国有资产的经营，保证所有权收益，又能减少直接干预，保证企业自主经营。

符合这一要求的国有制改革，意味着大中型国有企业在财产组织制度上来一番根本创新。在商品经济和生产社会化高度发展的基础上产生的现代企业制度，可为此提供有益的参照。结合我国的情况，大中型国有企业的制度创新应具有以下特点：

其一，以企业资产的终极所有权和法人所有权相分离为前提，对国有企业的产权关系予以明确界定。企业资产的终极所有者享有资产收益权和资产处置权，这些权利通过资产所有权凭证（股票）及其市场交易来实现，企业所有者由股份持有者来充当。国有资产的所有者职能及其监督职能由特定机构来履行，以便督促国有资产的有效运用。企业的实物资产不管终极所有权属于谁，只要企业取得了独立的法人地位，就变成企业法人财产。因为企业在法律上对这些资产享有占用、经营和处分权，事实上等于确认了法人所有权，企业对市场后果也就具备了财产权利、财产能力和财产责任。例如，企业可用它们作为举债的抵押或破产的抵偿，自负盈亏便有了实质内容。

其二，企业内部形成风险共担、利益分享、集中指挥、独立经营的合理组织结构。多元财产主体使企业资产所有者和投资者分散化，劳动者持股将切实地关心企业资产能否增值，并要求参与民主管理；企业外持股者通过董事会监督和影响企业经营方针，通过资产收益权和自由处置权以及股份有限责任，对经营者形成硬约束，但不干预企业自主经营；经营者与所有者相分离，形成专业化的经理阶层，集中指挥企业内部资源配置，按照市场利润率、工资率和股息率的约束，考虑投资成本和收益，安排企业长期发展规划，不迁就内部职工追求短期消费利益的倾向。合理的内部组织结构，为企业行为长期化提供了牢靠的制度基础。

其三，在国有企业内部引入多种所有制成分，国有资产或其他公有制成分向非国有经济部门渗透。国有企业所有者的分散化，将不同公有制成分和劳动者个人所有制引入企业内部，有助于打破传统国有制造成的条块分割和行政性垄断，促使不同所有制经济部门的资源广泛地流动起来，迅速调动国有资本以外的民间资本，也有利于国有资产的存量调整，进而推动生产要素市场的开拓。各种所有制在国有企业内部混合成长，并不必然导致社会主义公有制的主导地位被削弱；相反，由于改造了公有制实现形式，有多种方式可以促使公有制的主导地位得到加强。例如，各种形式的公有制企业之间可以相互参股，公有制企业可以向非公有制企业参股，各种公共社团和国家事业单位实行"机构持股"，以及更重要的国家控股等等，都是加强公有制主导地位的有效途径。而且，公有制主导地位的加强，在有计划商品经济体制下的含义也与产品经济体制下的有所不同。在产品经济体制下，公有制的主导地位表现为国家集中掌握实物资产；在有计划的商品经济体制下，公有制主导地位的加强表现为，国家集中掌握信贷资金和有价证券等金融资产，公有制成长壮大的主要衡量标准是全民财产在价值形态上的增值，而不单单看实物资产增加了多少。

具有以上特点的现代企业制度，其典型形态是股份有限公司。对于完善公有制来说，这是目前能够找到的比较理想的财产组织形式。我国大中型国有企业有必要分期分批地向股份有限公司过渡，工业企业、专业银行、物资企业、粮食企业和商业批发企业，应在政企分离的前提下，有计划地采取这种公有财产组织形式，最终使之成为我国大中型国有企业的主要财产制度。

少数需要国家直接控制的自然垄断性企业，也可以实行股份有限公司的组织形式，但它和其他那些垄断竞争性的大中型企业的股份制可能有些区别。例如，后者的股权分散面可更大一些，包括社团、公众和其他企业法人都可参股；同时，国有资产的所有者代表需要有多个，也就是由几家国有资产委托经营机构分别拥有同一企业的国有资产份额，以防产生新的垄断。自然垄断企业的股权分散面可能难以扩及个人，所有权代表者也不宜分散，而实行国家控股，由一家国有资产委托经营机构控制其大部分资产份额，或许更有利于监督管理，提高经营效率。

五、企业承包制与产权关系改革的衔接

企业承包制只涉及国有资产经营权的分散，并未变更国有资产所有权，因此它不是公有财产组织制度的改革，而是企业经营方式的变革。由于企业承包制和股份制在产权关系改革中属于两个不同层次，因此两者并不对立，反而可以长期并存于国有资产经营体系中，既可能适用于不同类型的企业，也可能在股份制企业实行承包经营。

从最早实行国有企业承包经营方式的法国和一些发展中国家的经验看，承包制较适合于在垄断性公有企业（不宜私有化）中实行；效果最好的是那些内部机制比较健全，能够十分接近商业性经营的国有企业，而在毛病很多的企业内就起不了多大作用；承包方案应短小而简单，重点是澄清经营目标，增加管理自主权；承包计划提供了企业和政府沟通的渠道，但不能在政府现有控制上叠床架屋，而应替代过多的现有控制；在加强管理自主权时，由于要对承包计划实行监督，往往会与前者发生矛盾，必须协调之；政府不能放弃自身管理经济的合理职能，这种职能没有任何承包计划能够替代；承包合同必须是有法律约束力的

文件，而不能由于政府承诺的随意改变而破坏其有效性。这些经验教训对我们的承包经营制也很有启发，其中比较重要的是，承包制不能取代财产组织制度层次的改革，也不能有效运用于严重有病的企业，承包制应尽量朝市场化方向发展（如竞争性承包、法人承包、通过市场发包等等），以减少新的不恰当干预。

我国现行的企业承包制，不仅可以作为一种独立的企业经营方式加以不断完善，而且也可以和社会主义股份制衔接起来。事实上，现有的国有大中型企业承包经营制，其中有些便于同股份制衔接的新因素，例如厂长任期目标责任制、法人承包、招标承包、优先续包权（完成合同者优先续包）以及评审委员会等等，都是值得进一步发展和完善的。承包制毕竟在现有条件下，为所有权和经营权的分离，为企业法人地位的确立，以及为经营阶层的形成，创造了一个有利的开端。进一步说，承包评审委员会的成立，为实行股份制准备了资产评估的专家班子，也为企业董事会培养了专门人才；法人承包有利于向企业相互参股发展；厂长经理责任制对于股份公司经理阶层的造就，更是具有直接的积极意义。承包制中这些新因素的发展和完善，完全可以成为社会主义股份制的生长点。

（原载《财贸经济》1991年第5期）

2.3 关于国有资产管理的几个认识问题

按照社会主义市场经济总目标的要求建立国有资产管理新体制，是我国改革开放新阶段中一项影响深远的制度创新。党的十四届三中全会将这项制度创新的指导方针概括为"国家统一所有，政府分级监管，企业自主经营"，这是对多年来国有资产管理理论和实践的重要总结，这一方针明确指出了国有资产管理体制的改革大方向，并为理清一些模糊认识提供了基本依据。由于国有资产（尤其是经营性国有资产）的管理十分复杂，进行制度创新不仅在实践上尚有大量艰巨工作，而且在认识上也有一些问题需要讨论和澄清。本文仅就经营性国有资产的管理中存在的认识问题谈一些个人看法，供大家进一步讨论。

一、产权界定中国家和企业的关系

我国经营性国有资产的产权界定涉及两大类企业，一类是国家独资企业，即全部资本金由国家投入的国有企业；另一类即改革以来出现的含有部分国家投资的各种合资企业、股份企业、企业集团和联营企业，可统称为混合所有企业。

对国家独资企业和混合所有企业进行产权界定的基本目的在于确立以有限责任为核心的现代企业法人制度，既要改变以往由国家对国有资产的经营承担无限责任的状况，也要纠正国有企业改革中国家所有权被分割以致丧失的偏向。

有限责任原则是指投资者（业主）按其投入企业的资本数额作为对企业债务承担最终财产责任的最高限额，它规定了明确的所有者责任边界。有限责任原则同时体现了现代企业法人制度中法人财产权同业主所有权的相对分离，即：企业以其全部资产对其债务独立承担民事责任，企业有权支配全部资产的运营，包括占有、使用、处分的权力，因

115

而既有财产责任又有负亏的财产能力。企业投资者不对企业法人的债务承担超出其投资股本的无限责任，但是基于资本确定、不变、维持的原则，企业法人资产的运营必须满足资本金的保值和增值要求。需要指出，有些同志认为法人财产权包括收益权，这是不准确的。严格说来，法人财产权仍属于独立支配意义上的权利，而不是归属意义上的权利。收益权是所有者权益，这在资产负债表上是很清楚的，企业法人不能将所有者权益据为己有。无论企业怎样运用法人财产去发展扩充自己、甚至创办新企业，都不能侵犯业主所有权在经济收益上的实现。换言之，企业运用业主资本所产生的利润及其使用结果（如公积金、未分配利润以及再投资），不能改变最初投资者的所有权。

以有限责任为基础的现代企业法人制度，在形式上分离了业主产权和法人产权，实际上强化了投资者所有权对法人财产权的约束。在这种产权制度下，投资者所有权不可能转化成企业法人对投资股本的所有权，投资者最终要对企业经营风险承担财产责任，因为任何企业的破产都是破所有者的产，而不是破经营者的产。所有者对经营者的经营不善负有不可推卸的财产责任，因此必须强化所有权对经营权的监督和约束。经营者要独立承担经营风险和责任，不可能指望所有者替经营者承担企业债务的风险，当这种风险约束机制和相应的利益刺激机制结合起来时，法人财产权和投资者所有权就形成了相互分离又相互制约的关系，在这种产权关系中，即强化了经营权，也强化了所有权。

现代企业法人制度确立的有限责任原则给我们的重要启发是：（1）产权界定以出资人的投资为依据，谁投资，谁拥有企业的所有权；（2）投资人的资本不仅要保值增值，而且其所有权不能在企业经营中转化成企业所有权；（3）资本所有权和法人财产权的相互分离和相互制约关系，并未导致经营权的强化和所有权的弱化，相反，两权都得到了强化；（4）投资者对企业经营活动不承担无限责任，企业则不能在无财产能力的情况下对其经营后果承担财产责任。

这些启示有助于我们澄清以下一些问题上的模糊认识：

一是国有资产所有权的界定范围。在界定国家独资企业的国有资产时，一种意见认为，只有国家直接投资及其收益形成的财产才应归属于国有资产，而企业用自有资金和社会集资所形成的财产则不应简单归入国有资产。这个认识是欠妥当的，其失当之处在于混淆了所有者和经营者的界限，忽视了国家作为企业唯一股东的唯一所有权。国家独资企业可视为国家作为唯一股东的股份公司，除了用国家直接投资及其收益形成的资产归国家所有外，用企业留利、银行贷款、发行债券等方式形成的资产及其收益也应归国家所有。这是因为，经营者是国家即所有者的雇员，企业留利属于股份公司的留存收益，银行贷款是国家无偿拨款变为有偿资本的投资方式，企业债券也是以上述国家股本及其收益为财务后盾的。这样看来，不论国家独资企业的具体投资形式和渠道如何，所形成的资产所有权都属于国家这个唯一股东，企业作为经营者并不能成为国家股本及其收益的所有者。

在界定混合所有制企业的国家资产范围时，情况更为复杂一些。主要的认识分歧在于应否把由于国家税收优惠、政府机构和国有企业担保贷款形成的资产归于国家所有。这里要区分的是国家的社会管理者和资产所有者两种身份，因为确定资产所有权只能以投资者的投资行为作依据，而不能以社会管理者或经济调控者的非投资行为作依据。符合投资性质的行为一般特点为：具有明确的出资人，资本确定、不变、维持、增值，资本所有权归属清晰等。国家税收优惠属于政府社会管理职能和经济调控职能的体现，不具有投资行为的一般特性，因此它所形成的企业资产不应归入国有资产。在有国家股权的混合所有企业中，国家股权及其收益形成的资产无疑应属国家所有，企业通过银行贷款和发行债券形成的资产也应按国家股权比例划归国有资产。在没有国家股权的混合所有企业中，由国有企业担保贷款和国有金融机构贷款形成的资产应归企业所有，而不应划归国家所有，因为这种场合的贷款不是国家以股东身份进行的投资，仅反映债权人与债务人之间的借贷关系。

二是承包经营中"企业自有资金"的归属问题。实行承包经营以来，承包企业试行国家资金和企业资金分账制，企业留利和用留利投入形成的固定资产及流动资金列入企业资金，于是出现了"企业自有资金"的概念。部分企业将这部分资金视为自己所有的财产，不再属于国有资产。有一种主张建议将企业自有资金折成企业股，将国家资金折成国家股，借以使产权明晰化。按照这种做法和认识的逻辑发展下去，国家投资的所有权将有一部分甚至日益增大的部分转化为企业的所有权，国有制可能蜕变为企业所有制。且不说企业所有制在实践上的不成功（如南斯拉夫教训所示），从现代企业法人制度和有限责任原则所得到的启示也提醒我们，把企业留利及其再投资形成的资产归为企业所有，无异于分割了国家股东的所有权。这与资本确定、不变、维持的基本原则是背道而驰的，也不符合"资产恒等于业主权益"的会计原则，混淆了所有者和经营者的不同权益，侵害了国家股东的所有权。因此，"企业自有资金"不是一个科学的概念，应当明确这部分资金属于国有资产，企业不能将其视为自己的财产。

三是强化经营权还是强化所有权的问题。针对国家干预过多，对国有企业负有无限责任的旧体制，有一种改革主张建议强化经营权，或者说弱化所有权对经营权的控制，加强企业经营者的独立地位。从改革的实践来看，企业承包经营最接近强化经营权、弱化所有权的主张，但是实际结果并不理想。承包制在产权约束上存在着经营权和所有权均弱化的内在缺陷：其一，经营者没有独立的法人财产权，因而缺乏对其经营后果承担责任的财产能力。经营者同行政机关的承包合同并未体现平等的契约关系，多是对行政机关规定的承包条件作出许诺，政府又无多少实际责任。由此可见，经营权并没有在实质上得到强化。其二，作为国有资产所有者的政府机构试图通过承包合同将经营风险让企业全部承担，自己却没有切实行使对资本损益最终承担财产有限责任的资本所有者职能，实际上企业负盈不负亏，国家到头来还是摆脱不了承担无限责任的窘境，本应有的所有权约束陷入不应有的弱化。现代企业法人制度及其有限责任原则，通过业主所有权和法人财产权的相互分离和相互制约，既强化所有者对经营者在价值形态上的财产约束，又强化了经营者独立经营企业实体资产的自主权，这才是符合市场经济要求的产权约束关系。由此看来，应当抛弃"强化经营权、弱化所有权"的主张，代之以新的认识，即通过建立以有限责任为核心的企业法人制度，既强化经营者的自主权，又强化所有者对经营者的产权约束。

二、国有资产管理体系中中央和地方的权限划分

在经营性国有资产管理体系中正确划分中央和地方的权限，主要应解决"统一所有"还是"分级所有"的认识问题。我国现有经营性国有资产的投资和管理呈现中央、省、市和县四级所有的格局，这是以政府为投资主体的传统体制留下的既成事实。现行财政包干体制和税收制度承认了这种中央和地方四级所有的财产归属和利益分配关系。在改革国有资产管理体系的探讨中，一种流行的看法是主张承认这种既成事实，按谁投资、谁所有、谁管理的原则划分国有资产的归属和管理权限。这个看法是值得商榷的。首先，这种主张看似简便易行，实际上很难办到。我国现存的国有资产，既有中央和地方分别投资形成的，也有中央和地方共同投资形成的，但几十年来企业管理权限几经上收和下放，这就很难划分清楚哪一级政府是企业的投资主体。其次，传统体制下的资产平调、税收优惠（补贴）等政策行为已打乱了企业的财产关系和利益分配格局，现存资产及其收益不能准确地反映各部门、各地方所属企业的资产经营成果，若按既成事实核定资产归属和收益分配，将难以客观、公正、准确地界定产权。再次，这种主张不利于投资主体的转换。市场经济中的投资主体应是企业而不是政府。任何改革均应促进投资主体由政府向企业转换，而承认"四级所有"实际上不能分离各部门、地方的政企合一，反而会强化政府的投资主体地位。因此，"分级所有"的主张不符合市场经济所要求的产权改革方向，其根本缺陷就在于既难以明确产权又不能削弱政府的投资主体职能。

对于经营性国有资产，应当实行国家集中所有权的新模式。其主要内容是指：国有资产专职管理机构集中统一行使经营性国有资产的所有权，包括所有者代表权、投资和收益权、资产处置权和产权代表任免

权，该机构专门负责国有资产的保值和增值。任何其他部门不再分散行使国有资产的所有权，不论哪一级地方政府，都不再是经营性国有资产的所有者。各级国有资产专职管理机构对经营性国有资产实行统一管理，只对国家国有资产管理部门负责，而不对地方政府负责。各级地方政府不再拥有经营性国有资产的产权，但是可以拥有"地方公营资产"的产权，此类公营资产主要是公益性、非营利性的公共事业和基础设施，如地方性道路、邮电、通信、电力设施、医院、学校、公园、行政机关资产等。在发达市场经济国家，地方政府通常拥有这样的地方公营资产，以便为地方经济社会发展提供必要的公益性服务，这是地方政府主要职能的体现。

国家集中所有权符合社会主义市场经济的总目标。第一，国家集中所有权既能维护全民所有制财产的不可分割性，也能正确发挥中央和地方的积极性。我国全民所有制财产的唯一所有者在现阶段只能由国家来担当，只有国家才能超越地方利益，有效维护全体人民的利益。我国是一个大国，需要发挥中央和地方两个积极性。中央和地方有各自不同的职能，中央集中统一管理经营性国有资产和一部分全国性公益事业的资产，体现了中央政府作为全民代表的职能；地方拥有一部分非经营性公营资产，体现了地方政府维护地方社会经济协调发展的需要。根据不同职能界定中央和地方的财产权，对于正确发挥中央和地方的积极性，提供了比较科学的基础。

第二，国家集中所有权有利于建立现代财税体制，提高国家宏观调控能力。现代市场经济需要一个中央和地方权力分工明确、各自利益得到合理保障的财政税收体制，这种财税体制对提高国家宏观调控能力至关重要。国家集中管理经营性国有资产所有权，地方拥有一定的非营利性公营资产，可以理清中央和地方的一部分事权和财权，合理地体现和保障中央和地方的利益。这是建立现代分税制的一个重要条件。中央政府通过集中所有权得到的资产收益可以保证稳定的财政收入来源，从而为实施宏观调控意图奠定可靠的财力基础。

第三，国家集中所有权有利于形成全国统一市场，加强资产流动性，提高国有资产的宏观配置效率。经营性国有资产的所有权归国家统一所有，必须打破现行的部门所有制、地方所有制和企业所有制，瓦解部门、地方对全国统一市场的分割与垄断，促进国有企业的资产在全国范围流动起来。企业法人独立经营国有资产只服从市场效率导向，而不再受部门和地方利益的左右。企业资产的自由流动是生产要素流动的重要形式，在所有权归属明确的前提下，企业资产的流动势必大大改善国有资产存量的配置效率。

三、国有资产显性流失问题

国有资产流失包括两方面：一方面是无偿占用国有资产，可称为隐性流失，这在改革以前即已存在；另一方面是侵害国有资产所有者权益，可称为显性流失，这是改革以来出现的新问题。通常人们把化全民为集体、化公为私、化预算内为预算外、低价出售公房、中外合资中国有资产低价折股等几类现象归为国有资产显性流失。对这些现象需要作具体分析，以便澄清一些模糊认识，分清哪些现象确属侵害国有资产权益，哪些则不能简单地归为侵权行为。

一是化全民为集体，主要发生在国有企业股份制改造中，把企业留利作为企业集体股，使国有资产及其收益转为集体所有。这显然是侵害了国有资产所有者的股权和收益权，在认识上的错误来源于对"企业自有资金"的定性不明，将国家股东的投资及其收益当做企业自己的积累和收益。在股份制改造中，应纠正企业以各种手段将国家投资及其收益转化为集体股的行为。

二是化公为私，主要发生在租赁、承包经营中，经营者将国有资产收益尽可能地转化为个人所得或本企业职工收入。在股份制改造中，有些企业错误地认为将现有国有资产全部或部分地按职工人头作股分享就是推行股份制。这些行为也侵害了国有资产的权益，应当加以纠正。

三是预算内国有资产流入预算外集体企业，这也是化全民财产为集体财产的一种形式。许多新创办的预算外集体企业，其原始资本均由预算内国有企业和行政主管部门无偿划拨（包括行政经费、事业费、专项拨款、预算外资金等），并靠国家减税让利政策发展起来。这些企业的最初投资来自国家，并不是真正的集体所有制。如果不承认最初投资额的所有权及其收益，也会侵害国有资产权益。应当根据国家原始投资份额界定国有资产的所有权权益，制止这部分国有资产流失。

四是国有资产低价折股参与中外合资、合作企业。在创办中外合资、合作企业的过程中，中方国有资产往往不经评估，对有形资产往往按远低于重置价格的账面净值作价，对专利、专有技术、土地使用权、商誉等无形资产则往往不作价，即使作价也偏低。由此造成的国有资产流失十分严重，这是国有资产权益受损的一个突出表现。

五是土地有偿使用中地方政府应有的一部分级差收益，不属于国有资产流失。城市土地属于国有资产，应由中央政府行使所有权，垄断土地使用权的出让，从土地有偿使用中取得绝对地租（所有权收益）和一部分级差地租（因地理位置产生的收益）。地方政府不拥有城市土地所有权，地方公营资产占用的城市土地只能取得使用权。取得土地使用权后，地方政府投资于地方公营资产可使土地因集约经营而产生另一种级差地租，这部分地租应归地方政府所有。地方公营资产占压的城市土地还可再转让、出租或拍卖，如果地方政府继续在转让后的土地上投资，它们仍有权取得相应的级差地租。简言之，与地方公营资产连带的城市土地所有权应包括绝对地租和一部分级差地租，只有这部分收益不应从国家手中流失。地方政府经营地方公营资产连带的土地使用权所产生的另一部分级差地租，则属于地方政府应得的权益，不是对国有资产的侵权行为。

四、国有资产存量的流动问题

我国目前国有资产存量流动的主要形式大体有企业合并、企业买卖、组建企业集团、联合经营等。流动范围涉及不同所有制之间、不同地方之间、不同部门行业之间乃至不同国家之间。资产流动的具体途径既包括实体资产的形态转化和位移，也包括资产价值形态在不同地区之间转移而实体资产并不随之流动。资产流动的内容不仅涉及有形资产，而且涉及无形资产和企业债务等。经营性国有资产存量流动的实质是国有企业的产权交易，产权交易过程中需要解决的认识问题主要有以下两个：

一是如何保障国有资产所有者的权益。现在人们普遍承认产权交易主体是企业法人而不是政府，但是对如何保障所有者权益存在认识分歧。一种观点主张国家主要从价值形态上掌握和管理国有企业的产权流动，而不必具体干预企业资产的实际运营，如资产形态转化和位移以至所有权转让等；一种观点认为国家不仅要从价值形态上管理产权流动，而且要对企业实体资产的所有权变更进行具体管理，特别是在中外合资时尤应如此。我们的看法是，国家一般应着眼于国家资本的保值和增值来促进产权流动，而不应着眼于企业实体资产的所有权变更与否来控制企业法人的产权交易。既然改革要使国有企业具有独立的法人财产权，要使国有企业对其市场经营后果既有财产责任，又有财产能力和财产权利，国家作为所有者只对企业经营状况承担有限责任，那就不应再由国家具体干预企业法人对实体资产的支配、使用和转让。否则，无异于还是由国家对企业承担无限责任。在法律认可企业拥有法人财产的各项权能的情况下，企业不论怎样处置其法人财产，只要能保证业主所有权和价值形态上的完整或增值，国家就不必干预。国家掌握和控制价值形态的资产（股票、债券等），比干预企业法人财产的流动更有利于减少管理费用，提高资产配置效率，也更有利于保障国有资产的所有权权益。试想，国家如果对有国家参股或控股的企业实体资产转让进行具体干预，由国有资产管理部门决定哪栋厂房、哪部机器可以或不可以转让，这本身就会遇到复杂的产权界定问题，因为国家股权是难以同企业法人的实体资产具体对应的。

企业法人的产权交易能否达到国有资产保值增值的效果，关键在于产权交易市场是否完整，中介性资产经营机构对企业法人的利益—风险约束机制是否有效，而不取决于国有资产管理部门是否逐项审批企业资产的产权交易。对于竞争性行业的国有资产流动，国家无需直接干预，应由企业自主决定。对于垄断性强的行业尤其是自然垄断行业的国有资产流动，国家有必要加强管理，例如，当某些企业的合并或其他形式的产权交易可能造成市场上的垄断时，国家就要进行干预，或是令其分解，或是设立新企业加强市场上的竞争力量。国家出于产业政策需要也可以对企业产权交易进行干预，但是通常应以国家资本的转移、税收和信贷杠杆作为干预手段，尽量不采取行政性的关停并转和调度实物资产的干预措施。

二是如何处理产权交易中中央和地方的关系。在现有的财政包干格局下，经营性国有资产的流动经常发生中央企业和地方企业之间、地方企业和地方企业之间的财政隶属关系矛盾。企业横向联合或企业兼并过程往往遇到改变不改变财政上缴关系的麻烦。如果改变财政上缴关系，被兼并的中央企业就会带走一部分中央政府收入，被兼并的地方企业也会带走一部分地方政府收入。如果不改变财政上缴关系，兼并方的财政收入将不会增加，因而兼并方即使能使资产流动产生高收益，也难有积极性。这就影响企业资产按效率导向流动，使企业产权交易处于两难境地。解脱这种两难困境需要改革现行财税体制，也需要从认识上改变地方应拥有经营性国有资产的旧观念。按照国家统一拥有经营性国有资产的所有权，地方政府拥有非经营性的地方公营资产这样一种新思路，来处理国有企业产权流动中中央和地方的关系，就能够在认识上理清哪一部分产权交易的收益应归中央，哪一部分产权交易的收益应归地方。正确的关系是：经营性国有资产所有权统一归中央政府，其产权转让的收益也归中央政府，各级地方政府不再拥有所谓的省属、市属或县属企业，这些企业产权流动的收益自然不再属地方政府所有。地方政府拥有非经营性的地方公营资产，其产权流动的收益则归地方政府所有。中央政府和地方政府分别管理不同资产的所有权，不同的所有权收益构成中央政府和地方政府财政收入的固定来源，据此就不难理清国有资产流动中的利益分配矛盾。经营性国有资产无论在中央和地方之间怎样流动，都不应侵害中央政府的所有权收益。地方政府和中央政府能够分享的资产流动收益，只限于由中央和地方共同投资的地方公营资产。地方与地方之间的资产流动及其收益分配，也仅限于各地方公营资产的相互投资。随着分税制和税利分流改革的完成，产权交易中中央和地方的利益分配矛盾将从制度上得到解决。

（原载《财贸经济》1994 年第 5 期）

2.4 谁是国有资产"代表"?

目前,我国国有资产管理经营体制主要由三个层次构成:第一个层次是国有资产行政管理机构,一些省和直辖市成立国有资产管理委员会,代表国务院对本地国有资产行使所有者职能。第二个层次是国有资产经营机构,由国资委授权,对经营性国有资产进行市场化运营,使其保值增值。第三个层次是由国有资产经营机构控股、参股的生产经营企业,包括全资子公司、控股子公司和参股子公司。

这种三层次的国有资产管理经营体制,在基本框架上是符合政资分开、行政管理与经营分开的原则的,但是在实践中还有一些重大难题尚待解决。

一、国有资产行政管理机构统一行使国有资产所有者职能的权威性与合法性

在全国不少地区,国有资产管理机构缺乏应有的权威性,难以行使国有资产所有者的职能。各个同级的政府局、委、办(特别是行业主管部门)都有部分国有资产所有者职能,都要介入国有企业的所有权管理,不愿失去本部门管理企业的既得利益,国家所有权的统一性仍然被条条和块块所分割。在中央政府就没有解决国家所有权被部门分割的老问题,国家国有资产管理局只好采取委托产业部门行使所有者职能的变通办法,各地大体上也仿效中央政府的这种机构格局,不少地方的国有资产管理机构仅仅是当地财政厅局下设的一个分支机构,无法有效行使统一的国有股东权。在目前这种机构格局下,政府的社会管理职能难以同国有资产所有者职能分开,国有资产行政管理职能与商业化经营职能的分离也难以取得实质性进展。

中央和地方的各个行业主管部门受托行使国有资产所有者职能,其

有效性是不确定的。如果由它们作为政府授权机构向资产经营中介组织授权，对于国有资产管理部门（委托人）而言，这里存在的代理成本和代理人失控风险会相当高。因为行业主管部门的行政管理职能往往会干预国有资产所有者职能，本行业、本部门利益并不一定和统一的国有资产管理政策相一致。要想有效行使所有权，必须将国家所有权的行政管理职能集中到专职的国有资产管理机构，强化其权威性，削弱行业管理部门的国有资产所有者职能（包括对所有权的行政管理和资产经营）。

加强国有资产管理机构的权威性，必须和政府机构改革结合起来。各行业主管部门应在精简合并的基础上转为行业管理协会，专职的国有资产管理部门从政府中独立出来，隶属于同级人民代表大会，对人民代表大会负责，以立法的形式行使对国有资产的行政管理，包括统一制定国有产权管理政策，统一选派、管理、培训国有产权代表等等。在目前的机构格局下，也应设法加强国有资产专职管理机构的权威性与实力，而不应将就现存的机构格局和体制安排，否则就可能固化所有权管理中存在的政资不分、政企不分、政出多门等弊端。

二、国有资产投资主体（出资者）的确定及其职能转换

按照《公司法》和国务院关于现代企业制度试点方案的规定，国家授权的投资机构或者国家授权的部门是企业中国有资产的投资主体，依法对企业中的国有资产实施股权管理。在实际操作中，确定国有资产投资主体需要解决几个问题：

一是国家授权投资的机构如何转变职能，变成政企职责分开的资产经营中介组织。我国能够作为国有资产投资主体的机构，本身往往存在着政企不分的问题，有些国有资产管理公司是由原先担负行政管理职能的工业局改组而成的；有些是主管局转成行政性公司，再转成行业投资管理公司；部分企业集团中的集团公司也是行政性公司转化成的。沿着这样的发展轨迹形成的国有资产管理公司，既具有行业行政管理职能，

又具有企业性质，再加上行使所有权管理职能，很有可能成为政资不分、政企不分的机构。由行政性公司转化成的企业集团中的集团公司，与政企分开的要求也有很大差距，例如集团公司实行人、财、物、产、供、销"六统一"，取消了成员企业的独立法人地位，对成员企业的行政性干预较多，政府部门通过集团公司把各种社会管理职能输入企业集团等。在这种情况下，若把集团公司确定为国家授权的国有资产投资主体，也有可能加强政企不分、政资不分的旧体制。

二是国家授权作为投资主体的部门如何转换职能。许多国有企业没有国家资本金的注入，而是通过政府主管部门的担保贷款形成的；有些国有企业在中央和地方之间收权放权的反复中已难以确定谁是它们的投资主体。更为复杂的是有些中央企业下放到地方后并没有隶属于地方的某个主管部门，而是由地方政府领导直接管理。对于无法确定由哪一个投资机构作为国有资产出资者的国有企业，若由国家授权的部门作为投资主体，目前通常要落实到企业主管部门。国务院试点方案规定，国家授权投资的机构和国家授权的部门对所持股企业只行使国有资产出资者的职能，不行使任何政府行政管理职能。尽管这个原则非常明确，但是在企业主管部门掌握行政管理大权的情况下，如果不在机构组织上独立出资产经营中介，就有可能强化企业主管部门的政资不分倾向，不利于实现政府所有者职能与行政管理职能的分离，也不利于实现国有资产监管职能与商业经营职能的分离。

三是如何形成国有资产运营机构与所持股企业的权责关系。国有资产投资主体是独立于政府部门的企业法人，对所持股企业应享有出资者所有权，即资产受益、选择管理者和重大事项的决策权。所持股企业应拥有全部法人财产权，即依法对全部法人财产享有独立支配权，包括占有、使用和处分权。但是现有的股份制企业一般都是国家股占绝对优势，公有法人股、个人股和外资股比例较小而且股权分散，经营决策难免听命国家股东一家之言，股份公司既不能以全部资产来抵债，也不能依法破产，在国家全资子公司中这种情况就更为严重。许多股份制企业和企业集团中的全资子公司缺乏完整的法人财产权，产权责任也不清晰，出资者所有权和法人财产权没有分离，没有形成权责分明的产权关系。

确定国有资产运营主体（投资主体），必须使其切实转换职能，国家授权投资的机构无论采取国家控股公司、国有资产经营公司还是企业集团中的集团公司等形式，都应按规范的母子公司的产权联系处理投资主体与所持股企业的关系，应在母子公司的章程中明确各自的权责，确保母子公司之间形成平等的法人关系。国家授权作为投资主体的部门应当从机构上分离出专门的资产经营中介组织，按照母子公司的产权联系对所持股企业进行股权管理，务必使政府行政管理职能同国有资产所有者职能分开，当"老板"就不能再充当行政管理者。

三、国有资产所有权代表的确定

合格的所有权代表如何产生，由谁担任，是有效行使所有者职能、保证国有资产安全与增值的决定性因素，也关系到能否实现所有者职能与行政管理职能分离的关键。在确定国有资产所有权代表的问题上面临着两难困境：一方面，目前不少公司制企业的国有产权代表由高级管理人员担任，这同公司治理结构中董事长（所有者代表）与经营者相分离的原则相矛盾；另一方面，如果不让经营者当所有者代表，往往可能从企业主管局或行政性公司派来局长、书记作为国有产权代表出任董事长。这些官员变成国有资产代表后，有权对企业资产运营进行直接干预，对企业自主经营的干预权更大、更实在，企业更难以从政府机关的控制下摆脱出来，人们普遍担心原先存在的政企不分有可能变成危害性更大的政资不分，使企业受到"老板"和"婆婆"的双重干预。

国有产权代表应当是懂经营、会管理、具有较高的智力水平和政策水平的专家型人才，他们必须诚信勤勉，熟悉企业运作，具备相应的工作经验、业务能力和决策能力，而不应是仅仅熟悉党务或行政管理的政府官员。在有国有资产投资的公司制企业的股东会、董事会和监事会中都要有国有资产所有者的代表，以加强资产所有权的监督和约束。但所有权约束与行政干预是完全不同的，因此在所有者代表的资格审定上必须制定一套有别于选拔政府公务员的标准。

产生国有资产所有权代表的途径，主要有两条：一是由国有资产管理部门授权给国有资产经营机构，这些资产经营机构根据相应的资格条件向所持股企业委派所有权代表；二是由国有资产管理部门直接授命符合条件的人行使产权代表职能。国有资产管理部门应加强对国有产权代表的统一管理，例如可通过"董事管理局"，负责选拔、培训、考核德才兼备的人才，建立健全国有产权代表的资格审定和奖惩制度。国有产权代表要与国有资产管理部门签订资产经营责任书，对企业法人财产和国有净资产的保值增值负责。国有产权代表还应就公司重大产权变动、重大投资项目和利润分配方案等重大决策问题向产权管理部门及时提出报告。通过这样的制度，明确国有产权代表的职责和资格，既有利于落实所有者的监督约束，也有利于避免不称职的官僚把行政干预带入企业内部。

（原载《改革内参》1995 年第 1 期）

129

GAIGE SHIDAI DE JINGJIXUE SIKAO

2.5 论法人财产权

现代企业制度的基本要点之一是企业法人制度，确立企业法人财产权是建立企业法人制度的关键。对于法人财产权的含义，目前存在不同的解释，在各地进行公司化改造和股份制试点中，这种解释上的不同与实际操作发生了一定矛盾。为了更好地指导实践，迫切需要对法人财产权的含义加以准确界定。

一、法人财产权的不同解释不利于理顺产权关系

对法人财产权的理解分歧焦点在于法人财产权究竟包含哪几项权利。在已公布的《公司法》中，对法人财产权的表述是：公司享有由股东投资形成的全部法人财产权，依法享有民主权利，承担民事责任。公司以其全部法人财产，依法自主经营，自负盈亏。十四届三中全会《关于建立社会主义市场经济体制若干问题的决定》的表述为：企业拥有包括国家在内的出资者投资形成的全部法人财产权，成为享有民事权利、承担民事责任的法人实体。企业以其全部法人财产，依法自主经营，自负盈亏，照章纳税，对出资者承担资产保值增值的责任。这些尚未说明全部法人财产权具体包括哪几项权利。

在学习讨论中，一种看法认为，企业法人财产权是指企业对国家授予其经营管理的财产享有占有、使用和依法处分的权利。这个表述，与《全民所有制工业企业转换经营机制条例》关于企业经营权的表述完全一致。

与此不同，比较流行的解释则认为法人财产权包括占有、使用、收益（或初始收益）和依法处分四项权利，而企业经营权不包括收益权。收益权或初始收益权的具体含义被解释为利用法人财产投资取得收益的权利。

应当说，关于法人财产权包括占有、使用、收益（或初始收益）和处分四项权利的解释，本意是想与不触动产权关系的企业经营权相区别，使企业能够以收益权对其经营不善造成的损失承担财产责任。实际上，这些解释在逻辑上存在着矛盾。严格说来。收益权属于所有者权益。《民法通则》、《公司法》和十四届三中全会《决定》都界定所有权含有收益权或资产受益权，而未界定经营权或法人财产权含有收益权。收益权属于所有权范畴，意味着如下含义，即：无论经营者怎样运用法人财产去发展扩充原企业，甚至向其他企业投资，创办新企业，都不能侵犯出资者所有权在经济收益上的实现。换言之，经营者运用出资者资本所产生的利润及其使用结果（如公积金、未分配利润以及再投资），应当归属于所有者，不能改变最初投资者的所有权。所有者享有收益权，而且要对企业经营后果承担最终财产责任，任何破产都是破所有者而不是经营者的财产。法人财产权仍是支配意义上的权利，而不是归属意义上的权利。既然承认企业法人财产权是对国家授予其经营管理的财产所享有的独立支配权，那就不宜把归属意义上的收益权纳入法人财产权。否则，就不易说清收益权的归属性质。再说，不适当地扩大法人财产权的范围，也会造成对所有者权益的侵占。

企业法人财产权与传统意义上的企业经营权的根本区别，并不在于企业法人是否享有收益权，而是体现在两个方面：一是资本金保全和独立运转，所有者不得随意撤回注入企业的资本金，不得平调企业的财产，这在经营权里是没有的；二是企业以全部法人财产承担民事责任，出资者只以投入的资本金承担有限责任，这就明确了资产经营的责任关系，在经营权里也是没有的。法人财产权的提出，并不是要无限扩大企业经营权，更不是要确立一种弱化所有权、强化经营权的产权关系。相反，确立法人财产权是要明确出资者和经营者各自的权利、责任，使经营权与出资者所有权相对分离，强化企业法人的财产责任和财产能力；同时又强化所有权的约束，所有者不直接干预经营者独立支配法人财产的权利，主要以资产受益、参与重大决策、选择经营者和只承担有限责任来监督、约束经营者。在这样一种产权关系中，企业的自主经营，就不仅是产品的生产经营活动，更重要的是独立支配出资者（包括国家）资本金的全面经营活动；企业的自负盈亏，就不再是只负盈不负亏，而是以法人财产作担保，有了独立承担民事责任的财产能力；企业的自我发展，就不仅是实物资产的扩大，更重要的是提高资本运营效率，追求资本最大限度的增值；企业的自我约束，也就不再仅仅是思想觉悟的约束，而是进一步来源于资本保值增值的财产责任和民事责任的风险约束。

简言之，企业法人财产权和企业法人制度的核心是：出资者不得随意抽取注入企业的全部资本或部分资本，不得平调法人财产，出资者对企业债务只承担有限责任。这是理顺产权关系的关键，也是使企业成为自主经营、自负盈亏、自我发展、自我约束的法人实体的关键。如果按照流行的解释，不适当地扩大法人财产权的内涵，可能并不利于达到上述目的。

二、对法人财产权的解释应同公司化改造和股份制试点相协调

法人财产权是否包括收益权（或初始收益权），并不是纯理论的概念之争，它直接涉及新会计制度实施，以及公司化改造和股份制试点的实际操作过程，直接涉及能否与改革进程相衔接的问题。

如果肯定法人财产权包括收益权或初始收益权，就应当在企业资产负债表上明确反映出来，而这同新的财务规定是矛盾的。在企业实际运作中，法人财产包括出资者的财产和从银行借贷来的财产。按照《企业会计准则》和《企业财务通则》的规定，法人支配的财产由两部分构成：一部分是资本金，由投资者或股东出资，属于法人自己占有的财产；一部分为银行贷款，属于法人控制的财产。股东和债权人分别享有各自的权益，投资者所有权称为所有者权益，债权人权益称为负债。企业全部资产恒等于负债和所有者权益。在企业资产负债表上，不存在属于法人的收益权。新会计制度通过建立资本金制度，体现资本保全原则。明确地保障投资者和债权人的所有权，强化了所有者经营权的约

束。同时取消专项基金专户存储制度，扩大企业理财自主权，保障企业对资金享有充分的调度支配权，但是并不承认企业法人有收益权。在新会计制度中，企业法人财产权实际上表现为调度支配资本金和银行贷款的权利，具体说就是占有、使用和依法处分全部法人财产，而不能从中获取收益。所谓初始收益权，也是不准确的概念。在"收益权"前面加上"初始"这个定语，并不能划清初始收益权和收益权的本质区别，因为企业不能将运用法人财产投资形成的收益据为自己所有。即使是指可将第一笔向外投资的收益继续投资，这也不过是在自主使用初始投资收益，而不是拥有初始收益权，严格说仍属于使用权。有些同志把法人财产权中的收益权理解为职工福利费和公益金，这是难以说通的。从资产负债表看，职工福利费列于负债栏目中，这显然属于企业对职工个人消费的负债，职工是债权人，要向企业索取这部分权益，因此不是企业法人的收益。公益金列于所有者权益栏目，主要用于兴办职工福利设施的支出，这部分支出要转化成相应的实物资产，是投资者的投资及其收益所形成的。所有者权益栏目体现着企业投资人对企业净资产的所有权，企业法人无权享有其中任何一部分收益。可见，在新会计制度中，无法找到企业法人收益权的位置。这说明，关于法人财产权包括收益权的解释与新会计制度是难以衔接的。

关于法人财产权包括收益权的解释，同公司化改造和股份制试点的规范化方向也是不一致的。在股份制试点的初期阶段，有些试点企业在其股权结构中设立了公有企业股。所谓公有企业股，一是指国有企业在1979年以来用利润留成基金购置的有效生产性固定资产净值和企业自有资金折成的股份；二是指企业在税前还贷中，按还贷当年企业与国家的利润分配比例计算，归企业占有的资产折成的股份。其股份属于国家所有，但分红权和使用权归公司所有。设立公有企业股的本意，是想通过确立分红权解决企业的生产发展基金，但是这违背了企业不能持有自身股份的原则，而且实际上把国有资产变成了企业所有，在理论上和实际操作中都遇到了困难。因而试点企业陆续取消了企业股，将其并入国有股。经过多年的探索，特别是国家颁布《股份有限公司规范意见》

和配套政策后，企业股已经被明确否定，这已成为股份制试点沿着规范化方向发展的一个重要标志。在这种情况下，提出企业法人享有财产权包括收益权，在实践上有可能引起向企业股的倒退。道理很清楚，如果承认企业法人收益权，就应承认企业法人拥有产生收益权的股权，这等于绕了一圈，又回到企业股。既然在企业股权结构中已经没有企业股的合法地位，那么又何来法人收益权的合法性和合理性呢？因此，从公司化改造和股份制试点的规范化要求来看，企业法人财产权中也不应包括收益权。

三、按照现有法律统一对法人财产权的解释

法人财产权的提出，无疑是我国产权理论的重大进步，必将推动我国产权制度改革的深化。产权制度是针对所有者和经营者在财产关系上各自责、权、利的一套规则。有效的产权制度能够明确界定所有者和经营者双方的权利和责任，形成合理的所有权—经营权结构，一方面扩大经营者的经营自主权，另一方面又保证所有者的有效监督。片面强调某一方权利或责任，都不利于形成合理的产权关系。准确界定法人财产权的含义具有理论上和实践上的指导意义。我们应当以法律为依据做出准确解释。对法人财产权的界定，应当与所有权有所区别，否则法人财产权就变成企业所有权。我们还可从《民法通则》、《公司法》对所有权的界定中看到，收益权属于所有者。《民法通则》规定，所有权是财产所有者对财产"依法享有占有、使用、收益和处分的权利。"《公司法》提到，所有者依法享有资产受益、重大决策、选择管理者等权利，十四届三中全会《决定》也对所有权做了同样的表述。对照起来可以明确，收益权只属于所有者，而不应包括在法人财产权中。

（原载《经济日报》1994 年 7 月 8 日）

2.6　确立法人财产权应注意什么?

党的十四届三中全会《关于建立社会主义市场经济体制若干问题的决定》和《公司法》明确提出了法人财产权的概念,阐明了出资者所有权和法人财产权之间的产权关系,对解决政资不分、界定国有企业产权、建立法人财产制度具有重大指导意义。确立法人财产权是完善企业法人制度的基本内容,也是国有企业产权关系上的重要制度创新,在认识上和实践上都有许多问题需要探索。

一、法人财产权和企业经营权的本质区别

在十四届三中全会以前,我国的法律文献中没有使用过法人财产权的概念。《民法通则》、《全民所有制工业企业法》和《全民所有制工业企业转换经营机制条例》都使用经营权的概念,那么,怎样理解法人财产权呢? 有的同志认为,法人财产权应包括收益权。严格说来,收益权属于所有权的范畴。《民法通则》对所有权作了明确的界定,即财产所有者对财产依法享有占有、使用、收益和处分的权利。《公司法》和十四届三中全会《决定》对所有权的界定是,所有权包括资产受益(即收益权)、重大决策和选择管理者等权利,至于法人财产权含有收益权,则没有法律依据。收益权属于所有权范畴,在法律上具有明确的排他性质,其含义是: 无论经营者怎样运用法人财产去发展扩充原企业,甚至向其他企业投资,创办新企业,都不能侵犯出资者所有权在经济收益上的实现。经营者运用出资者资本所产生的利润及其使用结果(如公积金、未分配利润以及再投资),应当归属于所有者,不能改变出资人对收益的所有权。这一点在资产负债表上是很清楚的。投资收益列为所有者权益,没有任何一项收益属于企业法人。所有者享有收益权,而且要对企业经营后果承担最终财产责任,任何破产都是破所有者

而不是经营者的财产。法人财产权是支配意义上的权利，而不是归属意义上的权利。因此，只要承认企业法人财产权是企业对出资者授予其经营管理的财产所享有的独立支配权，那就不宜把归属意义上的收益权纳入法人财产权的范畴。

企业法人财产权，只应包括占有、使用和处分三项权利，否则，就会扩大所有权的概念，难以同企业所有权的提法划清界限。就法人财产权包含的三项权利而言，同企业经营权所包含的三项权利是一致的。从这个意义上讲，法人财产权也就是企业经营权。之所以要用法人财产权的概念取代企业经营权的概念，关键在于企业经营权没有明确所有者不能随意撤回注入企业的资本金，不能平调企业的资产；也没有界定出资者和法人各自的责任。法人财产权与企业经营权的根本区别，并不在于企业法人是否享有收益权，而是体现在两个方面：一是资本金保全和独立运转原则，资本金的来源必须明确，要有确定的出资者，资本金一经注入，出资者不得随意抽回，企业的实物资产也不允许随意平调；二是有限责任原则，即出资者只以投入的资本金为限，对企业债务承担财产责任，企业法人只以全部法人财产为限对企业经营状况承担民事责任，所有者和经营者各自都不再负连带责任。稳定的资本金制度和有限责任原则结合在一起，既保证了法人财产的独立运营，也通过界定出资者和经营者各自的财产责任，保证了法人财产运营的有效性。这是法人财产权的精髓，也是企业法人制度的核心。

二、确立法人财产权不应削弱所有权的约束

在按"两权分离"的思路搞活国有企业的讨论和实践中，有一种观点主张弱化所有权，强化经营权。企业承包制中暴露的企业行为短期化倾向，表明这种主张带有误导性影响。当前对法人财产权的理解也存在类似的偏差。有人以为，确立法人财产权是要建立一种尽可能不受约束的经营权，否则就和以前所说的企业经营权没有区别，会让企业法人背上行政干预和所有者干预的双重负担。对这种认识有必要予以澄清。

确立法人财产权，并不是单纯地使经营权和所有权完全分离，而是要形成所有权与经营权相对分离、相互制约的权利责任关系。这种关系，在公司治理结构中体现得最清楚。股东会作为公司的最高权力机构，其职权包括：（1）人事权，选举和更换公司的董事和监事，决定他们的报酬；（2）重大事项决策权，批准和修改公司章程，批准公司的财务预、决算方案，决定公司的经营方针和投资方案等；（3）收益分配权，批准公司的利润分配方案和亏损弥补方案，以实现股东按投资比例取得收益的权利；（4）股东财产处置权，凡涉及股东财产重大变动的事项如公司注册资本的增减、公司的合并、分立、破产清算等，须由股东会作出决议。股东会代表资产所有者，通过掌握上述职权维护全体股东的利益，对公司保持最终控制权，促使经营者对股东权益负责。股东会的职权也受到制约，即不得干预公司的经营活动。董事会作为公司的经营决策机构，对公司的经营活动负责，采取集体决策形式，决定公司经营计划等等。企业经营者在对全部法人财产独立行使占有、使用、处分权时，是不可能脱离所有者的制约的，他们必须执行股东会的决议，对股东会负责，经营决策必须由股东会批准。不符合股东会决议或未经股东会批准的经营决策，如导致公司遭受严重损失，参与决策的董事要对公司负赔偿责任。所有者对经营者的约束还体现在监事会的职责上。监事会作为公司的监督机构，代表股东会对董事会和总经理实行监督，防止他们滥用职权，并有权采取必要的行动纠正有损公司利益的经营行为。公司治理结构使产权约束关系具体化，形成股东会、董事会、总经理、监事会之间的相互制约机制，各自按其职权行事，不得越权干预其他机构的活动，同时各机构又统一服从公司长远发展的整体利益，使公司资本最有效地运营，最大限度地增值。

有些企业担心，现在过多的行政干预尚未根治，又加上所有者的干预，企业自主经营会受到更多限制。需要说明的是，一方面，按公司治理结构建立科学的企业内部管理体制，确实要强化所有者的约束，但并不必然导致所有者的越权干预行为。即使发生此类问题，也是操作中的不完善，可以及时纠正。另一方面，还要通过政府自身的改革，解决政资不分问题。国有企业的所有者不再由政府部门代表，而是由国家授权的投资主体（国家投资公司等中介机构）代表；在难以确定投资主体的情况下，国家可授权某个部门作为国有资产投资主体，行使国家股权。无论是国家授权的投资机构还是某个部门，对所持股企业都只行使出资者的职能，而不再行使政府的行政管理职能。这样就可避免政资不分造成的过分干预。

三、产权界定中国有资产不能转化成企业股

企业股的设置尽管已经被否定，但是在一些企业和地方政府领导中仍然存在模糊认识，主要有两种代表性观点：一种观点认为，国家虽然原来有投资，但近几年没有增加投入，企业现有固定资产的扩大是企业用自有资金和福利基金投入生产形成的，固定资产全部划入国家股是不合理的，应当有一部分划为企业法人股。这种观点是不能成立的。第一，企业法人财产权不包括收益权，出资者投入的资本及其收益不能分出一块归企业法人所有，否则就侵占了所有者权益。第二，企业自有资金是不准确的概念，是在产权关系不清的承包制中形成的。企业自有资金应属所有者，是国家交给经营者使用的，不能变成雇员所有的财产。第三，福利基金按新会计制度也属于所有者权益，即使退一步，不算所有者权益，其性质也不是企业法人所有的财产，而是对企业职工的负债，应列入资产负债表的债权栏目中。因此，无论是企业自有资金，还是福利基金，都不是企业法人所有的财产，经营者不能用所有者或债权人的财产为自己设立股权。

另一种观点认为，企业原来没有国家投资，固定资产是由拨改贷或国家担保、企业贷款形成的。企业归还贷款后已经不欠国家什么，至少还贷后形成的资产应当归企业所有。这种观点也是难以成立的。由于原有体制下没有严格的资本金制度，有些国有企业的设立采取拨改贷或国家担保贷款的形式，表面上看起来是借贷关系，实际上是国家作为出资者向企业注入资本的投资行为。"拨改贷"把财政拨款变成还本付息的

银行贷款，本意是要促使国有企业树立资金的成本观念，讲究资金的使用效益，并不体现不同所有者之间的借贷关系，而是体现所有者委托经营者有效使用这笔资金的财产委托关系。国家担保贷款同样不体现不同所有者之间的借贷关系，而是体现财产委托代理关系，即企业受国家（所有者）之托，直接向银行借款进行投资。而且，经营者用所有者的信誉担保得到的贷款，含有所有者投入的无形资产。因此，无论是拨改贷还是国家担保贷款，企业还贷后形成的资产都应归国家所有，不能变成企业自己所有的财产。在界定产权时，要将"拨改贷"和国家担保贷款形成的债务转成国家投资，作为企业资本金；企业还贷后形成的资产界定为国有资产。在国有资本占有不同比重的混合所有企业中，国家股权及其收益形成的资产理应归国家所有，企业通过银行贷款（包括国家担保贷款）和发行债券形成的资产，也应按国家股权比例划归国家所有。

四、理顺产权关系不能仅仅停留在界定产权上

确立法人财产权，完善企业法人制度，首要的环节是按照国家有关规定，进行清产核资，界定产权，清理债权债务，评估资产，核实企业法人财产占有量，核定资本金，对国有资产进行产权登记。这对明晰出资者所有权和法人财产权的关系是至关重要的第一步，否则出资者和企业法人面对一笔糊涂账，根本无法贯彻资本金保全和独立运转原则，也谈不上什么有限责任原则。

目前在股份制试点中，存在着一种偏向，似乎产权界定后，股权结构已经分明，股东和法人之间的产权关系也就理顺了。事实并非如此。当我们考察股份企业分红环节时，往往发现分红向个人股倾斜，国家股、法人股权益则得不到保证。某股份企业1993年没有盈利，但在年终时仍按16%的红利进行分配，称之为"预分红"。这就存在两个问题：第一，如果今年仍无盈利，弥补预分红的利润来自何处？第二，对国家股、法人股也说按16%分红，但因并无盈利，这两部分股东权益

如何落实？其实，这种所谓的预分红是在分股本，而且仅保证个人股先拿到红利，国家股、法人股是拿不到的。还有一种情况，就是分红时对国家股、法人股采取配股的方式，而把现金分红给个人股。由于资金紧缺，有些国有法人股东拿不出现金支付配股，只好放弃配股份额，结果造成国有法人股的比重相对下降，长此下去，再加上物价上涨因素，国有法人股的绝对额也将贬值。

股份制企业分红向个人股倾斜的现象表明，即使在产权界定环节明确了股本结构，也不等于产权模糊问题已经解决。如果在股利分配环节不能保证公有产权权益，产权界定则不过是在形式上明晰了产权。实质上的产权明晰必须在收益分配环节有一种机制保证，使各种股东能够同权同利。这一点对于理顺产权关系、保证公有产权权益十分重要，在对国有企业按公司法进行现代企业制度试点时，要引起注意。

五、确立法人财产权不能导致架空债权

在对待企业债务问题上，有三种倾向需要注意：一是有些股份制企业在没有盈利的情况下，用流动资金即银行贷款进行分红，这是侵犯债权人权益的行为。二是有些国有企业在破产、转让、租赁或划小核算单位的过程中，以种种方式架空银行债权。三是不少国有企业对债务负担持一种消极态度，都指望将债务冲销掉，似乎企业债务责任都是政府的。

现代企业制度的核心是有一套规范所有权、债权和经营权三方关系的财产制度。企业法人财产来源于出资者的投资和债权人的贷款，法人财产的数量等于资产负债表中的所有者权益和负债之和，或全部资产总数。企业经营者不仅要对全体出资者负责，而且要对全体债权人负责。全部法人财产的独立运营既不能忽视所有者权益，也不能忽视债权人权益。法人财产权的一项基本含义是企业必须为自己的债务承担责任，确立法人财产权要理顺所有权、债权和经营权三者之间的责任关系。这就需要在贯彻资本金保全、独立运转原则和有限责任原则的同时，还必须

贯彻保护债权人权益原则。保障债权人合法权益的原则主要体现在：债权人有权了解企业经营和财务状况，有权要求在资本金减少时清偿债权，有权要求收回和返还违法分红，有权要求在企业破产时优先偿还债权，有权通过监事会行使监督权等。

为保障债权人合法权益，需要对国有企业的债务问题进行实事求是的分析，针对不同原因加以清理。对于确因政策性因素、不可抗拒的因素和历史因素造成的企业债务负担，可按国家有关规定分别处理，以便形成合理的资产负债结构。不属于上述原因造成的企业债务，则不能指望统统由财政、银行背下来，要防止把减轻企业债务负担变成政府的一项社会保障职能。在企业资产负债结构得到调整后，可考虑为企业设置一条债务安全线，以负债占资产的比率和资金利润率等指标作为依据，由银行自主决定对哪些企业放贷，对哪些企业收回贷款。对于国有企业借改制、划小之机逃避债务的，以及用银行贷款等进行分红的，要坚决予以制止，并尽快制定相应法律加以约束。将债权换为股权，是减轻企业债务负担、保证银行债权权益的有益思路，目前一些地方正在积极探索并取得了初步成效。其意义在于改变企业等待政府核销债务的消极态度，将企业和银行结合起来共同创造解开债务死结的新制度，因而值得进一步尝试。

（原载《求是》1994 年第 16 期）

2.7　如何防止国有资产营运机构变成"翻牌公司"？

——上海、武汉、深圳的实践及其启示

"婆婆加老板"，是国有资产营运机构成立之初人们普遍存在的担忧。由于营运机构大多脱胎于原有的行业主管局，因此，如何避免简单地"翻牌"，真正做到政资分开、政企分开，既保证所属企业自主经营，又加强所有者约束，便成为营运机构成败的关键。上海、武汉和深圳多年来在这方面进行了探索。到 1998 年底，上海已有国资经营公司 40 家，资产量占市属经营性资产的 90% 以上；深圳有 3 家此类公司，基本涵盖了市属经营性资产；武汉有 4 家，资产主要集中在工业领域。

一、主要成效

1. 促进了政资分离和政企分开。通过成立国有资产经营公司，剥离了行业主管局的政府行政职能、社会职能和行业调控职能，保留并加强了资产运营职能，塑造了国有资产投资、运营主体，对企业的产权管理取代了行政管理，在政府和企业之间形成了一条隔离带，有效缓冲了政府对企业的直接行政干预。经过多年来的实践，企业对国有资产运营机构成为"婆婆加老板"的担心已经明显减弱。

2. 初步建立起国有资产保值增值机制。通过授权经营，按照产权链条明晰了国有资产保值增值的责任主体，考核、激励、监督制约机制逐步完善，各个资产经营公司根据所占用的国有资产数量和质量承担相应的责任，促进了资本扩张和效益增长。上海 1998 年参加考核的 31 家资产经营公司，实际国有资产保值增值额 28 亿元，保值增值率为 103.6%。1980—1998 年，深圳市属国有企业的总资产由 1.61 亿元增加到 1556.8 亿元，年均递增 46.5%；国有净资产由 0.61 亿元增加到 359.1 亿元，年均递

增 45.5%；实现利润由 0.15 亿元增加到 46.1 亿元，年均递增 37.5%。

3. 加快了国有经济的战略性调整步伐。资产经营公司由生产经营为主向资本经营为主转变，积极开展兼并、破产、合资、拍卖和股权转让，实施"抓大放小"，为推动国有资产跨地区、跨行业、跨所有制流动重组，从整体上优化配置创造了条件。到去年底，仅在上海产权市场实现产权交易的企业就达 2700 多家，交易总额超过 330 亿元。武汉国资经营公司成立以来，先后转让了 6 家企业 1 亿多国有股，资产变现收益 2 亿多元，国有资本向支柱产业和新兴产业等高效益领域逐步转移。到去年底，6 家企业的总资产、净资产和利润总额比转让前分别增长 72.7%、28.3% 和 89%。

4. 促进和规范了企业改革改组工作。由于理顺了企业的产权关系，加强了所有者监督和国有资产管理的基础工作，因而改善了企业的资产状况，防止了改制中可能产生的国有资产流失，保证了企业改革改组的规范有序。而且，资产经营公司有一类是由多个企业集团、控股公司按产业链、产品链合并组建的，实现了强强联合，有利于发挥规模经济优势。

5. 平稳推进了相关体制改革。在把行业主管局改为资产经营公司时，主要是通过职能的分离和调整来实现的，一开始就与行政性"翻牌公司"有本质区别。武汉事先把主管局所属企业下放到区里，为撤销主管局铺平道路。三个城市在构建国资营运体制中，动作大，震动小，成本低，同时也极大地推动了人事制度、收入分配制度和社会保障制度的改革。

二、经验和启示

1. 出资人权利必须真正落实。国资经营公司的实质在于"受托投资"或"受托持股"，这是区别于行政性"翻牌公司"的关键，也是增强资本运营能力的根本保证。三个城市十分重视不断落实出资者权利，逐步弥补了改革初期国资经营公司的"老板"职能尚未完全到位的缺陷。出资者权利中最重要的是投资决策权、资产收益权、经营者任免权。上海国资委在分清政府和企业投资的界限、资金来源和相应责任后，把属于企业投资范围内的项目决策权完全下放到国资经营公司。资产收益绝大部分留在这些公司，由其自由支配，但要作为资本金用于应当支持的企业。深圳市国资委只保留对少数国有大企业领导的任免权，其余国企负责人的任免权下放到国资经营公司。这些做法，有利于加强国资经营公司的投资主体地位，可有效地行使股东权利。

2. 要建立完善的、能够有效运转的法人治理结构。国资经营公司是国家授权投资的企业法人，一开始组建就应当按照现代企业制度的要求，根据《公司法》的规定建立法人治理结构，形成权力制衡机制。深圳 3 家国资经营公司的法人治理结构包括董事局、监事会、经营班子和党委会。董事局是公司的决策机构，行使公司章程规定的重大事项决策权。监事会对市国资委负责，检查监督国资委决议和公司计划的执行情况。经营班子主持日常经营管理，组织实施董事会决议。党委参与重大问题的决策，并参与考核、推荐和任免所属企业的有关负责人。上海40 家国资经营公司大都实行了董事会领导下的总经理负责制，设立了对董事会负责的财务总监，有一半设立了监事会。武汉也进行了类似探索。这样的法人治理结构基本上能够有效运转，对实现公司运营计划和资产保值增值目标起到了应有的作用。

3. 以强化产权约束为主线，规范国资经营公司与所属企业的关系。国资经营公司作为国家授权投资的机构，必须依据产权链条对所属企业充分行使出资人权利，加强产权管理，并维护企业法人财产权，不能形成上下级关系。深圳取消了市属企业的行政级别，按经营规模和效益水平重新分类；推行产权代表报告制度；对市属企业的财务部长实行"下派一级"的办法；企业大额资金运用实行总经理和财务总监联签制度；对企业实行年度审计、专项审计和经营者离任审计等等。上海按规范的母子公司体制，加快国资经营公司内部行政性子公司的改革；一些国资经营公司按投资数额、投资方向和投资主体等因素，与所属企业合理划分投资决策权，实行重大投资备案制度等等。这些制度的建立，明确了出资人和所属企业之间的责权利关系，既有利于加强所有者约束，也有利于保证所属企业自主经营。

4. 加强国资经营公司的战略规划功能和资本运营功能。国资经营公司要着眼于所占用国有资本的优化配置，面向市场制定发展规划，明确主导产业，搞好投资决策；努力盘活国有存量资产，不断壮大优势企业，淘汰落后企业。上海对一些国资经营公司试行经营预算管理，初步实现了对一级子公司的收益控制，进一步规范了投资决策权，解决了新增资本的再投入问题，从而增强了母公司的投融资功能和抵御资本经营风险的能力。深圳实施了"三个一批"的战略，即重点扶持一批大型企业集团，尽快形成一批支柱产业，创出一批名牌产品，取得了好的效果。今年开始编制国有资产收益预算，经市人大审议后实施。国资经营公司战略规划和资本运营功能的加强，有力地推动了国有经济的战略性调整，也促进了产业结构的优化升级。

5. 对国资经营公司的监管要不断改进和加强。为确保国资经营公司正确地行使权利，认真履行相应责任，防止出现"内部人控制"现象，授权方必须建立一套内外结合的监督体系。三个城市的国资委采取的主要做法如下：一是不断完善相关的法规，依法规范国资经营公司运作。二是审议公司经营计划，考核经营业绩，以把握经营方向和激励经营者。三是向国资经营公司派出监事会和财务总监，把所有者监督落实到公司内部。四是健全产权基础管理体系，加强对产权变动、资产评估和股权管理等方面的监控。五是对人员编制、工资和费用加强控制，以免发生机构膨胀和费用过大等问题。实践充分证明，政府在向国资经营公司放权的同时，必须不断改进和加强所有者的监督制约机制，这样才有利于国有资产的安全增值和企业的长远发展。

三、需要研究解决的若干问题

1. 部分国资经营公司的资产质量较差。三个城市的国资经营公司在组建时，接收了国有企业的债务负担和不实资产，影响到公司的资产质量。而且，许多国资经营公司的存量资产比重大，现金流量少。这些因素都不利于资本运营功能的发挥。在上海、武汉这样的老工业城市，上述情况更为突出。需要采取多种措施，例如可以考虑银行债权转为股权，认定老账、从严控制新账等办法，提高这些公司的资产质量。要进一步落实其投资决策权、融资权和担保权，例如可以考虑将其子公司股份证券化，用于担保贷款，通过此类办法不断增强母公司的资本运营能力。

2. 国资经营公司还承担着不少社会职能。当前最突出的是维护社会稳定的任务十分繁重。同时，政府各有关部门把国资经营公司当做"漏斗"，进行行政干预，要求它们参加各种会议，填制各种报表，层层分任务、压指标，对企业兼并搞"拉郎配"，甚至直接对子孙公司发号施令，各委办多头管理、互相矛盾等等。要进一步剥离这种"漏斗"职能，将其转到有关组织，使这些公司真正成为专司国有资产经营的企业法人。

3. 经营者的激励约束机制不健全。国资经营公司及其所属企业的国有产权代表（主要是董事长、总经理）许多还有行政级别，按党政干部进行管理，收入分配制度的主要弊端仍然是平均主义。应当尽快在经营者选拔、评价、报酬和监督诸环节建立健全新的制度，促进经营者阶层的职业化进程。可以考虑建立高级经理人才评价中心，实行经理资格认证制度，推广年薪制、风险抵押金、管理换股以及股票期权等多种激励手段。

4. 国资经营公司与所属企业的关系需要进一步理顺。在管人与管资产相结合，党管干部的原则与公司法相衔接，投资权的合理划分等方面，还要不断加以完善。国资经营公司宜突出产权管理和规划性管理，不宜对所属企业管得太细。企业则应当适应国资经营公司以产权约束为重点的管理方式。随着这些公司的"老板"职能强化和"婆婆"职能弱化，一些企业感到不适应，抱怨"老板"管得更实，还不如"婆婆"管得虚一些为好。看来，一方面国资经营公司自身需要不断改进所有者监管方式；另一方面所属企业也应当自觉接受监管，切实承担起国有资产安全增值的责任。

5. 现有考核体系不适应国资经营公司。目前对这些公司进行考核主要依据《财务通则》和《企业会计准则》，而"两则"是按过去的企业组织进行设计的，科目、口径与国资经营公司不对口。可以参照上海、深圳编制国有资产经营预算和收益预算的实践经验，建立适宜的考核体系，以督促这些公司提高运营效率。

（原载《中国工业经济》1999 年第 7 期）

2.8　行政性国有资产管理亟待改革

改革开放以来，我国国有资产管理体制改革的着力点主要在国有企业，侧重于经营性国有资产，而行政事业性资产管理改革相对滞后，问题暴露得越来越尖锐。根据落实科学发展观和建立服务型政府的要求，结合公共财政框架的建设，加快改革行政事业资产管理体制已显得日益重要和迫切。

一、行政事业单位国有资产管理十分薄弱，亟待深化改革

经过多年的建设与积累，行政事业单位的国有资产已具备相当大的规模，在公共服务体系中发挥着重要作用。到 2003 年底，全国国有净资产共 10.5 万亿元，其中行政事业资产已达 3.4 万亿元，占 32%。近几年，行政事业资产每年都以较高的速度增长，其中 2002 年增长 16.2%，2003 年增长 11.8%。可以预见，行政事业资产的总体规模和占国有资产的比重将越来越可观。

当前行政事业资产管理相当薄弱。据财政部调查，全国有 17 个省、中央政府有关部门和省以下地方政府都有类似反映。突出问题有：

第一，基础管理十分欠缺。有关行政事业资产管理的立法滞后，制度不健全，不规范，管理过程中无法可依，无章可循。1998 年机构改革后，关于行政事业资产管理的职责界定不清，分块管理造成真正的管理者长期缺位。行政单位与事业单位、事业单位与企业之间的边界不清，资产性质界定困难。很多行政事业单位的资产无账可查，没有完整的产权登记，家底不清。如黑龙江省组织的一次资产清查中，被查的 103 家单位中有 78 家存在账外资产，价值达到 18.1 亿元，占资产总值的 28.5%。

第二，国有资产流失问题比较严重。非经营性资产转为经营性资

产，是行政事业资产流失最为严重的一个渠道。一些单位借机直接将经营收入作为单位的"小金库"；有的则在出租、折股、联营时低估国有资产价值，假借破产名义转移国有资产等，变国家利益为集体利益，甚至个人利益。此外，资产流失问题还发生在资产管理的各个环节。在购置环节，由于决策失误、经验不足甚至个别人谋取私利等原因，一些单位常常购买质次价高的产品或者工程；在资产使用环节，一些单位管理不善，损坏和丢失现象时有发生；在资产处置环节，资产流失的渠道更为复杂，如低价出售、无偿出借、无偿担保等。

第三，资产使用效率低下。资产使用缺乏评估与监督，存量资产与预算管理脱节，许多单位存在大量闲置资产。以中央在京行政单位房产为例，在被调查的 106 个单位所拥有产权的 2056.6 万平方米房产中，有 9.1 万平方米处于闲置状态。在车辆使用上，不少行政事业单位的有些车辆每天除了接送通勤，其余时间都停在单位，而这些车辆的保险费、维修费和司机的工资福利等费用却必须照常开支。办公设备也浪费严重。有些单位盲目求全、求新，购置了许多不常使用的设备，淘汰了许多不该淘汰的机器。尤其是一些单位在举办会议时，计算机、传真机、通讯工具等完全重新购置，甚至购置专用车辆，而会议结束后这些资产就长期闲置，有的甚至不知去向。

第四，资产配置不公平。房产、公务车等国有资产在各地区、各行政单位之间配置混乱的现象十分普遍。在上述被调查的 106 家在京中央行政单位中，有 59.4% 的单位人均办公用房面积低于平均水平，66% 的单位人均职工宿舍面积低于平均水平。而有些部门办公用房和职工宿舍的人均面积却超出平均水平很多，有的人均办公用房面积高达 100 多平方米，是平均水平的 3 倍；有的人均职工宿舍面积高达 200 平方米，是平均水平的 2 倍，苦乐不均现象十分严重。

二、改革思路与政策建议

根据我们的研究和宏观部最近召开的专家研讨会的纪要，对改革思路提出初步建议如下：

（一）需要认真学习借鉴国外的先进经验和做法。国外政府公共资产管理体制主要有三种模式：一是日韩模式，由财政部直接负责政府公共资产的管理。二是美加模式，管理制度、资产预算由财政部负责，日常管理由独立于财政部的机构负责。三是欧洲和澳洲模式，由隶属于财政部的专门机构负责联邦政府公共资产管理。专家学者普遍认为，各国行政事业资产管理体制各具特色，但大都是由财政部门主导政府公共资产的管理。结合我国国情，日韩模式对探索我国行之有效的行政事业管理体制更具借鉴意义。

（二）按照"国家统一所有、政府分级监管、单位占有使用"的原则，建立全国统一的行政事业资产管理体制。世界银行等机构的专家学者主张：国家财政作为出资人管理行政事业资产是理所当然的；行政事业资产与企业资产性质不同，需要依靠财政资金来实现价值补偿；行政事业资产体现政府公共服务职能，应当由一个部门利益相对弱化的综合部门来负责管理。因此，由财政部门主导管理行政事业资产更合理可行。大体上可以考虑三级管理框架：中央行政单位资产管理可以实行"财政部—管理局—单位"的体制，即财政部负责制定规章制度、资产预算和综合管理，相关管理局分别负责机关事务归口管理，各使用单位负责日常管理。中央事业单位可以实行"财政部—主管部门—单位"的管理体制，即由财政部负责制定规章制度和实施综合管理，主管部门负责具体管理，各使用单位负责日常管理。地方的行政事业资产管理模式，可以在上述制度框架内，由财政部门结合本地情况具体设计，既可以由财政部门直接管理，也可以由财政部门委托有关单位实施具体管理。

（三）尽快开展行政事业单位的清产核资工作，并建立资产使用评估监督制度。专家强调，当务之急是摸清家底，建立完备的产权登记制度和一整套基本的数据库。在此基础上，可以利用财政部开发的"金财工程"，建立资产使用的评估和监督体系。这样做，一方面有利于完整反映行政事业资产的动态，加强对资产使用效率的监督管理，为深入开展行政事业资产管理工作打好基础；另一方面也为科学分配预算，提高财政资金的使用效益提供基础数据。

（四）资产管理应当与预算管理、财务管理有机结合起来。专家指出：资产管理是财务管理的一个组成部分，资产购建预算是部门预算的一个组成部分，资产管理与财务管理、预算管理是不可分割的整体。因此，资产管理模式要与财政预算模式和财务会计制度相适应。由财政部门负责统一管理行政事业单位资产，既有利于有效开展资产管理工作，有利于全面加强财务管理工作，也有利于深化预算管理体制改革，科学编制预算。

（五）加快制定国有资产法，界定各种资产的性质、范围和分类，明确资产的管理者和职责。这样可以使行政事业性国有资产管理有法可依，便于建立新的规章制度，便于从更高的层面上协调管理改革中的部门利益，推动改革顺利进行。

（原载国务院发展研究中心调研报告《择要》2005年第4号，与孟春合作）

第三篇

国有企业
改革纵横谈

3.1　迎接中国的"企业家时代"

中国要想实现现代化，有待于中国的企业家的出色表演。但是，如何造就一支宏大的企业家队伍，如何使中国的厂长、经理成为真正的企业家，企业家应具备什么样的素质、企业家的成长道路上应扫除哪些障碍，如此等等，都等待着人们去探讨和总结。《经济增长的国王——论企业家》（盛斌、张维迎著，东方出版社 1988 年版）一书为此作了一项有益的工作。

谁是经济增长的国王？

历史说明，在发达国家，经济增长的历史是一部技术变革史和制度创新史，而推动技术变革和制度创新的发动机却是企业家。英国的产业革命中，蒸汽机、飞机、纺纱机的发明，都是企业家之手推动的。联邦德国战后恢复经济时出现的"艾哈德奇迹"，日本五十年代中期从战争废墟中创造的"神武景气"，都仰仗于一批特殊的社会财富——经过商品经济锻炼的、富于首创精神的企业家。

《经济增长的国王——论企业家》一书的作者根据历史的透视，提出了科学家、工程师、企业家三位一体的科学技术进步加速机制：首先是想获得更多物质利益的企业家提出技术变革需要；其次，企业家以独特的历史眼光来认识科学技术的价值，然后通过冒险而又合理的行动，将科技成果转化为商品生产。科学家从事基础研究或应用研究，工程师从事技术开发，企业家将产品投入市场，由此不断创造出来的社会需求又推动新的科学发明和发现。在这个机制中，企业家是轴心，是科技发展的发动机。

历史表明，发展中国家的经济之所以落后，一个极为重要的因素正是缺乏将各种生产要素正确组合起来的企业家。战后许多西方经济学家研究欠发达国家的经济起飞时，往往强调把加速资本积累、引进先进技术设备、提高储蓄水平和投资水平作为应选择的战略重点。遗憾的是，采纳此类战略的结果却是：一些积累率很高的发展中国家并未实现经济起飞，许多在西方是非常成功的投资项目和先进设备，被某些欠发达国家引进后却变成废铜烂铁，企图"引进"一个现代化社会的尝试反而导致该国经济严重失调，引发政治危机和社会动乱，当权者甚至被迫亡命国外。撇开复杂的社会制度方面的原因不谈，欠发达国家工业化进程的失败教训可以归结于"见物不见人"，即忽略了企业家及企业家能力的培育。在前资本主义因素影响深重的许多欠发达国家，昏庸的官僚和低能的管理者把持着经济命脉，工业、商业、金融业的投资效率极其低下，物质资本的形成率往往只及发达国家的三分之一甚至更低，经济难免长期处于停滞状态。我们回顾历史，在西欧的封建领主那里，蒸汽机只能用来去造什么会跳舞的机器人，以满足他们充满愚昧色彩的奢侈性需求。在半封建半殖民地的旧中国，洋务派官僚张之洞，兴办亚洲第一大钢铁厂——汉阳钢铁厂，脑子里想的多是封建官僚那一套为官之道，与一个企业家所想的、所干的大相径庭，即使各种生产要素齐备，但由于组合方式不佳，产品只得报废了事。这两个极端的例子尽管年代久远，但它们提供的启示却是极富现实意义的。

所有这些都说明，企业家实际上是"经济增长的国王"。

看得见的手

企业家之所以为社会所需要，还表现在他可以用"看得见的手"来代替市场机制这只"看不见的手"。

对企业组织结构演变和管理阶层兴起的历史考察，以及对企业管理协调同市场协调相互关系的理论分析，证明了这样一个道理：企业之间的竞争，归根到底是管理的竞争，企业经理和内部组织质量的竞争。一个成功的企业，主要决定于管理者阶层协调工作的能力，按照市场需求制定全盘计划的能力以及在企业内部合理分配资源的能力。在专业化日益增加、市场变化日益迅速的情况下，要想以高额产量占领市场，必然要求更周密的规划来协调。通过周密规划来协调生产和资源分配流程所获得的节约，要比单纯扩大生产要素或企业规模所造成的节约大得多。

以企业家的协调功能取代市场机制的协调功能，其经济根源何在？西方的交易费用经济学为此提供了有益的解释。这种理论认为，企业之所以产生，是因为使用市场机制需要付出成本，尤其是了解有关价格的信息需要费用，这里包括市场交易中的谈判、签约等费用；此外，由于不确定性的存在，预测的困难，尽管长期合同可以减少短期合同的较多交易费用，但也难以充分避免风险。为了降低这些费用，就需要形成组织并允许企业家来领导资源配置，因为他可以按低于市场交易费用的代价取得生产要素。当然，如果他不能做到这一点，他总是会迅速求助于市场机制的协调。企业规模的扩大或缩小、企业组织结构的变动，正是通过内部组织费用和市场交易费用的变化不断调整的。通俗地说，当市场交易费用过高，组织管理费用较低之时，企业规模就扩大；若组织管理费用过高，市场交易费用较小，企业就缩小或改组内部结构。在这个意义上说，企业是市场机制的替代物，企业家则是操纵这一替代物的灵魂。

既然使用市场机制要付出交易费用，那么就需要由企业家组织企业、通过管理协调来取代市场协调，特别是当市场无政府状态造成交易费用极为昂贵时，就更是如此。但是，试图由国家把整个社会当作一个企业，取消市场，又会付出比市场交易费用更大的行政管理费用，产生政府失效问题，难以避免社会劳动的巨大浪费。企业家用管理协调取代市场协调，并不意味着可以由国家用行政手段控制整个经济，而是要使市场机制在市场主体——企业家的参与和指挥下更好地运转起来。市场是不可由国家替代的。而且，企业家只是在对交易费用和组织管理费用作出比较之后才决定是否取代市场协调，他也并不能取消市场。市场供求和价格变动是引导资源配置的信号，企业家的活动并非被动地适应供求和价格变化，他还主动地预测供求和价格变动以作出决策，因而资源配置恰当与否，完全取决于企业家的灵活反应和创见能力。由于企业家的预见性和主动性，市场协调的盲目性势必大大降低，市场协调的"事后性"也相应受到抵消，这样才有"看不见的手"被"看得见的手"所代替。

无论是发达国家还是发展中国家，都需要政府为经济增长提供强有力的组织与支持。对于发展中国家来说，政府的作用尤为不可忽视。但是，政府有三个致命的弱点，使它不能长久替代企业家的职能。一是政府具有绝对垄断地位，这将损害市场竞争。二是行政官员对于投资损益没有直接的利害和风险责任；服从上级的行政原则以及官僚机器造就的行政官员素质，无法让他们自主创新、灵活应变。三是政府纵向等级制使市场横向信息流断裂，往往浪费企业家最珍视的时间，使其丧失市场机会。《经济增长的国王——论企业家》一书作者通过国际经验的对比所作的下述总结，我以为是很精彩的："最有利于经济成长的政府是'帮助'企业家的政府，而不是'代替'企业家的政府"。

企业家与中国的改革

我国近十年来的改革已经出现了一批称得上是真正的企业的经济实体，涌现了一批不愧为企业家称号的厂长经理。不过，企业家集团的发育还面临着许多障碍，企业家成长过程中也有不少教训值得记取。

我们的改革比较多地注意计划、市场、价格、利润这些非人格范畴，而忽略作为经济运行主体——企业家队伍的培养。在现实中我们可以看到这样的事实：目前中国经济舞台上最活跃的企业家似乎大多来自乡镇企业和个体经营者，而国营大中型企业的领导人尚没有充分显示其企业家才能。在我看来，中国企业家集团的中坚应是国营大中型企业的厂长经理们。他们掌握着最先进的技术装备，领导着现代大工业锻造出来的职工队伍，他们文化水平高，眼界开阔，又深知旧体制的弊害，如果他们也获得了同乡镇企业、个体企业甚至合资企业一样的竞争条件，完全可以相信他们会干得更为出色。不能不承认，农民企业家和个体企业家的个人素质并不比国营大中型企业领导人更完美，相反，前者往往还拖着一些挺落后的尾巴，反映着传统的经济关系和思想意识。例如，有些人缺乏现代管理知识和经济民主观念，用家长式、行会师傅式的方法管理企业；而且，在农民企业家和个体企业家中，不少人缺乏长远发展的意识，他们一旦积累了财富，往往把财富用于炫耀性消费、挥霍甚至封建迷信活动，而不是用于生产建设性投资。一旦国营大中型企业摆脱了过多的国家控制，那里的企业领导也不至于把赚来的钱扔到修庙建佛像里去。

农村经济和城市非国营经济中之所以率先涌现出更多的企业家，一方面说明只有市场竞争才能造就企业家，另一方面说明当代中国蕴藏着丰富的企业家资源，只要政府放松管制，这些资源就能得到充分发掘。而当代中国企业家成长艰难的巨大障碍，看来主要在于产权关系尚未理顺和城市计划体制尚未彻底改造。由于城市国营企业缺乏独立的法人财产，企业仅仅掌握日常生产经营权，还不能最终解决国有资产终极所有权如何在经济上实现，以及行政机构和官员如何不再干预企业的问题。在农村经济中，如果个人财产不能得到法律的有效保护，个人财产被随意侵犯的现象不能得到纠正，农民企业家的积累意愿和扩张动机势将萎缩下去，影响农村商品经济和农民企业家阶层的健康成长。城市计划体制的统治对城市市场机制的阻碍、对城乡一体化的市场体系的割裂，使得生产要素不能顺畅流动，城乡经济难以沟通，难以平等竞争，如果不能尽快加以改革，不仅城市企业家（尤其是国营大中型企业的企业家）无法正常发育，农民企业家也不会有更广阔的活动天地。

增加中国的企业家资源供给，目前应当以城市国营经济尤其是国营大中型企业的领导人为工作重点。首先，在经济体制方面要抓好现代企业法人制度的构造，抓好市场体系的建设，抓好企业领导体制的改革。企业法人制度是指国营企业享有独立的法人财产，在保证国有资产完整和增值的前提下，让企业领导人有独立的资产处置权，随市场变动自主进行企业长期发展和日常经营方面的决策。政府的社会管理职能、资产管理职能和宏观经济调控职能必须相应地合理分解，通过国有资产投资公司之类的法人机构与生产经营企业形成法人对法人的市场横向联系，保证企业不再受行政干预。市场体系的建设是要使企业家在竞争环境中自主组织一切生产要素，自主销售产品，不再依赖上级的调拨和统购统配。新的企业领导体制应能保证企业家只对董事会而不是行政机关负责，也应能保证及时吐故纳新，促使企业家不断自我完善。

其次，在政治体制方面，应当切断企业领导人同政府官员的"血缘关系"，取消企业的行政级别，建立独立于政府官员的企业家报酬制度，打破官本位制对企业领导人的侵蚀和诱惑。而且，还要使企业家协会之类的组织成为有代表性、有发言权、有影响力的社会协商机构，参与政府决策的制定，在同工会、政府部门的谈判协商中发挥应有的作用。我们的社会主义民主政治应能让企业家通过自己的业绩、自己的组织、自己的实力去向社会表明自己的意志，对社会事务发挥积极的影响。

最后，还要进一步推动观念变革，改变传统的价值取向。这里最重要的努力大致可以概括为三个方面。一是要确立企业家的崇高社会地位，使社会崇尚企业家精神，淡化当官意识。二是要培养企业家的成就感和荣耀感，建立对企业家的独特评判尺度和激励手段。企业的成功就是评判企业家成就的根本依据，对企业家的激励不应是加官晋爵，而应是社会最高荣誉之类的东西，以便促使企业家珍视自己的人力资本。三是要使人们认识到企业家是一种需要高度素养和综合能力的职业，从事这一职业的人是时代的骄子，民族的精英。企业家的这种形象一旦在人们心目中树立，它就会产生巨大的感召力，吸引千千万万具有企业家潜能的人去从事这一崇高的职业，诱导其他社会精英分子或是踏入企业家行列，或是在企业家的组织下，共同挑起民族经济振兴的历史重担。

毫无疑问，中国的"企业家时代"已经到来，我们不应再犹豫、踌躇、观望、等待，而要热情地迎接它、扶植它。

（原载《读书》1988 年第 11 期）

3.2　国有企业改革的国际比较与分析

国有企业存在于世界上几乎每一个国家，可以说世界范围内的国有企业都面临着如何生存与发展的共同挑战，各国都在设法克服国有企业共有的弊端，为国有企业成功经营创造适宜的制度环境。分析这方面的国际经验，对于完善我国国有企业的经营环境，推进与建立企业制度相配套的制度创新，可能提供更直接的启发和借鉴。

一、外国国有企业经营机制与市场经济的主要矛盾

在实行市场经济的发达国家和发展中国家，经营比较有成效或相当成功的国有企业不乏其例，但是一般说来，国有企业的财务成果普遍低于民间企业。据美国《幸福》杂志提供的资料，1984 年，世界最大的500 家工业企业中，国有企业的盈利率（净收入占总资产的百分比）仅为 1.7%，而民间私人企业的同一指标达到 4%，对一些国家进行的专题研究也得出了相同结论。这就暴露了国有企业经营机制同市场经济一般规律的矛盾。这些矛盾主要是：

（一）各国国有企业普遍存在政资不分、政企不分的缺陷，没有形成合理的所有权—控制权结果。资本主义国家的国有企业分为两大类：一类是政府根据干预经济的职能及其相应的公法设立的，此类企业承担满足公共需要的任务，并执行政府调控经济的部分职能；另一类是按私法设立的，在较大程度上按市场竞争原则经营，不担负专门的调控经济的任务，但是国家以控股或参股的方式体现政府的重要利益。第一类企业，没有明确划分所有者、战略制定者和经营者的职权，董事会的行政化、官僚化色彩浓厚，作为所有者代表的官员以行政监督代替产权约束，也不承担所有者应负的财产责任。董事会没有被赋予经营战略制定权，经理在日常经营活动中也基本没有自主权，这就难免导致不负责

任、不计成本的低效益经营。

（二）国有企业的职能与目标复杂化，担负过重的社会职能和公共目标。在几乎所有市场经济国家，政府创办国有企业的直接动因和主要目的是满足整个经济社会发展的需要，为实现国家经济发展的战略目标和经济政策服务，而不是首先谋求盈利，亦即商业目标要服从公共目标。发达国家设立国有企业主要是为了扩大就业、维护经济稳定、调节市场、加强国防、支援落后地区等，发展中国家的国有企业还肩负保证民族经济独立的重任。由于国有企业承担了过多社会职能和公共目标，又要将其放在首位，这就与企业的盈利目标相抵触。过多的社会职能和公共目标往往成为企业经营者推脱经营不善责任的借口，而且造成考核企业实绩的困难，更严重的是导致企业预算约束的软化和国家财政补贴不堪重负，结果陷入国家保护国有企业、国有企业依赖财政补贴的恶性循环。

（三）国有企业缺乏竞争性的经营环境。各国的国有企业凡是处于激烈的国内外市场竞争环境中的，其经营实绩一般都较好。但是，大部分国有企业都享有不同程度的垄断地位，在发展中国家，国有企业在国内一般都有垄断权或寡头垄断权，而且在对外经济贸易领域受到政府的种种保护，免受外国竞争的压力。各国国有企业的垄断地位带有"政策性垄断"的性质，政府限制民间私有企业进入某些投资领域，给国有企业优惠贷款，把国有企业主要分布在自然垄断行业，使国有企业生存在一个充满保护的经营环境中，难以产生提高经营实绩的紧迫感。处于市场经济大环境中的各国国有企业，由于政府的种种规章制度和政策保护，成为与国内外市场竞争隔绝的特殊领地，因此市场经济大环境本身并不能保证国有企业成功经营。竞争环境也并不能在任何情况下决定国有企业的经营实绩，竞争环境总是从外部对企业构成压力，而国有企业对竞争环境的反应程度则是竞争压力起作用的条件，只有在国有企业主动适应并利用竞争性的经营环境时，竞争压力才构成企业改善经营业绩的决定因素。

二、外国国有企业发展趋势及其影响因素

从历史的、经济的和技术的影响因素来分析各国国有企业的作用和结构变化，对思考我国国有企业的作用和结构调整是有益的。

（一）国有企业比重下降和部门分布变化，表明国有企业的重要作用主要体现为支配新的战略性部门而非简单维持数量规模。二次大战以后各国多次掀起国有化浪潮，到80年代初各国国有企业的平均比重达到最高峰，发达国家的国内生产总值、工业总产值和投资总额中，国有企业所占比重平均分别为10％、20％和20％左右，在发展中国家，国有企业的上述各项比重平均分别为13％、25％和35％左右。80年代以来，许多国家卷入非国有化或私有化浪潮，世界范围内国有企业的比重呈下降趋势，但在世界经济甚至一些发达国家中仍占有重要地位，以法国为例，直到1993年国有企业仍达2700多家，其产值占国内生产总值的18％，投资占全国投资总额的25％。国家财政对国有企业补贴的负担过重（如60—70年代英法等国预算支出的一半左右用于补贴和资助亏损国有企业），是许多国家压缩国有企业数量的直接原因。但是也应看到，经济技术条件的变化则是压缩原有规模、调整国有企业存量结构的深层原因。尤其是在发达国家，新技术革命推动了新设备新工艺的应用与扩散，使一些传统产业的重要性下降，规模经济的要求降低，另一些新的经济部门的战略地位上升，诸如航天、海洋开发、生物工程、新材料、新能源等高新技术产业，仍然需要国有企业发挥主导作用，政府压缩原有国有企业规模，支持国有企业在新领域发展，也是迎接新技术革命挑战的积极举措。

（二）国有企业的盈利和竞争性随着经济发展水平提高和体制转轨而受到重视。在不同经济发展水平的国家，或一国处于不同的经济发展阶段，国有企业的地位和作用会有不同侧重。近些年来，许多西方发达国家力图使所有国有企业都能和私有企业一样在市场上竞争，要求国有企业重视经济效益，强调国家的职能是制定竞争规则，保护民族利益和

战略部门，不给国有企业优惠待遇。

在发展中国家，国有企业的地位和作用受到经济发展水平低的制约。与发达国家相比，发展中国家居民收入水平低，民间资本的积累能力和企业家能力较差，而本国工业化和经济增长任务十分繁重，由国家出资创办国有企业和兴建大型工业项目，便于利用集中调动资源的优势，发展重点产业，形成具有规模效益、独立的民族工业体系，推动工业化进程和经济起飞。这在很大程度上也是实现工业化的历史必然。

（三）随着工业化和经济市场化程度的提高，国有企业的组织结构进行公司化改组，管理模式由行政集权向企业分权化转变。工业化程度低和民间资本力量薄弱的国家，技术人才和管理人才相对缺乏，政府有较充分的理由集中行使规划、控制、推动工业化的职能。可以说，政府在一定历史时期代行企业家职能是发展中国家普遍的现象。随着工厂日趋成熟，生产技术日益复杂，新产品和新市场不断开拓，企业自主活动能力逐步提高，管理人才的产生和技术创新过程就越来越需要由企业自己解决，经营决策权的下放也变得日益迫切起来。在市场机制能够有效发挥作用，要素市场发育起来的情况下，集中管理模式就需要向分权方向转变，行政化的企业组织结构也要向法人治理结构转变，由国家单一投资的企业财产结构向多元投资主体的转变也会相伴发生。当然，在不同国家、不同经济部门，这种演变不可能遵照一种模式，但作为大体趋势还是具有普遍意义的。

三、改进国有企业经营机制和经营环境的国际经验

各国由于生产资料所有制、社会政治制度和意识形态方面的差异，对国有企业改革的指导思想和具体措施各有不同，不可能也不应该去寻找一种适应所有国家的国有企业改革套路。从符合社会化大生产和市场经济基本要求的角度来看，各国对改进国有企业经营机制和经营环境进行的有益探索主要有以下几个方面：

（一）把政府的国有资产所有者职能和社会行政管理者职能分开，

建立专门的国有资产管理部门和经营中介机构。西方发达国家大都设立专门机构管理国有企业，明确划分国有企业专职管理部门和其他政府部门的职权范围。当然，要实行政资分开、建立专业化的国有资产管理经营体系，其具体形式还要受各国政治制度的制约，但这一基本方向确实是改善国有企业经营机制和经营环境的正确选择。

（二）针对不同领域、不同类型的国有企业，实行不同形式的产权制度改革。各国为解决国有企业经营机制同市场机制的矛盾，曾经侧重于调整国家控制企业的方式，扩大企业的经营自主权，主要途径是实行承包经营责任制，调整上级主管部门同企业的权利义务关系，明确企业的经营目标和责任，完善对企业经营成果的考核办法，改进对企业的刺激和奖励措施等。这方面的典型例证有法国 60 年代末首创、后在法国和不少发展中国家推广的承包计划（政府与企业签订承包经营的计划合同），以及原苏联东欧国家实行的以资金自筹、基金付费、工资与经营成果挂钩、完全经济核算为主要内容的"承包制"。此类改革只是停留在行政性放权和企业经营方式转换的浅层次上，没有触及国有企业的产权约束弱化和财产组织制度不合理等深层次矛盾，因而企业经营机制转换的效果并不理想，其中一个关键原因是企业经营自主权受政府承诺义务的不稳定性影响很大，企业经营机制的转换缺乏稳定的产权制度基础。

因此，80 年代以来世界范围内国有企业的改革出现了向产权制度改革深化的新趋向。产权制度改革的实质是加强对国有企业的所有权约束，明确投资者和经营者之间的财产权利和责任关系，形成合理的所有权—控制权结构，在强化资本经营责的基础上建立有活力、讲效益的企业经营机制。产权制度改革的具体形式取决于多种因素，从经济技术因素看，产权制度改革主要有以下几种形式：

1. 全部转让所有权，即以招标、拍卖的方式把某些国家独资企业全部出售给私营企业。这种方法适用于竞争性领域中没有必要由政府掌握所有权的企业，特别是那些虽然亏损但经过整顿仍可盈利的企业。

2. 分散股权，由国家股份为主转向民间股份为主，但国家仍能在必要时保持控股地位。分散股权的目的是进一步加强民间股东的产权约束，减少政府部门干预，强化企业的商业化经营，同时吸收民间投资加速企业技术改进。分散股权的企业主要有两类，一类是政府无力投入更多资本但又不能完全放弃的企业，一类是规模过大难以整个出售的企业，这两类企业基本分布在竞争性行业。

3. 不改变所有权，只出让经营权，即所谓国有民营。主要形式有：（1）租赁制，包括大企业租赁、小企业租赁、企业闲置资产租赁等。（2）承包经营制，许多发展中国家和发达国家都普遍采用这种制度，主要应用于基础设施、公共服务性部门以及垄断行业中的工商性事业单位。

（三）改进国有企业的竞争环境。经济理论和各国实践都证明，提高效率的决定因素是竞争性的市场结构，国有企业必须像私营企业一样面对竞争性市场环境，才能产生活力，改善经营效益。各国改进国有企业竞争环境的主要做法包括以下几个方面：

1. 引进国内外竞争者，减少进入市场的限制，分解过大的国有企业，削弱其垄断地位。

2. 对国有企业贯彻商业化原则，使其经营目标以市场为导向，减轻繁重的社会负担，使国有企业同私有企业平等竞争。目前，不仅大多数发达国家明确要求国有企业与民间企业一样按商业原则经营，以盈利作为企业的唯一经营目标，以利润率作为衡量企业经营成果的根本尺度，而且不少发展中国家也奉行让国有企业在市场竞争中求生存的原则，要求国有企业提高盈利能力，对社会作出巨额回报。

3. 减少政府在补贴、信贷等方面对国有企业的保护，发展资本市场和劳动力市场，形成优胜劣汰机制。强调国有企业的商业化和盈利性，就必须削减乃至取消对国有企业的补贴和信贷优惠，让国有企业的要素投入能从市场上获得，而不是依赖政府分配。80 年代以来世界各国普遍削减对国有企业的财政补贴和信贷优惠，发达国家在这方面态度比较坚决，措施也较有力。

（四）健全对国有企业的检查监督制度。许多发达国家和一些发展中国家都对国有企业实行严格的审计制度、定期报告制度、检查制度和财务公开制度。大企业内部设审核所，政府派经济检查员对国有企业进行年终检查和专门检查，看其是否遵守国家有关法律和政策。政府还要求国有企业向社会公众公布经营状况，这样既有利于公众通过舆论监督国有企业的经营实绩，也有利于议会对国有资产经营管理体系进行监督，避免政府各部门和各政治党派向国有企业安插自己的人员，进行不适当的行政干预或政治干预。

通过比较和分析，可以得出的重要启发是：（1）国有企业的生存与发展要摆脱政府的过分保护，效率和经济效益是国有企业生存发展的根本依靠；（2）国有企业提高效率、改善经营实绩的决定性因素不仅包括合理的所有权—控制权结构，而且包括政资分开的国有资产管理体系、竞争性的市场环境以及社会监督机制；（3）随着历史条件、经济技术条件的变化，企业组织结构和管理体制应随之改革；（4）着眼于国有资产整体效益的提高，优化存量资产的配置，使国有资产向高新技术产业转移，对于国有企业的长期发展具有深远意义；（5）在技术进步、产业结构升级、经营机制和经营同市场经济接轨的基础上，国有企业可以取得像私有企业一样好的经营实绩，也能够赢得市场上的竞争优势。

（原载《市场经济导报》1994 年第 11 期）

3.3　优化国有资本配置与财税政策

目前国有企业的资本运营状况令人担忧，大中型企业的情况相对好些，小企业的资本运营恶化则十分严峻。

1. 企业亏损形势尚未根本改观，1995 年以来国有企业亏损面仍高达 40% 以上（其中小企业占绝大多数），亏损额 200 多亿元，这些数字仅仅反映国有企业明亏状况，若考核清产核资中发现的资产净损失和潜亏挂账等因素，国有企业净资产的损失将更为严重。

2. 国有资产大量流失，小企业国有权益损失殆尽。按 1994 年 3 月财政部对 12.4 万户企业清产核资的资料推算，小企业中国有权益损失（包括资产净损失、经营性亏损和潜亏挂账等）占国有权益的比重高达82.8%，中型企业的这一比重为 59.4%，而大型特大型企业仅为15.2%。小企业国有权益的损失比大中型企业还要严重得多。另据山东诸城（县级市）1992 年清产核资的结果，仅 32 户市属企业的资产流失就达 1 亿元。

3. 资产负债率过高，小企业这一指标高于国有企业平均水平。按财政部清产核资结果推算（从资产总额中剔除资产净损失和资金挂账），全国独立核算的国有工业企业 1994 年的资产负债率平均为 80%，小型企业的资产负债率高于这一水平。以县（市）属国有工业企业（其中绝大多数为小企业）为例，按同口径计算，全国 4.67 万户县（市）属国有工业企业的资产负债率为 84.1%，高于平均水平 4 个百分点。

4. 净资产利润率低于全国企业平均水平。小企业这一指标更低。按国家统计局的资料计算，独立核算的国有工业企业的净资产利润率1994 年平均为 6.72%，其中，中央属企业为 9.09%，地方属企业为4.72%（县属企业仅为 4.54%）。7 万多户地方企业绝大部分为小企业，由此可见小型国有工业企业净资产利润率不仅低于国有工业企业的平均水平，而且更明显地低于大型企业。由于国有小企业净资产利润率过低，致使整个国有工业企业的这一指标比其他经济成分和全国平均水平都要低。同期，全国乡及乡以上独立核算工业企业的净资产利润率为8.25%，其中集体企业为10.86%，股份制企业为13.34%，外资企业为8.16%。

国有企业资本运营状况的改善，需要按"抓大放小、从整体上搞活国有经济"的新思路实行战略性结构调整。在促进国有资本的优化配置方面，财政税收手段的正确运用是十分必要和有益的。可以考虑的建议是：

——在公平税负的基础上，合理调整国家和国有企业的利润分配关系。这里有两个不同性质的问题，一个是政府作为国有资产所有者，有权向国有企业收缴税后利润，为了支持符合产业政策的国有企业发展，可以少收或一定时期不收其利润，或者叫"放水养鱼"。另一个是政府作为社会公共管理者，必须严格执行税法，并尽快统一税负，对任何企业都不再网开一面。

——运用财税杠杆推动国有资本缩短战线，集中投向关键产业和重要领域。国有资本必须尽快撤出一些领域，不能再把稀缺的资本（包括存量资产）分散在为数众多的低效中小企业中打消耗战，否则整个国有资本的配置效率会进一步下降，在现有资本配置格局下搞活国有大中型企业也是极为困难的。应当运用财政贴息、设立产业结构调整基金、向国家开发银行提供资金等手段，促进国有资本的市场化流动，支持国有资本向高效企业和关键产业集中，鼓励国有资本从小企业和非关键领域撤出；还可运用固定资产投资调节税限制国有资本流入长线产业或夕阳产业。

——尽快建立国有资本经营预算，加强对国有资本运营状况的监督，对预算资金的收缴、运用、投向和收支状况实施严格的管理，实现同政府公共预算的分收、分管、分用，防止把国有资本经营收入挪作政府公共开支，保证国有资本不断再投入自身的良性循环。

（原载《财政研究》1995年第11期）

3.4　从整体上搞活国有经济

一、抓好关键大企业，放开一般小企业的重要意义

着眼于搞好整个国有经济，集中力量抓好一批国有大型企业，进一步放活一般国有小企业，对国有企业实施战略性改组，是国有企业改革思路的重大突破。这个新的企业改革战略，高度概括了企业改革实践和理论探索的成果与共识，对推动企业改革和经济发展具有深远影响。

一是有利于真正发挥国有经济在国民经济中的主导作用。在社会主义市场经济条件下，国有经济的主导作用归根到底取决于国有资本能否有效地集中控制那些关键领域和产业。我国整个经济中国有资本配置过于分散，效率不高，严重影响国有经济主导作用的发挥。如果把一般小型国有企业的资产盘活，使国有资本集中用于支持关键领域和产业的发展，则资本集聚的优势会明显体现出来，国有资本的投入产出比将大大提高，任何经济成分都不能动摇国有经济的坚固地位。

二是有利于促进经济增长方式转变，提高经济增长的质量。国有经济战线太长、摊子过大，低水平重复建设过多，直接影响经济增长质量的提高。实行"抓大放小"，就是要遵循市场经济规律，对国有企业实行战略性结构调整，适当收缩战线，使资源向一批优势企业集中。这样，不仅可以扩大困难企业的调整余地，更重要的是能优化国有资本的配置，进而带动整个国民经济走上集约化增长轨道。

三是有利于推动政企分开。长期以国家独资形式大量兴办国有企业，国有资本存量不能流动，是政企不分的重要根源之一。实行"抓大放小"方针，着眼于搞活国有资本，而不是由政府去拯救每一个国有企业，势必要求加速存量资产流动，使国有资本从某些领域撤出，加强另一些领域，以独资、控股、参股多种形式参与国民经济运行。这样

就会形成多元化产权结构，促使政府加快改变管理国有企业的方式，集中精力研究解决所有权与经营权的分离以及其他宏观经济层次的问题。

四是有利于迎接国际竞争的挑战。拥有一批实力雄厚的大公司、大企业是奠定一国经济竞争力的重要基础，一些发达国家主要就是靠这样一批大公司在国际竞争中立足。对于我国这样的发展中大国来说，组建一批大公司、大企业集团的紧迫性尤为明显。在对外开放不断扩大的形势下，我国企业不仅要打出去，经受国际市场的竞争考验，而且面临国内市场上外国大企业的强大竞争压力。目前我国列入世界500家大公司的只有中国银行、中国粮油进出口总公司和中国化工进出口总公司3家，而没有1家工业企业进入世界500强。如果国有资本继续分散配置，形不成拳头，势必越来越被动。只有集中国有资本，发展壮大一批我国的优势工业企业，实施大公司、大集团战略，才能增强民族工业的竞争实力。

二、如何搞好一批关键性的国有大企业

（一）选择关键性大企业的原则和标准

从我国实际出发，选择大企业需要遵循以下原则：一是要有利于坚持社会主义方向，保证国家社会稳定，有利于国家掌握国民经济命脉；二是要有利于弥补和纠正市场机制的缺陷或失灵，提高政府调控经济的有效性；三是国有资本的投入要有利可图，讲究经济效益；四是要对选上的企业建立淘汰机制，有生有死，有进有出，适时调整。

根据上述原则，关键性的国有大企业应当分布在这样一些部门和行业：（1）具有广泛外部经济影响的行业，如国防、高科技、公用事业等；（2）自然垄断行业，如基础设施；（3）供需双方掌握信息不对称、容易产生不公平竞争的行业，如医药、金融；（4）单纯依靠市场机制难以形成规模经济、但有发展前景的部门，如所谓幼稚产业；（5）带动国民经济长期增长、具有高附加值和较强竞争力的先导产业和支柱产业；（6）重要原材料、能源等基础产业。国有资本不能仅限于不赚钱

的行业，在盈利水平高的一般竞争性部门，只要有竞争优势，国有资本同样可以进入；若失去竞争优势，就退出该领域。国有资本不能保值增值，是不利于坚持社会主义方向的。

具体选择标准可考虑如下几项：

——符合国家产业政策，产业关联度高，产业链条扩展延伸潜力大，即使目前不盈利甚至亏损也不能放弃。

——规模大，起点高，整体素质好，能参与国际竞争，在资产、产品、技术、人才、管理、市场营销、售后服务、综合经济效益等方面具有比较优势。

——在国内同行业中处于领先地位，具有一定的经济实力和技术实力，经济效益好，发展后劲强。

有必要设计一套以经济效益为核心的指标体系，作为选择大企业的量化标准。例如，可否考虑，净资产不低于1亿元，实现利税或综合经济效益指数位于同行业前10名等。同时，可用总资产、产值和销售收入等指标作参考。根据国家统计局1994年统计资料，若按总资产（固定资产净值＋流动资产）选最大的1000家企业，其资产达1.18万亿元，占全部国有企业资产的62.8％；若按产值选1000家最大的企业，其总产值达1.05万亿元，占全部国有企业产值的65.9％。这样可避免以企业是否盈利作为选择标准的片面性。

（二）搞好一批关键性大企业的主要措施

集中力量搞好一批大型国有企业，必须坚持以市场配置资源为基础，而不应重蹈行政配置资源的覆辙；必须全面贯彻现代企业制度"产权清晰、权责明确、政企分开、管理科学"的要求，把制度创新同企业改组、技术改造和加强管理结合起来，防止单兵突进。主要措施可考虑：

1. 抓紧组建大型企业集团和控股公司。按照"改制、改组、改造"三结合的原则，每年组建100家大型企业集团，到"九五"期末组建500家。根据公司法对大企业进行改制，以控股公司形式搞好资本运作。可发展两类控股公司：一类是对资金量实行绝对控股或相对控股

（视股权分散情况而定）；一类是立法控股，即通过立法规定国家股对重大利益问题有一票否决权。完善收购、兼并政策，支持大企业以收购、兼并为杠杆集中生产要素，发展专业化分工协作，提高规模经济水平，增强经济实力。对大企业的技术改造实行扶持政策，"九五"期间要提高技改投资占固定资产投资的比重，并向选择的大企业实行倾斜。

2. 国家向选择的大企业授予充分的经营自主权，包括：资产运作权，特别是跨地区、跨行业、跨所有制实行资产重组和自主投资；进出口自主权和对外经营权；对内对外筹融资权；存量资产转让收入支配权。理顺国家同这些大企业的利润分配关系，建立企业增补资本金的机制，尽快解决按企业隶属关系上缴所得税的问题。

3. 帮助企业解决债务沉重、冗员过多和办社会问题。债务负担主要通过资产重组、债务重组、有条件停息挂账等办法来解决，使企业资产负债率达到合理水平。减轻冗员负担应坚持企业安置、个人自谋职业和社会帮助相结合的方针。办社会负担主要通过产业转移和发展多种经营的办法来解决，当地政府和社区组织也应积极创造条件接收企业中担负社会职能的单位。

4. 充分发挥竞争机制的作用。应通过竞争组建企业集团，而不应违背经济规律强行捏合。在国有资本重点投入的基础产业和某些公用领域，国有企业的运营也要注意打破垄断，尽可能引入竞争机制。例如，中国联合通信股份有限公司的成立，就是打破电信垄断经营的有力措施。在垄断竞争性行业，应积极鼓励大型国有企业之间、国有企业与非国有企业之间开展竞争。

5. 建立健全对大企业的监督机制。除加强对国有资产的行政监督外，需尽快建立国有资本经营预算，使之独立于政府公共预算，专门对国有资本整体经营状况实行预算监督，确保国有资本首先是大企业中的国有资本保值增值。还可考虑成立大企业"三改"（改制、改组、改造）领导小组，下设专家评审委员会，专门负责企业"三改"方案和相关政策的制定、协调、评审、考核及验收等。

6. 对选择的大企业统一实行目前的各项改革试点，积极创造搞活国有经济的普适性条件。百家现代企业制度试点、18 个城市优化资本结构试点和 56 家企业集团试点的政策，应适用于选出来的 1000 户大企业，不宜再为其单独制定优惠政策。同时，应推进资本市场、产权交易市场的规范化发展，加快银行商业化和国有资产管理经营体制改革，为国有资本的战略性结构调整创造配套环境。

三、积极推进国有小企业改革

近几年，各地针对国有小企业的问题和特点实行放开、放活，取得一定成效。但从总体上看，国有小企业资本运营状况没有改善，形势十分严峻。因此，进一步放活国有小企业相当紧迫，还需大胆实践。

（一）国有小企业资本运营状况严重恶化

1. 亏损面大，且呈上升趋势。首先，在全部亏损国有企业中，小企业占绝大多数。1993 年亏损的 2.17 万户国有独立核算工业企业中，小企业多达 1.76 万户，占 81.1%；1994 年亏损的 2.4 万户国有独立核算工业企业中，小企业多达 1.97 万户，占 82.1%，比上年增加 2100 户（1 个百分点）。其次，小企业自身亏损面大于大中型企业。1993 年，独立核算的国有大中型工业企业中，亏损户占 28.5%，小企业中的亏损户占 30.8%，后者亏损面高于前者 2.3 个百分点。1994 年，国有大中型工业企业中亏损户占 31.4%，而小企业中亏损户占 33.3%，比大中型企业亏损面高出 1.9 个百分点。这些数字仅仅反映国有小企业明亏状况，若考虑清产核资中发现的资产净损失和潜亏挂账等因素，国有小企业净资产几近亏光。

2. 国有资产流失严重，国有权益损失殆尽。按 1994 年 3 月财政部对 12.4 万户企业清产核资的资料推算，8 万多户小企业中，国有权益损失（资产净损失、经营性亏损和潜亏挂账等）占国有净资产的比重高达 82.8%，中型企业的这一比重为 59.4%，而大型特大型企业仅为 15.2%。小企业国有权益的损失远比大中型企业严重。另据山东诸城（县级市）1992 年清产核资的结果，仅 32 户市属企业的资产流失就达 1 亿元。

3. 资产负债率高于国有企业平均水平。按财政部清产核资结果推算（从资产总额中剔除资产净损失和资金挂账），全国独立核算的国有工业企业 1994 年的资产负债率平均为 80%，小型企业的资产负债率高于这一水平。以县（市）属国有工业企业（其中绝大多数为小企业）为例，按同口径计算，全国 4.67 万户县（市）属国有工业企业的资产负债率为 84.1%，高于平均水平 4 个百分点。国家经贸委对唐山、秦皇岛国有小企业的调查表明，两市小企业的资产负债率平均达 80%，若按清产核资结果调整，这一比率还会更高。

4. 净资产利润率低于国有企业平均水平。按国家统计局的资料计算，独立核算的国有工业企业的净资产利润率 1994 年平均为 6.72%，其中，中央属企业为 9.09%，地方属企业为 4.72%（县属企业仅为 4.54%）。7 万多户地方企业绝大部分为小企业，由此可见，小型国有工业企业净资产利润率不仅低于国有工业企业的平均水平，而且更明显地低于大型企业。由于国有小企业净资产利润率过低，致使整个国有工业企业的这一指标比其他经济成分和全国平均水平都要低。同期，全国乡及乡以上独立核算工业企业的净资产利润率为 8.25%，其中集体企业为 10.86%，股份制企业为 13.34%，外资企业为 8.16%。

（二）放活国有小企业势在必行

国有小企业与大中型企业相比存在很大差距，但也有自身的一些独特优势，深化改革的潜力很大，影响也相当深远。

1. 国有资本从部分小企业撤出是放活国有小企业的题中应有之义。国有小企业资本运营状况恶化的形势表明，如果继续把国有资本分散在为数众多的低效小企业中打消耗战，会使整个国有资本的配置效率进一步下降，在现有资本配置格局下搞活国有大中型企业也是相当困难的。因此，只有认真执行中央提出的"抓大放小、从整体上搞活国有经济"的战略方针，下决心进一步放活一般小型国有企业，将国有资本从一部分小企业中撤出，用于支持一批关键性的国有大中型企业的改革与发展，才能有效地发挥国有经济的主导作用。

2. 进一步放活国有小企业对全面推进企业改革会产生示范效应。国有小企业自身规模小、人员少、组织结构简单，实行改制、改组难度较小，可以先行试验一些改革设想，为大面积推广积累经验。不少地方将国有小企业改革的经验推广到城镇集体企业和农村经济中，为城乡中小企业改革开拓出新的路子。

3. 深化国有小企业改革对促进专业化分工和区域经济发展意义重大。国有小企业产品单一，资本、技术密集度低，便于改造，建立灵活的经营机制，为大中型企业提供专业化协作条件。小型企业广为分布于各地和各行各业，加大改革和改造力度，十分有利于推动区域经济结构调整，发展区域经济，扩大地区就业和维护社会安定。

（三） 如何进一步放活国有小企业

根据各地已经取得的经验，可从以下几方面加大国有小企业改革力度。

1. 以多种产权改革形式进一步放开小型国有企业。可供小型国有企业选择的产权制度改革形式，比大型国有企业丰富得多，包括股份制、股份合作制、兼并、合资、租赁、抵贷返租（企业全部资产抵顶银行贷款，企业归银行所有，由银行选择经营者予以租赁）、承包、委托经营（以自愿为基础，委托优势企业经营危困企业）、一厂多制、出售直至破产等等，各地可因地制宜，因企施策。规模较大、效益较好、管理水平较高的，可通过组建企业集团、推动企业兼并等办法，优化国有企业资源配置，壮大企业实力。规模较小、效益较差、管理水平较低的，可通过股份合作制、承包、租赁、拍卖、委托经营等多种办法实行"放开"。对于濒临破产的企业应依法实施破产。从一些地方的实践看，国有小企业经过改革改组，绝大部分仍然是国有经济或者集体经济，即不同形式的公有经济，出售给私营企业或个人的是少数。

2. 放活小型国有企业要同区域经济结构调整和当地发展战略结合起来。加大国有小企业改革力度应符合质量效益型发展战略和产业导向，而不应仅仅满足于"本地国有企业无亏损"。在发展市场经济条件下，企业效益是动态的概念，只有依靠合理的产业结构、产品结构和企业组织结构，才能保证企业具有长期竞争能力。要以国家产业政策和本地发展战略为指导，确定本地在全国大市场和专业化分工中的位置，盘活国有资产存量，加速小型国有企业的改组改造，打破小而全、小而旧的格局。对产品陈旧、技术落后、资不抵债、无市场前景、扭亏无望的企业，应坚决转产或淘汰；对小而精、小而专、小而新、能够快速反映市场变化的企业，则支持其发展。

3. 抓好配套改革，切实解决小企业改革面临的难点问题。小型国有企业实行改制、改组、改造，在职工养老、富余人员分流、债务负担、资金来源等方面存在一定困难，需要加快社会保障制度改革，制定和完善相关的配套改革政策。对于职工养老和富余人员分流问题，除认真执行养老、失业保险改革方案外，应允许在资产评估、产权界定前提下，划出一部分企业资产用于职工养老和生产自救等。对于债务负担，可区别情况采取承贷拍卖（以购买方接收全部职工和债权、债务为条件的拍卖）、抵贷返租、冲抵银行呆账准备金和债务托管等办法解决。对于改造后有市场前景的，银行应予放贷支持。

4. 加强对小企业内部管理的指导。小型国有企业管理水平不如大中型企业，实行改制、改组、改造的成效更需要靠科学管理加以巩固。各地应特别重视国有小企业改制、改组后提高管理水平的问题，加强对其监督指导，帮助小企业建立健全严格的规章制度和科学的管理体系。重点抓好成本管理、质量管理、财务管理、生产现场管理等基础管理工作，促使小企业树立市场观念、信誉观念，增强投资决策、营销管理、资本运营等经营发展管理的能力。

5. 切实做好国有资产的保护工作。加大国有小企业改革力度涉及大量的产权转让，要对企业的资产进行严格、科学的界定与评估，防止和纠正企业改制中不做资产评估和资产无偿量化给个人的行为；产权交易必须坚持公开、公平和公正原则，对出售国有资产的收入实行专项管理，加强对这部分资金的收缴、使用和投向的财务监督。

6. 县域国有企业的改革力度可以更大一些。县域经济（县和县级市）中的国有企业绝大多数为中小企业，目前在实力上普遍不如国有大中型企业，在机制上普遍不如乡镇企业。对县域国有企业改革，思想还应进一步解放，步子还可迈大一些。

四、需要注意的几个偏向

根据以往企业改革的经验和教训，实行"抓大放小"战略应当防止可能出现的一些偏差。

1. 要防止对少数企业实行过多的政策倾斜。过去对试点企业总是给予一定的优惠政策，其弊病是有损公平竞争，使试点企业对特殊政策产生依赖，也使试点经验不具有普遍的适用性。目前有一些大企业对能否进入"关键性少数"名单十分关注，一个重要原因是希望得到优惠政策。因此，"抓住关键少数"一定要与建立社会主义市场经济体制的总体要求相适应，避免过多地"吃偏饭"。

2. 要避免演化为部门争权。部门争权、内耗太大，往往拖延企业改革的进展，甚至偏离改革的初衷，难以达到预期效果。为解决这一问题，建议国务院成立有权威的领导小组，增强协调能力，在明确改革思路的前提下，指定某一综合部门负责，不宜多个部门同时插手。如果必须是多个部门负责，则要做到明确权利与责任。

3. 放活多数小企业不能理解为国家撒手不管。主要是改变国家对小企业的管理方式，而不是放弃管理。发达国家十分重视对小企业搞好服务，为其创造平等竞争环境，这方面经验值得借鉴。

4. 不能把放活多数小企业理解为"私有化"。进一步放活一般小型国有企业，需要进行多种形式的产权改革，包括改成租赁制、承包制等形式，以及各种不同组织形式的公有制、混合所有的经济单位，少数小企业也可以出卖给私营企业和个人，产权转让收入应由国有资本投资主体用于再投入，避免国有资产流失。对于保留国有制的企业，仍然需要明确产权及其相应责任，即确定具体的负责人和有效的责任形式，在改为其他公有制形式的企业中，对公有财产同样应当做到权责分明。

（原载《学习·研究·参考》1996 年第 4 期，与张泰等合作）

3.5 企业改革中的"内部人控制"问题

随着国有企业改革的不断深化，特别是大中型企业公司制试点的逐步推开，部分企业出现的"内部人控制"问题有强化的趋势。对此应如何认识，如何加以解决，已成为越来越值得深入研究的新课题。就此，记者访问了国务院研究室财金局副局长卢中原博士。

记者："内部人控制"问题已越来越受人关注，请问"内部人控制"现象是怎样形成的？

卢中原：所谓"内部人控制"，是指这样一种现象：独立于股东（外部人）的经理人员掌握了企业的实际控制权，在公司战略决策中充分体现自身利益，甚至往往和职工联手谋取各自的利益，从而架空所有者的控制和监督。在我国国有企业改革的不同阶段，这种现象以不同形式、不同程度表现在不同范围。

在扩大企业经营自主权、实行利润留成的改革初期阶段，由于高度集中的计划经济体制还没有受到很大触动，国有企业的内部人控制问题只可能处于潜在的、零星的状态。到了广泛推行承包经营责任制和厂长（经理）负责制的改革阶段，不少企业发生了拼设备、拼消耗、追求短期利益和包盈不包亏的行为，承包期内的厂长经理和职工力求自身利益最大化而忽视国有资产保值增值，内部人控制问题在比较普遍的范围内，以公开的形式表现出来了。在对国有企业停止承包经营制、按公司法进行公司制改组的阶段，凡是形成了比较规范的公司治理结构的企业，内部人控制现象能够得到纠正和遏制；而在不规范的公司制企业，这种现象并未绝迹，其表现形式趋于复杂，在某些方面甚至有所恶化。例如，有的股份制企业在没有盈利的情况下搞"预分红"，而且是优先保证个人股东和内部职工股东，国家股东则被有意忽视；又如，少数经理人员通过合法或非法途径，利用手中权力转移、侵吞国有资产及其收益，牟取各种在职的个人好处，富了和尚穷了庙的事例时有发生。

内部人控制问题的产生、发展和演变，是同我国企业改革和经济体制转轨过程相伴随的客观现象，它的成因可以从以下几个方面加以探究：

——放权让利和先试点、后规范的改革路径产生的代价。从企业改革的渐进过程看，首先是在计划经济体制下逐步放权让利，减少政府对微观生产经营领域的干预，加大企业厂长经理的自主经营权，着重调整国家和企业之间的利益关系，企业经营者逐渐掌握了相对多一些的企业控制方面的权力和利益。随着国家感到放权让利没有多大余地而不断调整政策，例如把"利改税"改成承包经营制，厂长经理尽量争取更大的自主权，一旦同主管部门谈判争得有利的承包条件，在承包期内便几乎完全摆脱主管部门的控制，尽管上级可能修订承包条件，但对本承包期失控行为的约束往往是滞后的。股份制企业的试点在承包制普遍推行的同时就已起步，但是面临大面积承包制产生的示范效应，加之规范性制度建设落后于股份制试点进程，相当多的股份制企业存在着经理和员工过分强调自身利益、忽视国有股权益的现象，例如内部职工股拥有很大发言权，致使经理阶层在公司经营战略和发展规划中要更多地反映这方面的呼声。简言之，在由计划经济向市场经济转轨的过程中，国有企业改革沿着自上而下简政放权、摸着石头过河、先试点后规范这样一条路径逐步推进，一方面，必然会出现外部行政干预减弱、企业独立性增强的积极结果；另一方面，"内部人控制"强化乃至达到所有者对内部人的失控状态，也是这一过程中难以避免的代价。

——国有企业改革理论的探索过程对企业改革实践产生的影响。大体说来，在国有企业改革的理论探索过程中，对企业改革实践产生较大影响的代表性理论有"相对独立的商品生产者论"、"企业本位论"、"所有权经营权分离论"和"企业制度创新论"。这些理论的提出，表明我国经济理论界和实际经济工作者在认识上的不断深化，对推动国有企业改革起的积极作用是应当充分肯定的。由于探索公有制在市场经济条件下的具体实现形式是一项前无古人的艰巨变革，我国企业改革理论的不成熟同实践过程本身的试验性也是相伴而生的，难免对企业改革的探索产生某些消极影响。当我们集中批判计划经济对企业的束缚而强调企业的独立地位时，往往要求减少行政干预，却忽视了国有资本的所有者约束。当我们论证所有权与经营权相分离的重要性时，往往更多地注意企业经营者的权力和利益，而忽视其对所有者的责任，国有企业所有者的权力和利益如何体现也并不明确。当我们试图以所有者进入企业内部来落实所有者对经营者的监督时，往往过高估计了这种内部约束单独发挥作用的有效性，而忽视了它所需要的外部配套条件。当我们寄希望于明晰国家所有权与法人财产权的关系时，往往不适当地扩大了法人财产权的含义，使所有者权益无形中受到侵犯。还有，当某些论者力主通过量化产权约束来克服所有者缺位的积弊时，往往忽视了现代法人制企业与自然人企业之间的区别（前者不宜由内部人来控制，而后者恰恰由所有者与经营者合一的内部人来控制才是合理的）。凡此种种，在企业改革实践中都有一定折射，例如企业股的设置尽管已被纠正，但企业呼声仍很强烈；又如赋予企业 14 项自主权时，没有同时规定所有者的权利约束等等。国家在没有建立合理有效的所有权监督机制的情况下，片面要求企业成为自主经营、自负盈亏、自我约束、自我发展的法人实体和市场竞争主体，无异于放弃作为所有者对国有企业的部分甚至全部决策权和收益权，这在实践中会导致国有企业的内部人控制现象趋于强化，并不是没有根据的担忧。

——传统就业制度和干部制度的惯性影响。国有企业职工的工资福利和生老病死牢牢依附于所就业的企业，在企业内部形成职工能进不能出、工资能升不能降的刚性就业福利保障机制，对企业领导人的经营决策产生巨大压力，如果在任期内不能满足职工福利最大化的要求，企业领导人就很难得到职工的拥护。对企业领导人员按照国家干部的标准选派、决定升迁或调任这样一套人事管理制度，形成了厂长经理能上不能下的在职利益保障机制。在国家向企业不断下放权力的过程中，除了主要人事任免权始终掌握在党的组织部门手里以外，对国有企业领导人员缺乏一套行之有效的激励-约束机制。一方面，企业经营的专业性使厂长经理的业绩难以用党政干部的标准来监督考核，另一方面，企业领导的切身利益同职工利益捆在一起，这就导致了国有企业的厂长经理往往更多地考虑内部职工的要求，而把国有资本所有者的权益摆在次要位置。在实行承包经营制和工资同效益挂钩的企业，经营者向上级力争最有利于工资福利最大化的承包条件和"工效挂钩"办法，固然与这种企业制度和工资分配制度本身的缺陷有关，但是传统就业制度和干部制度对"内部人控制"现象所产生的强化作用，也是不容忽视的。

记者： "内部人控制"形成日渐强化的趋势，对国有企业改革，对所有者权益有些什么影响？

卢中原： 国有企业的内部人控制问题若不能得到有效解决，必然导致一系列消极后果。突出的是：（1）恶化企业实际经营状况。由于企业领导人拥有日益增大的控制权而所有者不能予以有效监督制约，少数素质差的厂长经理独断专行、弄虚作假，早已把好端端的家底败掉却还造成企业虚假繁荣，使企业连年成为各种各样的先进典型，直到上级主管部门更换企业领导班子，真相才能大白于天下。不少亏损企业之所以迟迟不能扭转被动局面，很重要的原因就是虚盈实亏的真相长期掩盖，不能得到及时揭露和纠正，一旦暴露出来，也已积重难返。（2）工资侵蚀利润。为了保证职工工资福利年年上一个新台阶，企业设几本账、"小金库"的现象十分普遍；从公开的账面上看不出企业工资发放失控，实际上通过工资外多种多样的实物、货币福利，许多企业职工工资福利收入的增长大大超过效益的增长。一些效益不好甚至亏损的企业，经理人员和职工的收入不仅没有随之下降，反而持续增加。（3）国有资产流失。在实行承包制和落实14项经营自主权的过程中，厂长经理常常挪用折旧和过度借贷，以兑现增加职工收入的承诺，却不管国有资产是否增值。在企业产权制度改革过程中，国有资产以低于市场公平交易的价格转让给其他经济成分或个人的现象相当普遍，改制企业的内部人常常优先购得价格、收益十分优惠的内部股，一旦股票上市，便可获取大大高于面值的暴利。

记者： "内部人控制"问题在一定意义上说，就是所有者与经营者利益矛盾的表现，这方面，西方市场经济国家是否有比较好的解决办法？

卢中原：凡是所有者与经营者分离的法人制企业，都存在所有者如何激励、监控经营者的问题，不仅要使经营者有足够的积极性去管理好企业，而且要使经营者有足够的约束力对所有者负责，避免经营者拥有过大的控制权而摆脱所有者的监控。西方现代公司组织的产生和发展始终伴随着股东与经营人员之间的利益矛盾，由股东大会、董事会、经理层、监事会组成的法人治理结构，提供了解决这一矛盾的一种企业制度安排。委托-代理理论集中研究了如何设计一套有效的制度框架，来减少代理风险即代理人失控的危险，具体包括：在所有者、贷款人和经理人员之间合理地配置企业控制权；准确地评价和监督董事会、经理人员和职工的工作绩效；设计和实施适应企业特点的激励-约束机制，例如给予经理人员一定股份或股票期权，以激励他们像所有者一样行事。在法人治理结构外部，需要竞争性的商品市场、资本市场和经理人员市场作为配套性制度安排，以便使经理人员感到市场竞争压力，努力把企业经营好。还需要培养能够更为积极地关心企业长期发展的大股东，例如机构投资者，以更有效地行使股东主权。这样一种强化股东主权和竞争性市场约束的方案，在典型的英、美公司制度中是广为流行的，对于防范内部人控制具有重要的作用。

公司治理结构的形式在德国、日本不同于英、美。德国公司治理结构更重视外派监事和职工参与决策的作用，"万能银行"制度对公司筹资和长期发展具有决定性意义。日本大公司的经理都是董事会成员，这等于经理人员控制了公司战略决策机构，但是当公司陷入财务困境时，主银行能够迅速介入，解聘总经理，接管公司控制权。德、日公司都不依赖股票市场筹资，而且经理和职工的地位较高，这似乎有强化内部人控制的倾向，但同时它们通过银行和外派监事的独特作用，能使公司控制权在关键时刻掌握在外部出资人手中。从发达市场经济国家的公司制度发展趋势看，核心股东、战略性的投资者和银行都通过参与董事会，对公司重大决策、人事任免和收益分配日益起着决定性的影响。

东欧和俄罗斯在经济转轨中出现了相当普遍的内部人控制现象。经理人员和职工串通共谋，拒绝对企业进行整顿；原来的企业领导占据了实权地位，素质和业绩很差的经理人员很难被替换；企业难以按低成本筹集到资金，迟迟不能进入良性循环。这主要是因为，在自发的或合法的私有化过程中，经理人员早就开始侵吞国有企业的资产和收益，并和职工一样按通货膨胀前的价格购买了占控股地位的企业股份。经理层把持了许多企业的股东会和董事会，而且阻止工人出售所拥有的股份。波兰团结工会的强大力量延伸到企业监事会中，工人呼声在企业决策中往往占压倒优势。尽管私有化过程使原来的国有企业进入了大量私人股东，按有限责任公司或股份有限公司模式建立了法人治理结构，但是，面对经理和工人掌握公司大部分或足够多资产份额的情况，外部股东对公司战略决策的影响力通常会大打折扣。转轨经济中即使开放了股票市场，对内部人控制现象的约束也是乏力的。因为这时的股票市场很不成熟，股票价格往往是扭曲的，不能准确反映公司的经营业绩，经理和工人对企业的强烈依赖可能导致股市交易的呆滞，通过市场兼并收购来接管公司控制权的外部约束机制往往失灵。由于东欧和俄罗斯的经济转轨是在基本政治经济制度剧变下发生的，原执政党和国家政权对国有企业的控制完全丧失，而新的制度又没有、也不可能迅速建立，因而公司化过程中的内部人控制倾向就以猛烈的势头发展起来。

记者：根据你的研究，这些国家的公司治理结构，对我们的国有企业改革有什么借鉴意义？

卢中原：对公司治理结构的简要比较分析，向我们提供了以下有益的启示：

第一，解决内部人控制问题需要一套内部制衡的公司治理结构和外部约束相结合的互补性制度。发达市场经济国家的经验表明，股东会、董事会、监事会和经理层相对独立又相互制约的法人治理结构，可以在相当大程度上防止内部人控制问题的产生和恶化。但是由于大公司管理的专业性很强和股东非常分散，单靠法人治理结构的内部约束往往很难奏效，因此必须发展竞争性的商品市场、劳动力（包括经理人员和一般员工）市场和资本市场，以及加强银行对企业的监督。企业经营效益直接反映在股票价格的变化上，并最终要由商品市场来检验，不称职的经理人员和一般员工可以由劳动力市场方便地提供替代者，银行对企业财务状况、营销状况和发展前景比一般股东有更多的了解和制约手段。因而，这样一套外部约束机制能够弥补股东在掌握企业信息方面的劣势，有助于减少代理人失控的风险。经理人员迫于竞争性市场和银行监督的压力，必须十分珍惜委托人（股东）赋予他的职权、高薪和其他在职利益，兢兢业业对所有者负责，也对自己的人力资本负责。从最一般的意义上说，借鉴发达国家防范内部人控制问题的经验，要注意内部治理结构和外部互补性制度的配套建设。

　　第二，经济转轨时期的内部人控制有强化的趋势，而且成因更为复杂，必须采取多样化的、有针对性的措施。在传统计划经济被打破、市场经济新体制尚不成熟的情况下，解决内部人控制问题宜侧重建立规范的公司治理结构，改善国家政权和所有者职能的行使方式，同时循序渐进地发展竞争性市场体系。作为正在转向社会主义市场经济的发展中大国，我国国有企业的改革目的，在于更好地发挥国有经济的主导作用而不是削弱它，这就决定了国有资产所有者必须强化对企业经营者的监督约束，包括掌握人事任免权等等，而不是像东欧和俄罗斯那样求助于私有化。在相当长的时间内，我国的劳动力市场特别是股票市场将很难达到发达国家的程度，因而股东主权加市场约束的解决方案起的作用会受到较大限制。这期间，运用法律手段、经济手段、社会舆论手段和必要的行政手段加强对国有企业领导人的制约，是不可缺少的。随着市场经济新体制初步确立并逐步成熟、定型，竞争性市场体系对内部人控制问题的约束作用就会日益重要。

　　第三，法人治理结构的关键在于合理安排所有权-控制权结构，公司化过程中的产权安排应当是不拘一格的。不同国家的法人治理结构受该国经济发展水平、历史形成过程乃至政治体制的影响很大，我们要认真研究其利弊，以便在借鉴中增强适用性。英美公司主要是依靠外部股东和市场约束来加强对经理人员的激励和约束的，美国公司董事会中的外部股东代表平均占56%，英国的机构投资者掌握了社会持有股份的60%以上。这种模式透明度较高，内部制约关系较平衡，股东权益保障较好；但是对经营者支付高薪、中介机构使代理层次增多，也增加了代理成本，经营者迫于股东追求高分红率的压力而可能忽视企业的长期发展。德、日公司治理结构与银行建立了长期稳定的关系，特别是日本公司与有业务往来的企业和银行实行交叉持股，董事会和监事会的成员大都由经理人员兼任（董事会中股东代表平均只占24%）。这种控制权安排有利于经营者和股东共同追求企业长期利益，但是相互持股的法人股东往往在企业经营状况不佳时也不出让股权，容易阻滞资本按效益原则流动，而且小股东的利益常常遭到忽视甚至牺牲。在构造我国的公司股权与控制权结构时，我们应当根据不同行业、不同类型企业的特点，吸取发达国家公司治理结构的长处，避开其短处，在借鉴中加以创新，而不必单纯以某一类国家的公司模式为蓝本。

第四，银行和非银行金融中介机构对健全公司治理结构的作用值得重视。鉴于转轨经济的直接融资市场不发达，对内部人控制产生不了多大的约束作用，国内外研究者提出，把银行和其他金融机构塑造成更积极的参与者，可能是一个行之有效的解决方案。在解决信息不对称问题、以低成本筹资、企业经营恶化时迅速加以整顿等方面，银行和其他金融机构可以发挥比一般股东更为有效的监控功能；对于由内部人控制的有生命力的企业，银行等金融中介的积极参与可以防止其经营状况恶化。作为筹集长期资本的间接渠道，银行和其他金融中介的发展并不排斥直接融资市场。但是，在转轨经济中，国有银行同国有企业的传统资金供求关系使得银行机制不活，信贷资产质量下降，没有动力、也没有能力成为国有企业建立公司治理结构的积极参与者。考虑到金融资本与产业资本融合产生的垄断等消极后果，以及转轨期间宏观调控能力比较薄弱，银行等金融中介同企业交叉持股可能面临许多现实困难。尽管如此，银行和非银行金融机构仍然有必要以适当的方式介入企业控制权结构的安排，德国、日本银行体制对企业债务重组、人事任免、决策参与等方面起的作用值得研究借鉴，英美等国机构投资者在公司治理结构中的地位、功能和经验教训也值得探讨吸取。

记者：既然经济转轨时期内部人控制有强化的趋势，而英美与德日的法人治理结构又各有短长，那么从我国的实际情况出发，应该如何设计适合我国的解决内部人控制问题的方案？

卢中原：参照国际经验，可从以下几方面防范和制约内部人控制现象：

第一，以合理的股权安排强化出资人的监督约束。国有企业改为公司制要力戒徒具形式，关键是通过明确投资主体，合理设计股权结构，使所有者代表进入企业内部，行使国有资产出资人的职能，克服所有者缺位的弊端。

第二，按照公司法建立规范的法人治理结构。现代公司制企业内部权力机构、决策机构、监督机构和执行机构相互分离、相互制衡的领导体制，对于形成责权明确、各司其职的激励－约束机制是行之有效的制度安排。

第三，鼓励商业银行和非银行金融机构积极参与国有企业制度创新。在实行资产负债比例管理、提高风险防范能力的基础上，商业银行应当适应国有企业转换经营机制、调整组织结构的需要，确定更加灵活的资金运用方式和参与企业改革的方式。对于转制方向明确、行为规范、债务落实的大中型企业，信贷资金投放要有倾斜；通过进入企业董事会和监事会，增加对公司战略决策、经营状况和人事任免的影响；积极开展资产评估、投资咨询、财务顾问、资金融通等金融中介服务，帮助企业经营者制定正确的经营策略，支持国有企业的战略性结构重组；同时，引导企业改组、兼并、收购、破产、租赁、出售等活动走上正轨，防范和纠正某些企业经营者和职工为谋取自身利益而侵犯股东和债权人利益的行为。鉴于国有独资商业银行的历史负担十分沉重，可以考虑在建立新型银企关系方面，让股份制商业银行和投资基金等信托投资机构多进行一些创造性的尝试。

第四，健全对国有企业的外部监督检查制度。在大企业内部设立审核所，由政府经济检查员进行年终检查，不仅按公司法对国有企业和私有企业进行同样检查，而且对国有企业进行专项检查，看它们是否遵守国家有关法律和政策。政府还要求国有企业向社会公众公布经营状况，包括资本、盈亏、经营项目、人员情况及报酬、机构组成和股东构成等等，这样既有利于避免不适当的行政干预，又有助于社会公众和舆论了解国有企业的经营实绩，对内部人控制现象形成社会约束力。我国一些改成股票上市公司的国有企业已实行了财务公开制度，还可以推广到非上市的国有独资公司和国家控股的公司。此外，对国有大中型企业建立健全严格的审计制度、定期报告制度和检查制度，看来也是很有必要的。

（原载《经济学消息报》1996 年 11 月 8 日、11 月 15 日）

3.6 推进国有经济布局的战略性调整

党的十五大报告提出了两个"战略性调整":一个是着眼于增强国有经济的控制力和竞争力,对国有经济布局和国有企业进行战略性调整和改组;一个是着眼于全面提高国民经济整体素质和效益,增强综合国力和国际竞争力,对经济结构实行战略性调整。把这两个战略性调整结合起来,对于从整体上搞好国有经济,更好地发挥其主导作用,实现经济增长方式由粗放型向集约型转换和国民经济持续快速健康发展,具有决定性意义。这两个战略性调整的结合在实践中已经取得一定进展,但是还不适应发展社会主义市场经济的新形势,需要进一步加以探索。

一、股份制是把两个战略性调整结合起来的有效途径

股份制作为一种资本组织形式,对国有经济布局和产业结构的战略性调整具有沟通和促进作用。国有企业股份制改造的实践,充分证明了这一点。

(一) 有利于增强国有经济控制力、巩固公有制主体地位

在由传统计划经济体制向社会主义市场经济体制转轨的进程中,多种所有制经济共同发展,投资主体日益多元化,企业财产组织形式也日益多样化。在这种格局下,通过股份制的形式,以较少的国有资本控制和支配较多的社会资本,而不是继续让国有企业遍布整个国民经济,不管该领域重要与否一概保持数量上的绝对优势,这样更有利于实现国有资产的保值增值,增强国有经济的主导作用,保持公有制经济的主体地位。现实情况正是如此。

——现有股份制企业的股权结构中,国有资本占支配地位。据统计,到 1994 年底,全国股份有限公司达 9063 家,股本总额为 5971 亿

元，其中，国家股占 42.63%，法人股占 25.42%，个人股占 20.97%，外资股占 10.98%。这种股权结构表明，国家以 43% 的资本份额控制和支配了其他 57% 的社会资本。而运用控股、参股形式，以少量资本控制和调动更多的社会资本，正是社会主义市场经济条件下国有资本发挥主导作用的根本途径。

——在上市公司中，国有和集体经济保持控股权。1996 年底统计的 530 家上市公司中，国家及国有企业控股的 373 家，占 70.3%；集体企业控股的 83 家，占 15.7%；股份有限公司和有限责任公司（股东主要由国有企业或集体企业构成）控股的 66 家，占 12.5%；外资企业间接控股的 8 家，仅占 1.5%。这 530 家上市公司总股本为 1219 亿元，其中国有股占 53%（见《人民日报》1997 年 10 月 15 日周正庆文章）。通过发行股票上市，国有和集体经济吸纳了大量社会资金，不仅保持了在上市公司中的绝对数量优势，而且形成了以公有制为主体的新型混合所有制经济。

——国有资产通过股票上市得到保值增值。主要表现在：一是改制时评估增值。上市的国有企业通过评估，资产增值率一般为 33%。二是溢价发行增值。以 A 股为例，社会公众股的发行价平均每股为 6 元左右，是发行前企业每股净资产的 4 倍，国有资产享受的增值率为 84%。三是经营增值。1990—1996 年，上市公司平均净资产利润率为 13.9%，所有者权益的增值率得到稳步提高。四是配股增值。上市公司配股价格一般比每股净资产价值高 50% 以上，为国有资产进一步增值创造了条件（见《人民日报》1997 年 10 月 15 日周正庆文章）。

（二）有利于改善国有企业的资产负债结构，提高国有资本的配置效率

过高的资产负债率一直是阻碍国有企业健康发展的沉重负担。通过股份制改造特别是股票上市，筹集到大量资本金，一部分国有企业的资产负债结构趋向合理，对转换经营机制，提高经济效益，起到了积极的促进作用。截至 1997 年 8 月底，我国上市公司在境内外证券市场筹集到资本金共计人民币 2560 亿元，其中包括 B 股、H 股和其他外资股

135.4 亿美元。这些资本金的注入，为国有企业轻装上阵参与市场竞争奠定了必要的基础。1996 年，工业类上市公司的平均资产负债率为 50.37%，比国有工业企业的相同指标低将近 15 个百分点。

上市公司在上市前一般都是比较好的企业，发行股票上市后建立起产权约束机制和内部制衡机制，加上股票市场的外部监督约束，促使上市公司保持良好的增长势头。1996 年，国有控股上市公司的销售利润率为 9.7%，净资产收益率为 9%，分别比国有大中型企业的相同指标高 8 个百分点和 6.5 个百分点；国有控股上市公司的资产总额只占国有企业资产总额的 3%，利润却占国有企业利润的 23%（见《人民日报》1997 年 10 月 15 日周正庆文章）。上市公司的整体经济效益高于非上市的国有企业，表明国有资本通过股票发行上市流向高效企业，因而促进了国有资本配置效率的提高。

（三）股份制正在成为推动产业结构调整的有力杠杆

我国产业结构的优化升级应当符合国家产业政策和市场需求的导向，发行股票上市提供了一种把产业政策与市场需求衔接起来的现实机制。实践表明，运用股份制经济和股票市场加快产业结构调整，具有积极作用。

发行股票上市为贯彻国家产业政策拓宽了融资渠道。截至 1997 年 8 月底，上市公司通过发行 A 股筹集资金 1384 亿元，用于基础产业和高新技术产业 761 亿元，用于支柱产业 347 亿元，即 80% 以上支持了农业、能源、交通、通讯、原材料等需要加强而又长期缺乏资金的部门。国家重点建设和技术改造也通过发行股票筹集了巨额资金。1993—1997 年 6 月，国有企业仅通过发行 A 股，就为 79 个国家重点建设项目和 206 个省级重点建设项目提供了资金 415 亿元，为 54 个国家技改项目和 111 个省级技改项目提供资金 256 亿元。这就带动了生产要素向急需发展的部门流动，有利于优化社会资本的配置。

发行股票上市促进了企业的收购兼并和资产重组，加快了大集团的发展，有助于打破条块分割和不合理重复建设。股份制企业特别是上市公司具有灵活的经营机制和比较雄厚的实力，能够通过兼并收购实现低成本扩张，不仅使自身迅速发展壮大，而且带动一批困难企业走出困境。目前已有 136 家上市公司兼并 273 家国有困难企业。辽河化工、深圳康佳公司等就是这方面的成功例证。许多国有企业改组为上市公司后，迅速发展为行业中的骨干企业。在彩电、空调、冰箱、印刷、化工、石化、医药、电力、钢铁、航空、工程机械等行业，上市公司都占主导或重要地位。例如，1996 年电子百强企业中，前 10 名都是上市公司，其销售额占全行业的 30%。有了这样一批行业排头兵，就能逐步提高资本集中程度，形成规模经济，成长起能够适应国内外市场竞争的大公司、大集团。

二、产业结构和国有经济布局调整中存在的主要问题

改革开放特别是"八五"以来，国有经济的结构调整取得一定成效，产业结构调整也取得了相当大的进展。农业和水利建设得到加强，基础设施和基础工业建设步伐加快，支柱产业快速成长，轻纺工业面貌发生巨大变化，进出口结构进一步改善，第三产业获得较大发展，这一切对国民经济登上新台阶起到了重要作用。但是，产业结构和国有经济结构的调整进展尚不尽如人意，主要表现在：

1. 各个产业之间及其内部结构不合理的矛盾依然突出。农业仍是国民经济中最薄弱的环节，防灾、抗灾能力差，粮食、棉花等主要农产品的增长不够稳定，农业增长速度减缓，增加值年均增长速度由"六五"期间的 8.2% 降为"八五"期间的 4.1%。基础产业对国民经济的瓶颈制约还未完全解除，电力和运力紧张的局面没有根本改观，一半以上的铁路区段和公路干线超负荷运转，基础设施匮乏难以满足经济快速增长的需要。轻纺、机电产品结构的调整跟不上市场需求的变动，在质量、性能、花色品种等方面符合国内外市场需求和标准化要求的产品十分短缺，不适销产品甚至劣质产品仍在大量生产，难以淘汰。

2. 产业整体素质提高缓慢。我国产业技术水平比发达国家大致落

后 15—20 年，机电工业差距更大，生产工艺装备更新迟缓，重点企业达到或接近国际水平的设备仅占 15%，2/3 的设备处于中下水平。企业组织结构仍然普遍存在规模经济效益差和专业化程度低的缺陷。高投入、低产出，高消耗、低效益的经济增长方式远未扭转，我国生产中的物耗水平不仅大大高于发达国家，而且高于印度等发展中国家。资源浪费、环境污染越来越成为制约可持续发展的不利因素。

3. 盲目的、不合理的重复建设未得到有效遏制。计划经济体制下长期形成的投资饥渴症和政府行政干预，造成"大而全"、"小而全"的盲目重复建设。随着经济转轨过程中买方市场的逐步形成，许多行业和产品的生产能力超过市场容量，结构性矛盾日益突出。目前我国加工工业的生产能力利用率大都在 70% 以下，家电、纺织和汽车行业的生产能力过剩尤为突出，电视机、电冰箱和汽车生产能力闲置 1/3 到1/2。区域专业化分工发展迟缓，老工业基地难以形成新的产业优势，中西部欠发达地区也未形成特色经济。据国家计委测算，1989 年，中部与东部地区工业结构相似率为 93.5%，西部与中部地区相似率高达 97.9%。这种格局还没有根本改变，而且在一定时期内有所发展。例如，各地在制定"九五"规划时又出现新一轮不合理重复建设的苗头，将汽车列为支柱产业的省、区、市有 22 个，将电子信息工业列为支柱产业的有24 个。在市场经济条件下，既定市场容量内有足够多的进入者是形成充分竞争的必要前提，由自负盈亏的投资主体根据供求变动和成本收益分析自主决定进入还是退出这个市场，可以较快地纠正不合理的重复投资。而当前的盲目重复建设往往和政府干预分不开，国家产业政策和市场机制难以起到应有的导向作用。

4. 国有经济的产业分布过于分散。基本建设战线太长、摊子铺得过大、地区产业结构趋同等等，是同国有经济布局不合理相互胶着在一起的。经营性国有资产的相当大部分分布在应当压缩的一般加工业中，而在应当加强的基础设施、支柱产业和高新技术产业，国有经济的支配力却没有达到应有的水平。1996 年底，经营性国有资产中，工业占52%，交通运输邮电业占 21.3%，金融企业占 10.5%，三者合计超过

80%，工交行业所占比重达 73% 以上。在工交行业中，国有资产增长幅度超过 35% 的有民航和邮电业，增幅为 20%—30% 的有烟草加工和电力业，增幅为 10%—20% 的有铁路、石油天然气、公路、煤炭、医药业，其他行业增幅都在 10% 以下，其中纺织行业国有资产下降18.1%。数字表明，近些年国家加大了对基础设施和基础工业的投资，促使这些行业的国有资产有了较大幅度的增加；同时，对一般加工业中的国有资产也进行了调整，例如国有纺织企业的转产压锭工作取得了一定成效。但是总体上看，国有经济的结构调整仍然进展迟缓，产业布局还不适应结构优化升级的要求，该退出的还没有退够，该加强的还没有到位。如何在市场经济条件下有效控制国民经济命脉，是国有经济面临的一个历史性挑战。

5. 国有经济总量增长快，但经济效益不好。1996 年，经营性国有资产比上年增长 15.4%，国有企业上缴利税增长 9%，而实现利润却大幅度下降。经营性国有资产的收益能力很不理想，国有企业总资产收益率（利润总额加利息支出净额对总资产的比率）、净资产利润率和销售利润率三项指标，均低于社会平均利润率和银行利息率，而且比上年有较大幅度的降低。部分国有企业生产经营困难加剧，亏损严重，地方企业和小企业尤为突出。分行业看，亏损企业主要分布在机械、轻工、纺织、冶金、化工、军工和煤炭行业，其中纺织行业的亏损企业更为集中，目前在国有大中型亏损企业中，纺织企业占了将近三分之一。国有企业效益差的一个重要原因，就是加工业生产能力过剩，以及一些老工业基地面临结构性衰退的威胁。如果结构调整力度不加大，国有经济总量增长快而经济效益下降的矛盾就会愈演愈烈，势必逐渐削弱国有经济的控制力。

三、国有经济结构和所有制结构的发展趋势

（一）国有经济的主导作用，将取决于国有资本分布结构的优化和运营效率的提高

在市场经济条件下发展壮大国有经济，更好地发挥它在国民经济中

的主导作用，不仅需要构造合理的微观组织形式，形成国有资本运营的良性循环机制，提高运营质量，而且需要对国有资本的产业分布结构进行战略性调整，不断增强国有资本支配更多社会资本的能力。国有经济的主导作用可概括为以下几大功能：一是对关系国民经济命脉的重要领域和关键产业的控制功能，二是对优化产业结构的引导功能，三是对技术进步和提高经济素质的带动功能，四是对经济社会协调发展的支撑功能。这些功能的巩固和加强，客观上要求国有经济保持数量上的合理规模，更重要的是，在国有资本的分布结构和运营质量上要形成新的优势。片面地强调国有经济在数量上不能萎缩，而忽视国有资本分布结构的优化和运营效率，不符合国有经济发展的趋势。

今后，国有经济的数量规模将取决于分布结构，在一些重要领域和关键产业，国有经济在总体上会保持数量上的优势。而在更多的领域和一般产业，国有经济将以少量资本调动或支配更多的社会资本，引导和影响其他经济成分的活动。在这些领域没有必要追求国有资本的数量扩充，甚至应当从某些一般性竞争性行业适当撤出，但不排除在竞争性、营利性行业保持必要的数量。随着国有资本向关系国民经济命脉的重要领域和关键产业集中，运营质量不断改善，收益能力和营利水平逐步提高，国有经济的控制力和竞争力将大大增强。在技术进步、产业结构升级以及经营机制同市场经济接轨的基础上，国有企业可以取得像私有企业一样好的经营实绩，也能够赢得市场上的竞争优势。

（二）国有经济分布格局的变化和演进方向

国有资本的配置状况和国有经济的产业布局，主要取决于一个国家的基本经济制度、历史条件和社会经济发展水平。随着历史条件和经济技术条件的变化，国有企业的地位和作用也会发生变化，公有制的实现形式需要作出相应调整，国有经济的产业分布结构、企业组织结构和管理体制也随之变革。着眼于国有资产整体效益的提高，进行战略性结构调整，使国有资本向公共部门、基础工业和高新技术产业转移，对于促进国有企业的长期发展，加强国有经济对社会经济发展的支撑作用和先导作用，具有深远意义。从发展社会主义市场经济的要求出发，参照世界范围内国有企业改革的经验，我国国有资本的集中配置要符合市场经济的客观规律，符合政府和市场的职能分工，符合加速我国工业化、现代化的历史性需要。主要有这样一些领域应当由国有资本加以控制：

（1）自然垄断性行业，如邮电、交通等基础设施和供电、供水、供热等公用事业。这类行业因一定发展阶段的技术条件限制，只允许个别或极少数企业进入，由国家控制可减少社会劳动浪费。

（2）因供求双方获取信息不对称而影响公平竞争的领域，如医药、金融等行业。此类行业由国家控制，有助于维护公共福利，防范和化解金融风险。

（3）幼稚产业，即具有良好的发展前景，但是单靠市场机制难以较快形成规模经济，需要借助政府扶持才能在国际竞争中立足的某些民族工业。此类行业由国有资本控制，可以增强竞争实力，抵御外来冲击。

（4）高投资、高风险的领域，如基础研究和高新技术产业。此类行业通常投资大，收益低，失败的可能性大，私人资本不愿涉足，需要由国有资本支持其发展。

（5）涉及国家安全的军事工业和尖端技术产业。

（6）为国民经济提供重要设备和基础原材料的产业。

只要国有资本掌握了这些关系国民经济命脉的重要领域和关键产业，国有经济的主导地位就不会被其他经济成分所动摇。就这些领域和行业中的企业财产组织形式而言，并非只能采取百分之百国家投资的形式，而是完全可以通过国家控股、参股的途径，成倍地扩大实际支配的社会资本规模，保持国有经济的主导地位。国有经济控制住这些重要领域和关键产业，有利于坚持社会主义方向，维护国家安全和社会稳定；有利于弥补和纠正市场机制的缺陷或失灵，提高政府调控经济的有效性。还有一些产业，例如能够带动国民经济长期增长，具有高附加值和较强竞争力的先导产业和支柱产业，国有资本也可以进入，关键是要有竞争优势。若失去竞争优势，就应退出这些产业，不要强行维持。

（三）国有经济比重会下降，公有制主体地位仍然可以保持

经过将近 20 年的改革开放，以公有制为主体、多种经济成分共同发展的格局已经形成，这是所有制结构与生产力发展状况相适应的方针政策在实践中取得的积极成果。在发展多种经济成分的过程中，国有经济（包括国家在其他经济成分中的投资部分）和集体经济为代表的公有制依然保持数量上的优势，国有经济在工业总资产中仍占绝对优势，但在产值中占的比重逐渐降低，集体经济的产值比重呈上升趋势，且高于前者。据有关方面预测，今后十几年，如果向社会主义市场经济体制的转轨取得重大进展，国有经济在"九五"期末进入良性循环，那么，国有经济和集体经济在多种经济成分中的比重虽然会进一步下降，但是仍将保持主体地位。如表 11 所示，2000—2010 年，公有制经济在 GDP 中的比重将由 79.8% 降为 69.2%，非公有经济所占比重将由 20.2% 上升到 30.8%，公有制经济仍然是国民经济的主体部分。

表 11　各种经济成分在 GDP 中所占比重的变化趋势

单位：%

	1978 年	1993 年	2000 年	2010 年
国有经济	56.0	42.9	38.5	34.7
集体经济	43.0	44.8	41.3	34.5
非公有经济	1.0	12.3	20.2	30.8

研究还表明，未来十几年间，在国内生产总值、工业总产值、工业总资产和工业净资产四项指标中，公有制经济所占比重都高于其他经济成分，集体经济在产值中所占比重继续超过国有经济，而后者在资产方面仍将占优势，比重高于集体经济。由于国家控制国民经济命脉，国有经济的控制力和竞争力得到增强，其他公有制形式发展起来，即使国有经济比重下降一些，也不会改变我国社会主义的性质。今后，国内外市场竞争将越来越激烈，特别是国际竞争压力会日趋加剧，国有经济只有通过深化改革，发挥好大中型企业在技术装备、人才和基础管理等方面

的原有优势，形成规模经济、技术进步、结构优化和科学管理的新优势，才能在国内外市场上占据有利地位，巩固和加强对国民经济的主导作用。

四、对国有经济布局和产业结构进行战略性调整应把握的主要原则和具体要求

党的十五大报告指出，调整和优化经济结构的总原则是：以市场为导向，使社会生产适应国内外市场需求的变化；依靠科技进步，促进产业结构优化；发挥各地优势，推动区域经济协调发展；转变经济增长方式，改变高投入、低产出，高消耗、低效益的状况。要从战略上调整国有经济布局。对关系国民经济命脉的重要行业和关键领域，国有经济必须占支配地位。在其他领域，可以通过资产重组和结构调整，以加强重点，提高国有资产的整体质量。公有资产在社会总资产中占优势，国有经济控制国民经济命脉，对经济发展起主导作用，这是就全国而言，有的地方、有的产业可以有所区别。根据十五大报告的精神，加快国有经济和产业结构的调整，似应符合以下具体要求：

第一，国有经济的产业分布要有进有退，扬短抑长，实现优胜劣汰。按照工业化和现代化进程的客观规律，密切结合我国国情和产业结构变化特点，新增投资继续用于加强基础设施、基础工业和高新技术产业中的国有经济，运用先进技术对国有大中型企业进行技术改造，发挥好国有经济在国民经济信息化进程中的带头作用。存量国有资产宜尽快撤出生产能力过剩的产业，转向亟待加强的"瓶颈"行业和短线产品。在一般竞争性行业，具有竞争优势的国有企业可以保留，但有必要分散股权，吸引更多的社会资本进入；不具有竞争优势的国有企业宜尽快撤出，为其他经济成分扩大发展空间。

第二，国有经济的地区分布要有利于发展专业化的特色经济。在促进地区经济合理布局和协调发展方面，国有经济应当发挥积极的作用。各地应根据国家产业政策和市场需求的导向，着力发展适应本地经济发

展水平、能够促进专业化分工、发挥比较优势的主导产业，相应调整所有制结构，无需追求整齐划一的国有经济比重，以利带动本地特色经济的形成。在经济较发达地区，国有经济可在技术含量大、附加价值高、产业链条长的行业加快发展，为这些地区的产业升级和率先基本实现现代化，作出更大的贡献。经济欠发达地区的国有经济，则应在加快基础设施建设和资源开发方面发挥主导作用。在面临结构性衰退的老工业基地，国有经济应当挑起改造传统产业、开发新产品和创建新产业的重担。

第三，在培育新的经济增长点方面，国有经济和其他经济成分应当合理分工。经济结构调整的一项重要内容是振兴支柱产业，培育新的经济增长点。这里的关键在于形成规模经济，具有巨大的市场潜力，能够奠定现代工业基础，并带动产业结构优化升级。电子信息工业、装备工业、城镇住宅以及为农业生产和农民生活服务的产业，有希望发展成新的经济增长点。其中适合国有经济大显身手的产业主要是装备工业和电子信息工业，在这些领域应当充分发挥现有骨干企业的核心作用，其他经济成分可以与之形成分工协作链条。在城镇住宅以及为农业生产和农民生活服务的产业领域，则适于发展非国有的多种经济成分，以加快城镇住宅建设，促进农村市场的开拓。

第四，发展高新技术产业要同时进行国有经济的制度创新。高新技术产业适合国有经济唱主角，但是必须具有新的企业财产组织形式和充满活力的经营机制。发展高新技术产业，新建项目和企业一开始就要按照市场经济的要求，建立现代企业制度，实行市场化的经营机制，不要花钱复制旧体制，固化旧制度。高新技术领域的传统国有企业，则应加快改革步伐，把计划经济下形成的企业制度和经营方式转到市场经济的轨道上来。

第五，改造传统产业要与存量资产重组和企业组织结构调整相结合。传统产业主要有两种情况，一种是落后于经济发展和技术进步的步伐，市场需求萎缩；另一种属于资源枯竭引起的生产衰退，并非市场没有需求。这两种情况都需要进行存量资产重组和企业组织结构调整，在前一种情况下，需要把存量国有资产转向有市场前景的生产领域；如果是后一种情况，就需要把存量国有资产转向开发新的替代品。改造传统产业显然要追加大量投资进行技术改造，同时更要注意通过合并或分立，使企业组织结构合理化，打破大而全、小而全的格局，形成大而专、小而专的企业组织结构，促进传统产业的资源存量向新兴产业和支柱产业流动。在发达国家属于传统产业的，在我们这样的发展中国家可能还需要进一步发展，因此，对我国的传统产业要特别注意讲究制度创新效益、规模经济效益、技术进步效益和科学管理效益，以提高传统产业的整体素质。

第六，充分发挥现有基础的潜力，提高投入产出效益。结构调整必须着眼于医治不合理重复建设的痼疾，按照社会化大生产与合理经济规模的要求，打破地区、部门和行业界限，通过联合投资、联合生产，发展专业化分工协作，形成规模经济。在一定时期内，除了新建一些优化产业结构、提高产业技术水平的重点建设项目外，一般不要再铺新摊子，应当尽量对现有企业进行改造扩建。企业改造和扩建，要注重增加品种、改进质量、降低消耗、提高技术水平和经济效益，避免单纯扩大原有产品的生产能力。

五、推进"两个战略性调整"的基本措施

（一）按照产业划分，主要措施有

继续把加强农业放在经济工作的首位，稳定党在农村的基本政策，深化改革，科教兴农，加大投入。对支柱产业，严格执行产业政策，建立促其发展的投融资机制，支持重要的技术开发，适度保护幼稚工业品，有条件地开放国内市场。对基础设施和基础工业，充分发挥中央和地方两个积极性，明确分工责任，建立政策性投融资机制，优先考虑发行股票、债券，鼓励外商投资，理顺价格。原材料、建材和轻纺工业，应当加快技术改造，配套治理污染，推进标准化、系列化生产，尽快形成合理经济规模。第三产业的发展，特别是为社会生产和人民生活服务

的新兴第三产业，应纳入国民经济和社会发展计划，按公益性、竞争性、基础性划分，分别制定财政、信贷政策，使之加快发展步伐，适应社会生产和人民生活不断增长的需要。

产业政策的实施必须以市场机制为基础，以经济手段和法律手段为主要保障，辅之以必要的行政手段。产业政策的目的在于提高特定产业的效率，体现国家调控市场的中长期意图，虽然不受市场短期波动的摆布，但是仍然要通过市场机制引导生产要素的流动，在竞争中形成某个产业的长期均衡。执行产业政策，应当针对不同性质的产业采取相应的调节措施，主要运用信贷、利率、税收、财政贴息、直接融资等经济手段，引导新增投资方向和存量资产流动方向，鼓励短线产业和产品发展，限制长线产业和产品。对于幼稚产业，应当善于运用国际通行做法特别是立法加以适度的、有时限的保护，促其在保护期内提高竞争力。竞争性、营利性强的行业，可以更多地采用商业性投融资手段；垄断性、公益性强的行业，则宜更多地运用政策性投融资手段。在必要时采取强制性行政办法，对于保证产业政策的权威性是有利的。

（二）国有经济的战略性调整，需要采取以下措施

1. 在鼓励兼并和规范破产方面加大工作力度，促进生产要素向优势企业集中。通过兼并破产，使一部分产品无市场、生产能力过剩、扭亏无望、资不抵债的国有企业退出市场，力争三年左右大体退完，盘活国有资产，用来支持有发展前景的国有企业。可以考虑适当放宽兼并破产政策的适用范围，根据实际需要，逐步扩大到兼并国有企业的国内公有制企业以及非公有制企业，前提是必须承担偿还债务和安置职工等相应的责任。

2. 积极稳妥发展股份制和证券市场，运用市场融资手段推动国有经济和产业结构的调整。在发行股票、债券和组建上市公司方面，应当优先考虑符合结构调整方向的企业需要，重点支持一批大企业和企业集团，使之具备跨地区、跨行业和跨国经营的竞争能力；鼓励已经上市和准备上市的公司兼并有发展前景、但目前还处于困境的国有企业，以强

带弱，优势互补，共同发展。培育机构投资者，增加投资工具，在试点、规范的基础上发展证券投资基金和产业投资基金，完善证券市场筹集资本和引导长期投资的功能，抑制过度投机，提高市场配置资本的效率，使证券市场在结构调整中发挥更加积极的作用。

3. 以市场为导向加快产品结构调整。国有企业应当特别重视搞好市场调研和市场营销，以此为根据开发新产品，提高产品质量，同时围绕产品结构调整加强技术改造。国家也应当采取相应的鼓励政策，例如，落实出口退税，改进出口配额管理办法，以鼓励产品出口；实行必要的减免税和优惠贷款政策，支持企业采用高新技术改造落后工艺设备，开发新产品，加快产品升级换代。

4. 对于一些主要由于客观条件变化而陷入困境的特殊行业和企业，宜采取区别对待的扶持政策。此类行业和企业主要有：和平时期市场萎缩的兵器行业，面临资源枯竭的采掘行业以及没有资本金的大企业。对这些行业和企业，应当参照近几年国家对煤炭行业的扶持政策，借鉴国外成功经验，制定必要的政策，帮助它们增资减债，减员增效，实行多种经营，转产开发新领域、新品种，逐步摆脱困境。

5. 以非国有化为方向，采取多种形式放开搞活国有小企业。非国有化包括国有制以外的公有制和其他所有制经济，国有小企业大量分布在一般竞争性行业，这部分国有资产应当通过资产重组尽快撤出，为非国有经济腾出更为广阔的活动空间。应当允许地方政府和企业职工积极探索如何放开搞活国有小企业，同时注意保护国有资产权益，防止经营者和职工贫富两极分化。

6. 大力实施再就业工程，广开就业门路。分离企业的富余人员和社会负担要同发展新兴产业结合起来。鼓励下岗职工向非国有经济转移，向第一、三产业特别是新兴服务业转移，由国家、企业安置转向更多地通过市场自谋职业。在信贷、税收、工商管理等方面，要为自谋职业者提供必要的支持；也要引导企业分离出的财力、物力用于发展新的服务性经营项目，为满足现代化生产、流通和生活消费提供多样化的社会服务。

（原载《中国工业经济》1998 年第 2 期）

3.7　关于建立现代企业制度的几点思考

自从党的十四届三中全会明确提出建立现代企业制度是国有企业改革的方向以来，无论是实践还是理论探索都有了不小进展，也面临着不少需要深入研究、探索解决的新问题。以下把个人在调研中进行的一些粗浅思考整理出来，以就教于大家。

一、关于符合我国国情的现代企业制度及其规范

国有企业建立现代企业制度，是实现公有制与市场经济相结合的有效途径，有利于构建社会主义市场经济的微观基础。我们所说的现代企业制度，既借鉴了现代市场经济国家的公司制企业的合理成分，例如所有权与控制权的相对分离，有限责任制度和法人治理结构等，也具有鲜明的中国特色。最突出的不同之处可能包括：（1）在股权结构中以公有制为主体，形成新的混合所有制经济。除极少数必须由国家垄断经营的企业以外，大多数国有企业将改成多元持股的公司，包括国有股、法人股（大多为国有单位和其他公有制单位持有）、社会公众股、外资股等等，这种多元持股的公司是公有制的一种新的实现形式，而不是私有化。（2）在国有及国有控股公司，对"新三会"（股东会、董事会、监事会）和"老三会"（党委会、工会、职代会）实行双向进入的办法，形成有中国特色的企业领导体制。（3）在国有资产的监督运营方面，国务院代表国家统一行使国有资产所有权，中央和地方政府分级管理国有资产，授权大型企业、企业集团和控股公司经营国有资产。（4）重视加强企业党组织建设、职工队伍建设和企业精神文明建设。

从便于企业遵循、也便于有关部门考核的角度看，推进现代企业制度的建设还需要有一套比较明确具体，操作性较强的要求、规范或衡量标准。可以考虑的主要方面似应包括：（1）出资人制度是否健全，出

资人是否真正到位，国有资产保值增值机制是否确立；（2）是否实行了规范的公司制改革，法人治理结构是否建立并有效运转；（3）企业财务制度是否规范，是否按《财务通则》和《会计准则》建立了标准的财会制度，资产负债表、损益表和现金流量表是否健全，会计信息是否准确；（4）经营者的激励监督机制是否建立，企业内部劳动、人事、分配制度是否符合市场竞争的需要；（5）企业技术创新机制是否形成；（6）政企是否分开，企业和主要领导人员的行政级别是否取消，企业办社会的职能是否分离出去，等等。

二、全面理解和贯彻"产权清晰、权责明确、政企分开、管理科学"的要求

这十六个字是对现代企业制度基本特征的高度概括，需要当做一个密切联系的整体加以把握，不宜片面强调其中某一方面而忽视其他方面，否则容易对实践产生不利影响。

"产权清晰"是首要前提，其基本含义指企业资产的实物量和价值量具有明确的界定和归属，关键在于企业中的国有资产必须有具体的所有权代表机构或代表者，切实对国有资产安全增值负起责任。笼统地认为国有资产属于全民所有已经十分清晰，而不必界定产权关系；或者简单地主张只有把国有资产量化到个人，才能明晰产权，都是不恰当的，也是不得要领的。

"权责明确"是产权清晰的内在要求和必然结果，其核心是出资者、经营者和劳动者之间要明确划分责任、风险和权利，建立责任与权利相平衡的机制，形成三方面相互依赖又相互制衡的内部治理结构。出资人必须真正到位，按出资额行使资产受益、重大决策和选择经营者的权利，在企业破产时对企业债务承担与出资额相应的有限责任。企业依法自主经营、自负盈亏、照章纳税，享有民事权利，并对所有者的资产净值承担保值增值的责任。

"政企分开"首先要求政府转变职能，把社会管理职能、宏观调控

职能和所有者职能合理分解，在机构改革中明确相应的职能机构，改变政府直接管理企业、承担无限责任、企业多方面依赖政府的状况。同时，企业办社会的繁重职能也要分离出去，移交给政府和社区。政府不得干预国有企业的自主经营，企业也不能不接受所有者的监督和约束。值得研究的是，在政府大量兴办国有企业的情况下，完全意义上的政企分开是难以做到的，因此，一方面有必要适当收缩战线；另一方面，对需要由国家独资、控股或参股的企业，政府既要加强所有者监督，也要改进所有者职能的行使方式。

"管理科学"要求企业按照市场需求组织生产经营，以提高劳动生产率和经济效益为目的，在市场竞争中实现优胜劣汰，建立科学严密的组织管理制度，调节好所有者、经营者和职工之间的关系，形成激励和约束相对应的机制。科学的企业管理是企业制度创新的重要内容和进一步延伸，越是适应社会化大生产的现代企业组织形式，越是要求建立完善的内部管理体系，运用先进的、科学的管理方法，克服家族式、传统经验式管理的弊端。因此，既要防止片面强调产权改革而忽视加强管理的倾向，也要避免片面强调抓管理而否定必要的产权改革。

三、企业制度创新应当以提高企业整体素质为归宿

公司制是现代企业制度的一种有效组织形式，其典型形态是有限责任公司和股份有限公司。应当明确，对国有企业实行公司制改造的意义在于，通过运用市场经济下创造的企业组织制度，推进国有企业转换经营机制，为提高企业素质提供可靠的制度前提。这无疑是对计划经济下形成的工厂制企业和行政性公司进行的重大制度创新，而绝不仅仅是为了筹集资金，更不意味着换块牌子了事。近几年许多国有企业改革之所以比较成功，很重要的一条是认真实行规范的公司制，以制度创新为前提，以提高企业整体素质为落脚点，从而使公司制改造起到了应有的作用。相反，一些地方和国有企业存在重改制、轻管理、轻机制转换的偏见，往往把企业变成新瓶子装旧酒的翻牌公司。

因此，在公司制改造的过程中，要特别注意通过明晰国有资产的具体责任人，理顺所有者和经营者的责权利关系，在企业内部形成利益共同体和制衡机制，从而促进经营机制转换和管理水平提高，使企业竞争能力明显增强。

四、公司法人治理结构亟待完善

法人治理结构是现代公司制的核心。公司制企业之所以具有强大的生命力，正在于它确立了决策系统、执行系统和监督系统协调运转、相互制衡的内部组织体系。目前公司制国有企业普遍并存着"新三会"（股东会、董事会、监事会）和"老三会"（党委会、工会、职代会），往往影响统一决策机制的形成。不少公司即使"新三会"代替了"老三会"，运行机制也没有发生实质性变化。于是在决策环节，往往用党政联席会议制度取代董事会进行决策。联席会议由党委书记主持，副书记、董事长、副董事长、监事会主席、工会主席、总经理、副总经理、纪检书记参加，实际上没有最终责任人。在监督环节，财务部长、财务总监多方受制于企业，要么"顶得住、站不住"，要么"站得住、顶不住"。监事会普遍形同虚设，未能有效发挥监督作用。

健全法人治理结构，比较符合我国实际的做法是按照公司法、党章和有关规定，对"新三会"和"老三会"进行双向进入的整合。党委负责人和职工代表可按法定程序进入董事会和监事会，董事长、监事会主席和总经理可按规定进入党委会，党委书记和董事长可由一人兼任，董事长和总经理则不应由一人"双肩挑"。为形成统一、高效的决策机制，今后应当真正确立董事会的决策地位，并健全决策责任制。

监事会在公司制国有企业中的地位和作用应当特别引起重视。境外一些公司制企业并不设监事会，因为董事本身就是自然人股东或其代表，可以维护股东权益；董事会设专职董事行使类似监事的职能，主要为了保护小股东权益不受侵害。由于公司制国有企业的主要股东都是法人而不是自然人，因此，设立监事会对于强化所有者监督，保障国有股东和法人股东的权益，显得尤为必要。虽然稽查特派员的独立性和监督效果比较好，能够在相当大程度上避免企业"内部人控制"现象，但是特派员不参与企业经营，限于事后监督，不能取代监事会对企业生产经营的事先监督和全过程监督。可见监事会的积极作用必须发挥好。

对于多元持股的公司制企业，监事会应当按公司法由公司内部选举产生。当前需要解决的主要问题是思想认识模糊、职权不到位、机构设置不健全，以及人员素质不胜任等。应当进一步明确监事会的监督职责，坚持程序监督和实体监督并重，即监督要寓于重要事项决策和执行的全过程。需要从组织制度上确保监事会工作的独立性和知情权。进一步提高监事会成员的素质，杜绝荣誉性任职、养老性任职等现象。同时也有必要强化监事会的责任约束。

国有独资公司的监事会，宜由中央或地方的有关部门从外部委派，现有的稽查特派员将逐步转为这种规范的外派监事会。目前规定稽查特派员或外派监事会主要负责财务监督，不能参与或干预企业经营活动。这与多元持股公司的内设监事会职能有一定区别，具体监督效果还需要在实践中加以检验和完善。

五、企业制度创新应当注重股权多元化，促进国有经济战略性重组

多元持股的公司制企业具有多方面的优点：多个股东出于维护自身合法权益，必然要求对外抵制行政干预，对内形成权力制衡，有利于促进政企分开和企业规范经营；股权多元化扩大了企业的融资渠道和发展空间，有利于改善资产结构，增强企业活力；股权结构的分散化，也为生产要素合理流动、促进国有经济战略性重组提供了新的机遇和手段。因此，即使在国有独资公司，由多个国有企业和法人股东共同持股也是十分合理和必要的。

目前在已经改组为公司制的企业中，国有股比重过大、国有独资公

司过多、股权过于集中的现象相当普遍，不利于国有企业真正转换经营机制，也不利于实施国有经济的战略性调整。正确的做法是：除极少数必须由国家垄断经营的企业成立国有独资公司以外，一般企业应当建立有多元投资主体的公司，其中重要的公司可由国家控股，国家甚至可以实行有一股否决权的"黄金股"。国有独资公司也要尽可能由多家国有企业或法人股东共同持股。在推进企业制度创新时，应当注意通过兼并重组、技术改造、股权多元化等手段，实行"抓大放小"，大力发展混合所有制经济，合理调整国有企业的产业分布和组织结构，并与产业结构的优化升级结合起来，以增强国有经济的影响力和控制力。

六、企业制度创新需要建立新型的国有资产管理运营体制

随着公司制改造的推进，跨行业、跨地区、跨所有制的企业重组越来越多，迫切需要加快新型国有资产管理运营体系的建设。一些地方较早建立了政资分开、政企分开的国有资产管理运营体系，形成国有资产管理机构—国有资产经营公司—所投资企业"三层次"的框架。资产经营公司和所投资企业都按公司法的要求进行规范，确立了国有资产出资人制度，所有者监督职能得到加强，比较好地避免了资产经营公司变成"婆婆加老板"的倾向。这样做，有力地促进了现代企业制度的建立。但是，目前国有资产多头管理、各部门忙于抓权却又推诿责任的弊端还没有根本克服，适应社会主义市场经济和现代企业制度要求的国有资产管理运营体系还有待进一步探索。

根据形势发展的需要，应当允许和鼓励各地进行试点，不断总结经验，探索建立和完善国有资产管理、运营的具体形式。需要有明确的国有资产管理机构，负责制定政策，对国有资产经营公司进行管理监督；按照现代企业制度的要求构建国有资产经营公司，以加强产权约束为主线，理顺国资经营公司与所投资企业的关系；继续完善对国有大型企业、企业集团和控股公司实行国有资本授权经营的做法。通过建立和完善国有资产管理运营体系，确保国有资产的安全和增值。

七、企业经营者激励机制应当同监督制约机制紧密结合

经营者的激励约束机制不健全，不仅难以从制度上防范"内部人控制"，不利于根除屡屡发生的国有企业负责人"59 岁现象"，而且影响法人治理结构的有效运转。目前许多国有企业包括已改为公司制企业的董事长、总经理，还有行政级别，按党政干部进行管理，收入分配制度的主要弊端仍然是平均主义。各方面对健全经营者的激励约束机制的呼声十分强烈，一些地方正在进行积极的探索。例如，深圳对企业经营者实行的激励约束机制，主要由企业分类定级制度、经营者年薪制、考核奖惩制以及内外结合的监督体系构成。其中，按市场经济惯例对企业重新分类是基础，年薪制和考核奖罚制是核心，内外结合的一套监督体系是根本保证。

看来，在进行这方面的改革时，需要进一步探索按劳分配与按生产要素分配有机结合的形式，推广和完善年薪制，试行管理换股、风险抵押金、奖励股份以及股票期权等多种激励手段，使经营者报酬能够反映其贡献、风险责任和经理人员市场竞争的因素。应当注意避免单纯就收入分配做文章，对经营者选拔、业绩评价、考核、奖罚、监督诸环节要进行全面的制度设计，例如可以考虑建立高级经理人才评价中心，实行经理资格认证制度等，促进经营者阶层的职业化进程。

（原载《财贸经济》2000 年第 7 期）

3.8 国有企业改革的进展、问题和政策取向

2001—2005 年，我国将开始执行以经济结构调整为主线的"十五"计划，改革开放将面临加入世贸组织后的新局面。国有企业在完成改革与脱困的阶段性任务之后，要适应经济结构调整力度加大、国际竞争日趋激烈的客观形势，以增强发展后劲和竞争能力为重点，全面推进制度创新、机制转换和企业组织结构调整，为实现十五届四中全会提出的国有企业十年改革与发展目标奠定新的基础。

一、国有企业改革与脱困三年任务取得明显成效

中央提出用三年左右时间，使大多数国有大中型亏损企业摆脱困境，在大多数国有大中型骨干企业初步建立现代企业制度的目标以来，特别是十五届四中全会召开以后，企业改革和脱困工作力度加大，步伐加快。

（一）现代企业制度建设逐步走上正轨

近年来，试点范围进一步扩大，股权多元化的有限责任公司和股份有限公司所占比例逐步增加，成为改制的主要形式。据对 1994 年开始试点的 2473 家国有企业跟踪调查，到 1999 年底，已按公司法改为公司制的有 2018 家，占 81.5%；其中，有限责任公司 603 家，占 29.9%；股份有限公司 713 家，占 35.4%；国有独资公司 700 家，占 34.7%。520 户国家重点企业中改为多元持股的公司占 70% 左右，其中有上市公司 257 户，在境内外资本市场筹资 6000 多亿元人民币。一些大型企业集团建立了比较规范的母子公司体制。通过公司制改造，初步明确了企业的国有资产投资主体和责任，建立起法人治理结构，促进了混合所有制经济的发展，有助于推动经营机制转换，增强国有资本的控制力和带动力。

（二）政企分开迈出重大步伐，在建立有效的国有资产管理运营体系方面进行了积极探索

军队武警政法机关不再经商办企业，中央党政机关与所办经济实体和所管理的直属企业彻底脱钩，是近几年在政企分开方面迈出的最具实质意义的一步。同时，为建立适应市场经济要求的国有资产管理运营体系，主要采取了以下措施：一是国家对一批基础好的大型国有企业和企业集团实行国有资产授权经营。二是加强了对重点国有企业（包括金融机构）的监管，实行了稽查特派员制度，并正在向规范的监事会制度过渡；成立了中央金融工委和中央企业工委，对重点国有金融和非金融企业的党的工作、领导班子和监管工作分别实行统一管理。三是各地进行了以授权经营为主要内容的国资管理运营体系改革。这些举措，对于真正实现政企分开，保证所有者正确行使职能，建立国有资产保值增值机制，起到了积极的作用。

（三）国有企业战略性重组和结构调整力度加大

按照党的十五大关于从整体上搞活国有经济的精神，几年来坚持"抓大放小"，将国有企业战略性重组与结构调整协调推进。在"抓大"方面，国家结合行业性结构调整，在石油、石化、钢铁、电信、有色金属和军工等关键领域组建了一批大企业集团。各地依托大企业、企业集团和国有资产经营公司进行了大规模的企业重组，国有资本逐步向优势企业和重点行业集中。在"放小"方面，通过加强规范、引导和服务，各地国有中小企业进一步放开搞活。据对19个省区市的调查，到去年底，国有中小企业以多种形式改制的比例已达75%。大多数企业改制后，经营状况开始好转，盈利水平逐步提高。今年上半年，全国国有及国有控股小型工业企业净亏损21.82亿元，同比减亏41.1亿元。

这种有进有退的战略性调整，促进了国有经济布局和企业组织结构的优化，解决了一些历史遗留矛盾，国有经济在重点领域的主导作用得到加强，并形成了新的经济增长点。这一点在沿海一些发达地区表现得

尤为突出。广东、山东、上海等地国有工业增长强劲，经济效益位居全国前列，有力地拉动了经济增长和有效供给的增加。

（四）国有企业脱困工作取得阶段性成果

各地、有关部门和重点脱困企业坚持以改革的精神，落实工作责任，认真查找亏损原因，切实对症下药，企业脱困呈现出好势头。中央督察组对 16 个省区市的督察表明，今年上半年有 15 个地区的国有及国有控股工业企业实现整体净盈利。国家采取了加大兼并破产力度、实施债转股、增加技改贷款贴息三大政策，推动企业改革与脱困。1998 年以来，国家逐年增加核销银行呆坏账准备金规模，共安排了 1900 亿元，支持重点行业和企业的兼并破产。1999 年底有关部门推荐了 601 户债转股企业，拟转股金额 4596 亿元。这一年安排了 647 个技改项目，总投资 1724 亿元，其中贷款 1064 亿元，国债贴息 130 亿元，相当于过去 10 年的总和。

这三大政策对企业脱困发挥了重要作用。1999 年，国有及国有控股工业企业实现利润 967 亿元，比上年增长 77.6%。到今年 6 月底，这一指标为 903 亿元，同比增加 2.06 倍。全国 30 个省区市（不含西藏）中，有 25 个地区的国有企业实现净盈利，净亏损地区由上年同期的 15 个减为 5 个。1997 年底的 6599 户国有大中型亏损企业，已有 3626 户脱困，约占 55%；其中 1127 户扭亏为盈，其余通过兼并、破产、关闭、改制等方式脱困。

实践证明，只要认真贯彻中央关于国有企业改革发展的一系列方针政策，结合实际推进国有企业改革，充分运用市场经济的规律和手段，就一定能够实现三年阶段性目标，为国有企业的中长期改革与发展打好基础；国有经济也完全可以在市场经济的土壤中焕发活力，得到振兴和不断发展壮大。

二、国有企业改革与发展面临的突出矛盾和问题

随着国内市场环境发生重大变化、市场经济体制逐步建立和结构调

整力度不断加大，国有企业的资源重新配置日趋剧烈，长期积累的矛盾集中暴露出来，并与新出现的问题交织在一起。

（一）国有企业的管理体制尚未理顺，运行机制还不完善

突出表现在：一是国有股权代表及其权责不够合理、明确，法人治理结构不规范。特别是在国有独资公司和企业集团的母公司，国有股东职能仍由多个部门分头行使，董事会和经营层高度重合，监事会薄弱，国有资产保值增值责任难以落实。二是经营者的选拔、任用、激励和监督机制不健全。许多地方仍在沿用党政干部的管理模式选拔任用国有企业经营者，激励和约束机制的试点也面临一些制度和观念上的障碍。三是企业退出通道不畅通，主要由于债务、人员安置问题难解决，一些该退出国有经济或退出市场的企业难以退出。四是改制后的"存续企业"往往陷入困境。不少企业改为公司时，将不良资产、富余人员和社会负担剥离到企业集团的母公司或"存续企业"，后者的生存发展已成为突出问题。五是企业管理松懈，内部劳动、人事、分配制度改革不到位的现象还较普遍。

（二）国有企业的结构性矛盾日益尖锐

在市场化和工业化进程加快的情况下，长期计划经济和备战考虑形成的重复建设，以及资源衰减枯竭，使得国有企业的结构性矛盾越来越突出。集中表现为资源型工业城市和"三线"军工企业普遍陷入严峻局面，形成一大批特殊困难企业和早就应该淘汰的企业。今年各省区市申报的企业关闭破产项目达上千个，需要关闭破产的资源枯竭矿山上百个。到今年6月底，四川省军工企业新增下岗职工2万多人，实现再就业的只有2700多人，养老金和下岗职工基本生活费都难以及时足额发放。

（三）国有企业办社会的负担依然十分沉重

据估算，国有企业中的富余人员约占三分之一。近两年约有1000

多万下岗职工得到分流安置，今年累计仍会有 1200 万下岗职工。"十五"期间还将有一大批职工需要分流安置。目前，全国企事业单位自办中小学 1.9 万所，大体占全国同类学校的三分之一；全国工业和其他部门自办医院近 7300 所，占全国医院总数的 40%。尽管分离企业办社会职能的尝试已有多年，但只有少数发达地区解决得比较好，大多数地区进展缓慢，欠发达地区、独立工矿区和中央企业这方面的改革难度更大。

（四）国有小企业和非工业领域国有企业改革的政策支持力度不够

近几年，国家采取的一些重大政策措施如核销银行呆坏账准备金、债转股、技改贴息等，主要适用于国有大中型工业企业，而国有商贸企业、交通运输企业和小型工业企业等则基本享受不到。这些企业的形势相当严峻。国有物资企业已连续 6 年亏损，商业企业连续 4 年亏损，两类亏损企业超过 2 万户，1998 年净亏损 105 亿元。国有中小型工业企业 5 万多户，已连续 5 年整体净亏损，累计亏损额约 250 亿元。各地普遍希望对国有小企业和其他领域的国有企业改革加大政策支持力度。

（五）亏损企业脱困任务仍然艰巨

三年脱困目标今年底可以实现，但仅仅是有限的阶段性目标，继续做好脱困工作任重道远。在 6599 户亏损企业中，尚未脱困的多是规模大、人数多、资产质量差、负债率高的困难企业，脱困的难度很大。不少已脱困企业的基础还相当脆弱，抗御风险能力差，市场环境一发生变化很容易返亏。此外，考虑到在市场竞争中必然还会产生新的亏损企业，对脱困工作的艰巨性和长期性需要有足够的估计和准备。

三、对"十五"期间国有企业改革和发展的建议

（一）按照经济结构调整和产业升级的要求，进一步从战略上调整国有经济布局和企业组织结构

针对不同行业和企业的实际情况，宜继续实施重组上市、兼并破

产、封闭贷款、债转股、支持技改、淘汰过剩落后生产能力等行之有效的政策措施，可考虑向历史包袱重的内地和老工业基地适当倾斜。对资源枯竭企业和三线军工企业，应研究制定相应政策，帮助其解决"型往哪里转，钱从哪里来，人向哪里去"等难题。非工业领域的国企改革和结构调整，也需要创造条件加大支持力度。在健全法规、规范操作的基础上，允许和鼓励各地积极探索，以多种方式加快国有中小企业放开搞活步伐，同时加强服务体系建设。

（二）全面推进现代企业制度建设，切实转换经营机制

宜着重抓好以下环节：（1）以股权多元化的有限责任公司和股份有限公司为主要形式，继续推进大中型企业的公司制改革。大型企业和企业集团要建立和完善母子公司体制，特别要在母公司保证出资人真正到位。"存续企业"应着重解决独立生存发展问题，该淘汰的要逐步淘汰。（2）完善法人治理结构。关键是明确股东会、董事会、监事会、经营层的权责，建立规范的议事规则和程序，形成有效制衡的机制。（3）深化国有企业经营者管理体制改革，形成科学合理的经营者选拔、任用、激励和约束机制。（4）加大企业内部劳动、人事、分配制度改革的力度，使内部运作机制转换与公司制改革的进程一致起来。（5）以授权经营为主要方式，继续探索国有资产管理运营的新体制，健全国有资产经营责任制。

（三）建立更为科学的衡量国企改革脱困成效的指标体系

下一阶段对尚未脱困和新产生的亏损企业应当继续加强指导，同时完善考核评价监督体系。在考核评价指标上，一方面，宜着重考核国有企业的整体效益是否上升，突出净盈利指标，淡化亏损面。另一方面，应着重考核国有经济的主导作用和控制力是否加强，主要看国有资本在关键领域的比重及其所创造的经济效益等。这样，似乎更能准确反映国有企业改革脱困的成效，更能体现中央关于整体搞活国有经济的要求，也符合市场经济下企业有生有死、优胜劣汰的常态。

（四）健全社会保障体系，加快分离企业办社会负担

到"十五"期末，应初步形成独立于企业之外的新型社会保障体系，在分离企业办社会负担方面实现大的突破。近两三年要抓紧创造条件，扩大社会保障覆盖面，提高社会保障基金征缴率和社会化发放程度，完善城镇居民最低生活保障制度，积极稳妥地促使企业再就业服务中心向失业保险体制过渡。通过调整财政支出结构、国有资产变现、发行特种国债和彩票、开征社会保障税等方式，多渠道筹集社会保障资金，并建立保值增值机制。

位于城市的国有企业要把自办中小学、医院和其他社会服务机构尽快移交地方政府，相关费用由双方共同负担逐步过渡到由政府全部承担，有些机构可实行企业化经营。位于独立工矿区的国有企业如何分离社会负担，也要尽快制定政策和办法。对欠发达地区和老工业基地，宜加大财政转移支付力度。

（五）进一步改善竞争环境

按照国民待遇原则调整税收体系，尽快统一内外资企业所得税税率，清理对外商投资企业的各种税收减免，对国有企业和其他内资企业实行公平税负，使国有企业能够休养生息。改变按隶属关系征收企业所得税的现行体制，支持国有企业跨地区、跨行业、跨所有制的资产重组和股权多元化的改制需要。推进"费改税"进程，严格治理"三乱"，减轻和规范企业的经济负担。

抓紧修订和完善《公司法》、《破产法》，尽快制定和颁布国有资产法、中小企业促进法、反垄断法和反倾销法等法律，以推动、规范、保障国有企业的改革和发展，并促进在我国设立的各种企业依法经营，平等竞争。

（原载《财贸经济》2001年第1期）

第四篇

市场体系和市场机制的发育

4.1　试论国家组织市场

国家组织市场，是我国社会主义市场体系发育过程的一条现实道路。本文试从市场状态、市场主体、市场结构以及市场的制度环境四个方面，探讨国家如何培育和组织我国的市场体系。

一、存在配额的市场均衡状态：国家组织市场的必经阶段

由于传统体制下的"卖方市场"状态对市场体系的发育构成巨大障碍，人们希望造成买方市场局面，以此作为建立我国市场体系的前提。但对于我国这样一个发展中的社会主义大国来说，买方市场的形成将是一个漫长的过程，它是经济体制改革所要达到的一种结果。所以，在向买方市场的转换过程中，需要有一个中间状态，这可能就是存在配额的市场均衡。

在现实经济运行中，市场供求关系往往不能由价格的自由运动来平衡（即所谓由价格"结清"市场），而不得不借助数量调节手段和宏观干预。这是因为，在任何一种现实的经济系统内，市场上都存在着大量的不确定性因素，存在着非价格型信息，也存在着价格刚性和价格信号的事后性。当出现不确定因素时，就要修改计划和决策；为了防备不确定因素对正常生产的干扰，就需要使预测和决策留有余地，掌握必要的储备。由于垄断因素和价格管制，价格可能无法灵敏反映供求变化，加之价格变化后再调整供求数量有一定时间滞差，企业往往也需要根据内部存货变动、市场上的排队状况以及其他企业行动变化等非价格信号调整自己的产销计划。而且，当市场价格不灵活、因而不能结清市场时，市场交易就遵循"短缺面规则"，即由需求和供给的最低点决定交易数量，还要运用数量调节手段和非价格信号来平衡供求。这时，国家根据短缺面规则，实行定量供应或强制订货，便可能消除过度需求或过度

供给。

在国家通过某种配给制度达到配额均衡的市场状态下，价格信号依然同供求变化有很强的依存关系，依然是引导决策、调整资源配置的主要市场参数。市场自动平衡机制仍能起较大的作用，并不过分依赖非价格信息和数量调节手段。而在强制性短线平衡的市场状态下，价格信号往往不是供求关系的函数，甚至不是生产要素价值的指示器，不能成为引导决策和优化资源配置的市场内生变量，尤其对投资决策更是如此。国家对非价格型信息和数量调节手段的依赖，严重损害了市场的自动平衡机制，不得不陷入周而复始的短缺资源重新分配，但又很难遏制总需求过旺的势头。

在配额均衡的市场状态下，市场主体是硬预算约束的企业，它们有很强的利润动机，对价格变动能作出灵敏的、正确的反应；在价格不灵活时，它们可以自觉根据数量信号修订利润预期和交易计划，来弥补某一交易计划的数量损失。而在强制性短线平衡的市场状态下，市场主体是软预算约束的企业，它们对价格变动或价格刚性基本上无动于衷，利润动机很弱，福利动机和扩张动机则很强，普遍存在疏通关节、讨价还价、力图获得外援的非市场活动，旺盛的投资需求几乎永无止境。

在配额均衡的市场状态下，各个市场是通畅的、协调的，要素可以在各个市场自由流动，从而改善供求关系。某一市场的过剩方面也可以通过外溢效应而引起其他市场的供求关系变化。而在强制性短线平衡的市场状态下，各个市场是割裂的、封闭的，要素不能自由流动，供求矛盾难以和缓。需方不得不采取强制替代、排队等待、搜寻抢购以至囤积居奇等办法解决需求，买方竞争激烈。供方的数量扩张却又往往脱离需求约束，造成长线更长、短线更短。

向配额均衡的一般市场状态过渡，在我国国民经济呈现双重二元经济结构特点和生产要素结构性冗缺矛盾突出的条件下，其必要性是明显的，但是难度也相当大。我国国民经济的双重二元经济结构突破了单纯由城市现代经济吸收农业剩余的发展模式，农村生产要素的重新组合，及经济结构的变化，减轻了城市现代经济部门的压力。但是，农村工业普遍存在着技术水平低、产品质量差、设备落后、规模不经济以及低水平重复增长的问题，争夺了城市现代产业的资源供给，也影响了大工业规模效益的发挥。就目前状况看，农村市场处于比较自由的状态，要素流动比较灵活，城市的市场受约束较多，要素流动相对僵化，城乡间的要素对流少，城乡市场规则不统一。而现代化进程势必打开城乡壁垒，可能出现要素的流向过于集中的市场倾斜现象。因此，对要素大规模流动中出现的供求矛盾加以宏观上的平衡将是十分重要的。

我国生产要素的结构性冗缺矛盾，突出地表现为劳动力总量过剩和结构性短缺并存，以及生产资料的结构性短缺。劳动力总量过剩既以隐蔽失业的形式沉淀在国营企业中（全国估计有 1500 万以上的多余职工，有些企业的冗员高达三分之一），又以公开转移的形式在农村经济中"消化"（农村仍有一亿多的多余劳动力）。劳动力的结构性短缺表现为管理人才、高级技术人才、技术工人和熟练劳动力供不应求。由于目前仍处于劳动力增长高峰期，劳动力总量过剩还将维持相当长时间。生产资料的结构性短缺则以投资货物长期供不应求为典型，除能源紧张外，基建三材（钢材、木材、水泥）几乎年年留有缺口。由于产品价格、地租、利率、工资等要素价格长期扭曲，又由于投资货物生产周期长，加之有些产品受自然因素约束强而供给弹性小，因此企图单靠放开价格、使价格一次到位来结清市场，几乎是不可能的。这样，可行的选择就不能不是利用政府权威和非市场手段来培育和组织市场体系，逐步达到存在配额的市场均衡。

配额均衡的市场状态是向买方市场转化的准备阶段，在这一阶段，主要是致力于缩小总供给与总需求之间的缺口，采取因部门而异的结构性需求管理政策。例如，降低过热的增长速度，压缩投资需求，对落后产业和长线产业实行歧视等等，都是必要之举。还应遏制软预算约束部门的需求，培育硬预算约束部门的合理需求，使国营企业的预算约束变硬，并在此基础上保持企业的创新动机，进而使国民经济保持适度的增长。在劳动力供给过剩和投资品供给短缺的情况下，笼统地遏制总需求是不现实和不科学的，而针对结构性供求矛盾采取有区别的结构性需求管理政策，则可能比较适宜。

二、造就自负盈亏的市场主体：启动市场机制的关键

我国的市场发育程度低，这和市场主体本身的不成熟是互相加强的。而市场主体的不成熟，又是政府和企业的职能互相混淆甚至错位的必然结果。在广泛存在着"市长管企业、厂长办社会"的体制格局下，如果放开市场而不管理市场，或是由企业创立市场而不是由国家组织市场，那么一方面会使市场由大批随机性强而缺乏竞争知识的不规则主体主宰，造成市场波动无序；另一方面会使市场受控于大垄断组织，这样，市场都将由于缺乏竞争规则而导致无秩序竞争和非经济竞争。对于政府而言，即便它意识到有必要干预市场，也会因缺乏熨平市场波动的手段而难于消除市场的不稳定。只放不管，还将导致中央政府集中控制权的削弱和地方、部门集中控制权的加强，并会使地区割据以及市场封锁成为统一市场体系的巨大威胁。进而，市场主体的短期行为甚至反市场行为也会因"组织管理真空"和政策多变而不断产生。在缺乏组织的情况下，市场不确定因素能量的陡然释放将不可避免，这都会严重损害市场正常的自动平衡功能，不是使经济付出震荡过大的代价，就是导致把市场发育的生机再度扼杀在旧体制框架里。

在市场主体未得到改造的情况下，企图形成合理的和系统的要素价格体系，并将此举作为建立市场体系甚至新经济体制的关键，也是不可能的。未真正自负盈亏的国营企业对价格的灵活运动可能作出的反应，比之对刚性价格的反应要灵敏一些，但这种反应存在着很明显的不对称性。在投入（需求）和产出（供给）两方面，企业为了用同样的投入要素满足产值指标的增长，会注意选择不同产品的相对价格，而并不看重投入要素价格的高低，在这种情况下，不断扩大的产量并不适应市场需求，结果还是强化了买方竞争。在当前生产和长期投资两方面，投入要素价格对投资决策产生的影响比对当前生产要小得多，因为，当预算约束可以由于财政补贴和软税收等而变软时，即使对投资实行"拨改

贷"也无济于事。就企业对价格反应的动态来看，它可能对价格变动作出短期反应，一旦获悉可得到外部援助弥补亏损，便又慢慢变得对价格变化反应迟钝了。就国内生产和外向生产而言，企业显然对国际市场价格变动相对敏感而对国内市场价格变化熟视无睹。同样明显的是，如果不存在企业自负盈亏的机制，要素价格的逐项放开依然会由于得不到市场主体的连锁响应，而无法沟通市场的协调运行。例如，尽管可以让企业自主决定工资，但劳动力不能自由流动，劳动力市场就仍然是封闭的。某些产品价格放开了，但能够稳定市场的大型市场组织未成为正规的市场流通主体，那么价格信号就可能仅仅反映非正规流通主体构成的供求关系。如果金融组织继续被当作"财政的口袋"，那么，即使允许利率浮动和开放一些证券市场，资金市场也不会真正形成。没有市场主体的积极响应和主动传递，要素价格就不能成为启动市场机制和协调市场体系的系统而灵敏的运动信号。

市场主体的造就，有赖于国家做出很多努力，可供参考的建议包括以下几点：

第一，国家和企业各自的职能分解归位。经济管理部门根据各地市场发育程度和企业需求，明确自己的职能和权力，把应该放的、可能放的以及明放实收的企业权力有步骤地放给企业，把国家和社会转嫁给企业的负担和不符合企业经济性质的"职能"（如社会福利保障等）逐步接收过来。在职能分解、归位的基础上，政府退出市场，改造原有的管理机构，主要精力放在市场竞争规则的规定和修正、市场竞争秩序的监测和维护上；同时，帮助企业解脱由于超经济强制而形成的种种不合理的社会、政治负担，敦促企业根据自愿、经济、合理的原则改组内部组织机构，使企业成为轻装上阵的经营主体。

第二，寻找稳定过渡、职能替代的有效组织形式。在国家和企业各自职能分解归位的过程中，应当按精简、高效的原则加强宏观经济管理部门的联合协调，以避免可能出现的管理真空地带；在市场发育程度低的地区，尤应避免企业既找不到市场供销渠道，又找不到"开明婆婆"，而不得不要求恢复旧体制的尴尬局面。在放开市场的过程中，需要培育正规的大型市场流通组织（如自负盈亏的国营批发商业企业），以替代原来由物资调拨体制控制和稳定市场波动的职能。

第三，培育真正的企业家。现代经济学认为，企业家是把企业外部的价格机制变成企业内部资源配置的组织者，企业是价格机制的替代物，企业家则是这一替代物的灵魂。没有企业家的企业不能称之为真正的市场主体，许多发展中国家因缺乏企业家而导致本国市场发育畸形。我国的市场发育程度低也是由于长期存在这一障碍。似乎中国的企业家目前还只能有限地由乡镇企业和各类小型企业中产生，事实上大型的现代化企业的厂长经理们更应是地道的企业家。造就中国的企业家应当以他们为重点，这需要承认他们是企业长期利益的代表，是企业经济职能的人格化，需要割断他们同行政级别和干部工资制度的联系。不如此，正规的大型市场主体的培育可能也是空谈。

三、完善市场结构：多样化交易格局和网络状联系

市场体系应当存在多种交易格局（例如现货交易和期货交易、现金交易和信用交易等），同时，所有生产要素专业市场也应构成网络联系。只有这样，要素价格信号才能经过市场主体的响应和传递，在市场上发生纵向和横向的扩散，引起各个要素市场的供求变动，然后反过来引导市场主体调整要素组合，缩短产-销适应过程的时滞。企业利用价格机制的再操作过程，也就是各种生产要素在市场体系中顺畅流动、重新组合从而发挥最大效能的资源配置优化过程。网络化的立体市场结构和多样化的交易格局，构成市场机制的启动和持续运转所必不可少的时间轨道和空间场所。

各个要素市场之间由要素价格运动形成的供求连锁反应，使市场体系的广度得到扩大，同时也使要素市场的平面结构形成更为紧密的有机联系，任何一种要素价格的人为扭曲，或任何一个要素市场的人为割裂，都将阻碍市场广度的扩大，破坏市场体系平面结构的完整性。市场体系的完整性还包括市场深度的发展以及纵向结构的紧密联系，要素价

格信号在不同时间期限内以及在不同的市场层面之间的系统而灵敏的运动，则沟通了市场纵向均衡的过程。在每个要素市场内部，不仅存在着各种交易方式在不同时间间隔上与价格纵向传导链形成的耦合，而且存在着衔接产供销的不同市场层面。

在产品市场上，一般由初级产品市场、中间产品市场、最终产品市场、批发市场、零售市场构成衔接生产、流通和消费诸环节的基本市场层面。现代商品经济的发展，使信用型交易方式发挥着越来越大的作用；现货市场和期货市场的分离和职能互补，使得衔接产供销的市场层面进一步丰富起来，也使市场调节生产波动的功能进一步完善起来。期货交易以大宗性产品、长期性合同和货币契约为主要内容，存在着通过套期保值以减少生产风险的机制。因而，建立在期货合同基础上的企业生产预期和经营决策趋向长期性，使市场价格趋于稳定，有利于弥补现货交易造成的价格信号短促、市场供求波动大、经营者决策短期化的缺陷。对于利用价格机制调节农产品、矿产品以及投资品的生产和流通而言，期货交易提供了良好的市场条件。由于期货交易的信用性质增强了社会资产的流动性，这就要求企业加快资金周转，提高清偿能力，所以，期货交易还可以起到削弱物物交换、促进经济活动货币化的作用。期货市场的开放，不仅促进资金流动，为资金市场的开放创造条件，同时，期货市场的兴旺也要求有稳定的金融环境。因此，期货交易既能加强产品市场各层面的密切联系，又能在横向上进一步沟通产品市场和资金市场之间的要素流动。批发市场也具有类似期货市场的功能（例如平抑价格的短期大幅度波动），它在产品市场的纵向结构中与期货市场共同构成一个缓冲层面。

资金市场随现代信用经济的发展而不断充实着本身的市场层面和交易方式，金融工具的不断创新使现金交易趋于票据化和计算机化，这对减少交易成本、加强金融功能起着革命性的推动作用。在阻碍商品经济发展的体制下，金融市场的形成是困难的；在商品经济落后的情况下，企图自发形成完善的金融市场更缺乏条件，反倒会出现向高利贷等封建性的简单商品经济倒退的现象；同时，短期化、小规模和无组织的非正规融资活动也并不能创立一个适应产品市场深化过程的多层面金融市场。而现代金融的活动，不仅包括短期融资活动和现金交易，还包括长期融资活动和有价证券交易，因而形成了由短期资金市场向长期资金市场、由货币市场向证券市场纵深发展的金融深化过程。有了长期资金市场和证券市场，资金随商品流动就会延伸到资金随投资流动，金融市场也就发展成为投资导向、生产资金的融通、企业投资收益评价的场所。这两个市场构成金融市场秩序井然的深层结构，它将使企业比较容易地以最小成本筹措资金，比较方便地利用金融新工具转移资源。国家公共投资的筹资能力也将由此而得到加强，例如可在这两个市场上通过公债买卖来为社会保障事业筹资，扩大社会保障基金结余的安全性和营利性。金融市场的深层结构，还为政府间接控制能力的加强提供了条件，例如可以在长期资金市场上，通过政府债券的发行和买卖，来实现宏观财政金融政策所要达到的引导投资方向、熨平经济波动的目的。

劳动力市场同样应当具有完整的多层面结构。科学技术进步必然创造新的工种、消灭某些旧的工种，这就要求劳动力能够有纵向流动的渠道，也就是由普通劳动力市场向熟练劳动力市场甚至高级劳动力市场上升（当然还会发生逆过程）。在现代化过程中，城乡劳动力迁移不可避免，即使我国存在着非农产业吸收农村剩余劳动力的较大余地，也不能替代农村劳动力向城市的转移。因为，引导劳动力自由流动的不仅仅是经济收入因素，还包括社会、政治、心理等多方面因素，不同因素对不同人群的求职影响亦有差别，例如需要大量非熟练劳动力的某些行业，城市居民不愿问津，农村居民却愿意进入；高级劳动力的流动则往往倾向于最能施展才华和特长的职位。随着租赁、承包、资产经营责任制、股份制的推行，企业内部经营机制的变革不仅要求经营管理阶层的流动，而且必然要求技术工人和一般劳动力的流动。因此，城乡劳动力市场、行业劳动力市场、职业市场等各类劳动力市场更应该是开放的和通畅的。全面开放的劳动力市场还有助于消除区域性和行业性劳动力垄断价格的刚性，并为全体劳动者提供机会均等的就业竞争。而不同层面的劳动力市场的封闭，则会阻碍劳动力的全面合理流动，劳动力资源的配置也就很难达到最优状态。

市场体系的整体均衡性质，决定了建立市场体系应当是系统的配套进行过程。但各类市场能否放开和放到何种程度，则取决于我们面对的突出矛盾是什么，市场供求状况如何，以及应当创造和能够创造的条件有哪些。从市场整体均衡的要求来看，当前阻碍劳动力流动的突出矛盾是企业冗员负担、退休拖累以及社会福利职能过于沉重，工资制度的平均主义倾向回潮，劳动人事管理制度还不适应人才流动的要求。因此，国家需要把相对工资的决定权放给企业，建立社会化的保障体系来解脱企业的社会负担，并通过劳动人事管理制度的改革，推动技术工人和经营管理人员的充分流动，沟通农村劳动力向城市中需要大量非熟练劳动力的行业流动的渠道，逐渐形成多层面的劳动力市场。在产品市场上，突出矛盾是生产资料计划调拨体制改革后的指令性计划职能替代，以及生产资料统一市场价格的形成问题。国家通过改造原有物资分配机构来建立批发市场和期货市场，将是比较可行的解决方案。消费品市场的主要问题则是减少消费品价格中的福利性补贴，那些本来就不具有社会保障性质，却又被当作社会保障手段提供的个人生活消费品和劳务，应当接受市场调节。而资金市场的建设重点，则应放在国营金融机构实行企业化经营上，以形成一批能够稳定融资活动的正规化、专业化金融组织，引导短期融资活动向长期融资活动发展，以利于逐渐形成资金市场的深层结构。

四、政府为市场运行创造的制度环境

政府行为并不构成市场机制的组成部分，而是为市场机制正常运行提供适宜的制度环境。政府作为市场的宏观调节者，在广义上说主要应从两大方面入手为完善市场创造条件：一方面是不断完善市场动力系统，确保机会均等、竞争择优、效率优先原则的普遍贯彻，使市场机制得以充分展开；另一方面是不断完善社会稳定系统，在效率优先、兼顾公平的前提下，保证社会成员的安全稳定感和公平要求，弥补市场竞争展开后产生的某些缺陷，减少或消除这些缺陷对市场动力系统正常运行造成的阻力。

市场动力系统的完善，需要完成这样几项任务：（1）以行政隶属关系为基础的抽象公有财产关系，应当变成以风险和利益相互制约为基础的具体公有制形式，在财产关系的深度上削弱企业预算约束软化的可能性。（2）改变以产值为主的指标体系，使企业围绕着经济效益指标对宏观调控信号作出积极反应。（3）通过价格政策、税收政策、工资政策的协调运用，保证先进生产力的代表（无论是企业还是劳动者个人）获得最大的经济收益。（4）实行区域性的产业政策和资源合理付费制度，沟通区域市场，打破地区封锁。（5）组建一批能够执行政府间接控制市场职能的经济实体，通过它们参与市场运行来减少政府对市场的直接干预，同时又借助它们在市场上的自主经营活动来实现政府的宏观意图。例如，成立投资银行或投资控股公司，来保全国家资产的增值，参与和引导企业自主投资，或实施产业规划中的投资重点。这样，国家就可更多地通过长期资金市场，而不是分物资、分资金、批项目，来控制投资规模和投资结构。

社会稳定系统的完善，一是要通过提供公共服务，来满足企业职工在劳动生活以外的社会生活和家庭生活需要，让企业在解脱不合理的社会负担的同时，根据竞争需要和增长的余力，自主举办集体福利事业。二是通过收入再分配政策和符合新形势的社会政策，调节地区收益、级差收益，控制个人非劳动所得，既让有劳动能力的人通过努力工作获得合理的高额收入，也让无劳动能力和暂时失去劳动机会的人能够分享社会经济发展成果。三是建立国家、集体、个人三方合理负担费用的社会保障体系。这一体系不仅不应追求过多的项目和过高的支付标准，以免损害市场动力系统的效率；而且，社会保障体系本身也要讲究效率（如基金使用方式的灵活性和管理成本的节约等等），以便最大限度地发挥社会保障服务的潜力。

在国家组织市场的过程中，市场体系各组成部分接受政府干预的程度应当有所不同。尤其是要素市场中的劳动力市场和资金市场，其发育程度远低于产品市场，而且一旦形成将对经济波动产生远比产品市场为大的影响，因此在客观上需要政府在较大程度上参与市场运行并施加管制。各级政府在组织市场方面也应当做到分工合理、职责明确，特别要扭转地方行政控制权的扩大所导致的地区封锁倾向。中央政府应当充分掌握维护市场统一的权力，地方政府则应由投资决策和物资分配主体变为区域市场的组织调节者，在中央政府关于全社会总需求规模及其构成的管理政策指导下，通过制定区域产业政策、收入再分配政策、就业政策以及提供良好的基础设施和社会公共服务等等，调节区域总需求的规模和构成，使区域市场成为全国统一市场体系的有机组成部分。

（原载《财贸经济》1987 年第 6 期）

4.2　劳动力要素的市场配置方式

在有计划的商品经济中，开放劳动力市场的实质，就是在全社会规模上自觉运用市场机制合理配置劳动力要素。我国的社会主义劳动力市场在改革的进程中已开始发育。为了使它进一步成长和健全起来，还需要创造一些新的条件。本文拟从就业竞争的展开、工资的决定、市场上的利益矛盾及其协调、社会保障制度的改革四个方面，对如何健全我国劳动力要素的市场配置方式作一探讨。

一、充分展开就业竞争，全面提高劳动力要素配置效率

就业竞争是通过市场配置劳动力要素的核心机制，是解决微观层次劳动力供求矛盾的基本途径。就业竞争以劳动力供需双方平等、自愿和互相选择为基础，首先对劳动力供给方形成一种激励作用，迫使劳动者不断提高自身素质，以扩大自己被选择的机会。然后，企业为了获得必要数量和适当素质的劳动力，加强其市场竞争能力，也要在利润率最大化的前提下改善本企业的劳动条件和工资福利待遇，借以吸引所需要的劳动者，或吐出不需要的劳动者。由就业竞争来解决微观层次的劳动力供求矛盾，比起逐个地行政性分配劳动力来，具有较低的管理成本，有助于使劳动力的配置符合企业的利润率最大化要求。

在不同质的劳动力之间可替代性是很小的，因此就业竞争主要是不完全竞争或垄断竞争，对技术水平要求高的熟练劳动力和管理能力要求严的经理者阶层来说更是如此。在劳动具有同质性因而替代性强的场合，则不排除完全竞争的可能性。

劳动合同制的推行、企业横向联合的展开以及城市劳务市场的开办，逐步在劳动力的配置方式中形成了一定程度的就业竞争。在租赁、承包过程中也开始了经营者阶层的就业竞争。微观的劳动力供求矛盾通

过供需双方的选择而获得了新的调节手段，这对提高我国劳动力要素的配置效率无疑起了积极作用。但是目前的就业竞争仍然很不充分，劳动力流动的种种制度壁垒仍未受到根本触动。无论是劳动力过剩地区还是短缺地区，城市就业存量基本上不存在就业竞争，国营企业的冗员仍被固定工制度保护着。即使是就业增量部分的就业竞争，也往往因为合同制蜕变为固定工制而受到侵蚀。此外，工资的行政性控制和企业沉重的社会保障负担，还使就业竞争难以充分展开，在招工环节上存在的双向选择，尚未发展到退出企业这一环节上的双向选择，如此等等。

要想真正提高劳动力要素的配置效率，看来应当进一步强化就业竞争，坚定不移地向市场化配置方式转轨。应针对不同行业、不同部门以及不同劳动力类型的特点，确立相应的体制条件，形成完整的、有秩序的、并具有分类调节功能的劳动力市场竞争结构。这样，将有助于使企业和工人的双向选择变成具有实际意义的劳动力市场运行机制。

首先，把就业竞争引入城市就业存量。这需要开辟三条流动渠道。一是扩展在企业内部的流动机会，不称职者应失去原有职位，称职者应能获得新职位。仅有被雇用或被解雇的选择，而无内部升降的可能，将难以使工人产生"归属感"，不利于工人和企业的相互适应。采用终身雇佣制的日本大企业之所以能保持活力，一个重要原因就是职工在企业内部享有充分的流动机会。二是企业自办的安排富余职工的"厂中厂"应当转向社会，与原有企业形成股份制关系，变成独立的法人，按照市场需要自主经营。国有企业自办"厂中厂"是企业办社会的变种，以参股方式把"厂中厂"分离出去，将使企业内部的非市场关系向市场关系转化，既可以使原有企业获得新的活力，又可以使劳动者获得新的选择机会。三是建立劳动力中转企业，使社会扩大吸纳结构性失业人员的能力。这一类企业应具有转业培训和安置失业人员的功能，配合产业政策实施有针对性的再就业培训，而不应简单地当作安置失业者的救济机构，这类企业的进出自由度要更大一些，工资也应比失业救济金更有吸引力，以便为劳动者提供重新选择职业的学习机会和经济刺激。

其次，在劳动力供求状况不同的地区要采取不同的就业竞争鼓励政策。劳动力短缺地区应采取较为灵活的流动政策和门户开放政策，鼓励农村劳动力进城补充城市劳动力不足。为了避免城市人口超饱和，需要通过劳动合同保证农民回乡后的经济补偿。劳动力过剩地区则应侧重鼓励城市就业存量的结构性调整，不宜让农村劳动力大批涌入，以防增加就业压力和结构调整的难度。

再次，对于不同的劳动力类型也要采取宽严有别的政策，以形成符合劳动力性质的有秩序的就业竞争。在我国，复杂劳动力是特别稀缺的人力资源，可替代性差，社会需求强烈，要素配置的机会成本高，不允许其充分流动是最大的浪费。普通劳动力则相对过剩，可替代性强，要素配置的机会成本相对较低，即使流动范围较小，也可以提高配置效率。因此，鼓励复杂劳动力全面流动的就业竞争政策是绝对必要的，特别要鼓励城乡的对流。普通劳动力的就业竞争不宜放任，而应限制在一定地区范围内，否则，过于广泛和频繁的流动将使劳动力要素配置成本高于其收益，这种成本包括损失的工时、失业救济费用的增加、工资的波动引起的物价不稳等等，甚至可能导致付出其他社会代价。

在就业竞争充分展开的过程中，劳动力供需双方的平等自愿互选势必产生不同的就业模式。企业为了避免复杂劳动力外流引起的损失，可以采取终身雇佣制。劳动者要想进入终身雇佣制企业，就要努力提高自身素质。至于选择终身雇佣还是灵活进出的就业模式，应当成为企业根据市场竞争需要自主决定的事情，这完全不同于行政配置方式的硬性规定，而是市场竞争的必然产物。当然，就业竞争在调节批量大、流向集中的劳动力流动方面，或是在调节涉及宏观经济结构的劳动力供求矛盾时，可能出现种种缺陷，这就要诉诸计划调节、就业指导和必要的行政配置等宏观干预措施，而这些措施恰恰又构成推动就业竞争的重要条件。

二、建立协商工资制，在深层结构上构造劳动力市场

劳动力市场像其他要素市场一样，要由市场上形成的要素价格——

工资来调节劳动力的流动和重组。所谓工资在市场上形成，是指参与劳动力市场的供求双方平等地协商工资，达成双方都能接受的某种工资契约，而不是完全屈从于劳动力市场的供求波动。事实上，很少有哪一个国家的工资是完全由市场力量自由决定的。从劳动力要素的异质性来看，也不可能存在唯一由完全竞争形成的市场工资。在劳动力市场上，具有完全竞争特点的一部分普通劳动力的工资可以更多地由市场供求变化来调节；对于垄断性较强或不宜由市场力量来决定其工资的一部分复杂劳动力来说，就要由政府来规定工资标准，例如对那些代表政府管理国有企业的高级管理人员，就不宜使其工资随企业收入变动而变动，以防他们站在工会一边与政府相抗衡。总之，即使工资的决定要受市场供求关系调节，也不意味着劳动力市场的开放势必导致完全无控制的工资波动。

　　劳动力价格由市场决定，实质在于让企业和劳动者充分行使自主的平等的选择权，使工资成为促进就业竞争的有力杠杆。只有参与劳动力市场的供求双方当事人才最关心工资是否准确反映企业的需求和生产效率，准确反映劳动者的劳动贡献。也只有供求双方当事人的平等协商，才能使工资的决定趋向于双方满意的某种均衡水平。特别是不同工种、岗位之间的相对工资，像商品比价关系一样，是无法由哪一个行政控制中心详尽规定的，实际上至今还没有一个好的直接计算办法可以把相对工资规定得十分合理、十分有利于提高劳动力配置效率。与行政性统配工资一样，企业单方面规定工资也是一种反市场行为，因为这等于仅仅由劳动力需方决定劳动力价格，劳动者作为供方却无权影响工资决定，这显然有悖于市场的平等交换关系，否定了劳动者的市场主体地位。

　　在我国，工资迄今为止基本上仍然是行政调节的信号和手段，而工资若不能成为市场信号，劳动力要素的市场配置就无法真正形成。目前所有发展劳务市场的努力，大都是提供有形的"交换"场所，扩大劳动力供需双方直接见面的机会等等，即停留在市场的表面组织形式上；在市场深层结构的建设方面（主要是工资决定的市场化改革和相应的制度创新）则没有实质性进展。所以，各城市开办的劳务市场基本上属于改良的行政协调方式，并不是真正的劳动力市场。而劳动力要素的市场配置，则是要形成等价交换的市场关系，即市场交换双方平等协商和共同决定劳动力价格。

协商工资制的要点是：

（1）决定工资的基本原则是效率和稳定，而不应掺杂所谓"公平"与否的考虑。效率是指工资要成为提高劳动积极性和增加劳动成果的刺激手段；稳定是指工资的确定要有利于减少熟练劳动力频繁流动造成的损失。所谓"公平不公平"（收入均等化），那是国民收入再分配机制的事情。劳动力供给方不能以公平原则作为谈判指导方针，以免损害工资的效率刺激作用。

（2）协商双方必须是平等的，尤其是工人要以组织起来的形式即通过工会进行协商，而不应是无组织的随机性讨价还价；协商也必须是有规则的，即要以国家的有关法律、政策为依据，而不应随意地压低或抬高工资。

（3）工资的提高与否要服从企业的长期利益。如果工会提出的增加工资的要求损害了企业利润率最大化目标，企业有权否决。劳动力要素的报酬最终取决于有效劳动，即能够得到社会承认（通过市场交换实现）的劳动，在市场机制的作用下它表现为按一定的标准（例如某种工资率）支付工资。

（4）工资的协商过程应当是根据供求关系和企业经营成果的变化而相应调整的过程。不同种类、不同行业的劳动力配置是否均衡合理总要通过劳动力的流动反映出来，并得到调整。劳动力供求矛盾的解决势必要求工资协商过程反映供求变化，使工资起到经济杠杆作用。不同工种的基本工资主要取决于供求关系以及最低工资标准，以便既能保证维持劳动力再生产的基本需要，又能调节劳动力供求矛盾。至于如何确定劳动报酬占企业收益的比重，可以由企业内部的不同利益代表自主协商决定，但必须以利润率、贷款利率和股息率为制约前提。

（5）协商工资制不仅包括企业和工会的协商，也包括企业和劳动工资主管部门的协商，以及劳动工资主管部门同工会的协商。协商的层次与协商的内容相对应，主管部门与工会、企业与主管部门之间的协商属于高层次协商，带有设定规则和协调一般性矛盾的性质；企业和工会的协商则主要是依据相应规则解决具体的利益矛盾问题。

建立协商工资制并不企求取代任何有意义的工资分配制度改革，但从总的方向看，它对劳动合同制的推行将产生有力的配套作用，而且比较适合于艰苦行业以及非垄断性的部门。从多种企业体制并存、共同发展的趋势来看，协商工资制也有较强的适用性，例如横向联合企业或企业集团、股份制企业、合作企业以及集体企业等等，都比较适于试行协商工资制。

三、劳动力市场上的利益矛盾及其协调：企业、工会、政府三者的地位和作用

社会主义公有制经济中的劳动力市场主要由企业、劳动者和政府构成三大利益主体。一般说来，企业和劳动者是直接参与市场的主体，企业作为劳动力的需方，劳动者作为劳动力的供方，两者利益差别是显而易见的。政府则具有双重身份，一方面它是社会利益的代表者，负有协调企业和劳动者利益矛盾的责任，要超脱于市场直接参与者的局部利益；另一方面政府所属的公共部门又具有劳动力需方的身份，在政府部门就业的劳动者也有独立的利益，同样要以有组织的形式来表达这种利益要求。因此，政府便不能完全站在劳动力市场之外，它的第二种身份使它成为市场主体之一。它的第一种身份又强烈制约着第二种身份，使政府部门的就业者及其工会不能完全受市场规律或经济因素的支配，而往往要服从政治因素或非市场规律的调节。

劳动力市场上三方利益主体之间的利益矛盾虽然最终都要服从公有制基础上的根本利益一致性这一大前提，但是社会利益、总体利益的确定并不是逻辑演绎的结果，而是各种利益矛盾经过协调之后才得以概括出来的（这一点恰恰是长期被忽视的）。劳动力市场的正常运行，除了企业与外部的劳动者发生市场交换关系外，还存在着企业内部的交涉、

协商等等利益矛盾协调过程，也正是基于对利益的独立性和差别性的不断协调，才形成某种意义上的利益一致性。利益矛盾的协调程度决定了劳动力市场运行的有序程度。一般说来，不同利益主体的矛盾协调过程，就是依据不同层次、不同范围的规则和相应程序，基于独立的利益所形成的不同目标，经过交涉、协商、申诉、仲裁等环节，达成双方满意的协议。协调过程要坚持两条原则，一是协商双方的权力平等化，二是仲裁当局的权力中立化，否则将导致利益分配失调和劳动力市场失衡。

从劳动力的需求方来说，企业和政府公共部门的目标和运行机制截然不同，所遵循的规则当然也就不同。企业是运用市场机制配置生产要素的微观经济组织，企业和劳动者在商定工资、工作条件和福利待遇时要受市场收益率的最终支配，可以采用降低工资、解雇、招聘较便宜的劳动力或使用机器取代人力等等经济办法遏制过高的工资福利要求，也可以通过提高工资、职务提升或增加福利等吸引所需要的劳动力。政府部门为了保证政策延续性和工作人员对政府的忠诚，则采取稳定的职业、既定的工资等级表和较好的福利待遇等办法来减少利益冲突，甚至可以规定不允许罢工来维持政府的正常运转。从劳动力供给方来说，企业的工会可能主要采取经济性行动，达到与企业的市场经营成果相符的收入最大化目标，而政府部门的工会则可能往往采取政治性行动影响财政支出，以达到增加工资或福利的目的。

企业管理部门和工会双方的利益及其目标在各自一方的内部也存在着共同利益下的差别和冲突。工会的成员结构和偏好结构会影响工会谈判目标的选择，企业不同部门的经理关心的重点不同也会影响管理者对谈判目标的确定。这样，在企业内部就存在三层利益协调过程：工会内部，管理者内部，然后才是工会和企业管理者双方。无论是工会还是管理者，双方最终都受市场竞争制约。以市场竞争为基础的利益协调过程不允许工资无限上升。

在劳动力市场的不同运行层次，相应的运行规则也应各有侧重，以便促进利益矛盾的缓解和趋于协调。

　　第一个层次的规则是现场运行规则，专门用于企业一级的劳动力要素配置，主要包括工作报酬规则、内部劳动力调整的规则和利益矛盾的协调程序。报酬的支付取决于不同行业的技术水平、竞争程度和劳动者的劳动贡献，此外还包括国家规定的基本福利和企业经营状况决定的附加福利。工资的确定除了受供求关系约束外必须以工作为基础，而不应受个人好恶左右。基于工作评价制度而设定工资等级是企业内部调整劳动力配置的必要手段。某些普通工作可以通过企业外部的雇用来确定工作报酬，某些专门的工作则需要借助工资等级来实施内部劳动力的提升、调动或淘汰。工作资历对劳动力流动性较弱的行业而言是调整劳动力配置的基本依据之一，但在劳动力流动性强的行业则难以广泛采用。工作资历是一种有助于免除个人偏好的客观尺度，即使在西方劳资谈判中，资历也是双方都接受的有分量的依据，因为它反映了在职培训的投资收益和处理意外事故的能力。在劳动合同有效期内，通过争议、纠纷所表达的利益矛盾，应当由申诉、仲裁的协调程序来解决，这种供需双方的信息沟通将加强彼此的相互适应，减少处理失误，有助于工会与企业管理部门合作。

　　第二个层次的规则是集团对话规则，这适用于劳动力市场上各个利益集团的协商对话，主要涉及部门、行业、地区规模的利益协调。在我国，劳动力市场中的利益集团尚未发展成明确的组织形式，但至少可以从目前已存在的某些组织或机构看出利益集团的端倪。一是工会，它是工人利益的代表，应当享有谈判工资、福利和劳动条件以及反映工人权利等等的重大权力。但是目前不少基层工会只起某种俱乐部、婚姻介绍所等作用，远不胜任作为工人利益代表所应肩负的任务。行业工会也未成为真正能够反映独立利益和影响决策的力量。要培育劳动力市场，就必须让工会发展壮大成一个有分量的利益集团，特别是让行业工会或联合工会成为工资政策、就业政策以及社会保障政策的影响力量。二是个体劳动者协会，它在我国劳动力市场上的地位和作用是越来越不能忽视了。个体劳动者更受市场波动的影响，是劳动力市场的活跃成分，他们的利益如何保证，如何与国家的税法和政策相协调，将给个体劳动者协会提出新的任务。三是企业家联合会，它代表企业的利益，应当成为与工会平等对话的利益集团，共同商定有关工资、劳动条件及福利待遇等制度安排的集体协议，并参与有关政策的制定和咨询。四是社会公共团体，如社会保障基金组织或其他公益事业团体，它们不代表某一方利益，而是旨在促进社会利益的协调，并负有对政府的社会经济政策提供信息和咨询的责任。五是劳动力市场的主管部门，如各级劳动人事部门或劳动仲裁委员会，它们代表国家利益调节劳动力市场，在总体上协调各方利益冲突，主要是制定规划和颁布政策，组织和促进各利益集团顺利进行协商对话，但要保持中立，一般不宜强制调停或向某一方妥协。

第三个层次的规则是国家调节劳动力市场的规则。政府影响劳动力市场的途径可以有很多，包括宏观经济政策、就业培训制度、教育训练计划、失业保险制度、其他社会保障制度以及税收等等，对劳动力市场运行具有最关键、最直接影响的途径是关于市场运行的政府法规（包括立法和行政条例）以及就业政策。

政府法规是劳动力市场的根本规则，是企业一级现场运行规则以及集团对话规则的高层次依据。培育劳动力市场尤其需要完备的法规，以便使现场运行层次和集团对话层次都能有规矩可循，形成有条不紊的运行。劳动力从进入市场、参与市场运行到退出市场都要有相应的规定。例如，在进入市场的环节，立法和行政条例需要规定劳动者的劳动权利，反对性别歧视等等，但那些因本人过失而被解雇的人员要再进入市场，就要符合必要的资格规定。在参与市场运行的环节，需要有关于工资与工作时间、职业卫生与安全等方面的法规。在退出市场这一环节，则需要有失业救济和养老保险等等社会保障方面的立法和条例。对于集团对话一类的利益协调方式，还有必要通过有关法规确认各个利益集团及其代表的合法地位，规定各自享有的权利、义务、责任，以及当集团利益与社会利益发生冲突时如何协调等等。

国家就业政策之所以对劳动力市场具有关键性影响，除了现实的劳动力市场远离理想的竞争状态以外，还有一个根本原因，即造成失业的并不是劳动力市场本身，而是宏观经济的总供求变动、经济结构变化、技术进步以及劳动力流动中就业过程的间歇性中断。由此而引起的宏观劳动力供求矛盾单靠市场关系是难以自动平衡的。所以，国家有必要运用计划调节手段和就业政策完善劳动力市场，使劳动力的市场配置方式获得适宜的运行环境。针对我国劳动力总供给过剩、"在职失业"严重、结构性冗缺矛盾突出的状况，政府就业政策的重点似应放在促进就业存量（已就业部分）的调整，鼓励发展劳动密集型产业等等，如果仅仅注意解决就业压力或就业增量的搞活问题，我国劳动力要素配置的低效还是不能发生实质性的改观。

四、新型社会保障制度的建立

在全社会规模上自觉运用市场机制配置劳动力要素，我国人口众多、企业福利保障负担过重这两个因素是严重的障碍。为了克服这两大障碍，使劳动力市场能够真正开放和正常运转，必须谨慎而明智地选择一条依靠全社会力量兴办社会保障事业的改革道路。社会保障的宗旨是帮助社会成员摆脱贫困和孤立无援的境地，社会保障的对象不仅包括丧失劳动能力而导致贫困的人或家庭，也包括暂时失去劳动机会而陷于贫困的人（或家庭）。建立成功的社会保障制度的关键在于项目设置、支付标准以及资金筹集方式的合理化。能否达到合理化，取决于下述四个目标之间的权衡和协调：（1）缓解目前的贫困程度，减轻人们陷入贫困的风险；（2）激励有劳动能力的人努力寻求工作以避免贫困，防止"福利养懒人"现象的滋生和泛滥；（3）尽量减少国家预算开支和行政管理费用，降低社会保障的操作成本；（4）防止不适当的项目设置和资金支付办法在社会保障对象之间产生不公平现象。

要同等程度地达到上述四个目标是困难的，在权衡中有时不得不作出某种妥协。问题的核心是不要把社会保障措施变成被动的"灭火器"，而应使它们成为既能维护社会稳定、又能减少或疏导福利刚性的"调节器"。为此，在设置社会保障项目和标准、支付办法时需要处理好这样一些关系：

第一，要考虑对发展社会生产力的作用。现阶段的社会保障项目和福利待遇标准不能无限扩大和任意提高，以免因强化福利刚性而被迫打乱经济社会发展目标的优先顺序。

第二，要以国民收入水平、企业经营成果和基本生活保障需要为转移。由国家财政提供的基本保障项目及其标准宜保持相对稳定，可以实行指数化的办法，同时，为了减少通货膨胀的潜在压力，可考虑使基本保障项目与上涨速度较慢的某些物价指数挂钩。企业提供的集体福利项目和待遇标准则应具有较大灵活性，企业应摆脱现有的社会保障负担，根据自身发展的余力和市场竞争的需要自主兴办加强本企业吸引力的集体福利事业，此类事业应作为基本保障项目的补充而不是替代物。许多不属于基本保障范围的福利支出（如物价、住房补贴等）应从现有福利开支中分离出来变成工资收入，逐渐改变基本保障项目与一般生活福利项目相混同的现状。

第三，要防止各种福利、保障项目彼此矛盾，特别是要防止发生逆调节作用。例如，如果把养老金单纯与工资挂钩，就会干扰工资对在职职工的刺激，并且会出现"水涨船高"的局面。又如，过高的失业救济不仅会减少工作积极性，而且还会导致该项目丧失其原有的保障性质。所以，最好是能使新型社会保障制度具有综合治理和主动衔接功能，以免陷入单项看来合理，但一累积起来就漏洞百出的被动局面。

第四，要具有简便易行、有利于规范化管理的优点。项目过繁、标准过细的社会保障体系势必要求很高的行政管理能力和设置庞杂的管理机构，使管理费用过高。可行的出路是将税收制度、保险制度同社会保障事业结合起来，使社会保障的基本项目以及支付办法逐渐采取税收形式和投保受保形式。从税收制度来看，负所得税的思路具有较大的启发性，它在综合治理贫困、加强刺激就业的作用、便于规范化管理等方面优点明显，可供我们借鉴。所谓负所得税制度，就是根据适当的贫困线支付级差式（或递减的）补贴，收入达到一定水平，补贴就停止，进而转入征税。

多层次的筹资渠道、讲效率的资金收支方式是新型社会保障制度的另两个支柱。在我国，要使社会保障资金充裕并运转自如，就要开辟国家、单位、社会团体、个人、家庭五个层次的筹资渠道。国家公共保险基金是主渠道，对社会保障受益者承担最终的和最基本的利益保证。各单位缴纳的社会保障基金和提供的集体福利构成一个重要来源。社会团体的捐赠款和民间自助性储备基金也是一个值得充分挖掘的源泉。个人缴纳一部分保险金作为补充保障的资金来源，将起不可忽视的作用。

讲究效率的资金收支方式意在充分发挥社会保障资金的使用效益。可供选择的方案是将现收现付制度与基金化的预先积累制度相结合，着力发展预留储蓄以及鼓励单位和个人投保的筹资方式，在资金支付方式上则以转拨性付款为主，尽量少使用全面补贴的办法。

现收现付制度是将本期社会保障收入绝大部分用于支出，只留有少量意外储备金，发达国家多采用此种方式。基金化的预先积累制度是根据未来的支出需要确定当前的筹资规模，比较注重社会保障基金的积累功能，发展中国家因经济落后和资金市场不发达多采用这种办法。对于我国来说，考虑到某些受保人的当前需要（如退休者近几年较多），以及潜在受保人的未来需要（未来的退休者和可能的失业者），将现收现付制度和预先积累制度结合起来是恰当的，但现收现付制度要逐渐退居次要地位，以适应我国经济实力较弱的现状。

基金化的预先积累制度有完全基金化和部分基金化两种类型。前者的特点是在较长时间内收费率保持不变，可在社会保障计划实行初期产生大量储备金，当发生支付需求时实行一次性付款。后者的特点是以满足一定阶段的需要为前提，留有一定储备，收费率分阶段调整，初期较低，以后逐步提高，但保持相对稳定。后一种类型比较灵活，可使社会保障基金在不同时期均衡负担，避免给经济发展造成过分压力，对我国的适用性可能较强。当然，具体采取完全基金式还是部分基金式办法，还要因社会保障计划的不同项目而异。总之，基金化的预先积累制度可产生较大的社会保障基金余额，这部分余额可以成为政府投资的重要来源，投资收入（投资项目必须是有收益保证的）反过来又会扩大基金余额，对于提高基金使用效率很有好处，国际经验也表明了这一点。在这里，不宜片面强调基金余额的安全性而忽视甚至否定其营利性，事实上，不论是在发达国家还是在发展中国家，社会保障基金都构成金融市场的活跃部分，只不过投资方向有所区别罢了。

通过投保受保的方式筹集和使用社会保障基金，其好处也是明显的。首先是有利于促进劳动力流动，因为这样一来，劳动者不再会被终生捆在一个单位。其次是有利于加强职工的独立感和责任感，鼓励个人对自己的命运负责而不是完全依靠国家。例如，采取先缴纳、后领取的办法，可使领取退休金成为一种与义务相对应的权利，领取人和在职职工都不会有身负重担的感觉。再次，还可减少国家财政直接拨款，减少由用人单位提取、拨付款项等等带来的行政开支。最后，预先积累的社会保障基金有助于开拓消费基金转化为积累基金的渠道，弥补金融市场的不足。

以转拨性付款作为社会保障支出的主要途径，相对于广泛的补贴来说，其特点是对象集中、内容有限、目标明确而且效果显著。转拨性付款的受益者集中于符合社会保障条件的那部分社会成员，其内容限于退休金、失业救济金，病假工资、产假工资和特殊困难补助等等，以帮助受保人摆脱困境为目标，这样，就可以较低的支付获得显著的收入再分配效果。正确地使用转拨性付款手段，一是有助于强化价格、工资等经济杠杆的效率刺激功能，因为它可以减少暗含在工资、物价中的高额补贴，从而使经济杠杆的本来职能得到恢复；二是有利于财政开支的缩减和财政规划的明晰化，在各类补贴减少从而价格和工资等经济参数趋于准确的情况下，随着政府财政收入的增加，用于社会政策的支出在财政预算中就比较容易看清，也便于筹划；三是有利于在效率优先的前提下维护社会公平。转拨性付款是以各种市场信号正常调节经济资源有效配置为先决条件的，在此前提下，它主要是对市场竞争拉开收入差距后的生活贫困者提供资助，而不是对不同收入阶层一视同仁，这就避免了普遍补贴可能加剧不公平的消极后果。

（原载《经济研究》1988 年第 4 期）

4.3　我国现代化进程中的市场发育

一、我国市场发育的宏观经济背景与当前的主要特征

我国市场发育过程的正式展开固然是在十一届三中全会以后，但是同样不能否认，相对于其他发展中国家而言，社会主义中国三十多年经济建设所奠定的宏观经济基础，使本国市场发育免受农业严重凋敝、贫富两极分化、外国资本为所欲为、民族工业成长艰难等痛苦，我们完全有理由、也有可能利用宏观经济方面的有利基础，促进本国市场的正常发育进程。值得我们发掘的这些有利基础包括：

第一，我国在人均收入水平较低的条件下，较早地奠定了较高程度的工业化基础，形成了独立的本国工业体系。

第二，率先取得成功的农村经济改革缓解了十亿人口大国的农业长期落后局面，扩大了对城市工业品的需求和城乡商品交流，乡镇工业的发展进一步瓦解着二元经济结构，推动着生产要素的全面流动。

第三，建立在公有制基础上的资源集中动员能力和组织严密的行政性指挥系统，在市场不发达的条件下提供了稳定的秩序，代行了市场配置资源的部分功能，这对于集中调动有限的资源服务于工业化、现代化的发展需要，对于弥补市场不发达造成的资源配置失衡，具有不可回避的重要意义。

与上述有利的宏观经济背景紧密相伴的市场环境约束，集中地体现在如下一些非均衡状况上：

一是以短缺为特征的供求总量不平衡制约着市场和价格的放开程度。

二是极不平衡的地区经济发展水平制约着市场体系的空间分布规模。

三是既成产业结构的刚性制约着市场发育所要求的信息条件和流通渠道等基础性条件。

四是实物福利占据重要地位的收入分配结构制约着需求结构变化，阻碍着公开市场的正常运行。

五是生产要素的供给结构矛盾突出，制约着市场自平衡功能的充分发挥。

随着我国经济体制改革的深入发展和经济发展模式真正转到效益、质量型增长轨道上来，制约市场发育的宏观经济背景当然会发生有利的转化，但由于宏观经济约束条件的成因既有体制性障碍，又有欠发达状况的长期影响，因而这种转化需要较长时间和付出艰苦努力。在前述宏观经济背景下，我国市场发育进程也必然会带有相应的若干特征。

1. 市场供求关系偏紧和供给结构矛盾并存。制度尚不合理以及有效供给不足、无效供给过多。

2. 我国居民的消费需求变化对市场供给产生着日渐增强的引导作用，但是消费品的有效市场容量仍远远小于潜在市场容量，需求结构变化和消费"热点"的转移必然遇到有效市场容量的宏观制约。

3. 我国可供市场主体选择的资产形式比较单一的局面发生变化，目前金融资产已开始介入资产选择范围。

4. 在全国统一市场的缓慢发育中，区域市场取代原有地方性市场而率先发育起来。

5. 我国市场已经具有十分突出的垄断竞争特点，但其中蕴涵着行政性垄断和经济性垄断双重因素。能否彻底瓦解行政性垄断，并使经济性垄断保持在不妨碍竞争的限度内，将构成市场能否发育成熟的重要条件。

二、我国市场发育的战略选择

根据以上对我国市场发育的有利基础、环境约束以及总体特征的分析，可供选择的市场发展战略应当包括以下诸方面的长期努力：

第一，围绕产权关系的界定，构筑多样化的社会主义财产组织形式，发展平等的自由契约关系，奠定市场机制生效的基本前提。市场关系的本质是商品生产者之间的等价交换关系，亦即平等的自由契约关系，而这种契约关系又以所有者的财产约束为基本前提。在竞争市场上的现代企业必须有明确的产权界定（或财产的人格化代表），即财产价值变动要与所有者个人收入存在对应关系，所有者个人应能对财产加以自由处置（包括买卖），企业财产组织形式可以多种多样，诸如业主企业或法人企业等等，但是最根本的一条是要建立这样一种财产约束关系，才能使竞争当事人自主地选择竞争机会，承担经营风险，享受资产和经营收益，在机会均等的竞争面前，市场交换主体不应受到超经济的强制，只应服从市场规律的调节，任何行政依附、宗法依附和人身依附都必须排除，每个有劳动能力的社会成员都只有在平等的契约关系中，才能同其他自主劳动者结成联合劳动关系。产权关系的人格化、平等的自由契约、市场力量的加强，是一个依次递进的因果链条，与此相应，竞争当事人之间必须也应当存在着机会—风险—利益环环相扣的约束-刺激机制。只有这样，人们才会承认并乐于接受市场竞争的择优汰劣过程，供求机制和价格机制才能通过风险约束和利益刺激的对应关系而真正启动起来。否则，无论我们开放多少个市场，结果要么是徒具交换场所的外壳而没有等价交换的内容，要么是使人们对市场产生不信任情绪，迫使培育市场的努力难以为继。

第二，要由多样化的市场结构组成完整、通畅、协调的市场体系。从市场作为交换关系的总和这个意义上说，多样化的市场结构是指：（1）在市场的内容结构上，不仅要培育商品市场和生产要素单项配置的诸种市场，而且要发展和开拓生产要素整体流动的企业产权交易市场。（2）在市场的状态结构上，应允许垄断竞争和完全竞争并存，努力消除垄断尤其是非经济性垄断，保护有效竞争，但不应追求单一的完全竞争状态，对那些投资规模大、产品替代性较小的行业只应促进不完全竞争（或垄断性竞争）。（3）在市场的交易格局上，一要发展信用型交易，如商业信用和银行信用；二要发展期货交易，包括农产品期货、生产资料期货和金融期货；三要发展要素产权交易，诸如土地使用权的拍卖、转租，企业实物资产所有权的买卖和使用权的转让等等。(4) 在市场的空间结构上，我国的市场体系应以中心城市和中小城镇为发展极和增长点，形成城乡沟通、区域沟通、国内外沟通的分层多极市场网络。全国统一市场基本上由四个层次构成：直接联系农村市场、服务于农村生产要素流动的小城镇初级市场；以中等城市为依托的、沟通大宗农产品和工业品交流、促进城乡生产要素流动的中级市场；中心城市及周围经济区或几个中心城市组成的区域市场；特大城市或几个特大城市联结成的中心市场。区域市场和中心市场在功能和结构上更为齐全和完善，是按经济合理流向组织起来的、全国统一市场的有机组成部分，并且是沟通国际市场的主渠道。

第三，要以市场竞争为基础形成合理而系统的均衡价格体系，根本解决价格形成机制不合理的问题。产品价格和工资、利率、汇率、地租、股息等要素价格都要在市场上形成，使价格体系内在地、系统地联结起来，准确反映市场的供求关系和资源稀缺程度，正确地引导资金、人力和物力的投向，实现社会资源的高效配置。在价格形式上，要根据不同的市场竞争状态，形成完全竞争的自由价格以及不完全竞争的指导性价格。无论完全竞争价格还是不完全竞争价格，其形成机制均取决于市场处于完全竞争状态还是不完全竞争状态，而不取决于国有经济是否参与竞争，因为国有经济只是一种所有制形式，并且包含多种产品和不同经济规模，既可以参与完全竞争的生产领域，也可以参与不完全竞争的生产领域。事实上，市场能够形成什么形式的价格，关键在于生产的投资规模大小，投入要素、产品以及劳务的可替代性高低。那些投资规模小，投入要素、产品和劳务可替代性高，适于多家经营的生产领域，一般呈完全竞争状态，相应地可形成自由价格；而那些投资规模大，投入要素、产品和劳务可替代性较低，适于少数厂家参与的生产领域，一般呈垄断竞争状态，相应地应以指导性价格为主；至于那些只适于独家经营的自然垄断行业，即在该行业中由一个企业经营是最经济合理的，例如供电供水、邮电通讯等公用设施部门，则只能形成国家垄断价格，否则就会因多家重复投资造成社会资源浪费。可见，在形成系统而合理的市场均衡价格体系时，一味追求完全竞争的自由价格形式是不现实也不科学的，在垄断竞争的生产领域和自然垄断性极高的公共服务部门，有必要形成大企业领价制和国家垄断定价制，以便适应多样化的市场竞争状态。

第四，要采取国家组织市场的基本途径，尽量减少欠发达状态下市场发育进程中的不利因素。我国已不可能重走资本主义发达国家自由放任的市场发育老路，特别是鉴于欠发达状况造成的环境约束以及国家组织经济的现实基础，国家更有必要为市场发育扫清体制性和非体制性障碍。在不损害市场机制的前提下，国家应充分运用经济调节手段和必要的非市场手段去促进市场的发育，并补充调节市场所不能调节的领域。当前，我国市场基础薄弱，供求关系紧张，市场秩序和规则比较混乱，规范化管理和宏观间接调控的手段和微观基础尚不完备，企图靠企业"撞击反射式"地创立市场而不是由国家积极组织市场，或是简单地放开市场而缺乏有效干预，则有可能延缓市场发育进程。采取国家组织市场的基本途径，切忌把政府行为混同于市场行为，应当以促进市场关系而不是取代市场关系作为明确目标，并且应在市场运转走上正轨后及时减少干预，转变干预方式。

第五，市场总态势的转换应以供求平衡为目标，在由短缺态势向供求平衡总态势的转换过程中，需要经过一个较长的存在配额的市场均衡阶段。市场的微观自平衡机制要在宏观供求基本平衡的环境下才能正常生效，因此遏制过于膨胀的总需求、缓解通货膨胀压力，对于维护消费者主权、激励卖方竞争是必要的和有益的。但是，针对我国有效供给不足的结构性矛盾，更不应忽视结构性的刺激供给政策，提高供给效率更有助于根本解决抑制总需求所不能解决的结构性矛盾。在结构性短缺的长期约束下，不宜笼统追求供大于求的"买方市场"总态势，因为，若供大于求的差额过大，将表明社会劳动存在浪费，结构性供给不足将被总量过剩所掩盖，资源配置成本还是过高；若供大于求的差额并不显著，表明可以有较充分的资源用于结构性调整，不致引起社会劳动大量浪费，此时其实又近似于供求平衡状态。也就是说，"供略大于求"的买方市场和供求平衡的均衡市场总态势没有实质区别。鉴于我国结构性供求矛盾突出，加之生产资料的生产周期长，尤其是有些受自然条件影响大的产品对价格变化的供给弹性较小，在经济运行中往往不能单靠价格自由变动来平衡供求，因而不得不经历一定时间的"配额均衡阶段"，即偏重于宏观经济政策之类的数量调节手段而不是靠单纯理顺价格，来对供求状况作出宏观调整，从而为长期发挥价格机制的微观平衡功能创造有利的宏观条件。

第六，在市场体系的建设时序上，宜采取由商品市场而要素市场、由区域市场而统一市场的总体步骤。就全国范围而言，由商品市场向要素市场深化，符合市场体系发育的一般规律，但是就某些较落后的经济特区而言，则不必等到商品市场发育成熟后再去培育各类生产要素市场，否则就难以适应对外开放和吸引国外投资的迫切需要。市场体系在内在逻辑上无疑是全国统一的和开放的，但是整体开放时序和各类市场的开放程度只能依据各地实际情况循序渐进，由某些区域性的发展极逐渐向全国扩散。先行开放区域市场并不意味着必然割裂统一市场，但是区域市场的分化与重组有可能加大生产力调整成本，这一副作用值得引起警惕，如果能采取适当的区域性产业政策或资源合理付费制度，诸如此类的措施有可能打破地区封锁，引导资源合理流动，促进地区间的等价交换。

三、国家对市场形成过程的组织与调节

我国经济发展的实践以及其他发展中国家的经验均表明，由于参加现代化进程较晚，因此需要政府对经济运行发挥强有力的组织和干预作用。在特定条件下，甚至不得不暂时代行市场机制，担负起配置资源的职责，并代行企业家的功能，积累资本，从事资产经营和长期投资。但是，政府行为在本质上并不构成市场机制的内在组成部分，使用市场机制也要支付交易成本和管理成本，因而把政府的作用过于理想化，以为

政府可以长期取代企业家和市场机制的功能，则将适得其反。最大的危害是削弱社会经济的自组织能力，扼杀市场机制，形成一个管理成本极高、社会代价极为严重的等级化官僚权力体系，进而导致资源配置低效、技术变化低效和动力刺激衰减。发展中国家纷纷采取"非国有化"、"市场自由化"、"裁剪政府功能"的改革措施，正表明这样一种趋势，即政府行为要从市场行为中分离出来，转向促进市场发育，到有宏观调节的市场体系中寻找有效配置资源的根本途径。事实证明，一个有效率的、能够弥补市场发育不良的缺陷、善于动员国内资源和取得政治支持、并能抓住外界有利条件和机会的政府，将是一国成功地进入现代化行列的首要关键。在确立起"国家调节市场，市场引导企业"的总体经济运行模式以后，如何沿着这一模式规定的方向组织和调节市场，看来决定着中国现代化进程的步伐。

（一）政府职能要实行合理分解和转换，由直接参与市场运行变为国家调节市场的基本调控主体

从根本上说，政府是市场运行的调控主体而不是直接参与主体，市场运行的参与主体只能是作为商品生产者的一切企业，严格意义上的市场等价交换关系仅仅存在于独立的商品生产者之间。在我国经济运行系统中，真正的市场经济系统或市场动力系统并不囊括一切，社会保障体系以及科学、文化、国防、教育和行政部门都不属于市场经济系统，不能通行市场利润原则，而属于公共服务系统或社会稳定系统。在市场经济系统中，存在着某些自然垄断性行业，即使需要实行国家统一经营，也要采取企业化的形式，政府无需过多干预其日常生产经营决策。对自然垄断行业以外的国有资产，政府更无必要直接插手，而应通过企业化的国有资产委托经营机构（投资公司或控股公司）负责资产的完整和增值。在市场经济系统中，存在着不同程度的市场调节，亦即由市场提供动力刺激和风险约束的程度依垄断程度差异而有别，例如自然垄断行业的市场调节弱些，而非自然垄断行业的市场调节就强些。在这两种场合，政府都不宜作为市场运行的直接参与者，尽管在自然垄断行业需要相对多的政府干预，但要提高运营效率也必须借助商品经济的经营管理方式。

诚然，国家可以通过强令、协商、委托等不同方式改变或影响大企业行为，从而左右市场，但这也不属于直接参与市场，而属于维护市场竞争的规范化和有序化。例如，当发现某些大企业的规模或产品的垄断程度妨碍了竞争，政府就有必要依法强令其分立为若干企业，或是通过与大企业协商形成适当的垄断竞争价格；又如，为了调整产业结构，国家作为资产所有者就有必要委托投资公司或控股公司买卖企业产权，实行企业兼并，迫使低效企业退出市场竞争，维护有限资源的充分利用。

国家调控市场的基本目标是达到宏观稳定和微观效率的协调。宏观稳定包括维护供求总量平衡、结构合理、全国市场统一以及必要的社会公平；微观效率包括维护等价交换关系、提高资源配置效率、企业运营效率和技术组合效率。政府要正确行使市场调控主体的职能，就要把微观效率问题交给市场去解决，使资源配置与国有资产运营远离政府的行政管理者利益，国有资产所有者的身份同资产经营者的身份相分离，改变行政管理者、资产所有者和资产经营者集于一身的现状。政府主要通过制定规划、依据国家立法颁布行政法规、制定宏观经济政策来促进市场的发育，以避免因掌握货币发行权而引起财政透支和通货膨胀，以及因所有者和调控者合一而引起的扰乱市场平等竞争等重大弊病。

严格说来，政府调节市场与国家调节市场有所区别。国家调节市场包含政府调节市场，并为政府调节市场提供立法依据。政府不享有立法权，必须依据全国人民代表大会制定的企业法、破产法、税法、反垄断法、劳动法、社会保障法等基本法规制定具体法规条例和经济政策。而且，政府的行政职能不应取代中央银行的货币发行职能以及国有资产管理部门的所有者职能，中央银行和国有资产管理部门应当独立于政府，平行地隶属于国家最高权力机关，互不干扰地履行各自的职责。国家调控市场包括三个调控主体：政府、中央银行和国有资产管理部门，政府只是其中之一。当然，政府调控市场的范围更大，内容也更具体，这是另外两个调控主体所无法替代的。

政府调节市场和国家调节市场还有密切的交叉，这主要反映在财政政策方面：政府调控市场的意图要由财政部的财政政策具体体现出来，但是财政预决算和财政政策目标要经由全国人民代表大会审议、监督，并受立法的约束。

在国家调控市场的格局下，中央银行、国有资产管理部门和政府三个调控主体在原则上形成这样的分工：中央银行运用货币发行权和货币政策调整货币供应量，主要维护市场的供求总量平衡。国有资产管理部门负责国有资产的完整和增值，通过国有资产委托经营机构实行竞争性的委托经营，参与市场运行，运用市场机制引导国有资产存量的结构性调整，并选择新增投资方向，带动全社会资源配置格局的优化。中央政府主要通过财政政策、税收政策、产业政策、社会政策等维护市场统一、区域协调和社会公平；通过制定行政法规、条例和细则，具体落实国家立法，保证市场的平等竞争和有序竞争；同时，直接管理公共服务部门，完善对自然垄断行业的经营方式，实现经济增长过程中的社会协调发展。

各级政府在组织市场方面应做到分工合理、职责明确。中央政府上述诸方面的调控职能具有全国性指导意义，特别要充分掌握维护市场统一的宏观调控权，以防地方政府行政控制权的扩大所导致的地区封锁倾向。地方政府则应由投资决策主体和物资分配主体转变为区域市场的组织调节者，在中央政府的全国性宏观经济政策和规划的指导下，通过制定区域性产业政策、就业政策、收入再分配政策以及市场法规等等，调节区域市场的供求总量和供求结构，并通过提供良好的区域基础设施和社会公共服务，促进区域市场的发育，为全国市场的开通奠定必要的基础。

（二）国家要为市场运行制定统一的运行规则，健全维护公平竞争和有秩序竞争的制度规范

我国市场发育程度低，缺乏完善的市场运行规则和有关制度规范；而且，市场本身也存在着缺陷，诸如不能自动排除垄断对竞争的妨害，价格波动和供求变化引导资源重组要经过较长的渐次逼近过程，市场主体屈从于供求短期波动而产生行动盲目性，导致危害社会利益的外部经济负效果（如污染、公害问题），等等。随着市场力量的加强，这些缺陷将日益暴露出来。因此，无论是从近期迫切需要还是从长远发展趋势来看，都有必要由国家提供法律化、制度化的市场运行规则，完善市场运行的制度环境，与市场形成能量和信息的交换，提高市场的自组织能力和有序化程度。

1. 确立统一的市场运行规则。市场运行规则的统一性，一是指商品市场和要素市场的运行规则要统一。产品价格和要素价格无一例外地要在市场上形成，各类市场主体无论属于何种经济成分，无一例外地要遵循公平竞争和有序竞争的制度规范，不应针对不同所有制形式实行税收歧视和价格歧视。二是指区域市场和全国市场的运行规则要统一。区域市场的组织要适应全国市场的要素流动和商品流通需要，不允许以边界封锁或关税壁垒来组建区域市场，国家立法应当明确规定中央政府在打破地区割据方面拥有的具体权力和责任。

2. 确立公平竞争的制度规范。不同经济成分的市场主体均有权进入各个开放的竞争性市场，应当在市场上平等地获取经营资源、出售产品和劳务，平等地向国家纳税，平等地经受市场竞争的选择。为了维护公平竞争，要努力消除由地区封锁、条块分割、行政维护和资源无价造成的非经济垄断，诸如发展专业化分工协作，鼓励企业兼并和横向经济联合；运用税收手段消除由生产条件和资源占用等非经营性因素造成的"苦乐不均"；结束生产资料价格双轨制，让一切企业平等地按市价购买生产资料，等等。随着市场关系的加强，创办企业不再是政府的事情，由生产集中、产品差别等经济原因自然形成的垄断将成为公平竞争的主要障碍，法律形式的反垄断规则和禁止不正当竞争的制度规范就尤为必要了。

3. 确立有序竞争的制度规范。市场主体从进入市场、展开竞争到退出市场，都要遵循一定的秩序，不能是任意的和不负责任的，否则将损害公平竞争和社会利益。

有序竞争的首要前提是企业财产关系的明确化，包括产权归属、产权转让和财产清理三个环节责权利的统一。任何企业都必须有独立的财产担保，无论采取自然人财产所有制还是法人财产所有制形式，企业都要依据财产所有权承担风险，获取资产收益，独立履行民事主体的义务和权利。享有独立的法人所有权的国有企业，还必须保证国有资产终极所有权在经济上的实现。在此前提下，经营不善、濒于破产或不符合产业政策而必须萎缩的企业，其产权需通过有偿转让由其他高效企业收购，既可以永久性购买实物资产的所有权，也可以定期购买实物资产的使用权，产权转让双方的责权利应由法律固定下来。当企业达到破产倒闭的法定界限时，就要依法清偿债务，清偿债务的责任、方式、期限以及职工安置等均要符合法律规定，以保证债权人的权利和职工的基本生活安全。产权归属规则、产权转让规则和财产清理规则的健全，将保证产权的独立性、不可侵犯性以及风险和收益的对称性，因而构成有序竞争的财产关系基础。

在企业进入竞争的环节应当确立"进入规则"。创办新企业、经营方向转入新领域，都属于进入竞争，或进入市场。"进入规则"主要包括资格审定制度、许可证制度以及企业商誉维护制度等。审批企业进入市场的资格时，不仅要求企业具备财产担保，而且要以市场供求状况和产业规划的要求为依据，以便尽可能减少外部经济负效果，照顾到超出市场利润评价范围的社会利益。对于耗费稀缺资源、关系人民生命安全、技术水平和产品质量要求高的生产领域，要有相应的许可证制度。对于影响企业商誉的生产经营活动，则要健全商誉维护制度。流通领域与生产领域的情况大致相同，特殊之处在于还需要健全更适应流通活动的商法体系。

企业进入市场后的竞争展开过程，同样需要秩序。一是通过经济立法和经济司法保证合同的签订和履行，企业之间要以具有法律效力的合同建立稳定的产供销联系，国家与企业之间要以合同预购方式取代行政性命令，指导企业之间的协作关系。二是针对不同企业采取分类指导办法，对大企业可以建立国家与企业的协商制度，指导大企业的经营方向；对中小企业则需加强信息服务，通过提供完善的价格信息、计划信息和政策法规信息，以减少中小企业因市场信息不灵、缺乏市场知识而导致的竞争盲目性。三是加强审计和物价监督，并依据有关法规对破坏市场秩序的违法行为予以严格制裁。

企业退出市场也要有条不紊地进行。在这里适用产权转让规则和财产清理规则，有关部门应依法改组失去法人资格的企业或宣布其破产，避免出现不负责任的自行倒闭和逃避债务。

（三）国家应针对各类市场的不同特点和不同发育程度，实施程度有别、有所侧重的组织与调节

在整个市场体系中，产品市场的交换对象是实物，价格变动和供求关系相对容易掌握，市场发育程度相对高一些，国家的干预就可以少一些。而金融市场、房地产市场和劳动力市场等要素市场则不同，一来这几个市场发育程度低；二来这几个市场的波动对经济波动影响更大，例如金融投机、土地投机以及失业分别是这几个市场发育过程中的必然伴生现象，比起产品市场的供求变化来，这些因素会更严重地干扰经济稳定。可见在客观上需要国家对要素市场施加较多的干预，此外，要素市场对宏观间接调控手段和能力的要求也更高，在间接控制手段不完备、作用基础不合理的情况下，国家不宜轻率放弃直接控制手段。

国家对要素市场的培育，可以从单项要素配置和整体要素重组两个方面来实行分类组织。在培育单项要素配置市场方面，重点是组织好生产资料市场、金融市场、劳动力市场和房地产市场。对生产资料市场的组织与调节，关键是要找到替代物资统配职能的市场组织机构和交易方式，扩大流通能力和市场容量，促进"多价归一"。对金融市场的组织与调节，重点在于扩充社会对资产的选择形式，发挥金融机制引导资源流动的枢纽作用，并通过国家控制的银行系统保证产业政策的实现。对劳动力市场的组织与调节，主要应通过市场化的工资制度、收入分配政策和社会保障制度促进就业竞争，协调利益矛盾，避免工资、物价的轮

番上涨。对房地产市场的组织与调节，重点应放在完善土地有偿使用制度上，以提高土地使用效率。

在培育要素整体流动的市场关系方面，对企业产权交易市场的组织与调节将是一个崭新的课题。这里的主要问题是依据产业政策，按照产权归属、产权转让和财产清理的制度规范，正确规定产权交易主体的资格，正确评估交易对象的资产价值，在避免国有资产价值流失的前提下，形成优化资源配置格局的企业兼并机制。总的来说，国家对上述几个要素市场的干预程度要强一些，一方面扩大资源流动性，提高企业效率，另一方面避免资源流动的无政府状态，保证宏观经济稳定。

（四）国家运用计划手段、税收手段和信贷手段指导价格运动，在市场均衡价格的基础上实现经济社会发展目标

国家作为国有资产所有者和宏观经济调控者，为了实现产业结构、地区经济结构合理化之类的经济社会协调发展目标，就要运用计划、税收和信贷等手段指导价格运动，调节市场供求状况。就计划指导价格而言，当市场均衡价格不利于实现经济社会发展目标时，需要以偏高或偏低的计划指导价格来加以引导，特别是需要针对国有经济的产品和劳务的不同性质，实行不同形式的价格参与制；当市场均衡价格可以实现这类目标时，就不必继续执行计划指导价格。制定计划价格对市场供求的影响比较直接，但是调整成本也较高，一是有多少种竞争价格就有多少条计划价格的基准线，工作量较大；二是调价的连锁反应引起的资源配置变动具有不确定性，可能背离调价初衷；三是收购高价产品和补贴低价产品将加重财政负担。这就需要交替使用税收手段和信贷手段。

运用税收、信贷手段调节市场供求虽然作用比较间接，但是调整成本较低，对于形成均衡价格、刺激微观效率、稳定宏观经济，具有更为综合的作用。例如通过征收资源税、土地税、固定资产税等，可以消除企业生产的客观条件差异，但使企业节约稀缺资源，缓解资源供给压力，因竞争条件不同而形成的垄断价格也将变成平等条件下的竞争性均衡价格。用征收工资税取代行政性规定，有助于控制工资上涨，降低企业活劳动成本。通过调整中央银行利率和货币供应量，可以平抑资金供求波动，形成市场均衡利率，使企业以最低利息成本筹措到资金。根据区域发展规划和产业发展规划，针对需要扶植的产业或需要抑制的产业，采取有选择的税收政策或宽严有别的信贷政策，促使前一类产业扩张，后一类产业萎缩，直接或间接地调节不同地区、不同产业的投入结构和产出结构。这样做，往往比调整产品价格更能有效地调节市场供求结构，更有利于经济社会协调发展目标的实现。

（五）要有适当的制度规范来保证市场调控主体信守市场运行规则，以防各调控主体任意干预市场

中央银行、国有资产管理部门和政府三个调控主体负责设定市场运行规则，但又可能不受市场规则约束，对破坏市场规则的任意干预行为不负责任。尤其是政府，其制定市场规则的权力大、范围广，一旦违反市场规则，危害更强烈。为此，除了需要由国家立法确认各调控主体的权力范围外，还有必要明确规定破坏市场规则后应负的责任，尽可能减少权力的滥用、对市场规则的践踏行为以及不负责任的间歇性干预，促使调控主体正确地行使组织市场的权力和职责。

（原载《经济研究参考资料》1988 年 10 月 26 日）

4.4　当前中国市场发育的问题和启示

　　改革 10 年来，我国围绕着建立以市场导向为目标的新经济体制作了许多具有突破性的理论探索和改革尝试。从率先提出建立社会主义市场体系的理论主张到把企业制度改革、培育市场、宏观调控方式转轨明确为紧密结合的三大改革任务，直至确立"国家调控市场、市场引导企业"的总体模式，可以说，在理论上肯定市场的地位和作用方面，以及在目标模式的选择中对市场的重视程度方面，中国走在社会主义国家经济体制改革的前列。然而，中国市场发育的艰难也是超乎寻常的。

　　要坚定不移地沿着已经确立的目标模式推进中国的市场发育，我们有必要从两个角度审视市场健康发育所面临的问题和难点：一是从市场交换关系的界定与商品经济新秩序的确立相协调的角度出发，二是从改革方案与目标模式相衔接的角度来分析问题。这样看来，当前我国市场发育是怎样的状况呢？这种状况对我们在改革中推进市场发育又提出了什么任务呢？

一、市场内部化和市场关系泛滥：市场关系的双重扭曲倾向提出明确界定市场边界的紧迫性

　　1. 市场发育进程中出现的市场内部化倾向主要是指公开交易变成暗中交易或灰色交易，平等竞争的等价交换关系变成伦理关系和人际关系调节，企业同外部要素市场的交换关系变成企业内部囤积或消化某种生产要素。近几年，大量紧俏商品（主要是紧俏生产资料和耐用工业消费品）通过非公开的灰色渠道（与明显违法的黑市交易有区别）进行交换，这里或通行无需对商品加价的批条子、走后门一类的互惠型人情交易，或通行有加价的返利、回扣、佣金一类的实惠型货币交易。[1]　这一方面造

---

　　[1]　参阅樊纲：《灰市场理论》，《经济研究》1988 年第 8 期。

成市价混乱，推动物价上涨，另一方面又加剧了公开市场上的商品紧缺。生产厂家开出的返利加价早已超出按正常市价所能获得的利润，自然也就不愿走明码调价之路，以免去冒竞争风险，这又进一步降低了企业提高效率的压力。商品市场的另一种内部化倾向表现为市场分割，即耐用工业消费品和某些农副产品通过非公开市场大量流入国家机关、事业单位和国营大企业，以低价卖给或是免费送给本单位职工作为福利。在整个非均衡市场态势下内部市场越是蔓延，公开市场就越是萎缩，供给越是乏力，也越容易引发公开市场上的抢购风潮。商品市场上的灰色交易和市场分割不断膨胀的势头对商品经济新秩序的损害是显而易见的。

还有一种市场内部化倾向尽管与此性质完全不同，但仍有深入分析的必要，它属于改革中出现的过渡现象，是外部市场不健全条件下的次优选择，这就是优化劳动组合中采取的"厂内待业"制度。由于目前社会保障制度和劳动力市场尚不健全，企业只好把"隐性失业"变为厂内公开失业。应该承认，这种做法具有市场化改革的性质，若引导得好，有可能发展为适应我国国情的双重劳动力市场格局，即大企业内部存在竞争性就业的内部劳动力市场（失业者不推向社会，有条件的企业还可实行终身雇佣制），同时在大企业外部存在中小企业之间劳动力充分流动的外部劳动力市场。这种劳动力市场格局必须以企业真正成为独立法人为前提。但是在目前情况下"厂内待业"制度可能产生以下 3 个问题：一是增加管理成本和交易成本。如果仅仅注意把市场竞争机制引入企业内部以优化劳动组合，却忽略市场体系建设，企业便无从比较内部管理成本和市场交易费用孰高孰低，不能适时调整生产规模和组织形式；此外，社会行政管理费用既没有降低，市场交易成本反而又加大了。二是同外部劳动力市场的发育相矛盾。"企业办社会"的局面不改变，将延迟社会化的失业保障体系的建立，从而将使外部劳动力市场难以发育。三是同企业制度创新发生矛盾。现行优化劳动组合是与承包经营制相配套的，优化组合的时间视野受承包期的局限。如果企业制度迈出更大的改革步伐，例如实行股份制，势必作出新的劳动力配置决策，既定的优化组合就要随之变动，多余人员也应由社会吸纳，但是这又会碰到既定格局和社会保障制度不适应的阻力。

2. 市场关系泛滥是指在那些本不应通行市场等价交换原则或市场利润评价原则的领域却不适当地引入了市场竞争机制。在任何一个商品经济社会里，都有一些领域不能通行市场等价交换关系和市场利润原则，而是由社会伦理准则来规范其运行秩序。一个社会的长期稳定发展既需要由市场动力系统来解决其经济运行效率问题，又需要由社会稳定系统来实现社会公平和社会安定等目标。混淆这两大系统的职能，就会出现商品经济秩序的更大混乱。

市场关系泛滥的主要表现是在政府机关和教育、科研、社会保障部门，不加区别地提倡企业化经营和引入市场竞争机制，促使这些部门卷入经商活动。近年来还有一种倾向，即总是想通过赋予某项落后事业以生产性而取消其本应有的福利性，以企业化经营来提高该项事业的地位，改变其落后面貌，这是不切实际的。现代经济学和社会学的研究早就证明，即使是高度发达的市场经济也不可能由市场调节覆盖所有经济社会部门，相反，适于通行市场利润评价原则（营利性）的部门只限于那些产品和劳务具有非自然垄断性质的经济领域，在这些领域中企业才能按利润最大化原则去平等竞争，接受市场诸种规律的支配和调节。而那些产品和劳务具有自然垄断性质的经济部门，例如交通、通讯、电力等为社会提供公共物质产品和劳务的、只有独家经营才能获得最大社会经济效益的公共生产服务领域或公共产业，则一般并不通行营利原则，这类部门投资额大，具有很强的外部经济影响，企业出于个别利益考虑不愿经营，需要由政府实行公营以满足社会需要，尽管可以采取股份化、民营化的方式改善经营，但依然具有非营利的性质。在这两类经济部门之外的社会服务部门，即由国防、文教、科研、社会保障等构成的领域，只能靠国家财政维持其生存和发展，绝不应通行市场等价交换原则，它们是纯消费部门，其服务成效根本无法由市场评价，让这些部门去创收或实行企业化经营，只能说明市场边界的严重混乱。

看来，明确界定市场的边界是十分必要的。在应当由市场调节的领域，必须坚定不移地推进市场导向的改革，在制度上堵塞灰色交易的种种渠道，消除市场分割的隐患，确立公开交易、公平竞争、自由选择、等价交换的市场经济秩序和交易规则，维护市场价格信号的统一性，保证市场规则的严肃性。而在不应由市场调节的领域，须建立相应的非市场的评价准则。

二、市场缺乏稳定的深层构造，需要在制度创新方面作出长期性建设

市场化改革并不是在旧体制框架内作一些政策变动，也不是对行政协调方式作一些改良，而是为市场机制提供深层的制度保障。要奠定中国市场发育的深层制度构造，不仅在于形式上组建了多少个市场，而在于有没有事实上的等价变换关系；不仅在于计划范围缩小了多少，而在于有没有真能取代计划来协调经济的市场流通组织；也不仅在于价格是否完全放开，而在于旧的行政协调体制是否得到根本改造。具体说来，有如下几个问题值得深入讨论：

1. 价格双轨制与商品市场的深化

价格双轨制对于企业学习在市场中组织产供销，对于物资部门转向组织生产资料市场，对于减少价格一次放开造成的市场振荡，促进商品市场逐渐形成，确实起到了一定的积极作用。但是，它固有的缺陷是使市场信号不统一，引起竞争秩序的混乱，未能促进价格形成机制的根本转换，尤其是在整个市场体系未形成、相应的市场交易法规不健全、行政协调方式还占举足轻重的地位的条件下，价格双轨制对市场发育的消极影响也日益突出。不可否认，价格双轨制在当前为商品市场上的转手渔利、哄抬物价乃至以权经商、索贿受贿等腐败现象提供了可乘之机。双轨差价使流通领域的利润如此之高，严重挫伤了生产领域的积累积极性，而流通领域的一时繁荣并不表明经济市场化的深层结构已经奠定，恰恰相反，生产领域积累的受损迟早会使这种表面繁荣崩溃。

结束价格双轨制恐怕还是要走调、放、控相结合的路子。由于存在着巨大的通货膨胀压力，一步到位式的放开价格将加剧成本推动型的物价上涨；单纯的调价则无助于形成新的市场定价机制。靠期货市场来结

束价格双轨制亦有很大难度，因为期货交易不是实物而是票据（订货合同或供货合同），它要以商业交易票据化和金融环境的相当发达以及现货市场价格的自由波动为前提，而且只适用于批量大、品种单一的某些产品，不能覆盖花样繁多的工业生产资料。借用粮油及某些副食品的"户口制"和"票证制"来界定工业生产资料交易的计划轨和市场轨，促进多价归一，问题也比较严重，最要害的是它属于对付严重短缺的行政手段，没有导向市场定价的内在倾向；再者，这种办法只适合于供给弹性和需求弹性都较小的基本生活必需品，对于工业制成品则很难适用。

调、放、控的对象一定要以产品分类，而不应以企业分类，这样才能促进企业平等竞争，否则将陷入新的混乱。一般说来，"调"的商品应集中于供给弹性和需求弹性都较小的产品，"放"的商品则可以集中于实行双轨制后已渐趋供求平衡的产品，而"控"的商品主要是指垄断性较强的尤其是自然垄断性商品。

在促进价格双轨制尽快结束的过程中有必要把握以下3个要点：一是要有利于生产企业以最低的交易费用购买和销售，而不要一边控死生产企业的定价权，一边放任流通企业的定价权。二是发展批量交易环节的市场定价制度，发挥批发贸易对零售价格的引导和滤波作用。三是要采取一些维护和促进公开交易的得力措施，加强市场交易的公开化和法制化。

2. 减少中央计划控制，促进全国统一市场的形成

中国传统的集中计划体制从来也未达到过像苏联那样的集中程度，这似乎对放松指令性计划管制、促进市场交换关系的发育是一个相对有利的起点。然而事实并非如此。尽管改革10年以来国家统配物资的范围已大大缩小，但是企业通过市场组织产供销依然困难重重，全国统一市场也并没有因为中央计划范围的缩小而顺利发育。

中央计划对全国统一市场中商品流通的宏观调控能力正受到来自两方面的威胁：一是某些中央级政府部门通过行政性公司掌握了占有和分配短缺物资的渠道；二是地方政府及其行政管理部门承接或截留了本应放给企业的自主权，地方政府取代了原本由中央计划部门充当的投资主体和物资分配主体角色。即使在美国这样的市场经济发达国家，各州享有很大的独

立性，但是联邦政府仍然通过立法严格禁止各州阻碍商品的全国性流通，而且依靠强大的国税体系保证全国市场的统一性。我国的商品市场是在原先以行政区划为基础的地方市场起点上逐渐向全国统一市场发育的，随着跨地区横向经济联合的展开，经济区规模的商品市场乃至要素市场已初步形成，如果在此基础上加以正确引导，区域市场可以成为全国统一市场的先导和基石。区域市场的主要特点是按商品的经济合理流向和比较优势实行市场的地域分工，绝不是在几个省区之间复制地方市场的旧体系。但是，我国在削减中央计划对投资的收益权、决策权和物资的获取权、分配权的同时，却没有建立起足以保证中央政府维护统一市场的相应能力和权威。在普遍推行地方财政包干的格局下，地方政府在讨价还价后的包干体制内往往牺牲全国利益追求地方利益，加剧地方自给自足倾向。

减少计划统治的本意是想让企业逐渐增加产品自销权和自主定价权，从而形成自由交换的市场关系，但由于种种非计划的行政权力作祟，由于地方政府把持了较多投资收益权、决策权以及物资获取权、分配权，企业实际上真能自销的产品只占很小比重，中央制定的计划价格也因地方层层加价而失去严肃性。如果中央政府控制的计划价格真能通过地方加价逐渐逼近市场价，倒也不失为取消价格双轨制的某种契机，可惜此类加价带来的收益并没有更多地集中于生产企业和中央政府。特别是原材料计划价的复杂化势必逼迫企业同主管部门就原定承包基数再度讨价还价，成为企业降低消化能力的口实，中央政府将无法借助统一的原材料计划价刺激短线产品的供给增加，由此导致统一调控全国市场的能力更趋衰弱。为了有利于调控全国市场，与其听任地方政府层层加价引起的计划价对市场价的追逐，还不如干脆维护明明白白的中央计划价和市场价并存的格局。似可明确规定，凡是中央制定的计划价，其调整权只能归中央，调价幅度大小、时机和步骤均由中央决定，调价后的收益也应主要上缴中央财政，对于需要扶植的产业和企业则以贷款优惠的方式予以资助。

单纯减少指令性计划而不建立可替代其职能的相应制度、组织和法规，不仅不能真正形成市场机制，反而削弱了中央政府对全国统一市场的宏观调控能力和权威。在低收入国家向中等收入以上国家进化的过程中，中央政府特别需要对全国性基础设施、公共产业、大规模科技开发及高技术产业实施集中投资，动员和调度全国资源集中于能够支持经济持续稳定增长的部门，并重视培养能够运用市场机制的企业家阶层，这都需要制定行之有效的计划。市场是制定计划的基础，检验和修正计划的依据，实现计划的归宿，而计划的职能无非是预测市场的前景，规划市场发展的方向，弥补市场的缺陷，完善市场运行的总体环境，计划手段也不过是国家对经济实施宏观管理的一种手段而已。一些发展中国家的成功经验表明，鉴于市场机制相当落后，结构调整的任务相当繁重，政府在特定阶段不得不代行企业家和市场配置资源的职能，但其宗旨始终是为了促进市场发育，因而，国家计划以政策性计划为主，以便与市场相衔接。随着市场逐渐成熟，政府直接管理的职能也应适时削减。

　　未来中国市场的发育前景，看来取决于稳步建立一套能够保证中央政府统一调节全国市场的新制度，以及培育一批能够奠定市场规范化运行基础的大型正规化市场流通组织。就第一方面的任务而言，国家计划应由实物型计划转向价值型计划和政策型计划（以产业政策为核心），指令性计划转变为国家订货制度，建立国家计划部门、行业协会以及大企业之间的直接协商制度，以便贯彻宏观战略意图。地方财政包干也应不失时机地引向分税制，同时建立能够确保中央财政收入的国税收缴队伍。就第二方面的任务而言，应当着力培育金融资本、产业资本、商业资本之间两两融合以及三者相互融合的新机制，形成一批资信好、能够以正当竞争打破地方割据的联合企业集团，抵消或冲破地方狭隘利益的层层封锁和干扰；同时在全国各主要交通枢纽和商品集散地设立现代化的商品和证券交易机构，以其公开、严明、正规的场内交易秩序和遍及全国的流通辐射力沟通全国市场，奠定全国统一市场的运行新机制和流通新秩序。

　　3. 市场体系的表面组织形式和实质性的等价交换关系

　　经过 10 年来的努力，我国已陆续在各城市开办了生产资料市场、劳务市场、资金市场、技术市场、房地产市场等单项生产要素市场，生产要素整体流动的企业产权交易市场也已在一些试点城市兴办，这标志着我国市场体系的建设已由商品市场向要素市场深化。尽管各类市场的

261

GAIGE SHIDAI DE JINGJIXUE SIKAO

发育程度存在很大差异，但至少可以说市场体系在表面组织形式上已初具规模。这一层次上的努力无疑是十分必要的，而且成效也是比较明显的。然而市场组织形式或交换场所要想得以扩大交换容量，引导企业的商品生产经营，调节商品和生产要素的流通方向、流通速度、流通规模，更需要有稳定的深层构造和持续的动力。这就取决于参与市场交换的各个主体之间必须存在以平等的契约为基础的等价交换关系。如果忽视市场深层构造的奠基和市场持续运行动力的启动，那么，无论开放了多少个市场交换场所，都不能说我国的社会主义市场体系已真正形成。

从发展市场等价交换的实质内容这一角度来看，至少有以下3方面的问题需要解决：

一是要素价格形成机制的转换问题。像商品价格一样，劳动、资金、土地、技术等要素的价格也都应当反映资源的稀缺性，由市场供求关系来决定。目前这些要素价格基本上仍是行政部门控制的行政信号而不是市场信号，离供求关系形成的均衡要素价格有很大偏差，干扰了相应的要素市场的正常功能。在劳动力资源的市场配置方面，就业竞争通过公开招工、优化劳动组合等途径已经开始调节劳动力进入企业以及进入企业后的重新组合，但由于尚未形成市场工资制，还不能彻底打破平均主义，也未能促进就业竞争在招工、调整、辞退（解雇）诸环节全面展开。在金融市场上，利率的僵化（至多是行政性的小幅度提高或降低）无力引导资金流向最稀缺的领域，特别是对于近年来某些地方出现的落后的带有封建色彩的大规模民间融资活动，以及今年全国各城市的居民抢购、挤兑风潮，现行的利率体系和国营金融体系表现得束手无策。短期资金市场上的资金拆来不拆去，拆进不拆出，长期资金市场上的股票存款化、债券化倾向，也从一个侧面反映了资金价格形成机制远离市场机制，无法挖掘我国内部积累的源泉。而事情的另一面却是高达数千亿元的年末社会结余购买力不是持币待购，就是以被迫储蓄形式滞留在生产领域之外。尽管自1984年以来全社会已发生各种债券股票达900亿元，但是社会资产选择形式的多种渠道仍囿于僵化的利率机制而远未拓宽。房地产的长期低价甚至无偿使用一方面造成土地严重浪费，另一方面使土地投机者大肆侵吞国家土地收益。

二是国有资产的产权关系明晰化问题。这里的产权关系不仅指财产所有权，而是包括财产的占用、经营、处分诸环节。首先，财产所有权的归属问题应当根据实现改革目标的需要加以明确，然后全部产权的转让和清偿才有规矩可循。这个问题对于房地产市场和企业产权交易市场的建设尤为重要。目前在房地产交易中，许多名为国有或集体所有的房地产，实际上不仅经营收益没有按适当比例上缴国家和集体，连所有权收益也流失得相当严重，经营者（单位或个人）往往缺乏国有房地产必须得到应有经济收益的法律常识。在企业产权交易市场方面，承包招标市场、企业租赁市场属于经营权交易市场，应当说所有权的归属不成问题，但事实上，由于企业财产的所有权代表由主管部门充当，企业通过承包招标实行企业兼并或法人承包的积极性并不高，这不能不导致某些城市的企业承包招标市场相当冷清。至于新近比较活跃的企业买卖市场，同样是在国有资产经营体系尚未理顺的情况下发展起来的，收购劣势企业的优势企业同行政主管部门的从属关系并未割断，对于被兼并的企业仍无法按照外部劳动力市场和资本市场的约束进行要素调整，而是背上新的包袱（例如有的被兼并企业除了带去一批原有职工以外几乎一无所长）。

三是企业对行政协调体制的变相依赖问题。在整个市场机制不健全的情况下采取一些非市场的或非规范的调节手段可能势所难免，问题是如果不尽早为建立规范化的市场制度部署改革措施，此类手段就可能越来越多，企业也不能改变对行政系统的依赖性。

当前，改变企业对行政协调体制的变相依赖状态，关键之一是培育一批市场自协调组织，切断企业对各种行政靠山的依附关系。政府要真正授权使行业协会变成市场自协调组织的中坚力量。对行政性公司干脆取消一切行政权力和待遇，促其变成独立的经济法人，与其他企业结成平起平坐的法人关系。关键之二是对不论什么性质的企业制定一视同仁的公平税率，并制定一套规范市场体系运行的商业法规，保证使企业无行政上级，无行政级别，无行政官员，无行政歧视和行政优惠。

（原载《经济研究》1988 年第 12 期）

4.5 中国商品市场发育：矛盾·目标·对策*

一、中国商品市场发育的深层矛盾分析

（一）商品的全国性流通经常受到地方保护主义和部门保护主义的困扰。地区性和行业性的市场分割一直是阻碍全国统一市场形成的重大制约因素，一些农产品、日用工业品和生产资料的跨地区、跨行业的自然流程屡遭割裂。在宏观经济紧缩时期和生产出现较大波动时期，这一问题尤为突出。

造成市场分割的主要原因，一是"条块分割"的传统流通体制尚未根本改观，有些部门从保护自身利益出发，以行政干预代替市场发展的客观规律，不是想方设法打破行业垄断，促进竞争，而是试图建立自成体系的市场网络。这些部门人为地限定以本部门的经营者为市场主体，使其他经营者无法公平竞争。结果，本应开放的市场蜕变成封闭的行业垄断体系。二是地方财政包干体制使"条块分割"复杂化。地方财政包干体制在调动地方积极性的同时，也强化了地方政府为本地利益而封锁市场、排斥竞争的内在动机。一些地方政府为保证本地财政收入的增加而对本地企业给予种种保护，对外地产品的流入采取种种限制。在这种情况下，中央政府禁止地方保护主义的三令五申往往难以收到预期效果。

（二）国有企业自主权远未落实，"政企不分"依然妨碍企业成为独立的市场主体。国有生产企业所应享有的自主权只在极少数企业得到全面或基本落实，全国绝大多数企业的自主权只落实了一部分，还有的

* 本文是中美合作课题《中国商品市场发育与完善》总报告的第三、四、五部分，课题负责人张卓元，课题组长贾履让，执笔人卢中原。

4 项自主权（投资决策权、进出口权、劳动用工权和拒绝摊派权）基本未落实。国有商业、物资企业的情况也大体相同，但"政企不分"在这些企业表现得更为明显。它们缺乏商品经营者的独立地位，既要完成利润承包指标，又要承担政府调控市场的部分职能。一些省级供销公司兼有行业管理职能，不可避免地形成行业垄断地位，对平等竞争产生消极影响。

市场紧张时，国有企业要执行国家政策，稳定市场、保证供应，发挥流通"主渠道"作用。实际上，面对各种非国有企业的灵活经营，国有企业掌握不住货源和市场主动权。市场疲软时，国有企业又要充当"蓄水池"，即根据政府指令把工业积压的产成品大量收购进来。有些地方政府甚至要求当地商业部门收购当地工业库存的 70%，这种"积压转库"不但未能疏通商品流通，反而致使商业经营费用急剧上升。要求国有分销企业充当"主渠道"和"蓄水池"，混淆了企业和政府的不同职能，反映出传统计划经济的旧观念尚未抛弃。由于政府不是积极地鼓励企业面向国内外市场全面疏通贸易，而是用行政手段限制生产和分销企业的自主经营，国有生产企业不能完全按流通领域提供的订单组织生产，商业、物资企业不能根据市场供求变动组织供销，不能与非国有企业平等竞争，因而，在市场旺销时国有企业对掩盖的问题无法及时发现或作出防范，而市场呆滞时微观的问题必然演化成宏观的困境。

1989 年以来商业企业的经济效益指标大幅度下降，全部流动资金周转速度放慢，利润持续下降甚至出现亏损。一个重要原因就是在市场销售不畅的情况下，商业企业又要被迫收购工业库存，从而导致整个国营及合作社商业的经济效益急剧恶化。

（三）价格形成机制的转换尚不彻底，价格结构尚不合理。一是中央政府放开的价格被一些地方政府控制起来，层层追加价格管理目录，企业的定价自主权未能真正扩大。二是有些商品定价权下放后，国家仍通过规定作价办法或各种差价率的途径控制价格。三是价格形式过多，引起企业经营困难和市场秩序混乱。国家固定价过于僵硬，不能及时反映市场供求变化，使一些重要商品的价格长期偏离市场结清水平，如能源、原材料价格过低，导致某些行业（煤炭、石油等）长期亏损并形成经济发展的瓶颈。国家指导价已不适应市场化改革的需要，其主要问题是对价格形成过程干预过多，如规定进销差率和限价等，实际上成了变相的国家固定价。部分生产资料价格双轨制的改革久拖不决加剧了市场信号的紊乱，从而使经济生活中的无秩序现象（如权力和金钱的交易）难以根绝。四是出口商品价格的形成与国际市场脱节。改革以前，中国进出口商品的国内定价原则是以国内同类商品的价格为基础。1983年中国开始实行进出口代理制的改革，以国际市场价格作为进出口商品的定价基础。到 1990 年，实行代理作价的进口商品占总进口额的比重由 1983 年的 30% 上升到 90%，而实行代理作价的出口商品占出口总额的比重仅从 5%（1983 年）上升到 10% 左右。这表明中国出口商品的价格形成机制基本上仍被封闭在国内市场。出口商品定价机制转换的缓慢归根结底反映了国内生产企业技术落后、竞争力弱，习惯于在国内卖方市场条件下经营，而不善于在国际市场上谋求发展。

简言之，价格领域的主要问题是该放的未放彻底；该调的未调到位；国内外价格联系弱；宏观调控手段亦不健全。

（四）国内市场与国际市场的联系依然薄弱。在传统体制下，中国国内市场与国际市场之间存在关税和非关税双重屏障，但主要屏障是后者，包括计划限制、许可证限制、经营范围限制、外汇限制、进口审查限制和价格限制。改革以来中国陆续采取了一些贸易自由化步骤，如全面取消出口补贴，降低 3000 多种商品的关税，减少进口许可证和一些商品的进口限制等等。但是，在与贸易相关的经济政策和管理体制方面仍有一些隔开国内外市场的屏障：（1）对经济特区、沿海开放区和内地分别实行了不同的优惠政策，缺乏全国统一的贸易政策；（2）对"三资"企业给予某些优惠政策的同时，又限制其进入某些领域（如允许外资进入零售商业而不准其进入批发商业），并要求"三资"企业产品以外销为主（如合同中规定其产品外销 70%，内销 30%），"三资"企业尚未享有"国民待遇"；（3）对国内企业实行歧视性政策，例如迟迟不还给企业进出口权，对不同所有制性质的企业实行不同的税收政策，使得国内企业尤其是国有企业无法同"三资"企业平等竞争。这些状况表明中国的对外开放尚处在初期阶段，缺乏统一的贸易政策、竞争政策，对国际惯例的了解和应用还相当不足；因而在国内商品市场发育较快的同时，与国际市场的接轨却相对迟缓。

国内外市场之间联系薄弱的另一个重要表现是国内价格与国际价格存在较大差距。据国家计委市场物价司对 16 种生产资料和农产品价格的跟踪比较，1992 年上半年，16 种产品的国内计划价格普遍低于国际市场价格，原油低 77.3%，木材低 66.6%，玉米低 59.2%，小麦低 32.4%，铜低 32.7%。而这 16 种产品的国内市场价格中，有一半产品高于国际市场价格，但高出幅度比 1991 年减小，如铜高 14.5%（1991 年为 21%），铅高 12.7%（1991 年为 26%），豆油高 69.9%（1991 年为 86.7%）；另一些产品的国内市场价格仍低于国际市场价格，木材低 46.5%，原油低 39%，玉米低 39.6%，小麦低 16.3%。16 种产品的综合平均价（国内计划价与市场价的简单平均价）普遍低于国际市场价格，原油低 56.2%，木材低 56.5%，玉米低 49.4%，大米低 39.2%，而 1991 年 16 种产品的综合平均价普遍高于国际市场价格。尽管国内价格改革的加快已经缩小了某些产品国内外市场价格之间的差距，但是总的说来国内价格与国际市场的联系仍然是不密切的。

中国国内市场与国际市场联系的薄弱状况并不仅仅是外贸管制的后果，其根源是缺乏一个面向国际市场、按国际惯例办事的自由经济环境。中国正处于重新加入关贸总协定的历史关头，因而，迅速消除国内外市场之间的人为壁垒，努力营造一个更为开放的、充分体现非歧视性原则的自由经济环境就显得尤为迫切了。

（五）缺乏市场中介组织，削弱了市场的自协调、自组织功能。改革初期中国已提出由部门管理向行业管理转变的改革设想。尽管 14 年来已有大批行业协会涌现出来，但是作为管理经济的一种中介组织，行业协会在协调本行业生产经营活动、加强行业市场自组织功能方面尚未起到充分作用，行业管理仍主要由主管部门或其委托的国有大型企业负责。行业协会的有名无实反过来使政府行政干预得以继续，也使政企不分难以突破。就其他市场中介组织而言，中国目前还缺乏适应农村商品经济发展、疏通农产品流通、促进产销衔接的各类经济组织，例如直接服务于农业生产的专业化服务实体，为农产品流通提供批量交易方便的销售实体，以及类似于城市行业协会的农村行业协会等。中国农业生产的分散性和小规模带有发展中国家的落后特点，这就更需要加强中介组织的作用。而各地农村经常出现的卖粮难、卖猪难等农产品流通不畅问题，在很大程度上与缺乏市场中介组织有关联。在中国这样幅员辽阔的大国，广大农村地区交通不便、信息闭塞，如果没有市场中介组织的广泛发展和服务，农民很难利用固定交易场所的便利，城乡市场体系不可能畅通，整个市场的组织化程度也不容易提高。

（六）要素市场发育的迟缓制约了商品市场的自调节功能。在商品市场较快发育的同时，资源配置中的要素流动却十分困难，生产要素的配置仍然以行政协调为主，资本、劳动力、重要生产资料和土地等生产要素按照行政隶属关系分配到不同地方和部门。虽然在改革进程中生产要素市场开始发育，但远远不能满足市场经济发展的要求，资源配置不能通过发达的要素市场按经济效率和市场需求进行有效调整，生产要素自由流动与合理重组的困难使生产领域的结构性矛盾积重难返。在这种情况下，商品流通领域的市场调节作用势将受到削弱：一种可能是，商业、物资企业被迫按行政指令收购大量工业库存，造成虚假的需求信号，引导生产企业继续生产不符合市场需要的产品。另一种可能是，如果商业、物资企业有权拒绝收购积压产品，市场供应将显得紧张，而生产要素的流动障碍会延长产需衔接过程。持续的供应紧张将引发行政协调的复归（如定量供应、限价、专营等）。脱离了要素市场的协同发展，商品市场的发育势头有可能停滞甚至萎缩。

（七）政府职能的转换远远落后，甚至出现倒退行为。首先，保证市场规范化运行的制度性建设落后于市场放开后的形势。在简政放权、减少计划控制和放开价格的过程中，政府未能事先制定相应的预防性制度规则，例如如何防止不正当竞争、保护消费者权益、维护公平交易；如何预防和制止以权经商，等等。结果在市场秩序出现严重混乱时，不得不依赖限价、专营或关闭市场等行政性的、被动的治理手段。向市场经济过渡的国际经验表明，各国政府在过渡初期就致力于制定法律化的制度规范，如反垄断法、公平竞争法等，以使市场运行的各项规则有明确的、相对稳定的法律依据。而中国至今没有颁布一部类似法律和一套相应的法律体系。法律体系的欠缺必然造成各部门、各地区的市场管理缺乏预防性、协调性和统一性，政府部门本身无法受相关法律约束，市场管理中的随意性和"放—乱—收—死"的反复出现势所难免。愈演愈烈的产品质量问题和资金拖欠也表明市场运行缺乏严明的规则，各级政府对此未能采取足够的防范和纠正措施。其次，政企不分由以政代企变为以企代政。过去的政企不分是政府集资产的所有者、管理者和经营者于一身，以政府代替企业。目前许多地方政府在取消主管局时，成立集团公司，强令下属企业加入集团，并取消企业的法人资格。这类集团公司握有人事任免权、投资审批权，形成以企代政。这种新的政企不分严重违反市场化改革的基本方向。再次，政府在运用经济手段调节市场方面还较薄弱。在搞活大中型企业时，政府始终未能摆脱行政定价→效益下降→补贴上升的僵局。对于已放开价格、市场机制已发挥主要调节作用的经济活动，政府又缺乏比较完备的、得力的经济调控手段。

　　要而言之，中国商品市场的进一步发育，有赖于继续改革旧体制的行政协调倾向，改革计划经济下形成的旧观念和行为方式，这依然是主攻方向。为了发展市场经济，应把注意力集中到市场的制度性创新，即健全对所有市场参与者一视同仁的市场规则，既要积极促进市场发育，又要尊重市场发育的客观规律，避免人为的扭曲。中国商品市场的进一步发育，不单局限于商品流通体制的深入改革，而且需要得力于全面改革的深化，包括财政、金融、税收制度的改革和要素流动机制的形成。同时，还应及时克服某些过渡性改革措施的消极方面，例如地方财政包干和企业承包制所暴露的问题，提高改革的规范化程度。商品市场是最终产品的实现场所，也是检验市场化改革成果的最终场所，在向社会主义市场经济转轨的全面改革中，商品市场的不断发育完善仍然具有基础性意义。

二、中国商品市场发育在新形势下的目标选择

14 年改革开放和宏观经济的稳定措施改善了中国经济的供给条件，社会主义市场经济总目标的确立，正在促使人们形成深化市场改革的共识。概括地说，完善中国商品市场的目标选择是"卖方充分竞争、买方自由选择、商品自由流通、价格自由运动、规则统一严明、政府间接调控"。按照这一基本框架运行的中国商品市场，将呈现出货不分南北，地不分东西，人不分公私，内外贸衔接，价格灵敏合理，竞争公平有序的崭新格局。

（一）完善的商品市场应当具备适应买方市场形势的微观经营机制。传统计划经济及其伴生的卖方市场态势正在转向社会主义市场经济和买方市场态势，虽然卖方市场的体制根源（如软预算约束和生产要素的行政性配置）尚未彻底清除，但是总供给略大于总需求的宏观经济形势可以出现于体制转轨过程中，随着新体制渐趋明朗并日益占主导地位，宏观总量层次和结构层次的买方市场将逐渐形成，并趋于稳定。在完善的商品市场上，国有分销企业的微观经营机制应能适应买方市场的压力。商业企业应由奉命充当"主渠道"和"蓄水池"转向以信誉、质量、服务赢得顾客；物资企业应由奉命"保供"、"稳定市场"转向在多家竞争中提高经营本领和竞争实力，发挥规模效益好、技术手段先进、营销网络完备等优势，吸引更多的用户。换言之，完善的商品市场应当具有能够确立和维护消费者主权、强化卖方竞争的微观经营机制。

（二）完善的商品市场应能体现各种企业平等竞争，能够促进价格合理化和扩大贸易自由化。要完善商品市场，就应取消对国有流通企业的特殊保护和行政控制，废除对非国有企业的政策歧视，削减对"三资"企业的过多优惠。各种所有制成分和各类企业应能在一视同仁的竞争规则和公平合理的客观竞争条件面前，运用正当的竞争手段展开平等竞争。市场份额的占有应在公平竞争中自然形成，不应存在所有制限定或行政性划分。完善的商品市场应能促进价格形成机制和价格体系的

合理化，并能促进贸易自由化的扩大。竞争性定价制度和贸易自由是商品市场的核心机制。只有公开、公平、充分的竞争，才能排除垄断性定价，使放开的价格达到竞争性均衡。只有充分的贸易自由，才能促进普遍的、平等的市场竞争，不断趋于成熟的商品市场应当有助于消除价格体系及其形成机制中的扭曲因素，而且应有助于推动贸易自由扩及所有经济领域。

（三）完善的商品市场应是商品跨行业、跨地区、跨部门、跨国界自由流通的开放大系统。中国各地发展市场经济的势头必将打破传统的地域分工，形成以效率为导向的地区协调发展趋势，只有跨地区、跨部门、跨行业的商品自由流通才能适应并促进这种新趋势的形成与扩大。中国地域广阔，国内市场回旋余地大，只有商品自由流通才能利用这种大国优势，否则无法在对外开放中形成整体协调的本国竞争能力。随着引进外资、兴办特区、外贸体制改革等对外开放的进展，中国经济已日益步入国际经济一体化的世界性潮流，关贸总协定缔约国的地位恢复在即，中国市场和国际市场的相互开放既会给中国带来机会和便利，亦会对中国的现有经济体系造成强大冲击。国内生产企业和分销企业必须尽快适应国际惯例并加强紧迫感（恢复关贸总协定缔约国地位后只有3—5年的适应期即幼稚工业保护期限），否则将坐失国际竞争的主动权。只有尽早拆除内外贸之间的人为屏障，让企业有权按国际市场需求、国际竞争价格、国际质量标准和国际营销惯例组织生产和流通，才能沟通国内外市场，并通过这种沟通改善我国经济活动的质量，促进市场经济在中国的形成和巩固。

（四）完善的商品市场必须具有统一严明的竞争规则。商品市场作为社会主义市场体系的基础环节，其运行秩序直接影响市场机制的正常发挥，甚至可以说它是社会主义市场经济新秩序的基础环节。任何缺乏市场秩序的国度或地区都将延缓向市场经济过渡的进程。商品市场的运行秩序主要靠完备的商法体系以及相应的商业惯例、商业信誉和商业道德来维系。完善的商品市场要有一套统一、健全、严明的进入、退出规则和公平交易规则。各部门、各地区不得割裂全国统一市场、任意肢解统一规则。违背者应负相应的法律责任、行政责任乃至经济责任。交易者不仅应享有自由选择、等价交换的权利，而且应自主承担交易失败的责任与风险，形成并珍惜良好的商业信誉。运行有序、规则严明的商品市场应能促进全体交易者文明经商、讲究信誉的自觉程度。

（五）政府以间接方式调节商品市场。完善的商品市场离不开政府的间接调控。市场的竞争秩序要靠政府来维护和完善，市场运行的宏观经济环境要靠政府来稳定。政府主要通过法律手段来规范市场参与者的行为，维护公平竞争，制止不正当的竞争行为。政府还需要运用产业政策、行业发展规划、信息服务和技术指导等手段引导企业的生产和经营，并通过商品储备制度和经济调节基金来避免市场剧烈波动。政府的主要职责是完善市场的竞争机制，弥补市场本身的缺陷，而不是直接参与市场经营活动，也不应采用行政手段规定市场建设的规模和速度，特别是不应直接干预市场价格信号的自发形成和变化。法律手段和经济手段是政府间接调控市场的主要工具，行政手段只是应急的备择措施，除非绝对必要，一般不要轻易动用。

三、加速中国商品市场发育的政策建议

（一）尽快制定和颁布保证市场有序运行的基本法律，并以此为指导调整和完善现行市场管理法规，同时制定尚属空白的专门的法律法规。基本法律主要是市场法、商法或反不正当竞争法，可参照发达市场经济国家的现成法律以及向市场经济过渡国家正在制定的此类法律草案，根据中国实际加以设计、制定。不符合基本法律规定的现行市场管理法规应进行内容清理，并充实促进市场发育的新内容。针对中国的实际情况还应尽早制定"消费者权益保护法"和"查处假冒伪劣商品法"等专门法律。政府对市场的干预也应有明确的法律依据，如价格管理法（只限于少数商品）等，而且不得违背反不正当竞争法等市场基本法律的规定。

（二）实行政企彻底分开，明确国有企业的产权关系，建立资产所

有权与控制权相分离的现代企业制度。（1）打破按所有制形式规定企业身份的传统框框，允许国有企业选择符合市场竞争需要和规模经济特点的财产组织形式。只要符合效率原则，国有资产和非国有资产之间的相互投资和产权转让应当得到充分鼓励。除少数特殊行业（如自然垄断行业）可继续实行承包经营制外，竞争性行业的大中型国有企业主要通过股份有限公司或有限责任公司的形式明确产权关系；小型国有企业则普遍实行非国有化，尤其是小型国有商业、服务业企业可全部转为私营企业或个体企业。此外，还应扩展利用外资改造国有企业的形式，如允许外商承租国有企业的厂房、场地、店铺、设备和员工等。（2）废除对企业自主经营的种种不合理限制。创办新企业、决定投资项目和经营范围，应由企业依据法律和产业政策的规划自主注册、自主选择，政府应减少审批程序和经营范围限制。（3）彻底切断企业的行政纽带，运用法律形式保障企业的独立地位。取消企业的所有上级主管部门，废除企业的行政级别和企业领导人的行政级别；同时，要有相应法律保障企业不受其他政府部门的非法干预，使企业能够切实地依法自主登记，自主决定生产投资项目，自主决定经营范围，自主选择财产组织形式和内部管理机构，自主决定其他符合竞争需要的事情（如内部分配制度、就业制度、集体福利等）。

（三）积极促进行业协会、商会等市场中介组织的发展，发挥他们的中观协调层的作用。这些机构应是企业自下而上地自愿组织起来的，其主要职能包括：（1）向会员企业提供信息、咨询、法律等方面的服务，组织对企业人员的专业培训，沟通国际联络渠道；并代表会员企业的利益，协调与其他协会、商会之间的纠纷。（2）依据市场规则制定一些行规或公约，进行集体的自我约束，反对不公平竞争，保障正常的生产和销售秩序。例如，行业公约应规定，会员企业必须自觉遵守国家质量标准，对消费者负责；会员企业不得违背反不正当竞争法，不得在销售价格和市场划分方面搞垄断性的串通共谋，等等。（3）沟通企业和政府之间的联系。一方面，在其会员企业中贯彻政府的宏观管理意图和经济政策，敦促会员企业遵守国家法规；另一方面，代表企业利益，向政府反映企业要求和提供建议。这样，既可以有效地防止企业之间盲目的和不公平的竞争，又可以有效地沟通政府与企业之间的信息，强化政府的宏观管理和企业经营的健康运作，还可以有效地协调企业间的经贸活动，增强其在国内和国际市场上的竞争力。要依照上述要求，改组现有的行业协会、商会，并大力发展各类新的行业协会、商会，加强和完善其服务、协调和纽带职能。要使各类行业协会和商会成为维护市场竞争秩序的自我协调组织，谨防其蜕变成行业垄断势力。

（四）发展多种形式、专业化的农产品销售体系，建立农产品价格保护制度，提高农业生产和流通的市场化和组织化程度。中国农村经济向市场经济的转轨面临生产分散、销售不畅、供求波动大和价格风险大等因素的制约，迫切需要发展完善的农产品销售体系，建立农产品价格保护制度。这样，通过提高农业生产和流通的组织化水平，可以缓解这些制约因素，进而有助于提高农村经济的市场化程度。本课题组考察过的印度、澳大利亚、泰国等国家提供了这方面的有益经验。根据中国的情况，发展农产品销售体系主要是发展四类销售组织：

第一类是国有粮食公司，这些公司通过预购合同让农户了解收购价格（收购价格按保护价执行），并负责粮食出口和在国内市场吞吐粮食、稳定粮价。第二类是专业性的法定销售机构，如棉花、油料等专业性销售机构，可根据产品出口比重的大小在全国范围或地区范围设置。这类销售机构是非营利性的，由生产者组成并支付管理费。它们的主要职能是收购、向国内外销售某种农产品，向农户提供价格信息和生产指导，解释国家政策，向政府提供建议。政府可委托这类销售机构执行保护价格，吞吐农产品，并向它们提供贷款担保。第三类是供销合作社，它们属于营利性的分销企业，与前两类销售机构不同，不应执行政府调控市场的职能，而主要靠扩大购销网点和改善服务来促进农副产品的流通。第四类是农民自己集资兴办的销售组织，在比较富裕的农村地区有较好的发展前景，应鼓励它们实行跨地区经营；而在不发达地区，这类销售组织主要为社区内农户销售农产品。

政府应运用财政贴息和贷款优惠等政策，支持各类销售组织建设仓储、大宗装卸和运输能力，并采取有效措施保证农民得到现金付款。各类销售机构要扩展信息传递手段，以适应分散农户的需要。

（五）进一步缩小国家管理价格的范围，加速生产资料双轨价的并轨，尽快完成向竞争性定价机制的转换，即企业自主定价，市场形成价格。（1）为减少国家对价格的干预，国家指导价应取消，只保留国家定价和市场调节价两种价格形式。随着一些产品最高限价的取消和大部分价格放开，国家指导价已无存在的必要。取消国家指导价应和取消价格双轨制结合起来。（2）减少国家控制价格的重点是生产资料价格，应加大生产资料价格的改革力度。生产资料双轨价格应按照商品的竞争程度、供给弹性和供求状况尽快并轨；竞争性强、供给弹性大、供求基本平衡的生产资料并为市场轨；垄断性强、供给弹性小、供求差距大的生产资料并为计划轨。应当指出，供求差距不是首要考虑因素，而是服从于产品的竞争程度和供给弹性。有些产品虽然供求差距大，但如果竞争性强且供给弹性大，价格也应放开。（3）国家定价的范围仅限于自然垄断行业（如煤气、水、电、交通等公共设施）的产品和劳务，其他的竞争性产品和劳务价格一律放给市场。政府应注意制止价格放开后的非法垄断价格行为和哄抬物价现象，例如可参照行业平均利润率（大部分价格放开后可望形成行业平均利润率），对不合理的垄断利润征收暴利税，强制垄断者降低价格。（4）市场形成价格包括国内价格与国际市场价格联系起来。随着大面积降低关税和国内价格的大部分放开，推广出口商品的代理作价制度有了较好的条件。应不失时机地扩大出口代理制的适用产品和行业，首先扩大到大部分加工产品和制造业，尽快使出口商品基本由国际市场决定价格。

（六）积极发展为市场流通服务的第三产业。为实现货畅其流，提高全社会流通效率，应采取开放政策，鼓励国家、集体、个人和外国投资者大力发展信息咨询、法律、会计和审计等尚属薄弱的现代服务业，如建立商业、物资、外贸三位一体的综合商情服务中心，以及市场法规咨询中心等等，有偿提供信息和咨询服务，减少信息搜寻成本和经济合同谈判、签订、履行过程中的交易成本。对于一些为加速商品流通服务的新产业、新项目如设计、营销指导和企业经营诊断等，也应积极开辟，并促其提高服务质量。

（七）推进商品流通领域的对外开放，迅速拆除内外贸之间的人为屏障，扩大外商投资的准入领域，允许外商经营国内商业和物资流通，由零售扩展到批发；吸引外商采取承租、合资或独资等方式改造或修建市场基础设施，包括铁路、公路、航运、海运、商情网络系统、仓储、大宗货物装卸、运输、分检包装等，加速商品流通的现代化。对外商企业要给予国民待遇，使其在税收、贸易、经营范围诸方面与国内企业平等竞争。对国内生产企业和分销企业实行统一的税收政策、贸易政策，鼓励生产企业、内贸企业和外贸企业组成企业集团，给予国内大型商业企业、物资企业和生产企业外贸经营权，发展外向型生产经营企业，加速国内市场与国际市场的对接。

（八）加紧制定一套竞争政策，并用法律形式加以保证。竞争政策是使市场有效运行的基本条件，其主要目的是鼓励企业以降低成本、提高劳动生产率、改善产品质量与服务等手段增加市场供给，扩大消费者选择范围，提高社会公众的经济福利水平。根据发达国家和向市场经济过渡国家的经验，竞争政策主要包括以下几方面的内容：

（1）禁止形成控制市场的地位。通常，一个企业的市场份额超过25%—33%，或四五个企业的市场份额达到2/3，即被定义为形成支配市场的权力，故应禁止。凡是采用合并形成支配市场的地位、划分市场、歧视性定价、掠夺性定价（先降价挤出竞争对手，然后再提高价格）、拒绝交易、排他性行为、不正当地影响再销售价格等方法控制市场的行为，都属于滥用支配市场的权力，是竞争政策不允许的。（2）禁止垄断性协议。企业之间或行业协会之间达成的任何限制竞争、控制生产和市场条件的协议都是垄断性协议，包括划分顾客和势力范围，限制进入市场或从市场排除第三方，对第三方强加不公平的条件等。竞争政策中应该禁止任何此类协议。（3）禁止任何反竞争行为。反竞争行为是指任何旨在限制、扭曲或阻碍竞争的行为，以及具有或可能具有此类后果的任何行为。这里的关键是某种行为对竞争的影响。在市场经济国家，判断某种行为是否属于反竞争行为，取决于某一公司在其市场上的地位。而在中国，反竞争行为的成因往往是地方保护主义和部门保护主义。因此，竞争政策应当既禁止企业、企业集团和行业协会的反竞争行为，又禁止地方保护主义、部门保护主义对竞争的限制、扭曲和阻碍。（4）制裁、惩罚和补救措施。对于违背竞争政策和相关法律的行为要采取严格的制裁和有效的补救措施。例如，政府收回垄断企业的垄断利润，并按该企业全部利润的一定比例处以罚款；对于违反竞争政策和相关法律的人员，不论是企业领导还是地方、部门领导，一律按其薪金的一定比例处以罚款；对于情节严重者追究法律责任。政府还可通过设立新企业、分解垄断企业来制止垄断行为，例如，企业兼并若导致支配市场的地位，就应依法令其分解。

为确保竞争政策的有效实施，必须通过立法形式将竞争政策的内容确定下来。竞争政策的制定和执行需要高层次的权威机构来负责，建议成立公平交易委员会，负责制定竞争政策；成立市场管理委员会，负责调查、处理违反竞争政策的事件。为保证竞争政策的统一性和权威性，各专业部颁布行业市场管理政策的权限应当削减，形成一个以上述两个新机构为核心的竞争政策执行框架。

（原载《财贸经济》1993 年第 10 期）

4.6 非均衡体系中的市场发育

市场机制的实际运转在现实中受到许多复杂因素的影响，借鉴非均衡分析方法，深入剖析在非理想条件下市场机制的作用机理，有助于我们更充分地认识市场运行规律，尤其是传统计划型体制造成的独特非均衡经济中的机制障碍，从而更有针对性地创造市场发育的适宜条件。

一、一般非均衡体系中的市场运行

一般非均衡体系指价格不能自由运动、存在着过度供给或过度需求的经济系统，它是相对于西方经济学中一般均衡理论模型而言的。后者所描述的市场机制是一种完全竞争的市场，市场机制的运行条件被规定得十分严格，如价格完全自由运动，所有交易者都仅仅根据价格信号的指引而行事，不存在过度需求和过度供给等等。标准的微观经济学以此为正统理论，进一步研究了不完全竞争和垄断条件下的非价格竞争形式（如实行产品翻新或广告宣传），也探讨了过度需求和过度供给的市场不均衡状况，但其着眼点主要是分析这些因素如何影响价格的形成与变动，而且把供求变化仅看作是价格的函数，供求由不均衡向均衡的转换唯一地取决于价格变化。

事实上，当代商品经济中的完全竞争市场已很少见，大部分市场的供求变化和价格自由运动往往受其他种种因素的阻碍，而呈现出价格刚性、供给过剩或需求过旺持续并存等特点。从体制性因素来看，传统计划经济的行政定价和企业行政化倾向，使价格不能随供求变化而灵活变动；福利性就业造成的消费攀比，会加剧劳动力供给过剩和商品需求过旺，工资和物价都保持上涨势头。此外，垄断组织的存在也将使价格脱离供求关系。从政策性因素来看，政府出于宏观目标的考虑会管制价格；如果实行通货膨胀政策，市场供求就更不可能由价格自动去平衡。

从市场价格机制自身的局限性来看，由于价格对供求变化的反应、适应和调节有一定滞后性，定价、调价过程要付出一定的交易成本和调整成本，因此企业往往并不考虑实际价格发生了什么变动，也不会等到价格达到供求均衡水平时再做生意，而是根据内部存货变动、竞争对手的供求数量变化等直接的数量信号调整生产经营规模，从而可能导致市场供求差距拉大或是缩小。最后，某些产品和生产要素的特殊性质也使得价格不会按供求变化自由运动，例如自然垄断行业的劳务价格（如社会公共服务收费等）一般都由政府控制，劳动力市场上的价格即工资的变动，也受政治、社会力量的制约而很不灵活。

　　现实的非均衡经济既有体制、政策上的成因，也受生产力方面的因素制约，例如发展中国家大都苦于商品短缺、资金和外汇紧张而劳动力过剩的困扰，这种非均衡状况要靠生产扩大和市场发育来扭转。当然，随之而来的任务便是需要认真研究，在现实的非均衡体系中，哪些因素属于体制改革范围，哪些因素属于生产力发展范围。在我看来，就市场发育而言，更重要的制约因素多半还是体制方面的。在进一步分析我国特有的非均衡体系及其市场运行之前，我们不妨对一般非均衡体系中的市场运行机理作一简要概括：第一，市场主体是独立的商品生产经营者，他们自愿交易，自主经营。第二，市场供求不平衡是一种常态，既可能存在过度供给，也可能存在过度需求。市场主体的自主交易受"短边规则"支配。第三，市场运行具有两套信号系统——数量信号和价格信号，以及双重调节方式——数量调节和价格调节。由于价格不能自由运动，在短期内市场均衡通过数量调节而实现，数量调节比较迅速地影响供求关系，在长期内也会影响价格变动。第四，市场均衡具有更广泛，更一般的含义，即指在一组既定前提下，没有什么微观的市场力量再能诱导价格发生变化，买卖双方都不打算改变其所出价钱，而此时供求并不一定相抵为零。市场供求平衡只是一种特殊的市场均衡状态，亦即供求平衡必然意味着市场均衡，而市场均衡却并非仅仅等于供求平衡，它也包含供求不平衡的状态。

　　掌握一般非均衡体系中的市场运行特点，不仅有助于深入认识市场机制在非理想条件（主要是价格刚性和供求差额的持久性）下的运行机理，而且有助于剖析传统计划经济的弊端。

二、传统计划经济：一种特殊的非均衡体系

排斥商品经济和市场机制的传统计划经济，在价格僵硬、市场不能由价格运动来结清、存在持续的未满足需求、供给短缺和劳力过剩等方面，确实具有一般非均衡体系的类似特征。社会主义经济的商品短缺或持久的卖方市场态势，诚然受制于生产力不发达、人口过多、人均资源占有量过低等非体制性因素，但主要是由体制性因素所致。

在发达国家，非均衡体系的主要标志是总需求不足、生产过剩、失业、经济停滞与通货膨胀并存，价格僵硬主要归咎于垄断力量，数量调节的存在也主要是作为价格机制自身缺陷（如信息缺口、调价成本、反应滞后等）的弥补性手段，而市场机制的基本前提如企业自负盈亏、价格大部分自由运动等条件仍是具备的，因此经济体系有可能通过市场机制的自发调整逐渐恢复供求平衡，至少是向供求均衡点趋近。

传统的计划经济则由于企业预算约束软化和行政性配给资源，导致供给效率低下，商品短缺和投资需求膨胀；又由于福利性就业造成消费需求膨胀，在职失业掩盖公开的劳动力过剩；数量调节几乎取代了价格调节，因为价格长期被人为扭曲，不能正常发挥其传递信息、配置资源和分配利润的作用。

一般非均衡体系中的短边规则在传统计划经济中也是失灵的，它难以成为买卖双方的交易原则，也很难用来判断供求的均衡状态，无论是在微观水平还是宏观层次上，都无法简单套用短边规则并由此引出适当的政策。通常说来，按短边规则成交，是指自愿交易的双方充分考虑各种数量约束，市场供求一致取决于短边的供给或需求，任何市场上都只有一方受到数量限额约束，而不会同时出现双方都受配额约束的情况。若按此简单推理，便有可能导出两个错误结论：其一，我国短缺经济中的实际购买和实际销售总会和供给水平相一致；其二，我国劳动力过剩

下的就业水平总会和企业实际需求相符合。这无疑与现实相去甚远。事实上，由于商品总量短缺和结构性积压并存，迫使需求暂时抑制或强制替代，而强制替代有可能超过原有需求，结果供求双方都不能满足自己的愿望，同时受对方的限制。在劳动力总量过剩和熟练人员不足并存的局面下，企业作为需求短边无法对过剩劳动力进行数量压缩；熟练劳动力作为供给短边又无法选择企业。可见，在传统计划经济这种特殊的非均衡体系中，微观层次的供求双方不仅不能形成彼此都满意的市场均衡，甚至也不能按短边规则达到单方面满意的成交。

我国商品短缺和劳动力过剩的非均衡状况，在传统体制下主要靠行政性数量配给来调节，对商品市场采取"拆东墙补西墙"式的行政调拨，对劳动力配置采取"均摊过剩供给"的统包就业。反过来又形成了商品短缺和劳动力过剩的放大机制：受配给制压抑的买方需求和受短线资源约束的扩张性供给，交互作用并演化成"短缺—囤积—数量扩张—积压和短缺并存"的循环放大效应。就业刚性和工资刚性强制企业吸纳过剩劳动力，导致企业内部资源配置的低效，技术创新动机的乏力和组织惰性的强化，开拓不出更广泛的就业领域。这必然在宏观上加剧商品有效供给不足和以隐蔽失业为特征的劳动力供给过剩。在这种情况下，通货膨胀和公开失业都被强行压抑在隐蔽状态，经济体系总是处于绷得很紧的卖方市场压力下，缺乏内在的稳定机制和灵活调节机制，只能靠行政手段对付周期性出现的经济过热—需求膨胀—紧急刹车—暂时平衡—再度需求膨胀。要想摆脱这一窘境，除了进行市场取向的改革，建立计划指导下的市场调节新机制以外，别无他途。

三、转轨中的非均衡体系和市场发育

我国正处于新旧体制交替的过程，双重体制并存产生了双重的经济运行规则和调节方式。这是一种转轨中的非均衡体系，市场运行在其中受到价格信号和兼容性数量信号的双重调节，中国市场发育在这一历史阶段带有信号双重和调节方式双重的鲜明特点。

典型的例证首先是价格双轨制，它兼容了传统的数量调节和市场定价制度，形成了半行政性和半市场性相结合的双重信号系统及其调节方式。同类产品的计划价不随供求波动而变化，基本上反映计划偏好甚至行政偏好，实质上属于传统的数量信号和数量调节手段。因为平价物资随配额指标走，企业争抢平价物资往往也是为了串换其他紧俏物资，以便从事数量调节。同类产品的市场定价属于名副其实的价格调节方式，但由于双轨价差打乱了价值衡定尺度，又导致市场秩序混乱。尽管价格双轨制作为短缺经济制约下的初始改革选择，有其客观上的必然性，确曾起过逐渐向市场定价过渡的促进作用，但从实践发展来看，其副作用也日益严重。从中可得到一个重要教训，就是在非均衡体系中，数量调节无疑是必要的，但不应直接干扰价格功能，政府的计划配额应按不同产品设置，同一种产品的价格必须统一。而企业则应在价格统一的前提下，根据价格灵活变动的可能性去决定是否采用数量调节手段。

企业之间的物资串换，也是一种数量调节和半价格调节兼而有之的过渡性调节机制。改革以来，企业超计划产品的自销权自然延伸为自主的物资串换，虽然这是很原始的实物交换形态，但是仍比行政性调剂余缺更接近于市场等价交换。自主的物资串换表面上具有数量调节的意义，实际上表明了各种串换物资之间的比价关系。在双轨价差悬殊的情况下，超计划产品的物物交换可能抑制过高的市场价，并对过低的计划价提供修订的参照依据。在转轨中的非均衡体系中，自主的物资串换能够减少行政性数量配额同价格机制的摩擦，只要企业确能自主经营和自负盈亏，价格双轨制取消，自主的物资串换便会逐渐明朗化、标准化，转变为价格调节方式。

企业承包经营制中同样包含了半行政性和半市场性的调节规则。以竞争性招标方式选择经营者，或通过企业承包市场决定承包方，具有市场竞争择优的调节特点，而与上级谈判承包条件又具有行政调节色彩。在价格不能灵活运动的现实制约下，通过协商承包指标这种数量调节方式，来缓解外部竞争条件的不平等程度，对于促使企业面向市场、提高供给效率显然是有合理性的；对于在转轨中的非均衡体系中培育市场机制，也具有一定的建设性作用。需要注意的是，应当防止恶化竞争条件的"关系承包"、"命令承包"现象，淡化发包方的行政性色彩，让企业自主选择经营方式，在竞争中确定承包条件和承包主体，以免和培育市场机制的目标相悖，并避免这种数量调节的结果与初衷相左。

优化劳动组合，则是外部劳动力市场不发育条件下的半市场性数量调节方式。在一般的非均衡体系中，虽然劳动力价格（工资）的变动往往是不灵活的，但是外部劳动力市场仍较发达，企业可通过裁员把多余职工推向社会，这是市场化的数量调节。而转轨中的非均衡体系尚不存在发达的劳动力市场，社会保障制度很不完备，企业只能靠半市场性的优化劳动组合来解决内部劳动力的配置问题。一方面，竞争择优上岗使职工感到内部就业竞争压力；另一方面，编余职工实行"厂内待业"，又与外部择业竞争隔绝，并无真正失业风险。因此，企业优化劳动组合还算不上市场化的数量调节，充其量是在福利性就业制度中模拟了竞争机制，形成了一种独特的内部劳动力市场。改革的方向还是培育外部劳动力市场，建立健全社会化的失业保障制度，使企业内部的优化劳动组合同外部劳动力市场衔接起来。这样，才能真正解除企业冗员负担，提高劳动力配置效率。

转轨中的非均衡体系是我国市场发育的基本经济环境，它既保留了传统计划经济固有的体制弊端，以及由此造成的价格僵硬、商品短缺、资金短紧和劳动力过剩等非均衡状况，又由于体制改革而创造了一些有利于市场发育的体制条件，推进市场取向改革无疑是促进市场发育的关键途径和根本出路。这样说并不等于否认非体制因素对我国经济的非均衡状况所产生的重大影响，例如追求速度和产值、忽视质量和效益的发展战略，使经济过热、需求过旺；而经济不发达（生产力落后）、人口过多又加剧了资金紧缺和劳动力过剩等等。然而，体制转轨毕竟是发展战略转轨和经济健康发展的根本依托或根本保障。促进市场发育主要是体制转轨问题，即进一步消除传统计划经济的体制障碍，建立市场运行的新秩序，克服市场机制的自身缺陷，缩短市场自然发育的漫长历程。

针对我国转轨中的非均衡体系这一基本现实，在促进市场发育时需要处理好这样一些关系：

——企业改革与价格改革的关系。企业改革是为了塑造市场主体，价格改革是为了形成准确的市场信号和平等竞争的外部条件。只有企业自负盈亏，才可能有正常的市场定价；只有把行政性定价转为市场定价，也才可能有企业的自主经营。企业改革构成价格改革的基础，价格改革又是企业改革的必要条件，两者都是市场取向改革不可分离的组成部分。既不可能绕开价格改革，单独先搞企业改革；也不可能不顾企业改革的进程（特别是自我约束、自担风险机制的确立），贸然进行价格改革"闯关"。企业改革和价格改革必须配套进行，但并不排除某一时期企业改革的步子大些，如需求过旺时就是如此；而某一时期价格改革的步子则会大些，例如需求受到抑制、出现买方市场形势，就是推进价格改革的好时机。

——数量调节和价格调节的关系。这两种信号和调节方式各有利弊，在现实的市场运行中会产生摩擦，也可以互补。数量调节的优点可能正是价格调节的缺点，如数量信号和调节方式具有事先性、迅速性、直接性和易于平衡宏观供求等优点，可以弥补价格信号和调节方式的事后性、间接性以及难于反映社会效益等不足。当然，价格信号具有标准化、客观性强、经济刺激明显等长处，这是数量信号所不及的。在价格因非均衡状况制约而不能灵活运动时，必要的数量调节会起到积极作用。例如在资金、外汇、商品十分紧缺，劳动力严重过剩等情况下，运用信贷指标控制、外汇额度控制、定量供应、就业计划安排等数量调节手段，就比单靠利率、汇率、物价、工资等价格调节更有利于稳定市场、平衡供求。总体上看，价格机制是市场最灵敏、最准确的信号系统和调节机制，长期内必然会发生变动，因此，数量调节方式只应在短期内、在必要的领域内使用，其最终目的仍是为了创造价格灵敏运动的条件。对于企业之间在市场交易中的微观数量调节，也应以同一产品同一价格为基础，尽量消除一物多价的混乱状况。

——稳定经济和推进改革的关系。市场取向的改革深入到一定程度，必然触及工资、物价、福利等与每个当事人利益攸关的深层体制问题，原有的低物价、低工资、泛福利体制所压抑的通货膨胀，会因放开物价、减少补贴、提高工资而转化成公开的通货膨胀。这是以短缺为特征的非均衡体系在改革中不能避免的代价。但是通货膨胀的公开化毕竟威胁市场的发育，例如可能导致管制物价、冻结工资和关闭市场。为了避免市场取向的改革夭折，应当把通货膨胀控制在最低限度内，即抑制因经济过热增长、需求过旺而推动的通货膨胀，使经济能够忍受因工资、物价、福利制度的改革所引发的通货膨胀代价。如果通胀水平过高，那就只能先稳定，后改革。即使在此时，也不应忘记：稳定经济不要为培育市场设置障碍，而要尽可能为后续改革创造有利条件。当通胀降至中度水平时，即应相机推进市场取向的金融改革和物价改革。

四、非均衡体系中的市场效率问题

在研究市场的运行效率方面，不同的理论模型提供了不同的效率标准，现实中的诸多因素会使市场运行偏离这些效率标准。对于这些影响因素的探讨并不否定效率标准本身，反而有助于人们深入认识不同效率标准生效的体制条件。

（一）市场效率的两个基本标准：帕累托最优状态和短边规则

在纯粹竞争条件下，市场运行的效率标准是帕累托最优状态。此时，生产者按最低成本提供最优产量，获得最大程度利润；消费者按等于完全成本的最低价格购买商品，获得最大的限度满足；买卖双方的交易一直进行到不再能使双方都得利为止，资源由此得到最有效率的配置。这一效率标准是竞争性市场的内在性质，对于社会主义经济实践的指导意义已被越来越多的人所认识。实际上，孙冶方同志一贯主张的"最小—最大"原则，无非是用不同的方式表达竞争性市场效率标准的同一内容而已。

帕累托最优状态和竞争性市场均衡是一种关于经济静态均衡的理想参照系。在现实中有许多种力量会导致市场运行偏离这一效率标准，例如人们的消费偏好变化，技术变革加速，生产系数重组，垄断力量的存在，政府的不适当干预，个别利益和社会利益的冲突，等等，都会在不同程度上改变竞争性市场的理想运行效率。但是，在价格机制比较灵活、市场体系比较完善等条件下，帕累托最优状态仍然能为市场活动的效率标准提供合乎逻辑的说明。

在"结不清市场"上，短边规则提供了新的效率标准。由于现实中的市场很难满足纯粹竞争的一系列假定，不可避免地存在数量配额，市场的供求一致便取决于短边的供给或需求，当供小于求时，成交额便不能多于处于市场短边的供给量；而当求小于供时，成交额就要与处于市场短边的需求量相一致了。追求利益最大化的交易双方要充分考虑所有约束条件，任何市场上都只有一方受配额，而不存在同时受配额的供给者和需求者。这就是"结不清市场"的运行效率，它表明总有一方（市场短边）可以满足销售意图或购买意图。短边规则所描述的配额均衡状态，比较符合非均衡经济的动态运行过程，不同于一般均衡理论所描述的各种变量同时运动，也不同于资源在某一时点上的均衡配置。作为"结不清市场"的效率标准，短边规则对于社会主义经济的宏观平衡来说具有参考意义。例如我国经济工作指导方针中的"短线平衡"原则、量力而行原则，就和市场短边决定配额均衡的原则相当接近。

短边规则同样建立在一些严格假定上，其中最关键的是硬预算约束和自愿互利交易两个条件。如果微观主体的预算约束软化，行政干预盛行，这就与自愿互利的交易原则发生矛盾，因此配额均衡的市场运行效率也常常不能实现，这在社会主义传统体制和短缺经济结为一体的时候，表现得尤为明显。

（二）短边规则在传统体制下的失灵

如前所述在传统计划体制下的短缺经济中，若按短边规则简单推论，可能得出与现实相去甚远的两个错误结论。因而，在宏观层次上，很难按短边一方的有效需求或有效供给来实行配额均衡。在微观水平上，供求双方不仅不能形成自愿交易和双方都满意的瓦尔拉均衡，甚至也不能通过自愿交易形成单方面满意的配额均衡。

　　传统计划体制下存在着两种非瓦尔拉均衡状态，一种是商品市场上的"短缺均衡"，这种均衡由两方面的因素决定：一方面是受配给制约束的买方的有效需求，一方面是受短线资源约束的扩张性供给。另一种是劳动力配置中的"在职失业均衡"，这种均衡状态也由两方面的因素决定：一方面是被福利性就业制度"扩大"的企业需求，一方面是不受工资信号调节的劳动力过剩供给。从表面上看，我国商品短缺与劳动力供给过剩的并存，很类似于西方非均衡理论所说的"古典型失业"（商品市场供不应求和劳动力市场供过于求），但是两者的制度基础和体制条件完全不同，形成机制也大相径庭。例如，古典型失业被认为是由实际工资过高引起的，过高的工资迫使企业对劳动力的需求下降，企业处于短边，由于工资具有刚性，企业就通过解雇工人来实行数量配额。另外，由于过高的工资又使购买力过高，便产生了与失业并存的商品供不应求。显然，这不能解释我国传统体制下的经济非均衡状况，短边规则所确定的配额均衡效率标准也随之失去适用性。

　　由于传统体制对商品短缺和劳动力过剩的调节机制主要是行政性数量配给，不存在市场力量的自动调节，因而在这种非均衡经济中就出现了一些很典型的现象，其中之一，是"效率悖论"。这是指商品短缺和劳动力过剩一方面刺激了生产的增长。另一方面却造成了低效率，反过来阻碍生产的增长。其中之二，是"保留可容忍短缺"。由于经济中的需求总是受到有效供给不足的约束，[①]适用的资源到处短缺，因此计划决策部门只能优先满足最严重威胁国民经济增长的瓶颈部门的需求，而在相对不重要的部门保留可容忍程度的短缺。其实，短缺部门的严重短缺也只是得到缓解，一旦其他领域的短缺又构成新的严重威胁时，资源便不得不重新调到那里，在原有短缺部门再保留可容忍程度的供给缺口。假定价格完全不作调整，企业的供给和社会需求对价格也无反应，

---

　　① 我国经济生活中的有效供给，是指能够满足人民生活实际需要的供给，与无效供给（不能满足人民生活实际需要的供给）相对应。这个概念与西方非均衡理论中的"有效供给"含义不同，在那里，"有效供给"是指受到需求数量限制的供给量，与有效需求（受供给数量限制的需求量）相对应。

那么保留可容忍短缺有如图1所示。
图1中垂直的供给曲线S和需求曲线
D表示供求对价格没有反应，需求曲
线D位于供给曲线右边，表示需求大
于供给。无论价格处于什么水平，供
给量和需求量都是那么多。供给曲线
和需求曲线之间的差额（供给缺口）
表明保留短缺的可容忍程度。假定价
格可由宏观决策当局作出调整，供给
和需求对价格升降也有反应，那么保
留可容忍短缺有如图2所示。图2中
需求曲线D向右下方倾斜，表示需求
随价格升降而减少或增加。供给曲线
也向右下方倾斜而不是向右上方倾
斜，虽然这与利润最大化追求者的一
般行为正好相反，但却可能发生在短
缺经济中。[①] 因为某一领域需求的减
少，可能意味着严重短缺的缓解，这
会使计划者、政策制定者和生产者考

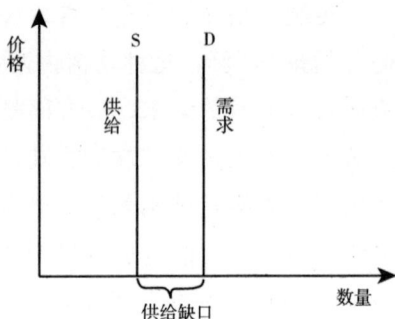

图 1

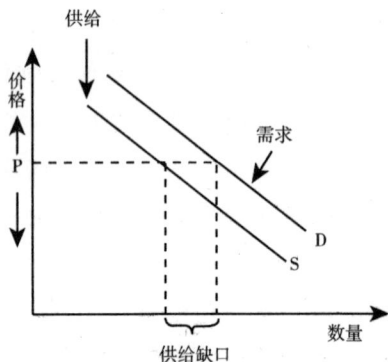

图 2

虑减少这一领域的生产或进口，把产品和资源转向其他领域，或用于出
口。结果，便在原有领域保留了可容忍程度的未满足需求。在一段时间
内，有意识保留的供给缺口不会使供求两条曲线相交，不管价格怎样升
降，需求和供给都是同方向、等距离运动的。这意味着图2中的供给缺
口不论右移还是左移，总是不变的。第三个典型的现象是"均摊过剩
劳动供给"。我国的劳动力供给过剩造成巨大就业压力，计划决策部门

---

① 纯粹竞争模型在研究不稳定竞争均衡时，提示过供给曲线向右下方倾斜的情况。例如，
生产单一农作物的、收入几乎全部由工资构成的小农场主，由于价格上升会使工资轻易提
高，他们不必努力增加供给也能获得满意收入；价格下降会使工资马上降低，生产者反要
努力扩大供给才能保持收入。当然，这里的运行机制是完全不同的，因为毕竟供给曲线可
以和需求曲线交叉，形成竞争性均衡，而"保留短缺"则是有意识地维持供给缺口。

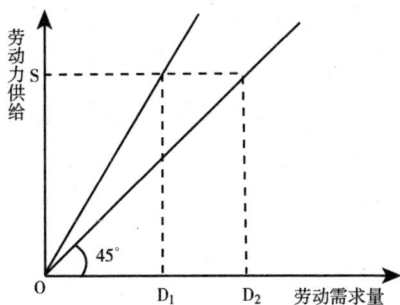

图 3

被迫向各个国营企业和非企业单位实行摊派性配给，本来"配额均衡"是按短边规则形成的，在我国传统的劳动力配置中却是按长边向短边强行分配。这种情况可由图 3 来说明。

假定实际的劳动力需求量在一定技术装备水平上和一定时期内不变，其数量由图 3 中横轴上的 OD_1 表示。同期内劳动力供给随适龄劳动人口增加而上升，由纵轴上的 OS 来衡量。为保证这些人都能就业，国营单位必须全部将其吸收，吸收量由横轴上的 OD_2 表示。因而 $OD_2 = OS$，而且 $OD_2 > OD_1$。图中 OD_2 与 OD_1 的差额，在宏观上表明全社会均摊的过剩劳动力总量，在微观上表明每个国营单位超出实际需求吸纳的过剩劳动力的个量。

简言之，由于传统计划经济的限制结构不同于西方市场经济，因此短边规则无法用来确定我国经济中的实际均衡，也无法用来作为向预期均衡转换的指导原则。只有确立了适宜的体制条件，才能使短边规则成为有解释力的市场效率标准。

（三）　市场效率标准的动态结合

无论是帕累托最优状态还是短边规则，之所以不能照搬到社会主义短缺经济中，根源在于传统计划经济模式排斥市场关系，用市场经济产生的效率标准来作为不存在市场的统制经济的运行效率准则，当然是行不通的。然而，只要我们坚持向有计划的市场经济发展，不放弃培育市场机制的努力，我们就不能不认真考虑市场经济所产生的效率标准了。对于供求总量和供求结构均存在突出矛盾的社会主义短缺经济来说，在其市场发育过程中，是否意味着只能选择帕累托最优状态或是短边规则作为唯一的市场效率标准？比方说，由于市场很不发达，当务之急应是培育竞争性市场。而每一个竞争性均衡都意味着帕累托最优状态，每一个帕累托最优状态又必须意味着竞争性均衡。由此推论，人们或许会觉得，只要构造竞争性市场，就只能以帕累托最优状态作为唯一标准。又比方说，由于我国供求总量矛盾和供求结构矛盾都很尖锐，价格又比较僵硬，这种非均衡现实可能使人感到追求帕累托效率很困难，还是以短边规则作为市场效率标准更实际一些。也就是说，如果静止地、孤立地考察每一种市场状态，可能得出帕累托效率和短边规则非此即彼、只能在二者中择一的结论。但是，如果把市场发育看作一个动态过程，并注意到两个效率标准所依据的条件的异同，那么，把它们结合起来作为社会主义市场发育的参照系，看来更为适当一些。

首先，帕累托效率和短边规则的分析基础有一些共同点，这就是自愿互利交换、货币作为交换媒介以及硬预算约束。这些共同点都是市场机制正常发挥作用的基本前提，不管是要达到帕累托最优状态，还是要达到市场短边决定供求均衡的有效率状态，都离不开这些基本前提的奠定。既然这两个效率标准具有反映市场内在要求的共同基础，那就表明它们对市场运行效率的说明没有本质区别。只要社会主义经济确实朝着硬化企业的预算约束、保证自愿互利交换、通行货币交换的统一尺度而不是实物交换这一方向走下去，帕累托最优状态和短边规则都会表现出各自的适用性。

其次，两种效率标准体现了市场机制的不同运行机理，是对市场机制作用结果的进一步说明。帕累托效率反映着价格机制单独调节下的供求双方面满意。在那些自由竞争很少受限制的生产和销售领域，价格能够自由运动，交换双方的供给愿望和购买愿望均能得到满足，这种情况近似于帕累托最优状态。只要不存在产生垄断的条件，这种市场效率是有保证的。短边规则反映着存在数量调节方式时交易者单方面满意的供求均衡，市场主体并不单纯依靠价格调节，而是还要自主根据市场短边的数量限制调整交易计划。只要不存在反市场的行政干预，按市场短边约束而达成的单方面满意成交额，同样表明市场主体实现了各自利益的最大化。由于价格调节机制和数量调节机制有机地构成市场机制的完整作用机理，帕累托效率和短边规则从不同侧面反映了市场的运行效果，因而它们也就成为不可偏废的两个市场效率准则。

再次，这两个市场效率标准在市场发育的动态过程中得到统一。我们已经知道，价格刚性和数量调节的灵活性在短期内是非常现实的。市场自动调节并不等于各种资源在每一时点上的无耗费的均衡配置，而是在摸索过程中，通过在长期内各种价格的相对运动，使各种资源得到收益最大和成本最小的有效运用。帕累托效率可能是一种长期趋势，而短边规则下的供求一致则是短期内现实的资源最优配置状态。只要在灵活运用数量调节方式的同时，不放弃转换价格形成机制的改革方向，短边规则和帕累托效率就可以从短期和长期相结合的角度，成为我国市场运行效率的动态参照系。

最后需要重申的是，不能因为短边规则在传统体制下的失灵就否定它的意义，也不能因为帕累托效率的过于理想化而无视它的合理性和适用性。毋庸赘言，一方面，两个效率标准在传统体制下都无法适用；另一方面，在市场发育过程中也不存在两者谁更好些的问题。试图选择其中之一作为市场效率的唯一衡量标准，无论在理论上还是在实践上，都将是不得要领的。

（原载《经济研究》1991 年第 4 期）

291

GAIGE SHIDAI DE JINGJIXUE SIKAO

4.7 经济运行中的预期行为

现实的市场机制不是像一架预定好程序的机械装置那样按部就班地运动，而是在充满大量不确定因素、不完全竞争和非均衡的条件下发挥作用的。每个市场参与者的决策，在本质上是对供求变化和竞争对手决策的预期。预期作为微观主体行为的事先约束，构成市场运动过程的关键性内生变量，影响甚至决定着宏观经济政策的效应如何。传统的社会主义政治经济学不但不研究预期这一重要的微观决策变量，有时还把对预期因素的研究斥之为"主观心理因素决定论"，这在某种意义上堵死了深入认识经济运行机制的又一条门径。我国经济体制改革十多年来，不断听到人们谈论经济承受力与心理承受力的矛盾问题，这已经触及了预期因素的研究边缘。1988 年夏季出现的挤兑存款、抢购商品两股风潮，以及 1989 年下半年市场疲软中的惜购现象，都是心理预期发生作用的有力证明。改革的实践向经济学研究一再提出警告：不能继续无视预期因素的理论研究了。

一、预期和竞争性市场的相互影响

市场像一个活的有机体那样，具有不断学习、不断自我矫正的自适应能力，市场运行过程也就是微观主体的各种计划、愿望和预期不断调整和再调整的过程。没有预期，就没有市场的自适应能力。在价格能够自由运动的条件下，预期是主要通过对价格信号的反应来作用于市场的自适应过程。

预期的本质是对市场参与者的事先行为约束。在需求方面，家庭的预算可能性，企业的预算约束，都和预期范畴有关。在严格的预算约束下，家庭和企业不仅要根据现期收入，也要根据未来的可能收入来决定支出。相反，预算约束的软化会改变市场主体决策的预期性质。传统体制下，企业的投资需求几乎是无限的，正是由于它们估计到投资失败反正可以得到国家的多种补偿，自己无需承担任何责任。一旦改变这种国家保险，它们的投资需求就会谨慎得多。预算约束的软硬决定了企业的需求预期是否合理，这一点已为改革以来的事实所证明。在供给方面，预期对供给决策的作用同样十分明显。家庭作为劳动力要素的供给单位，向谁供给、供给多少，受他们对劳动报酬预期的影响；企业作为产品和劳务的供给者，供给多少、供给什么、向谁供给等等取决于生产可能性，而这也是一种根据价格、需求数量和生产函数作出的相应预期。从决策的角度看，市场参与者各自的销售决策和购买决策，分别反映了对其他市场主体有关决策的预期。从成交角度看，如果是双方满意的成交，表明相互认可了对方的预期；如果是单方面满意的成交，则表明只有一方的预期得到认可，另一方的预期必须调整和修订。

　　预期的目的在于减少不确定因素带来的风险。一项投资决策实际上是在对风险和未来利润的预期下制定的。一项消费决策也往往是由于预计物价会上涨，为了避免价格上涨的风险而做出的。对于企业来说，风险就是利润的预期变动性；对于消费者来说，风险意味着货币购买力贬值的预期可能性；对于劳动者来说，风险则意味着劳动报酬的预期变动性。简言之，风险是对预期收益和预期效用的不利影响。任何一个合乎理性的经济主体，都会尽量趋利避害，在风险和未来收益之间谨慎比较，作出合理的决策，亦即使预期收益和预期效用达到最大。一般说来，决策的时间跨度越长，所面临的不确定因素越多，风险也可能越大。在充满不确定因素的条件下，必须具备充分的知识，掌握尽可能全面的信息，估计价格、成本、利润的未来变动趋势，预计某种产品或要素供求数量的差额，以及风险出现的概率（可能性）大小，才有可能使初始的购买意图或销售意图，同未来时间的实际购买或实际销售不致发生过大的偏差。

　　假定市场能够通过价格（广义的）自由运动而迅速结清，生产者的销售决策和消费者的购买决策便主要取决于对价格变动的预期。价格预期的准确与否，首先依赖于市场主体的自主性地位和掌握的信息是否

293

GAIGE SHIDAI DE JINGJIXUE SIKAO

完全。市场主体的价格预期可能是根据过去的价格变动经验和当前的价格比率关系进行推测；也可能是从过去的预测失误中吸取教训，通过掌握更多的信息来避免再次失算。尽管每个微观主体掌握的信息不尽相同，也不完全，每一单独决策会出现预测同市场未来变动情况的偏差，但只要他们的预算约束是硬的，所需信息不存在人为的封锁，他们就会努力掌握可利用的一切信息，尽量减少预期误差。

价格预期的准确与否还受市场组织程度的影响。在有组织的市场上（即高度组织化、正规化的商品交易所、拍卖市场、期货市场、证券交易所等），掌握正确预测价格变动所需的信息相对容易一些，微观主体便于作出合理的决策，因而有可能使市场波动不致偏离供求均衡点过久、过远。例如，在农产品拍卖市场上，某种农产品的生产者通过对价格变动和供求状况的预测，事先将其产量调整到供求均衡水平，而不是等到价格、供求变化之后作出滞后的生产调整。于是，或许会使"蛛网理论"①描述的那种爆炸性摆动得到缓解，直至收敛于供求均衡点。而在分散的、组织化程度很差的市场上，准确的价格预期和事先调整就困难得多。

价格预期还可能受主观因素和非理性投机因素的影响，因而难免产生误差，加剧市场波动。对价格变动的预期无疑要以市场运动过程中的内生变量为依据，诸如价格的供给弹性、需求弹性、竞争对手的价格战略，过去价格变动的经验和当前流行价格等，但由于预期毕竟受主观心理因素的影响，因此它对可能干扰市场的外生变量也相当敏感。一项新政策的颁布，政治局势的动荡，都可能在市场参与者的头脑中产生强烈反响，引致价格预期的重大变化，从而推动市场价格大幅度涨落。这在股票市场上是屡见不鲜的。此外，如果在期货交易、证券交易中缺乏专业性很强的预测人员，而听任非技术性的、不合理的投机现象蔓延，甚至被某种势力操纵市场，价格预期就可能遭到歪曲，价格预期误差的加

---

① 蛛网理论实际上是一种关于价格预期对下一轮生产施加影响的预期模型，它反映了生产计划的形成与实现之间的滞后效应。但是这一理论没有考虑市场组织制度，并且没有考虑生产者会吃一堑长一智，也没有考虑竞争对手的类似预期，因而对于揭示市场的动态均衡过程显得过于简单化。

大势必进一步造成市场的"盲目"波动。

市场供求的波动程度同价格预期的变动范围，存在着密切的相互作用关系。过去和当前的市场供求波动幅度，是影响价格预期变化范围的一个关键性内生变量；反过来，价格预期的变动范围进一步决定着市场供求的变化程度。价格预期的变动范围可由价格预期弹性[①]这一概念来表示。如果生产者和消费者双方的价格预期弹性大于1，表明他们认为未来价格会以更大的幅度上涨，生产者将减少当前供给，以便在将来按预期高价卖出；消费者会增加当前购买，以防未来涨价造成的损失。如果双方的价格预期弹性等于1，表明当前价格的变动幅度与未来价格的预期变动幅度相等，这不会使生产者和消费者改变整个时期内供给和需求的分布情况。如果双方的价格预期弹性小于1，或是小于零，则表明他们认为，未来价格的预期上涨幅度小于当前的提价幅度，或是当前的提价将导致未来价格的跌落，这会使生产者现在多销而消费者现在少买。当然，生产者和消费者还会产生不同的价格预期弹性，弹性的变动幅度会有差别，甚至弹性的变动方向可能完全相反。例如某次提价后，生产者可能认为价格会看跌，而消费者却可能认为价格会继续看涨。由于影响价格预期弹性的因素相当复杂，所以现实中的价格预期弹性在生产者和消费者之间必然呈现多样化的分布。

二、预期和"结不清市场"的相互影响

在既可能发生过度供给、也可能发生过度需求的"结不清市场"面前，所有的预期都会通过价格调节而实现的信念开始动摇了。非均衡的现实修正了预期的出发点。人们一旦发现未来的市场并不像预期的那样能够达到供求平衡，他们的动机和行为就会建立在新的基点上。这就是，市场现在是供求不平衡的，将来也未必能达到供求平衡，购买决策和销售决策不但要考虑价格因素，而且更要适应"结不清市场"的数

---

① 价格预期弹性指未来预期价格的变动率对当前价格的变动率之比。例如，假定当前价格上升了10%，生产者或消费者据此估计未来价格会上涨20%，则表明价格预期弹性为2。

量限制。这时，任何随机性供求波动，都会影响到对未来市场不均衡状况的预期；而市场参与者对未来市场不均衡的预期，又会使随机性供求波动扩大。

当商品短缺而且价格处于僵化状态时，消费者和生产者根据以往的经验和当前的短缺状况，会预计下一轮消费或生产将继续遇到短缺。作为购买者，他们尽可能现在多买一些，买方囤积、强制替代、抢购、搜寻、排队等一系列现象随之发生。值得指出的是，生产者作为卖方，在短缺条件下还会从事卖方囤积，以便搞物资串换，或是等待更有利的时机卖出。造成卖方囤积的原因更为复杂，例如流通领域秩序混乱等，但短缺仍然是根本原因。由此产生的短缺预期也就成了卖方囤积的一个重要推动力。这样一来，一方面会使市场原来的未满足需求继续存在；另一方面也会使现有的需求扩大（强制替代可能意味着现有需求大于初始需求）。消费者和生产者对未来短缺的共同预期势必推动生产的数量扩张，而技术创新、质量改进等等则可能遭到忽视，适销对路的产品会更显供给不足。当劳动力市场存在过剩供给时，由于福利性就业制度的长期保护，企业经理必然预计下一轮生产仍然必须奉命接收新工人，而且工资不能变动；劳动者必然预计自己不会面临失业威胁，不必减少对消费品的需求，也不必降低劳动量的供给。虽然在社会上没有表现出大量公开失业，但隐蔽的"在职失业"仍是劳动力供给过剩的另一种形式。这种情况表明，对于未来商品短缺的预期和不会失业的预期，势必进一步导致商品市场的过度需求和劳动力的过度供给（在岗位上的大量闲置）。

相反，如果福利性就业制度被取消，某些商品出现过剩，但工资和价格在短期内又难以变动，劳动者和企业经理就会根据供求数量变化修改自己的预期。当劳动者预计自己可能失业时，他将降低对消费品的需求。企业经理面对供给过剩的商品市场，他会预计在当前的商品价格和工资水平上，不可能按原先的供给水平来销售，而只能按市场需求水平决定销售量和投资规模，他对劳动力的需求也会随之下降。两方面的预期合在一起，可能导致公开失业的增加和生产能力的闲置过多。这意味着，商品市场的局部供给过剩和劳动力市场的过度供给在预期因素的推动下被扩大了。

对于我国这样一个巨大的发展中国家来说，由于存在着过多的农业剩余劳动力，因此预期因素对劳动力市场的影响显得尤为强烈。农业剩余劳动力向城市经济部门和发达地区的流动，关键在于经济收入上的吸引力。城市和发达地区现代经济部门和传统经济部门的工资收入高于农村和落后地区，过剩劳力产生提高收入的期望，即不论在城市和发达地区的哪一种经济部门就业，都有获得高于原地收入的可能性。这种高收入预期引导着数百万农业人口迅速而集中地涌向大城市和东部发达地区，无可避免地加剧了涌入地区的商品供应紧张、物价上涨和劳动力过剩的局面。劳动力流动中的高收入预期，本身并不错误。问题在于，这种预期在文化素质较低、掌握信息极不完全的农村人口中，往往会发生很大的误差，盲目性在所难免；而且，靠他们自己从错误中吸取教训来纠正预期，花费的时间过长，社会付出的代价太大。因此，对于农村剩余劳动力转移，务必不能放任自流，除了采取必要的经济、行政措施加以调节和引导外，还要通过各地有组织的劳动力市场互通信息，及早地引导他们修正自己的预期。在存在通货膨胀的情况下，预期因素同市场不均衡的相互影响表现得更为突出。根据通货膨胀预期，每个合乎理性的市场参与者都将采取行动，防止过快的物价上升变为自己的实际损失。假定价格体系能够灵活运动，而且市场需求不足，当货币发行过多，或物价上涨率高于银行利率时，储蓄者将要求提高存款利率；如果借款人预计实际利率同货币扩张前的相等，他就愿意支付提高的贷款利率。雇员将要求增加工资，如果雇主可以同时提高产品价格，他便愿意支付增加的工资额。由于汇率也可自由浮动，当本国货币增长速度快于其他国家时，本国货币的汇率就会通过外汇市场的波动而下降。通过这一番市场的自动调整，市场供求关系可能趋于平衡。但是，如果价格体系不能灵活调整，市场体系不健全，而且存在过度需求，就无法在通货膨胀中平衡市场供求关系，反而会恶化供求矛盾。这是因为人们在通货膨胀预期下采取的行动，不具有抑制需求的任何倾向，而只具有刺激需求的效果，这样，甚至会使本来就紧张的市场发生剧烈震荡。

1988 年我国曾发生数次抢购风潮，8 月份达到最高峰，同时伴随挤兑风，我国市场出现了建国以来罕见的严重波动。这场波动留给人们的教训是深刻的，从宏观决策部门到理论界尽可以从多方面总结这些教训，而其中一个重要方面恰恰是通货膨胀预期的推波助澜。

诚然，大规模的抢购、挤兑风潮，难免受到盲目的、甚至某些有意制造的紧张空气的推动，但是基本上属于消费者和储蓄者的自我保护性行动，而迫使他们采取这类行动的通货膨胀预期又并非毫无根据。国家统计局公布的资料表明了这种预期的现实基础。首先是连年物价上涨且不断加速。其次是涨价品种多而地区广，部分大中城市和东南沿海地区 1988 年物价上涨率纷纷超过 30% 以上。再次是实际利率为负值，加剧"存钱不如存物"的心理。这不能不使储蓄者选择必要的补偿手段，尽管他们可能作出错误的选择（例如抢购高档家用电器来"保值"）。改革以前群众一般不会关心货币发行量增加了多少，涨价幅度有多高，涉及的商品种类有多广，也不会去拿存款利率和物价上涨指数作比较。在价格由国家管制，信息公开程度很低的情况下，确实也无此必要和可能。而在发展商品经济，培育市场体系的改革过程中，价格的逐步放开，家庭和个人更多地投入市场活动，信息公开程度提高，人的经济主体意识逐渐树立，微观决策越来越需要关注市场物价指数、货币发行量、名义工资与实际收入、名义利率与实际利率等等一系列参考数据，预计它们的变化对自己的影响，进而采取适当的行动。

我国经济生活中预期因素同市场非均衡状况的相互影响，不仅在总需求过旺和通货膨胀形势下有明显的表现，而且在市场需求受到紧缩政策遏制的新形势下同样清楚地显露出来。1989 年八九月份，全国社会商品零售额分别比上年同期下降 0.7% 和 1.1%，出现了近 10 年来未曾有过的负增长，与上年同期增长 38.6% 和 35% 的高速度形成巨大反差。一些商品供求发生逆转，特别是上年抢购指向集中的商品销售急剧下降，零售市场需求疲软和局部买方市场的出现，成为 1989 年我国经济生活中突出的新情况。居民消费和储蓄行为由抢购、挤兑转为惜购、进行保值储蓄，"买涨不买落"的价格看跌预期，导致某些商品销售持续呆滞，国家统计局统计的 29 种商品的实际销售量，1989 年 1—11 月比上年同期几乎全部下降。产品结构与市场需求脱节的多年积弊以前所未有的程度和规模暴露出来。生产者受到需求疲软的数量限制，产品积压严重和资金周转困难，供给决策再也不能靠传统的数量扩张和囤积行为来支撑。

从 1988 年第三季度到 1989 年第三季度的一年时间里，我们已经从两个方面看到了预期因素对市场非均衡状况的影响和市场非均衡状况对预期的反作用。

预期在多大程度上加剧市场的震荡，从定性角度来看，首先取决于何种类型的预期占主导地位。这决定了预期行为的变化方向是否与市场供求变动方向一致，如果一致，便会加剧市场波动幅度；如果相反，便有可能促使供求向均衡水平回复。西方经济学把预期大体分为外推型预期、适应型预期和理性预期。前两者主要依据过去的资料推知未来，后者则还要尽可能掌握一切关于未来的可获信息。此外还有一种"行为预期"，即指预期的形成以社会和心理因素为根据，主要受人与人之间接触和大众交流作用的影响。此类预期的性质不如前三类预期那样严密。这几种类型的预期对研究我国的预期行为也是有用的。但由于我国市场体系和价格信息不健全、不合理、不通畅，短视的、片面的甚至盲目的非理性预期往往会左右大多数人，"行为预期"容易盛行起来。显然，当理性预期为大多数经济主体掌握以后，预期就会减少盲目性、片面性和短视性。例如人们可以根据较全面的信息预测市场未来趋势，而不至于被过去的资料牵着鼻子走，较早地发现供求变化的转机，及时调整预期，事先做出防范。反之，行为预期、短视预期、片面预期等若占主导地位，那就不利于市场恢复供求平衡。其次，取决于预期行为的形成过程和传递机制。在预期行为的形成过程和传递机制中，信息越是标准，公开程度越高，越有助于较快地形成大多数人的合理预期，从而促使市场恢复均衡。反之，信息越是混乱，越是封闭，越会造成少数人先得利而大多数人恐慌、盲从的局面，从而推动市场持续地偏离供求均衡状态，且越离越远。

预期的形成、传递、调整，一般由市场发育程度较高地区的少数人扩及其他地区的大多数人，由少数敏感商品扩及相邻商品。因而，努力健全市场体系，使价格体系和形成机制合理化，打破部门间和地区间的信息屏障，对于把非理性的、短视的或片面的预期行为控制在最低限度，而使合乎理性的预期尽可能地扩大立足之地，无疑是十分必要的。对于那种主要产生于大众交流作用、以社会心理因素为基本依据的"行为预期"，则需要通过稳定宏观经济，制定审慎的政策，进行实事求是和充分说理的舆论宣传，来加以正确引导。

预期的形成、作用和特点及其同市场非均衡状态的相互影响，在根本上还要受不同社会经济制度的制约。在资本主义"市场经济"中，由于私有者之间经济利益的对立，劳资关系的难于调和，残酷的竞争、市场无政府状态以及周期性生产过剩危机困扰着经济运行，生产者和消费者的预期不能摆脱经济不稳定的阴云。当然他们的预期还有市场体系健全，价格信号灵敏等优越条件，预期同经济生活的关系人们也有更深的感受。我国对市场体系进行有客观依据的计划调节，生产者和消费者的预期行为可望有一个稳定的社会经济基础，随着市场不断发育，预期因素必将更多地渗入我国经济生活。

三、预期行为和微观经济的博弈关系

从经济博弈理论的角度看，经济运行状态是由彼此独立的竞争对手根据自身利益，进行合乎理性的选择而决定的。当竞争各方在既定条件下不能随意改变自己的决策时，市场就处于某种均衡状态。传统的微观经济理论也研究竞争和微观决策，但主要提供的是一种在情况确定条件下的决策理论。而经济博弈论则考察不确定条件下个人决策的相互影响、一般环境以及其他个人的合作与不合作行为。这就使预期行为的研究有了新的视角。

在微观经济博弈关系中，由于微观主体对其决策后果缺乏充分的信息，就特别需要了解自己处于何种市场结构中，了解竞争对手的决策变化及其对自己的影响，估计多种可能的后果，从而作出理智的决策。因

而，预期行为对竞争战略和手段的选择是至关重要的。在市场环境具有完全竞争性质的场合，市场主体的预期主要以价格信号为依据，这是由于市场主体的数量足够多，以致谁也不能左右市场价格和供求状况，因此每个市场主体都只能按现行市场价格作出预期，并主要采取价格竞争手段去占领市场。而在市场环境处于有限竞争甚至垄断的情况下，市场主体的数量较少，每一市场主体的单独行动都可能改变价格和供求状况，竞争战略的制定就必须以尽可能多的信息为依据，预期行为必须按价格、供求数量乃至竞争对手的战略变化进行调整。例如，某一竞争对手利用技术创新和产品差别在竞争中占了上风，生产同类产品的企业就不得不更积极地了解竞争对手的战略变化规律，并对其今后可能采取的竞争战略做出合理的预期，据以调整自己下一轮的生产计划，同时考虑如何将价格竞争与非价格竞争结合起来，以便扭转竞争劣势。

　　市场竞争中的博弈关系大致可分为合作博弈和不合作博弈。合作博弈主要指竞争者之间存在信息交流（例如谈判）或达成有约束力的协议，此外，往往通行大多数决定原则。因此，合作博弈中的预期可能比较稳定，作出预期相对容易一些，且不必频繁调整。合作博弈关系在完全竞争和公共选择中较为常见，而在市场运行中更为普遍的是不合作博弈。不合作博弈主要指竞争对手之间不存在信息交流，也未达成稳定的协议。此类博弈关系中的竞争对手数量较少，每个竞争者的行动变化都可能影响市场供求状况，改变均衡态势，这就使预期因素对于不合作博弈显得更为重要。

　　处于不合作博弈中的竞争者，其自身利益是彼此严格对立的。由于缺乏直接的信息交流和稳定的协议约束，竞争者为了尽量减少风险，争取自身利益最大化，可能采取不同的竞争战略以应付局面。一是稳定型战略。这是指在其他竞争对手的竞争战略已经既定的情况下，某一竞争者不愿改变自己的竞争战略，"别人不动，我也不动"，以防出现对己不利的形势变化。二是支配型战略，即某一竞争者不管其他竞争对手如何动作，自己采取能够支配他人的最佳战略，以便抢占竞争优势。三是"选择最高的极小得益"战略。这是指在不确定条件下，几种可能的未来状态和行动方针都已给定，首先找出所有极小的收益，然后选择其中最大的。

像选择竞争手段一样，竞争战略的制定也受市场性质、价格灵活与否以及不确定因素的重大影响，但是竞争战略的制定具有长远和指导意义，因此竞争者更需要尽可能多地了解竞争对手的现有行动，尽可能准确地预测对手的未来行动，并尽可能多地预计几种未来状态和行动方针。现实生活中并不都是"一方损失、一方得益"的总和为零博弈，而是往往存在"非零和博弈"。例如，在不合作博弈中，"囚犯困境"表明了一种典型的情况，即由于互不了解、互相猜忌而终致对双方都不利的结果。而市场越是接近完全竞争状态，竞争者越有可能通过合作关系摆脱"囚犯困境"。不过，在合作博弈中，也可能存在信息交流的虚假性问题和违约行为。这些都说明，竞争者不能不广泛地搜集有用信息，彼此预测对方的行动意向，制定有备无患的竞争战略，或是建立有约束力的监督、仲裁机制。

由于受商品短缺、价格僵硬、市场体系不健全和通货膨胀的影响，我国微观经济博弈中的卖方垄断和不合理的非价格竞争比较盛行，特别是钻双轨价差空子的"寻租竞争"，更使得平等的市场竞争退化。不要说完全竞争条件下的合作博弈受到干扰和破坏，就连垄断竞争情况下所达到的不合作均衡也遭到扭曲。经济博弈论在研究垄断竞争时指出，少量的竞争者在不合作情况下，可以采用不同的竞争战略达到不合作均衡。这种均衡可能是受短边规则约束的数量配额均衡，也可能是价格竞争过程的结果。如果每一个交易者都是垄断者，能够提价并左右整个市场，那就必然引起通货膨胀。在我国现实条件下，短边规则约束的数量配额均衡，可能因替代品需求扩大或需求延期而遭破坏。价格竞争会因双轨制和通货膨胀而被瓦解。由于商品短缺造成卖方垄断，不可能使每个交易者都像垄断者一样行事，因而破坏不合作均衡的往往是卖方，它或是在限价范围内改变产量、质量，或是干脆提价，买方既无力压价，也因通货膨胀而难以辨识合理的比价关系。

本来，垄断竞争条件下的不合作均衡仍然表明市场机制起作用所达到的竞争结果。但是，产生于现行体制的商品短缺预期、通货膨胀预期和寻租预期，却使竞争者竞相转向囤积、惜售、提高短期福利以及谋求各种价差带来的非生产性垄断利润。这样，不合作博弈不再能产生按短边规则平衡供求的数量配额均衡，也不再能起到竞争压价的作用。突破短边规则的约束和不合作均衡的瓦解，意味着市场机制的作用未能正常发挥，微观经济博弈所依据的竞争规则被打乱。只有消除与旧体制相伴而生的预期行为，密切注视双重体制摩擦中产生的预期行为，并加以正确引导，微观经济博弈才有希望走上正轨。

四、预期行为和宏观经济政策效应

微观经济主体和宏观调控当局之间，同样存在着周而复始的经济博弈关系。构造有计划的商品经济新模式，实际上正是要以市场体系为枢纽，主动地、不断地处理好这种博弈关系。

与宏观调控相比，预期因素变动对微观主体行为的影响较为迅速而灵活，加上信息方面和微观利益视野的约束，预期往往会使微观决策与宏观调控发生程度不同的偏差，宏观经济政策的效应也将因此而衰减。市场供求关系的波动既会由于预期的作用而趋向缓解，又会因其推动而放大。因而，对于宏观调控部门来说，要由过去的直接控制微观运行过程变为通过市场引导微观决策，使之符合宏观战略意图，必须注意预期因素在不同体制条件下的变化，事先考虑到某项政策可能引起微观主体采取什么样的防范措施，这些措施又会对宏观政策产生什么消极影响，预期因素的修正将怎样影响市场的波动等等。否则，宏观调控便有可能陷于被动或不稳定，不是疲于亡羊补牢式的事后"调整"，就是处于朝令夕改式的政策频频变动。宏观政策的被动性和不稳定性，反过来势必干扰市场参与者的预期，迫使微观决策追求眼前利益，滋生短期化的、牺牲长远发展的急功近利行为。

"上有政策，下有对策"的矛盾现象，事实上反映着微观主体在预期因素的作用下同宏观调控的一种博弈关系。既然要让企业成为市场活动的主体，那就不能禁止它对所处的市场环境作出独立自主的预测和采取应变行动。有什么样的外界刺激，企业就应该有什么样的反应。例如一户一率的调节税，本意在拉平因生产装备和资源占用条件不同而产生的经营收益苦乐不均，结果却造成鞭打快牛，保护落后。努力经营的企业预计自己将被挖得很苦，它凭什么不隐瞒生产能力？又如，中央政府总是用产值增长速度作为考核地方经济发展的主要依据，地方政府预计自己所辖区域的产值上不去将意味着政绩平庸，甚至导致地方利益的削弱，它凭什么不尽力保护效率低的地方加工业，有什么必要把钱花到见效慢的基础设施上？可见，对"上有政策，下有对策"的矛盾现象作简单的价值判断，是无济于事的。需要做的应当是弄清产生这种矛盾的根源，究竟在于宏观决策本身缺乏合理的微观基础，还是由于宏观决策和调控体系（包括机构、指标体系和决策程序等）已经不适应逐渐生成的市场运动过程。

　　经济承受力同心理承受力之间的矛盾，其中同样蕴含着微观决策与宏观经济政策的博弈关系，以及预期对宏观政策效应的重大影响。这对矛盾的直接表现是广大群众对市场化改革的近期好处期望过高，而对需要付出的代价认识不足，消费愿望的提高与收入水平不成比例，收入水平的提高又与经济发展水平（尤其是经济效益的改善）不成比例。这对矛盾的成因较为复杂，既包括旧体制和封建社会、小农经济意识的长期影响，又导源于改革中的宏观政策失误和舆论宣传不当。当市场化改革使人们的经济收入提高以后，平均主义和大锅饭意识并未根本消除，不适当的高消费号召和还欠账许诺，强化了人们对改革迅速带来实惠的预期。尽管市场竞争、效率、风险等等也开始对广大群众的观念发生冲击，但在日益严重的通货膨胀现实面前，刚刚有所增强的心理承受力很容易一下子变得极为脆弱。市场竞争中的收入差距拉大本是正常的、必然的，遗憾的是宏观调节收入分配的政策不得力，收入分配不公问题蓄之已久，在通货膨胀中又进一步激化。据1988年统计公报，对12个城市的抽样调查表明，城市居民实际生活水平下降面已达34.9%，比上一年的21%扩大了13.9个百分点。这种局面不可避免地导致相当一部分群众产生预期的逆转，也就是对改革迅速带来好处的过高期望，很快变为对市场取向改革的不信任情绪。抢购、挤兑风潮包含着这种情绪已不必讳言，甚至连一向被认为改革的心理承受力较高的广东地区，近来也接连发生个体经营者要求回到国营单位重端铁饭碗的现象。假定通货膨胀未发展到目前的严重程度，或许还可以说群众对改革的心理承受力低于经济承受力，需要而且能够通过做好正确的宣传解释工作，帮助大家端正不恰当的收入预期。可是在越来越多的人实际收入下降的情况下，我们已没有理由指责群众的经济承受力高于心理承受力，也不能指望仅靠改进宣传教育就能缓解矛盾。部分群众心理承受力的下降及其对改革预期的逆转，有可能发展成为我国市场发育的重大障碍。如果不能采取综合的、有效的措施提高人们对改革的心理承受力，端正人们对改革的预期，中国市场发育的生机就难免萎缩乃至窒息。

在经济博弈关系中，宏观调控政策的效应衰减不仅仅是由于微观主体的预先防范，更重要的还在于政府本身行为的非理想化倾向。这种倾向并不是由政府官员的个人素质低造成的，而是政策的独特地位决定的。首先，与政府决策对应的是千千万万个企业、家庭和个人，宏观调控者的任何政策都不可能适用于所有的市场主体，但又要具有尽量广泛的适用性，这会使宏观政策力求面面俱到，而这样一来往往脱离实际。其次，政府可能出于某种政治上的需要而追求短期利益，甚至封锁信息，干扰决策过程的民主化和科学化。再次，政府虽然具有掌握和处理信息的优势，但会由于利益集团的摩擦和机构之间的扯皮而使决策质量降低。最后，宏观决策的直接领导责任难于追究，不像经济责任那样可以明确落实到个人身上，这就使政府行为的非理想化倾向缺乏风险约束。

政府行为的非理想化倾向可能导致对市场运行的不适当干预，导致宏观政策缺乏预见性，进而使宏观政策的后果很不确定，甚至会出现事与愿违的负效应，恶化微观主体的预期，非但不能缓解市场波动，反而会使其加剧。为了尽量避免政府行为非理想化倾向的消极影响，根本出路在于进行有效的政治体制改革，不过这已超出本文的讨论范围。仅就如何处理好预期和宏观政策效应的矛盾，以及微观行为和宏观调控的博弈关系而言，宏观调控者似应确立这样一些新的认识基点：

305

GAIGE SHIDAI DE JINGJIXUE SIKAO

第一，需要放弃笼统的"利益完全一致性"假设，清醒地认识到根本利益一致下的利益矛盾才是经济博弈关系的真正基础。中央、地方、企业之间，国家、集体、个人之间，宏观调控主体和市场运行主体之间诸方面的利益矛盾，不是用"根本利益一致性"自然而然协调好的。只有在不断的摩擦和调节当中，才可能知道什么是一致的利益，也才可能知道诸种利益矛盾怎样在最小的冲突下与一致利益趋于协调。企图由中央权威强加给诸方利益主体一个"共同利益"，终将被微观对策分解得面目全非。

第二，需要具有稳定性和预见性的宏观经济政策。稳定性不是一成不变的，而是指政府应致力于设置经济博弈的制度化、法制化环境，以便让市场运行主体清楚地了解有什么可以利用的竞争机会，以及作出的微观决策将导致什么样的后果。例如税收制度必须确实具有规范性、严肃性和强制性，而不能是协商办税、一户一率，这样才有助于企业、家庭、个人准确了解自己的可支配收入和纳税义务。政策的预见性不是指传统的指令计划那种预见，而是指一项政策的出台要充分估计可能出现的漏洞，越是后果难以确定的政策，出台越是要谨慎，越需要经过周密的论证。

第三，需要加强宏观决策过程的科学性和民主监督。要发展社会主义有计划的商品经济，完善市场竞争环境，必须打破宏观决策过程的神秘状态，让人民了解、审议重大决策的初步设想及其依据，并有条件监督、核查重大决策的执行结果。广大群众只有对未来前景和当前状况有一个较为全面的认识，才能减少产生错误预期的可能性，才能与政府同舟共济，也才能比较圆满地达到预定的宏观目标。在这一方面，住房商品化的改革所展现的良好势头提供了有益的证明。一些城市根据各阶层不同收入水平，制定不同的出售商品房和公房方案，并进行有说服力的宣传解释，不仅吸引了高收入阶层的货币购买力，也分导了中等收入阶层的消费需求。大多数群众一旦了解了住房商品化改革方案的来龙去脉，就会对这一改革抱积极的支持态度。只要政策对头并尽可能地做好舆论宣传工作，宏观经济政策的正效应可望较为持久。

（原载《经济研究》1990 年第 4 期）

4.8　培育统一开放、有序竞争的金融市场体系

经济学所研究的金融市场，不仅是指融通货币资金、买卖有价证券的场所，更重要的是指资金融通中各种交换关系的总和。要形成比较完善的金融市场体系，需要有规范经营的各类金融机构作为市场主体，需要有多样化的金融工具作为交换对象，需要有灵敏的利率机制作为资金交易的市场价格，需要有相应的市场组织形式以便于交换各种金融工具，还需要有公平、公正、公开的竞争规则来维系正常的交易秩序。即使从交换场所的意义上理解金融市场，仍然离不开对其他构成要素的研究分析，在实践上这些构成要素也缺一不可。

金融市场的形式有多种，最一般的划分法将其分为货币市场和资本市场两大类。货币市场又称短期资金市场，以融通一年以下资金为主，包括同业拆借市场、票据贴现市场、回购协议市场和短期外汇市场等；资本市场也叫长期资金市场，主要融通一年以上资金，包括债券市场、股票市场、投资基金市场、期货市场和长期外汇市场等。金融市场的各种形式随着经济发展和金融活动的复杂化而发展变化，货币市场在历史上先于资本市场产生，后者是以前者为基础发展起来的高级形态，两者在现代经济中协同运转。在不同国家、不同历史阶段、不同经济体制下和不同经济发展水平上，金融市场的命运、作用和发展侧重点存在很大差别。西方国家的金融交易出现"证券化"趋势，以直接融资为主的证券市场就很发达；发展中国家则需要首先发展货币市场，其资本市场的发展侧重于银行长期信贷为主的间接融资。

我国金融市场的基础很薄弱。在半殖民地半封建社会的旧中国，金融市场扭曲发展，投机性很强，成为少数人掠夺大多数人财富的"乐园"。新中国实行计划经济时期，金融市场自然变成累赘而被取消。改革开放以来，各类金融市场迅速发展，形成一定规模，为筹措建设资金，提高资金使用效率，引导资源优化配置，促进企业改革和经济结构

调整，作出了重要贡献。同时，金融市场也出现了竞争无序、引发金融风波等问题，对此绝不能轻视，也不能因噎废食。应当按照积极培育和规范发展的方针，把金融市场纳入健康运行的轨道。

一、金融市场的构成要素、基本功能和发展条件

金融市场在整个市场体系中处于核心和枢纽地位，是人类发明的配置稀缺资源的精巧装置。金融市场不仅具有像其他市场一样的共性，例如供求机制、竞争机制和价格机制起基础性调节作用；而且更具有自己的特殊性。例如，它是金融宏观调控的媒介和载体；金融工具、金融交易的专业化程度高，市场风险大；交易者需要掌握充分的信息，货币当局需要具备较高的监管能力等等。因此，对金融市场的构成要素、主要功能、特点以及发展条件有一个总体了解，有助于在实践中按照金融市场的内在要求和客观规律，促进它的正常发展与规范运行。

（一）金融市场的构成要素

资金交易主体、交易对象、交易价格、交易场所和交易规则，可以看作金融市场的五大构成要素，其中以前三者最为重要。

资金交易主体包括企业、金融机构、居民和政府，它们既可能成为资金的供给者，也可能成为资金的需求者。企业一般是以需求者的身份，通过向银行借贷，或发行股票、债券，来弥补生产经营资金的不足；它也可能把闲置资金存入银行，或进行证券投资。各类金融机构是金融市场上最重要的交易主体，以商业银行作为最大的资金供给方和需求方，中央银行主要扮演资金供求调节者和金融市场管理者的角色，其他金融机构也通过各种方式向金融市场供应资金或从中筹集资金。居民首先是金融市场的供给者，银行存款主要来自居民储蓄，证券市场的投资者相当一部分来自居民；他们为弥补消费资金缺口也会向银行借贷。政府基本上属于金融市场的需求方，通常它们要借助发行国债来弥补财政赤字；此外政府也可以通过向政策性银行提供财政资金，间接影响金

融市场的供求关系。

金融市场的交易对象是可以自由买卖的特殊商品——货币资金，一般表现为纸面凭证形式的金融工具。传统的金融工具包括债券、股票、商业票据、支票、银行存单、保险单等；70年代以来金融工具不断创新，在股票、债券、外汇、货币等金融交易的基础上派生出形形色色的金融衍生工具，它们依附于传统金融工具，不具有独立存在的地位，大多以某种金融交易合约的形式出现。金融衍生工具为交易者规避资金价格变动风险提供了手段，也为赚取价差的理性投机者提供了便利。现代金融交易手段的无纸化、电子化，使金融交易极为方便快捷。金融工具不论怎样变化，都具有偿还性、流动性、收益性和风险性等特征，风险和收益通常成正比。金融工具对其持有人来说属于金融资产，他要合理选择金融资产的组合，才能使金融资产的流动性、收益性和风险性保持相互协调。所谓"不要把所有鸡蛋放在一个篮子里"，正是对资产选择原则的通俗说明。一个灵活有效的金融市场，能够为交易者提供多种多样的金融工具，满足其选择资产组合的需要。

金融市场的交易价格是利率。在成熟的市场经济条件下，利率水平主要由资金的供求关系决定，反映资金的稀缺性。当资金供不应求时，利率会上升；反之则会下降。利率对资金供求双方具有信号功能和引导功能，利率波动能够调节金融市场的供求状况。在金融市场上发挥作用的利率是一个完整的体系，首先具有合理的结构，各类金融市场都有自己的利率或交易价格，例如货币市场有同业拆借利率、票据贴现利率，资本市场有长期债券利率和股票价格等；其次各种利率之间存在灵敏的传导机制，一种利率的升降会引起其他利率连锁式的同方向变动。各国经济发展水平和经济体制不同，利率结构和传导机制也各有区别。发达国家的利率种类很多，传导机制十分灵活；而发展中国家的利率种类较少，传导机制也比较僵硬。从制定利率的主体角度看，利率体系一般由中央银行利率、商业银行利率、市场利率（主要指各种债券的利率及民间借贷利率等）组成。中央银行对商业银行和其他金融机构的再贴现或再贷款利率，被称为基准利率，是中央银行执行货币政策的重要工具，在整个利率体系中起主导作用。概言之，商业银行利率和市场利率虽然是在资金供求各方的竞争中形成的，但要受到中央银行利率的调节。

资金融通的交易场所是金融市场运行的一个必要条件。从广义上说，金融交易场所可以分为无形市场和有形市场。无形市场是指没有固定场地的金融交易载体。随着电子信息技术的突飞猛进，运用电信手段进行的资金拆借、外汇买卖等金融交易越来越多。由于信息传递迅速，交易十分便捷，因此庞大的金融电信交易网络成为日益重要的无形市场。有形市场是指进行金融交易活动的固定场地，包括分散的市场和有组织的市场。以证券市场为例，分散的市场也叫场外交易市场或店头交易市场，专门为分散的客户买卖证券提供场地。各类金融机构的营业厅都属于分散的交易市场。有组织的市场指集中交易的特定场所，股票交易所和证券交易所是其典型，它具有组织严密、管理严格、信息充分、交易公平、交易量大等特点，通常实行会员制，非会员不能参加场内交易。从狭义上说，金融交易场所主要指有形市场，其中有组织的市场是以分散的市场为基础发展起来的高级形态，两者适应不同的需要。从发展趋势看，无形市场和有组织的市场将会成为金融交易的主要场所。

金融市场的交易规则是维护资金融通正常秩序的制度保证，大体上包括市场准入规则、市场竞争规则和市场退出规则。市场准入规则决定什么样的金融机构可以进入金融市场，明确它们的性质、地位、资格、权利和责任等；不符合这些规定，金融机构就不能设立，不被允许参与市场竞争。有资格参与金融市场的交易者必须遵守市场竞争规则，这些规则大多体现为法律法规，例如证券交易所要依法按照公平、公正、公开的原则进行交易，大户操纵或内幕交易都是违法违规行为；有的竞争规则体现为不成文的商业惯例，例如诚信守约、童叟无欺等。市场退出规则的作用在于使失去竞争资格的交易者有秩序地退出金融市场，保护债权人的合法权益。有些金融机构因违法经营、管理不善或其他原因，无法维持正常经营，不能支付到期债务，就必须采取接管、关闭直至破产等手段，将其淘汰出局。在市场准入、市场竞争和市场退出三个环节是否建立了完善的规则，可以衡量金融市场的发育是否成熟。

（二）金融市场的特有功能

像其他市场一样，金融市场具有配置资源的基本功能。此外金融市场又具有其他市场所不具备的特殊功能，即收入聚集转化功能，资金分配功能和传导调节功能。正是这三大特有功能，使金融市场能够对提高微观经济效率和稳定宏观经济产生重大的影响。

收入聚集转化功能是指金融市场把人们的收入汇集成储蓄，又把储蓄变成投资，促进投资增长的功能。投资增长在经济增长过程中起着发动机的作用，在国民收入水平既定的条件下，投资规模主要取决于储蓄水平，以及人们选择各种金融资产的偏好程度。发达的金融市场拥有众多金融机构，它们提供着多样化的金融工具和周到的金融服务，人们可以比较不同金融工具的流动性、收益性和风险性，从而决定是把结余收入存进银行，还是拿去买收益较高的股票或债券。如果金融市场不发达，势必阻滞收入转化为投资的过程。因为在这种情况下，人们只好在单调的金融资产形式中选择，手持现金和储蓄的比重就会很大，而其他收益较高（当然风险也较大）的金融投资比重则会很小。虽然银行可以把储蓄以长期信贷的形式转化成投资，但对资金需求方来说筹资成本可能较高。如果以发行股票或债券这种筹资成本较低的方式来进行长期投资，显然比较合算。所以，金融市场的收入聚集转化功能，是以金融机构的信用中介作用和金融工具的多样性为依托的。金融机构和金融工具种类越多，越能满足不同的人对资产选择的不同偏好，吸引人们把消费后的收入结余投向各种金融资产。这样，收入向投资的转化过程就会十分顺畅。

资金分配功能是指金融市场通过利率机制引导资金合理流动、优化资源配置的功能。在微观层次，金融市场能够促进企业有效使用资金，努力提高经济效益。企业无论向银行借贷还是发行债券，都要还本付息；发行股票虽然不必还本，但要向股东支付股息和红利。由于使用从金融市场筹措来的资金必须付出代价，这就迫使企业精打细算，提高资金使用效率，尽可能使资金增值，以便支付代价后还能有利可图。做不

311

GAIGE SHIDAI DE JINGJIXUE SIKAO

到这一点，资金就会流向其他企业。在宏观层次，金融市场能够引导资金从低效率行业流向高效率行业，进而带动各种资源在社会生产各部门之间实现有效配置。当某个行业的生产效率和利润水平高于同部门的其他行业时，它的股票和债券价格将会上涨，势必吸引资金、生产资料、劳动力和技术等生产要素纷纷向这一行业集中。相反，当某一行业的利润率低于同部门其他行业的平均利润时，这个行业的股票和债券价格将随之下跌，资金等生产要素便会向利润率更高的行业转移。

传导调节功能是指金融市场传递宏观调控措施的效应，进而调节资金供求关系和社会总供求状况的功能。由于企业、居民、金融机构和政府都参与资金交易活动，货币的流动贯穿于生产、流通、分配和消费各个环节，因而金融市场的利率升降、资金供求关系的变化等等，不仅综合反映着微观经济状况和社会总供求是否平衡，而且会牵动社会经济各个方面的运转随之发生变化。金融市场上融资规模的扩张或收缩，直接影响到货币供应量的增加或减少，进而使企业感到融资环境的松或紧。国家通过调节货币供应量或金融市场的利率等变量，可以影响融资规模和企业的贷款需求，为保持经济总量平衡创造条件。例如，当经济过热、出现通货膨胀时，中央银行可以提高基准利率，由此带动金融机构提高对工商企业的贷款利率，企业迫于融资成本上升会减少贷款需求；中央银行还可以在公开市场上抛出有价证券，回笼货币。这种收紧银根的措施有助于遏制总需求过旺，使宏观经济稳定下来。当经济不景气、货币供应不足时，中央银行可以降低基准利率，或在公开市场上买入有价证券，增加货币供应量。这种放松银根的做法有助于刺激总需求回升，促进经济增长。因此，金融市场是国家对经济运行施加宏观调控的重要中介。

（三）金融市场运行的突出特点及其影响

从市场运行角度分析，金融市场与商品市场相比呈现出很多明显的特点，主要有：

第一，资金融通过程中所有权和使用权高度分离。在商品交换中，实物商品从卖者向买者易手，一般是和所有权转移同时进行、密不可分的。而资金交易与实物商品交换不同，资金所有权并不随金融交易而转移，交易过程中多次转移的只是资金使用权。例如，商业银行发放的贷款大部分来自存款人，银行对这部分贷款只有使用权，其所有权归属于存款人；贷款发放给企业或其他使用者以后，存款人的所有权并未随之转移。又如，发达国家金融市场上十分活跃的社会保险基金组织，其巨额基金的所有人是千千万万个投保人和养老金领取者，基金组织不管用这些基金买进或卖出多少次金融资产，也不过拥有基金的使用权。资金使用权同所有权的高度分离，一方面有利于扩大信用规模，另一方面也使资金所有者远离资金运用过程，造成监督的困难。

第二，资金交易中的价值转移具有增值性。在商品买卖关系中，消费者向生产者支付货款购买商品，是为了满足消费需要，并不刻意追求商品的增值；只有生产者才为了价值增值而卖出商品。而在资金借贷和买卖关系中，借款人要向贷款人还本付息，企业要向股东支付股息和红利，资金使用者只有支付代价后还有盈利，才能筹集到所需资金；同样，资金所有者只有得到高于原有价值的回报，才肯把资金转让给使用者。资金供求双方都追求价值转移的增值性，是金融市场运行的内在动力，也是优化资源配置的有效机制。

第三，金融交易具有明显的信息不对称特点。所谓信息不对称是指竞争双方掌握的信息不一样充分。掌握信息多的一方往往处于支配地位，缺乏信息的一方往往受到控制，这样一来市场将产生不公平竞争。一个完善的市场首先需要具备完全的信息条件，参与者要掌握关于这个市场的充分的知识。在竞争性的商品市场上，做到这一点相对容易，因为实物商品的价格、质量等比较容易了解，竞争双方需要掌握的市场信息比较简单。

而金融市场则不同。金融工具的专业化、复杂化程度很高，特别是金融衍生工具使金融资产变得虚拟化，金融交易更为普通人难以捉摸，交易者需要具备相当水平的专业知识，才可能掌握充分的金融信息。许多债权人和股东并不具有资金运作的专门知识，不可能直接参与资金多次运动的实际过程，而只能把资金交给金融机构去经营；金融机构作为资金运动的直接操作者，掌握的金融信息总是大大多于资金所有者。

金融市场的信息不对称现象，是金融交易高度专业化的必然产物，客观上有利于金融业的分工深化，发展多样化的金融机构来为普通交易者提供金融服务。同时，这种信息不对称现象也容易形成金融机构对资金所有者的控制地位，资金所有者往往缺乏有效的监督手段，最终却要承担资金使用不当造成的损失。这就要求社会建立健全对金融机构和金融交易的监督机制，以保护债权人和股东的合法权益不受侵害。

第四，金融交易的收益高，风险也大。商品交易的收益高低取决于商品价格升降，商品价格围绕价值上下波动，不会偏离价值很远。资金交易虽然以社会可提供的实物商品为最终依托，但资金的多次运动往往会脱离实物商品而形成自我周转。资金的价格受到供求状况、风险程度和市场投机等多种因素影响，会远远背离价值而大起大落，这种情况在股票市场上表现得非常突出。因此，金融交易的收益和风险要比商品市场大得多。特别是做股票交易的人，可能一夜暴富，也可能一朝血本无归。风险和收益相互对应，是金融交易的重要原则。有了这一原则，金融市场才能创造出高收益、高风险的金融工具，吸引有创业精神的人进行风险投资，促进高新技术的研究、发展和产业化。金融市场的交易者必须具备风险意识，风险低收益就低，收益高风险必然也高，怀着只赚不赔的心理参与金融交易，是不得要领的。

第五，金融市场的波动对经济生活会产生全局性影响。商品市场的供求变动一般不会对国民经济产生全局性的重大影响，因为人们可以在商品市场上找到替代品和互补品。相比之下，金融市场一旦发生局部性或系统性金融风波，会迅速波及其他领域和整个国民经济。此外，由于金融市场是国家实施宏观调控的重要中介，金融活动综合反映着微观经济和宏观经济的运行状况，所以，金融市场对整个社会经济的影响可以说是牵一发而动全身。

（四）金融市场发展的条件和制约因素

发展金融市场需要许多不可或缺的外部条件，这些条件不具备或不成熟时，便可能成为金融市场的制约因素。对金融市场具有关键性影响的因素主要有经济发展水平、经济体制状况、货币当局的监管能力、宏观经济环境等。这些因素对金融市场可能单独产生影响，也可能共同产生影响。在不同时期，某个因素的影响会更为突出。例如当通货膨胀严重时，稳定宏观经济便成为发展金融市场的首要外部条件。当某一因素为既定时，其他因素的影响程度便会具有决定意义。例如经济发展水平相似，但实行不同经济体制的国家，金融市场的发展就取决于体制条件；又如有些国家同样实行市场经济体制，但是经济发展水平相差很大，那么这些国家金融市场的发展就不可能超越本国已有的经济发展水平。总的说来，经济发展水平和经济体制状况是其中最根本的影响因素。

首先，金融市场的发育程度和发展侧重点受到经济发展水平的制约。一国金融市场是否发达，发展金融市场的重点放在哪里，最终取决于该国经济发展水平的高低。在发达国家，经济规模极为巨大，社会经济活动高度复杂，各方面对资金融通的需求非常强烈；金融市场的发展历史也很悠久，具有十分发达的现代金融机构体系，能够提供多样化的金融工具和金融服务；金融交易手段先进、灵活，大量交易是以电子化、证券化的方式进行的；居民持有的金融资产形式多样，资本市场的直接融资比重很大，等等。因此，发达国家金融市场的发展重点往往在于加速金融工具创新，进一步完善金融交易手段和证券市场等方面，以便不断满足各种市场主体对金融服务的高要求。而在发展中国家，经济活动比较简单、规模较小；现代金融机构、金融工具和金融服务十分缺乏，少数银行垄断金融交易，资本市场不发达；交易者往往依赖传统的甚至落后的交易方式和手段，如民间高利贷盛行，等等。因此，发展中国家金融市场的发展，往往需要着重构造以商业银行为主体、多家金融机构展开竞争的金融机构体系。

其次，金融市场的运转效率取决于经济体制的性质和完善程度。在成熟的市场经济体制下，金融机构和工商企业都是自主经营、自负盈亏、自担风险、自我约束的市场主体，利率由资金供求双方的竞争性均衡来决定，能够反映资金的稀缺性和使用价值（即投资收益），金融市场的运转是有效率的。在向市场经济转轨的国家，由于新体制还不完善，旧体制还有强大惯性，金融市场在经济转轨时期难以充分发挥其应有的功能和运转效率。例如，国有企业对利率变化的反应相当迟钝，国家调整利率的效果在国有企业并不明显。另外，各种利率基本上由国家决定，利率形成机制还不是市场化的，各种利率之间的传导也不灵活。这样，利率的变化难以准确反映资金的稀缺性和使用价值，金融市场也就很难有效地优化资源配置。随着市场经济体制最终确立并且不断完善，金融市场的运转效率才能逐步得到充分发挥。

再次，货币当局的监管能力制约着金融市场的开放程度。在一国中央银行体制或相应的金融监管体系比较健全、金融监管能力比较强的情况下，金融市场的对内对外开放程度通常比较高，银行和其他金融机构可以有较大的余地进行金融工具创新，在经营范围上受到的限制比较少；外国金融机构在市场准入资格和准入领域方面受到的限制也比较宽松。相反，当一国不具备强有力的金融监管体系和监管能力时，金融市场的对内对外开放程度相应地比较低。如果超越监管能力，过早、过快地开放金融市场的准入领域，特别是实行本币完全自由兑换，允许外国资本在外汇市场自由炒作，或是在国内资本市场上自由进出，很容易引起大量资本外流，甚至引发金融危机。近几年南美洲和东南亚一些国家之所以接连发生金融危机，其中的一个重要教训就在这里。随着金融机构体系逐步健全，金融监管能力逐步提高，循序渐进地扩大金融市场的开放领域，才能保证金融市场稳健运行。

最后，宏观经济环境是否宽松，对金融市场的开放进程具有重大影响。当经济增长势头良好，商品的有效供给大于有效需求，通货膨胀率很低，资金供应相对宽裕的时候，加快金融市场的开放进程便处于有利的时机。例如，这时放宽利率管制，让利率由市场供求决定，一般不会引起利率大幅度上涨，不至于造成企业成本激增、推动物价飞涨等不良后果。可见，在宏观经济环境比较宽松的条件下，金融市场的开放进程会比较顺利，金融改革的步子可以迈得比较快。反之，如果商品有效供给不足，通货膨胀率很高，资金十分紧缺，那就很难实行金融自由化。因为，假如这时贸然解除对利率或金融机构的限制或控制，无异于给严峻的宏观经济形势火上浇油。所以，金融市场的顺利开放需要有一个稳定、宽松的宏观经济环境，这一点对于发展中国家和体制转轨国家来说尤为重要。

二、把股票市场引向健康发展的轨道

80 年代中期，伴随着企业股份制改革的步伐，股票发行和流通逐步回到我国经济生活的舞台。90 年代初上海和深圳两家证券交易所的相继建立，标志着我国股票流通初步形成有组织的市场体系。在 1992 年邓小平南方视察谈话的鼓舞下，股份制改革和股票市场呈现出蓬勃发展的势头，对建立现代企业制度，转换企业经营机制，拓宽筹资渠道，加速产业结构调整，起到了积极的推动作用。

（一）股票市场的基本内容和发展趋势

通常，人们把股票市场看作真正的资本市场，这是由股票本身的特性决定的。股票是股份有限公司发行的可转让的所有权凭证，用来表明投资者的股东身份，并按持有份额享受相应权益、承担相应义务。按股东享有的权益划分，股票分为普通股和优先股两大类。普通股股票是表明股东享有平等权利，并随着公司利润的多少而分得相应股息的股票，股息是不固定的。持有普通股的股东享有经营参与权、盈利分配权、剩余财产索取权和优先认股权等权利。优先股则是指股东在分配公司收益和剩余财产方面比普通股具有优先权的股票，股息是固定的，类似于债券，持有优先股的股东不参与公司经营管理。股份有限公司按如下顺序分配盈利：先对债权人分派利息，再分配优先股股息，最后才是普通股股利。

普通股典型地代表了股票所具有的特点：一是收益和风险相对应。买股作为一种投资，股东既有权以股息和红利的形式分享公司盈利，也必须承担公司经营不善带来的亏损甚至破产风险。二是参与性。股东参与经营管理的权力大小取决于持有股份的多少，这就便于形成股东对公司的监督制约，督促股份公司提高经济效益。三是无期限性和可转让性并存。无论是普通股还是优先股，都代表着股东的永久性投资，是不能退股的；但可以在股票交易市场上出售。这样就既保持了股份公司资本的稳定性，又可以通过股票转让使资金流向高效率公司。股东在股份公司内的股东大会上行使投票权，被称为"用手投票"；而股东跑到股票市场上买卖股票，则被形象地称为"用脚投票"，从外部对公司产生压力，迫使它努力改进经营管理，否则它就可能被别人收购、接管。

股票市场是股票发行、流通的场所和交换关系的总和，由发行市场（即一级市场）和交易市场（即二级市场）两个层次构成。股份有限公司通过一级市场向社会公众发行股票募集资金，属于公开募集方式，由此组成的股份有限公司在西方被称为公众公司。还有一种只在特定范围内而不公开发行股票的公司，被称为私募公司。因此股票发行市场的参与者主要是股份有限公司和投资者。股票交易市场则是已经发行的股票进行转让、流通和交易的场所，主要参与者包括投资者、股票上市公司、证券公司和证券交易所。股票交易市场有两种形式，一种是集中交易、组织化程度极高的证券交易所，另一种是分散交易的柜台交易市场，又称场外交易市场或三级市场。

世界上最早的证券交易所1531年创立于比利时的安特卫普，早期的证券交易所主要买卖政府债券，直到19世纪末期股份公司普及之后，证券交易所的交易重点才转向公司股票。目前，国际性的证券交易所分布在纽约、伦敦、东京、法兰克福和香港等地。20世纪70年代以来，在激烈的竞争中，证券交易所发生了不少变化。例如成立于1773年的伦敦证券交易所，放宽了对交易所成员资格的严格限制，允许交易所成员兼作交易商和经纪人；取消固定佣金制度，每笔佣金由客户同经纪人商定，等等。总的看来，发达国家证券交易所的制度变革更加倾向于加强竞争，技术手段更加先进，随着金融工具不断创新，交易方式也日益多样化。而发展中国家则主要依靠柜台交易市场进行股票流通和转让。

（二）我国股票市场的重要作用

实践证明，企业股份制改造和发展股票市场具有重要的积极作用：

第一，有利于增强国有经济控制力，巩固公有制主体地位。在多种所有制经济共同发展，投资主体日益多元化，企业财产组织形式也日益多样化的格局下，通过股份制的形式，以较少的国有资本控制和支配较多的社会资本，更有利于实现国有资产的保值增值，增强国有经济的主导作用，保持公有制经济的主体地位。现实情况正是如此。

现有股份制企业的股权结构中，国有资本占支配地位。据统计，到1994年底，全国股份有限公司达9063家，股本总额为5971亿元，其中，国家股占42.63%，法人股占25.42%，个人股占20.97%，外资股占10.98%。这种股权结构表明，国家以43%的资本份额控制和支配了其他57%的社会资本。而运用控股、参股形式，以少量资本控制和调动更多的社会资本，正是社会主义市场经济条件下国有资本发挥主导作用的根本途径。

在上市公司中，国有和集体经济保持控股权。1996年底统计的530家上市公司中，国家及国有企业控股的373家，占70.3%；集体企业控股的83家，占15.7%；股份有限公司和有限责任公司（股东主要由国有企业或集体企业构成）控股的66家，占12.5%；外资企业间接控股的8家，仅占1.5%。这530家上市公司总股本为1219亿元，其中国有股占53%。通过发行股票上市，国有和集体经济吸纳了大量社会资金，不仅保持了在上市公司中的绝对数量优势，而且形成了以公有制为主体的新型混合所有制经济。

国有资产通过股票上市得到保值增值。主要表现在：一是改制时评估增值。上市的国有企业通过评估，资产增值率一般为33%。二是溢价发行增值。以A股为例，社会公众股的发行价平均每股为6元左右，是发行前企业每股净资产的4倍，国有资产享受的增值率为84%。三是经营增值。1990—1996年，上市公司平均净资产利润率为13.9%，所有者权益的增值率得到稳步提高。四是配股增值。上市公司配股价格一般比每股净资产价值高 50% 以上，为国有资产进一步增值创造了条件。

第二，有利于改善国有企业的资产负债结构，提高国有资本的配置效率。过高的资产负债率一直是阻碍国有企业健康发展的沉重负担。通过股份制改造特别是股票上市，筹集到大量资本金，一部分国有企业的资产负债结构趋向合理，对转换经营机制，提高经济效益，起了积极的促进作用。截至 1997 年 8 月底，我国上市公司在境内外证券市场筹集到资本金共计人民币 2560 亿元，其中包括 B 股、H 股和其他外资股 135.4 亿美元。这些资本金的注入，为国有企业轻装上阵参与市场竞争奠定了必要的基础。1996 年，工业类上市公司的平均资产负债率为 50.37%，比国有工业企业的相同指标低将近 15 个百分点。

上市公司在上市前一般都是比较好的企业，发行股票上市后建立起产权约束机制和内部制衡机制，加上股票市场的外部监督约束，促使上市公司保持良好的增长势头。1996 年，国有控股上市公司的销售利润率为 9.7%，净资产收益率为 9%，分别比国有大中型企业的相同指标高 8 个百分点和 6.5 个百分点；国有控股上市公司的资产总额只占国有企业资产总额的 3%，利润却占国有企业利润的 23%。上市公司的整体经济效益高于非上市的国有企业，表明国有资本通过股票发行上市流向高效企业，因而促进了国有资本配置效率的提高。

第三，股份制正在成为推动产业结构调整的有力杠杆。发行股票上市为贯彻国家产业政策拓宽了融资渠道。截至 1997 年 8 月底，上市公司通过发行 A 股筹集资金 1384 亿元，用于基础产业和高新技术产业 761 亿元，用于支柱产业 347 亿元，即 80% 以上支持了农业、能源、交通、通讯、原材料等需要加强而又长期缺乏资金的部门。国家重点建设和技术改造也通过发行股票筹集了巨额资金。1993—1997 年 6 月，国有企业仅通过发行 A 股，就为 79 个国家重点建设项目和 206 个省级重点建设项目提供了资金 415 亿元，为 54 个国家技改项目和 111 个省级技改项目提供资金 256 亿元。这就带动了生产要素向急需发展的部门流动，有利于优化社会资本的配置。

发行股票上市促进了企业的收购兼并和资产重组，加快了大集团的发展，有助于打破条块分割和不合理重复建设。股份制企业特别是上市公司具有灵活的经营机制和比较雄厚的实力，能够通过兼并收购实现低成本扩张，不仅使自身迅速发展壮大，而且带动一批困难企业走出困境。1997年已有136家上市公司兼并273家国有困难企业。辽河化工、深圳康佳公司等就是这方面的成功例证。许多国有企业改组为上市公司后，迅速发展为行业中的骨干企业。在彩电、空调、冰箱、印刷、化工、石化、医药、电力、钢铁、航空、工程机械等行业，上市公司都占主导或重要地位。例如，1996年电子百强企业中，前10名都是上市公司，其销售额占全行业的30%。有了这样一批行业排头兵，就能逐步提高资本集中程度，形成规模经济，成长起能够适应国内外市场竞争的大公司、大集团。

（三）我国股票市场存在的主要问题

总体上说，我国股票市场开放以来所起的积极作用是主流，应当充分肯定。但是股票市场还很不成熟，规范化程度也不高，在发展过程中暴露出不少问题，对股票市场进行规范化建设的任务相当艰巨。

从股票发行市场看，存在的问题主要有：一是在股份制改造中，不少企业把发行股票当作单纯的集资手段，热衷于增资扩股，低估企业资产价值和高溢价发行原始股，忽视公司产权结构的调整和经营机制的转换。高溢价发行的新股刚刚上市就跌破发行价，既损害股民的利益，也败坏公司的声誉。二是企业和股民对于发行和购买股票尚缺乏足够的风险意识。不少企业把股票看作比既要还本付息、又要自担风险的借款更有利的筹资方式，争相改成股份有限公司，争相公开发行股票，争相上市挂牌交易；许多股民则天真地把股票当作只赚不赔的食利手段。于是往往导致股票债券化、超利润分红的不规范做法，甚至成为股票发行中舞弊行为的诱因。三是缺乏成熟而有效的评级体系。会计师事务所、资产评估机构等股市中介机构对股票发行企业的评估、监督还不严格，有的甚至提供虚假评估报告，导致一些股份公司包括上市公司的质量不高。四是对股票发行规模实行人为控制，难免产生一些弊端。例如，容易引发拉关系、走后门等舞弊行为；不利于大面积推开公司制改造；容易把本应由股民承担的投资风险淡化甚至转嫁给国家，等等。

从股票流通市场看，一个成熟的股票流通市场通常具有以下特点，即规则严明，运作规范，以长期投资为主，股价指数相对稳定，股票价格变动大体上能够反映公司经营状况等。换言之，具备了这些条件，股票流通市场才能有效地评价和监督公司经营状况，引导资本优化配置。相比之下，我国股票流通市场还有很大差距，主要表现在：

第一，股票交易和监管制度不健全，证券交易法律体系不完备。对上市公司、证券商和股票交易场所监管不够得力，股票交易中屡屡出现非法拆借和透支，挪用公款或客户保证金炒股，以及银行资金违规流入股市等现象，影响国家重点建设资金的落实，干扰正常的金融秩序。对于大户操纵、内幕交易、欺诈客户、联手恶炒、披露虚假信息等违法、违规交易行为，缺乏有效的约束手段，造成股市投机猖獗，频频动荡，暴涨暴跌。

第二，上市流通的股票结构不太合理，长期融资能力不足。股票流通市场的上市股票大多集中在资金需求量小、投资回收期短、回报率高的行业，如加工业、商业和房地产业等；而资金需求量大、投资回收期长、回报率低的行业，如交通运输、矿山、能源等基础产业和基础设施，上市股票却很少。与此相反，发达国家的股市发展重点则放在长期的、基础性的投资领域。这表明我国股票流通市场对长期投资的引导比较乏力。

第三，股市的投机性过强，投资性太弱。主要表现在四个方面：（1）股票流通市场的参与者大多为散户和短期投资者。90 年代中期的一项调查表明，股市中散户和短期投资者分别占 90% 以上，买卖股票主要是为了套取价差，几乎没有真正进行长期投资的持股者。（2）股票的换手率过高。我国各种股票的年平均换手率相当于发达国家成熟股市的十多倍，日平均换手率更是高过后者数百、上千倍。这说明我国绝大多数股票交易都是买了就卖的投机行为。（3）我国股票市盈率远远超出各国股市的正常标准。市盈率等于每股市价与其税后利润之比；它的倒数代表股市长期投资的收益率，根据社会平均利润率规律，应当与同期银行存款利率接近。境外成熟股市的市盈率一般在 20 倍以内，80 年代后期日本股市市盈率达到 40—50 倍时，就被认为投机性过强，孕育着金融风险，后来果然导致"泡沫经济"危机。而我国沪深股市的市盈率曾经高达上百甚至数百倍，目前仍有 40 多倍，其倒数大大低于同期存款利率。这说明大多数股票不具备长期投资价值，只能引导股民从事短期投机。(4) 股票市场价格涨跌幅度过大。我国股市开放以来，股市价格几乎每年都有大起大落，涨跌幅度往往高达几倍甚至更多。这种频繁而剧烈的股价波动，既不能反映上市公司的经营业绩，也不能反映宏观经济的运行状况。境外成熟股市的股价虽然也出现过大幅度涨跌，但其剧烈程度和频繁程度都不及我国。

(四) 把股票市场引向健康发展的轨道

1995 年，国务院提出了关于证券市场发展的"八字方针"，即"法制、监管、自律、规范"，这一方针是把股票市场引向健康发展轨道的基本指南。根据这一方针的要求，要健全证券交易法律体系，依法切实加强市场监管，规范股票发行和交易行为，进一步抑制非理性投机，防范市场风险，维护中小投资者的利益，形成长期稳定的资本市场。

第一，严格执行股票发行的审查、监督制度，维护股票发行和购买的市场秩序。为保护公司中的国有资产和公众利益，必须严格审查股票发行企业的资格条件，确认其公司章程、资产评估报告、验资报告和招股说明书是否符合规定，必须严格监督该公司的信息披露是否充分、真实。依法打击内幕交易和操纵股票发行市场的行为，禁止搞"权力股"或内部私分股票，不允许采取不正当的手段人为抬高股价。在条件成熟时宜取消对股票发行规模的人为控制，规范股票发行的关键在于审定资格条件。政府不宜直接干预股票价格和个人购买行为，要让买股者自主决策，自担风险。同时要帮助股民加强投资风险意识，正确认识股票的性质和作用。

第二，制定股票流通市场的总体发展规划，引导股市有序发展。对股票市场的发展速度、上市规模、股票结构以及市场组织形式的分工与布局等重大事项，应当作出通盘考虑和长远筹划。例如，逐步调整上市股票结构，重点转向基础产业和基础设施的股票发行上市；增加绩优股的上市量；合理调整柜台交易市场的布局和分工，等等。这样，可以为指导股市健康发展提供战略依据，有利于帮助广大投资者树立长期投资信心，使股市起到引导长期投资的作用。根据目前股市需求旺盛的情况，国家将适当扩大股票发行规模，陆续选择一批效益好的国有大中型企业发行股票并上市流通，满足广大投资者的需要。

第三，发展机构投资者，加强股票市场的稳定性。世界各国成熟的股市都有一大批机构投资者，如各类社会保险基金和投资基金组织，它们财力雄厚，风险承受能力较强，着眼于长期投资，而且可以作为政府间接干预股市的载体，因而使股市具有比较强的抗干扰能力。在我国培育机构投资者，可考虑逐步把养老保险基金、失业保险基金引入股市，发展国内投资基金，包括综合性的证券投资基金和专业性的产业投资基金，并逐步引入中外合资的投资基金和基金管理公司。另外，还应当考虑改变法人股不能流通的状况。法人股在财力雄厚、风险承受能力强、投资期限长等方面类似于机构投资者，它的上市流通有助于改善我国股市结构。

第四，完善股票交易规则，严格防范股市风险。在股票交易过程中，必须坚决贯彻公开、公平、公正的原则。公开原则是指不得进行内幕交易，公平原则体现为不得操纵市场，公正原则要求上市公司及其法律文件不得有虚假的陈述。根据国家规定，严禁银行资金流入股市，坚决查处把银行资金引入股市的机构和有关责任人。坚持涨跌停板制度，对涨跌幅度超过一定限度的股票实行暂停交易，并完善信息披露，增加股市透明度。落实证券行业禁入制度，对证券行业的违法违规者，除了依法惩处外，还要视情节轻重禁止其在证券行业任职或从事证券交易。证券登记结算公司和证券商要加强风险管理，保证交易、清算和登记系统安全运行。

（原文载《构筑现代经济的核心——面向新世纪的金融改革》，广西师范大学出版社 1999 年 12 月）

第五篇

建立科学的宏观调控体系

5.1　消除障碍，壮大民间投资 *

统计分析表明，近年来民间投资正在加速启动，在全社会投资中的份额已接近国有经济投资，对全社会投资增长的贡献逐步提高，国民经济中投资的自主增长能力逐步增强。这是经济改革、结构调整和宏观调控政策的积极成果，也为经济发展和宏观经济政策的调整创造了有利条件。同时，民间投资的成长仍然面临不少制约因素，亟待加以解决。

一、民间投资增速、比重和贡献率变化态势

（一）国内民间投资增幅高于国有经济投资、外商及港澳台投资和全社会投资增幅，其中股份制经济的投资增长最快

1998 年我国实行积极财政政策以来，在投资领域以连续发行国债拉动整个投资需求的增长，已经取得明显成效。2001 年全社会投资增长 13%，高于前两年的增幅。同时，由于国债投资集中体现了政府公共投资的意图，主要受益者是国有经济，人们一直担心民间投资被挤出或增势减弱。事实上，除 1998 年国有经济的投资增幅显著高于民间投资和全社会投资的增幅以外，1999—2001 年，集体经济、个体经济和其他经济的投资增幅基本上都快于国有经济的投资增长速度，其中"其他经济"的投资增幅连续两年高达 28% 以上（见表 12）。在各类经济成分中，股份制经济的投资增长最快，1997—2001 年，由 1387.21 亿元增加到 5663.49 亿元，5 年平均增速高达 32.5%；同期，外商及港澳

---

* 本文分析的国内民间投资，是指国内全部非国有经济包括集体、个体、股份制和联营等经济类型的固定资产投资，不包括外商及港澳台投资。国家统计局现行固定资产投资统计口径粗略分为国有经济、集体经济、个体经济和其他经济；"其他经济"包括联营经济、股份制经济、外商投资经济、港澳台投资经济以及集体经济和个体经济以外的经济成分。

台投资从 2893.08 亿元增加到 2998.69 亿元，平均增幅仅为 0.7%。

表 12　全社会固定资产投资中各种经济类型投资增长速度

单位：%

年份	全社会平均	国有经济	集体经济	个体经济		其他经济		
						股份制经济	外商及港澳台投资	联营经济等
1993	61.8	44.1	70.5	20.8	—	—	—	—
1994	30.4	21.3	19.1	33.5	99.4	145.5	118.2	73.3
1995	17.5	13.3	19.2	29.9	21.3	35.0	16.8	19.1
1996	14.8	10.6	11.3	25.4	23.7	19.8	21.7	67.5
1997	8.8	9.0	5.5	6.8	13.0	34.1	6.7	-3.3
1998	13.9	17.4	8.9	9.2	11.6	40.3	2.8	-37.9
1999	5.1	3.8	3.5	7.9	5.3	27.3	-10.8	35.1
2000	10.3	3.5	10.7	12.2	28.5	63.9	-1.7	-3.3
2001	13.0	6.7	9.9	15.3	28.9	39.4	15.1	0.6

资料来源：根据历年《中国统计年鉴》和国家统计局提供的 2001 年数据计算。增长速度未扣除价格因素。

国内民间投资的平均增幅不仅高于国有经济，也高于全社会投资的增幅。1998—2001 年，国有经济投资增幅已从 17.4% 逐年回落为 3.8%、3.5% 和 6.7%，而全部国内民间投资的平均增幅逐年分别高达 20.4%、11.8%、22.7% 和 20.3%，与国有投资增幅放缓的趋势形成鲜明对照。

（二）国内民间投资比重接近国有投资，股份制投资比重明显上升，外商及港澳台投资比重逐年下降，全社会投资对政府直接投资的依赖程度正在降低

近几年，国内民间投资在全社会投资中的份额呈现不断上升趋势，而国有投资、外商及港澳台投资比重则逐年下降。1997—2001 年，国有投资、国内民间投资、外商及港澳台投资三者比重分别由 52.5%、35.9% 和 11.6% 变为 47.3%、44.6% 和 8.1%，目前国内民间投资在全社会投资中的份额已经接近国有经济。

90 年代以来，国有经济在全部投资中的比重以较大幅度持续下降，2001 年与 1994 年相比，这一比重降低了 9.1 个百分点。同期，集体经济投资比重小幅度下降，降低了 2 个百分点；外商及港澳台投资比重下降 3.1 个百分点；而个体经济投资尤其是股份制经济投资所占比重明显上升，分别上升了 3 个和 11.4 个百分点。国家注入大量国债投资以来，尽管国有经济在全社会投资中所占比重在 1998、1999 年曾有小幅度回升，但是总的看仍呈下降趋势，1998—2001 年，国有经济投资比重由 54.1% 下降到 47.3%。同期，在国内民间投资比重的变化中，集体经济投资所占比重略有下降，由 14.8% 下降到 14.2%；个体经济投资比重由 13.2% 上升到 14.6%；其他经济的比重由 18% 上升到 23.9%，其中股份制经济的投资比重由 6.9% 迅速上升到 15.2%（见表 13）。这表

表 13　全社会固定资产投资中各种经济类型所占比重

单位：%

年份	国有经济	集体经济	个体经济	其他经济		
				股份制经济	外商及港澳台投资	联营经济等
1980	81.9	5.0	13.1	—	—	—
1992	68.1	16.8	15.1	—	—	—
1993	60.6	17.7	11.3	10.3	—	—
1994	56.4	16.2	11.6	15.8	3.8	11.2	0.9
1995	54.4	16.4	12.8	16.3	4.3	11.1	0.9
1996	52.4	15.9	14.0	17.7	4.5	11.8	1.3
1997	52.5	15.4	13.7	18.3	5.6	11.6	1.2
1998	54.1	14.8	13.2	18.0	6.9	10.5	0.6
1999	53.4	14.5	14.1	18.0	8.3	8.9	0.8
2000	50.1	14.6	14.3	21.0	12.3	7.9	0.7
2001	47.3	14.2	14.6	23.9	15.2	8.1	0.6

资料来源：根据历年《中国统计年鉴》和国家统计局提供的 2001 年数据计算。

注：《2002 年中国统计摘要》将 2001 年国有经济与其他经济合为一项（这样其增幅和比重分别高达 26% 和 70% 以上），尚未来得及分开统计（今年一季度、上半年的统计也是如此）。不少论者忽略了这一点，直接用来论证目前国有经济投资增幅大，在总投资中的比重过高，而民间投资增长不快。表 12 和表 13 已根据国家统计局提供的 2001 年数据对国有经济和其他经济做了区分，可以准确反映事情的本来面貌。

明，在国债投资集中投向国有经济领域的同时，国内民间投资也渐趋活跃，尤其是股份制经济的投资活力最为强劲，比重上升幅度最大。

（三）市场因素对投资增长的贡献程度逐步提高，全社会投资增长对政府直接投资等刺激政策的依赖程度正在降低

通过对比近几年政府直接投资与全社会投资的态势，也可以看出投资自主增长能力逐步增强的趋势。1999—2001 年，建设国债一直稳定在 1500 亿元，国债投资（包括国债资金和全部配套资金完成的投资额）占全社会投资的比重逐步下降，依次为 8.1%、8.8%、6.5%；预算内投资资金增长率也逐步下降，依次为 54.7%、13.9%、13.2%；2000 年以来利率下调的幅度和次数也比 1998 和 1999 年减少。而同期，全社会投资增长率则逐步上升，依次为 5.1%、10.3%、13%。

2002 年上半年，全社会固定资产投资同比增长 21.5%，增幅上升 6.4 个百分点。其中，与国债投资联系很少的房地产投资、城乡集体和个人投资分别增长 32.9%、15.8% 和 19.4%，房地产投资增幅比去年同期提高 4.7 个百分点，在全部投资增量中的比重已达到 32.1%。分地区看，对国债投资依赖程度较低的东部地区投资增长 22.9%，比西部地区高出 2 个百分点，去年同期西部地区投资增幅高于东部的格局开始改变。今年 1—3 季度，全社会固定资产投资同比增长 21.8%，增幅提高 6 个百分点；预计全年增速可能超过 16%。投资加速增长，既有建设国债拉动（主要是上半年国债投资到位速度加快）的因素，更主要的是由于投资自主增长能力正在增强。

从今年 1—8 月份投资的资金来源看，即使国债投资保持零增长，全部投资资金仍能达到 25.7% 的增长水平，增幅同比可提高 1.3 个百分点。我们对近年来宏观调控政策效应的计量分析显示：2000—2002 年前三季度，有关刺激投资的宏观政策分别拉动投资增长 3.4、3.1 和 6.1 个百分点；剔除这些政策的贡献后，同期的投资增速分别可达 8.21%、11.65% 和 18.15%，仍然呈现相当高的回升态势。上述分析说明，企业收益、价格、预期、自筹投资、利用外资等市场因素对投资增长的贡献在不断提高，国内民间投资增长势头逐步加强；而政府直接刺激投资的有关政策力度和贡献实际上在相对弱化，全社会投资增长不再像1998、1999 年那样依赖政府直接投资等刺激政策。

（四）国内民间投资对全社会投资增长的贡献率有所提高，接近国有经济投资的贡献率

由于近年来整个非国有经济投资的增长速度逐步加快，在全社会投资中的比重不断上升，它们对全社会投资增长的贡献率也逐步提高。1998 年全社会投资增长 13.9%，其中国有经济的贡献率高达 7.52 个百分点，而集体经济、个体经济和其他经济的贡献率分别仅为 2.05、1.83 和 2.49 个百分点。2001 年全社会投资增长 13%，其中国有经济的贡献率下降为 6.17 个百分点，集体经济的贡献率下降为 1.85 个百分点，个体经济和其他经济的贡献率分别上升为 1.9 和 3.12 个百分点。在其他经济中，股份制经济对全社会投资增长的贡献率提高得最为明显，由 1998 年的 0.96 个百分点上升到 2001 年的 1.98 个百分点；同期，外商及港澳台投资对全社会投资增长的贡献率则由 1.46 个百分点下降为 1.05 个百分点；而联营经济等投资的贡献率基本保持在 0.08 个百分点（见表 14）。个体经济投资的贡献率已经略大于集体经济。按照 2001 年各种经济类型对全社会投资增长的贡献率由高到低排序，依次是国有经济、股份制经济、个体经济、集体经济、外商及港澳台投资经济和联

表 14　各种经济类型对全社会投资增长的贡献率

单位：%

年份	全社会投资增长速度（%）	国有经济贡献率	集体经济贡献率	个体经济贡献率		其他经济贡献率		
						股份制经济	外商及港澳台投资	联营经济等
1998	13.9	7.52	2.05	1.83	2.49	0.96	1.46	0.08
1999	5.1	2.72	0.74	0.72	0.92	0.42	0.45	0.04
2000	10.3	5.16	1.50	1.47	2.16	1.27	0.81	0.07
2001	13.0	6.17	1.85	1.90	3.12	1.98	1.05	0.08

注：某种经济类型贡献率＝全社会投资增幅×该种经济类型所占比重。

营经济等。国内民间投资对全社会投资增长的合计贡献率，由 1998 年的 4.92 个百分点上升到 2001 年的 5.81 个百分点，正在接近 2001 年国有经济投资 6.17 个百分点的贡献率。这与国有投资、外商及港澳台投资的贡献率分别下降的趋势也形成鲜明对照。

（五）东部民间投资已经成为本地区全社会投资的主力军，中西部民间投资增长快于东部

分地区看，民间投资在东中西三大地区都有很大增长，在本地区全部投资中的比重不断上升（见表 15）。

表 15　三大地区民间投资在本地区全社会投资中的比重

单位：%

年份	全国	东部	中部	西部
1993	39.4	46.0	31.7	23.5
1997	47.5	53.6	44.6	32.4
2000	49.9	56.0	45.9	37.5

资料来源：根据历年《中国统计年鉴》数据计算，西部包括 12 个省区市，1993 年不包含重庆市数字。

1993—1997 年，东部民间投资年均增长 23%，民间投资占本地区全社会投资的比重由 46% 增加到 53.6%，上升了 7.6 个百分点；中部地区民间投资年均增长 32%，所占比重则由 31.7% 上升到 44.6%，上升 12.9 个百分点；西部地区民间投资年均增长 27%，比重由 23.5% 上升到 32.4%，上升 8.9 个百分点。这一时期整个国民经济和全社会投资的增长速度相当高，因此东、中、西三大地区的民间投资增长势头也很猛，中、西部民间投资的增幅和所占比重的上升势头都明显高于东部地区。

1997—2000 年，东部民间投资年均增长 10%，在本地区全部投资中的比重由 53.6% 增加到 56%，上升了 2.4 个百分点；2000 年东部地区有 5 个省的这一比重超过本地区 56% 的平均水平，分别是福建（63.4%）、浙江（62.7%）、广东（59.9%）、海南（58.2%）、天津

（58.2%）。中部民间投资年均增长 11%，所占比重由 44.6% 增加为 45.9%，上升 1.3 个百分点。西部民间投资年均增长 19%，所占比重由 32.4% 增加到 37.5%，上升 5.1 个百分点。这一时期由于亚洲金融危机影响和国内经济形势的变化，三大地区民间投资的增长和所占比重的上升幅度均有所放缓，但是在深化改革和扩大内需政策的刺激下，民间投资在不同地区仍然维持了较高的增长势头，尤其是西部民间投资的增幅明显大于东部和中部。同时，在东部一些非国有经济比较发达的省份，民间投资的主体地位进一步增强，发挥了对本地区全部投资的主要拉动作用。

二、民间投资增长加快的主要促进因素

（一）国有经济改革和战略性调整的推进，扩大了民间投资的成长空间

1998—2001 年，股份制经济投资的增长速度分别高达 40.4%、27.3%、63.9% 和 39.4%，在整个民间投资中的增长是最快的；股份制经济投资在增势迅猛的"其他经济"投资中占有主要份额（由 1997 年的 30.4% 上升到 2001 年的 63.6%），整个民间投资的加速增长实际上是股份制经济投资拉动的。目前民间投资已经遍及国民经济十六大行业，个体经济投资主要分布在农业和住宅方面；集体、私营、联营、股份制经济投资主要分布在批发零售贸易餐饮业、制造业和建筑业。1993—1997 年，民间投资在十六大行业中的投资额及占本行业全部投资的比重都有不同程度的上升，其中，增长最快的行业是建筑业、批发零售贸易餐饮业和农林牧渔业，所占比重分别上升了 15.69、12.55 和 11.71 个百分点（据中经网）。在一般竞争性领域，民间投资主体特别是股份制经济已经显示出强大的经济实力和竞争优势。近几年，一些国有经济垄断的基础设施领域逐步向民间投资开放，对民间投资的产业进入限制有所放宽，民间投资主体在这些领域也日益显示着增长潜力和竞争活力。

（二） 法律环境的改善激发了非公有经济投资的积极性

党的十五大召开之后，宪法正式确定个体、私营等非公有制经济是"我国社会主义市场经济的重要组成部分"。众多的假集体企业纷纷摘掉了"红帽子"，恢复了其私营企业的本来面目。据有关部门对2000多家民营企业进行的随机调查，70%的民营企业准备与其他所有制企业进行联营或股份制改造，愿意参与国有企业的改革。1999年生效的《个人独资企业法》和实施细则，不再对个人独资企业的雇工人数、注册资金设置最低限制。关于非公有经济的法规正在逐步制定，为此类投资主体的快速发展提供了一定的法律保障。

（三） 西部大开发对各地区民间投资的活跃产生催化作用

西部地区的改革开放步伐正在加快，投资环境逐步改善，为本地各类企业包括民间投资主体的发展壮大创造了有利的体制条件。同时，也吸引更多的东、中部各类企业和外商投资企业到西部投资，促进了生产要素流动和区际贸易的扩大。据中国企业家调查系统2000年11月的调查，东、中部地区有超过半数的企业已经参与或打算参与西部大开发，生产要素加快流入西部的途径正在逐步拓宽。这不仅为西部民间投资主体带来专门人才、资金、技术、管理经验和信息等本地稀缺的生产要素，还带来新的思维方式和行为方式。东、中部地区的各类企业也找到新的投资机会，扩大了配置资源的市场空间。

（四） 预算内资金包括国债投资为激活民间投资创造了条件

一方面，近几年的巨额国债投资正在改善不少地区的基础设施，起到间接拉动民间投资的作用。另一方面，预算内资金对民间投资主体的支持力度也有所加大。1997—2000年，预算内资金在全社会投资总额中所占比重由2.8%上升到6.4%，用于民间投资的比重由12.1%上升到18.5%（见表16）。当然，同期在全社会投资的各项资金来源中，用于民间投资的主要是利用外资、自筹投资和其他投资，但是预算内资金对民间投资项目的直接支持也是不能忽视的。

表16 全社会投资各项资金来源用于民间投资的比重

单位：%

	投资总额中各项资金来源比重			各项资金来源用于民间投资的比重		
	1993年	1997年	2000年	1993年	1997年	2000年
投资总额	100	100	100	38.5	47.5	49.9
预算内资金	3.7	2.8	6.4	1.6	12.1	18.5
国内贷款	23.5	19.2	20.4	33.4	37.1	38.2
利用外资	7.3	10.8	5.2	49.7	75.3	76.5
自筹投资	49.9	55.6	52.5	40.9	50.3	56.7
其他投资	15.6	12.9	16.1	42.8	42.0	59.0

资料来源：根据历年《中国统计年鉴》数据计算。

三、民间投资面临的制约因素

需要指出，从增长态势看，尽管近两年国内民间投资增幅已经明显回升，但是在一定程度上得益于政府投资的拉动；从全社会投资构成看，国有投资比重仍然偏高。2001年，国内民间投资在全社会投资中的比重（44.6%）仍然低于国有经济（47.3%），股份制经济、集体经济和个体经济各自所占比重更是远远低于国有经济。2000年，中部、西部民间投资总体比重分别仅为45.9%和37.5%，当地国有经济投资比重仍然明显偏高（分别为54.1%和62.5%）。

无论是考虑扩张性财政政策"淡出"的趋势，还是鉴于发展社会主义市场经济的需要，民间投资的发展仍然不足。民间投资主体面临不少有形和无形的障碍。

（一）市场准入门槛仍然过高，限制了民间资本的进入广度和深度

目前产业准入政策在不同经济类型之间仍然存在很大差别，据调查，非公有投资在将近30个产业领域面临着实际上的"限进"障碍。

主要原因是：其一，原有的无形禁区并没有从根本上冲破。尽管国家计委去年 12 月颁布了《关于促进和引导民间投资的若干意见》，强调要逐步放宽投资领域，使民间投资与外商投资享有同等待遇，但是，部门、行业垄断和歧视性的准入政策仍然存在，如银行、保险、证券、通信、石化、电力、轿车等行业，民间资本一直难以进入。其二，有些领域虽然允许民间资本涉足，但体制性障碍导致明显的不公平竞争。如基础设施项目往往由特许公司发起，没有实行招标制度，有资质的私企被排除在外。即使私营资本能够参与项目，但其股份比例必须由特许公司决定，双方地位不平等。其三，前置审批环节繁多，准入条件苛刻。与国有经济和外资经济相比，非公有经济在投资、生产和经营诸方面，面临更多的前置审批，手续杂、关卡多、效率低、费时长，在参与竞争的资格、条件和机会上往往处于不利地位。

（二）税负不公，抑制非公有企业的投资扩张

一是双重征税。非公有企业除了缴纳税率为 33% 的企业所得税外，还要缴纳税率为 20% 的个人所得税，投资收益大大削减。二是"低国民待遇"。外资企业利润转增资本金或另行投资，均可按投资额的 40% 得到所得税返还；国有企业享受技术改造贴息；国有、集体和股份制企业技术开发费以及技术改造投资购买国产设备可以部分抵扣所得税，等等，这些优惠政策都将私营企业排除在外。三是税收优惠打折扣。如所得税减免政策，对外资企业是从获利年度起，对私营企业则从开办期起，而企业在开办初期往往没有利润或者获利甚微。

（三）融资渠道不畅，金融体制不适应民间投资发展需要

无论是直接融资或是间接融资，对民间资本特别是非公有企业开放程度都很低。据国家计委宏观院的研究，中国资本市场目前已形成股票类、贷款类、债券类、基金类、项目融资类、财政支持类六大融资方式，国内外融资渠道多达数十条。但是，对非公有经济仅仅开放了短期信贷和大企业股票融资的渠道，远远满足不了各类非公有企业特别是中

小企业融资的需求。因而，它们不得不主要依靠自筹或其他投资来源。据笔者计算，从全社会投资的资金来源看，1997—2000 年，整个民间投资占国内贷款的比重，仅从 37.1% 上升到 38.2%；而占自筹投资的比重则从 50.3% 上升到 56.7%，占其他投资来源的比重从 42% 上升到 59%。绝大部分乡镇企业与私营企业的中长期投资，主要依靠非正规、小范围的借债集资或股权融资，此类融资规模小、成本高、风险大，使投资缺乏稳定性与可持续性。

（四）民间投资的法律保障不力，服务体系很不健全

目前，非公有企业在兼并国有企业、保护土地使用权和知识产权、明晰财产权等方面，合法权益往往得不到有效的法律保障。非法剥夺、损害、侵占非公有企业资产的现象时有发生，吃拿卡要、乱收费、乱罚款、乱摊派的问题尤为严重，[①] 投资者信心和积极性受到挫伤。对非公有企业的行政管理多达二十多个部门和单位，但在项目投资方面却没有明确的主管部门、服务机构和管理办法。投资者在履行程序、选择投资方向、争取技术支持等方面得不到有效服务，往往造成投资的盲目性和经济损失。

（五）自身素质较低，制约着民间资本的增长

许多非公有企业存在着管理水平低、信息不灵、人才缺乏等突出弱点，导致投资决策失误；不能适应国内外市场变化和扩大开放的形势，即使一些产业准入限制已经放宽，也难以拓展其经营领域和规模；一些非公有企业存在"小富即安"甚至挥霍性消费、缺乏投资冲动的倾向，从而限制了扩大投资。中小非公有企业资信等级较低，普遍存在财会制度不规范、信用观念淡薄、借改制之名逃废银行债务、企业之间欺诈频出等问题；大部分中小非公有企业尚未建立起银行信用档案，再加上缺乏可变现抵押资产，致使其难以运用银行贷款扩大投资。

---

① 据财政部和国家计委调查，截至 2001 年底，仅全国性及中央部门和单位的行政事业收费项目共计 313 项，其中涉及企业负担的有 242 项。如果加上地方收费，企业负担的各种名目收费高达数百项。

四、几点建议

第一，进一步放宽对非国有经济特别是个体私营经济的投资限制，降低准入门槛。根据"十五"计划和国家计委《关于促进和引导民间投资的若干意见》，切实清理现行投资准入政策，在明确划分鼓励、允许、限制和禁止类政策时，应当体现国民待遇和公平竞争原则，打破所有制界限、部门垄断和地区封锁。凡允许外商投资和国有经济进入的领域，都应当允许其他任何经济类型的企业进入（国家有特殊规定的除外），在持股比例上也不应人为设限。国家应鼓励和支持民营企业通过收购、兼并、控股参股、转让经营权等多种形式，参与国有经济改革和战略性调整，国有资本在改制企业一般不要控股。

第二，加快改革投资体制，拓宽民间投资进入渠道。改革前置审批办法，简化审批程序和手续，加强对民间投资的产业引导。根据基础设施、基础产业、传统制造业、高新技术产业以及现代服务产业的不同行业特点，采取符合市场经济惯例的多样化的项目组织形式和投融资形式，例如公开招标、特许经营、知识产权入股和产业投资基金等等，鼓励和引导民间资本进入这些领域。无论采取何种进入方式，都要确保各类投资主体之间的契约自由和公开、平等竞争，并且形成利益和风险相对应的投资风险责任机制。

第三，加大财税政策对民间投资的引导和支持力度。预算内资金（包括必要的国债发行）应当继续支持民间投资，以参股或补偿形式投入以民间资本为主的项目；对基础设施、基础产业和公益性事业，要通过收费补偿机制或财政补贴，吸引民间投资进入；技改贴息应当对非国有企业一视同仁。清理不公平税负，实行结构性的减税政策。对国家鼓励类产业的民间投资项目，在投资的税收抵扣和减免、成本摊提等方面应实行与国有投资和外商投资相同的优惠。对个体和私营企业要避免重复征收所得税。对创业阶段的中小企业应当给予必要的减免税支持。同时，严格治理"三乱"，解除民营企业的不合理负担。

第四，大力发展适应民间投资需要的多层次金融体系。加快金融业对内开放步伐，积极发展非国有的地方银行和中小金融机构。完善中小企业信贷担保体系，普遍设立专门的贷款担保基金。可考虑建立面向中小企业的政策性金融机构，为其提供政府优惠贷款和贴息贷款。国有商业银行要切实发挥好其内部中小企业信贷部门的职能，建立相应的风险防范制度；通过适当下放贷款权限，增加资金支持，扩大利率浮动范围等，鼓励中小金融机构扩大融资活动。在直接融资方面，应当支持符合条件的中小企业特别是民营高科技企业发行债券、股票并上市流通，适时建立二板股票市场，疏通民间资本的进入和退出通道。

第五，建立投资服务体系，帮助民间投资者提高管理和决策水平。各地政府应当把促进和引导民间投资纳入本地经济和社会发展规划，制定落实措施，提高办事效率。可考虑成立相应的投资服务机构（尤其应当鼓励自律性行业组织发挥投资服务职能），向民间投资者发布行业投资信息、提供政策法规咨询和技术服务等等。同时，在规范和整顿经济鉴证类中介机构的基础上，充分发挥中介服务机构的职能，为民间投资者提供法律、财会、市场信息、企业诊断和投资咨询等方面的服务。

（原载《中国经济时报》2002 年 10 月 19 日）

339

GAIGE SHIDAI DE JINGJIXUE SIKAO

5.2 完善公共财政，改进宏观调节

连续实行 5 年多的积极财政政策迟早会终止，考虑到经济总量和全社会投资规模不断扩大，而建设国债发行规模基本稳定并有所减少，实际上这一政策目前正处于"淡出"过程中。更重要的是，随着市场化改革不断推进，所有制结构日趋多元化，投资来源日益拓宽，宏观调节手段的选择余地也在扩大，政府应当进一步退出资源配置过程，更多地运用间接手段改进宏观经济调节，同时完善公共管理与服务职能。

一、民间投资正在成为全社会投资的重要支柱，全社会投资对扩张性政策的依赖程度正在降低，建设国债加快"淡出"的条件逐步成熟

在改革开放的推动下，国内民间投资（除去国有及控股投资、外商及港澳台投资之外的集体、个体、股份制和联营经济投资）正在加速成长，对全社会投资增长和经济增长的贡献率都有明显提高。[①] 1981—2001 年，我国民间投资从 165 亿元猛增到 14305 亿元，增长 85.7 倍，年平均增长 25%，比同期全社会投资 20.4% 的平均增速快 4.6 个百分点，比同期国有及控股投资 17.8% 平均增速快 7.2 个百分点。[②]

1999 年以来，民间投资对全社会投资增长和经济增长的贡献出现转折性变化，在投资增量中的贡献首次超过国有及控股投资。据

---

① 卢中原，《民间投资正在加速启动——民间投资态势分析》，《中国经济时报》2002 年 10 月 19 日。

② 国家统计局投资司课题组（2002）：《扩大民间投资，促进经济增长》研究报告一至五，打印稿。

笔者计算，1998 年，民间投资对全社会投资增长的贡献率仅为26.3％。1999 年，民间投资对全社会投资增长的贡献率高达66.5％，而国有及控股投资和外商投资的贡献率加起来也不过33.5％。[①] 据国家统计局测算，2000 年，GDP 增长 8％，其中固定资产投资贡献率为 47.1％，拉动经济增长 3.77 个百分点；民间投资对全社会投资增长的贡献率为 62.7％，拉动经济增长 2.36 个百分点。2001 年 GDP增长 7.3％，固定资产投资贡献率为 45.2％，拉动经济增长 3.3 个百分点；民间投资对全社会投资增长的贡献率为 50.3％，拉动经济增长 1.66个百分点。

全社会投资增长对政府直接投资等刺激政策的依赖程度逐步降低。1999—2002 年，全社会投资增速由 5.1％回升为 16.1％，预算内投资资金增长率由 54.7％回落为 26.8％。2000 年以来利率下调的幅度和次数也比 1998 和 1999 年减少。据我们用经济计量模型分析，2000—2002年，有关刺激投资的宏观政策拉动投资增长 3—4 个百分点；剔除这些政策的贡献后，同期的全社会投资增速仍然呈现相当高的回升态势。今年上半年全社会投资同比增长 31.1％，加快 9.6 个百分点，是 1994 年以来投资增长最快的时期。

这种回升主要得益于两方面的内生性因素：一是企业收益、价格、预期、自筹投资等市场变量对投资增长的贡献在不断提高。二是国内民间投资的拉动作用明显大于其他投资主体。1998—2001 年的全社会投资中，国有及控股投资比重由 56.9％下降为 53.5％，外商及港澳台投资比重由 10.5％下降为 8.1％，而国内民间投资比重则由 32.6％上升到38.4％（见表 17）。

随着投资总盘子不断扩大，而国债投资比重相对下降，市场因素对投资和经济增长的贡献不断提高，建设国债实际上正处于"淡出"过程中。国债投资进一步"淡出"的途径可作如下考虑：一是继续调整投向，重点保证西部开发、生态环境和公共卫生建设、老工业基地改造，

---

① 邱元直，《中国民间投资问题研究》，2003 年 5 月打印稿。

表17　民间投资占全社会投资的比重

单位：%

年份	国有及控股投资	国内民间投资	外商及港澳台投资
1994	58.2	30.6	11.2
1995	56.4	32.5	11.1
1996	54.5	33.7	11.8
1997	54.9	33.5	11.6
1998	56.9	32.6	10.5
1999	56.9	34.2	8.9
2000	55.2	36.9	7.9
2001	53.5	38.4	8.1

　　资料来源：根据历年《中国统计年鉴》和国家统计局投资司《扩大民间投资》课题组的数据计算，其中把国有控股投资从联营经济和股份制经济投资中分解出来。

以及改善农村生产生活条件等方面的需要；二是确保在建项目的后续投资，慎重选择新上项目，酌情加大向明年结转的资金量，为明年相应减少建设国债的发行留下余地。

二、市场化投融资日趋活跃，政府调节全社会投资的手段应当多样化、间接化，减少对财政性直接投资的依赖

　　改革开放以来，全社会固定资产投资资金来源越来越宽，包括国家预算内资金、国内贷款、利用外资、自筹资金（企业自有资金、发行债券和股票）以及其他资金（订金及预收款）等。其中，国家预算内资金的绝对量虽然明显增加，但在全部投资来源中所占比重大幅度下降，由1981年的28.1%下降为2001年的6.7%。而国内贷款、自筹资金和其他资金的规模增加更为迅猛，占全部投资来源的比重随之显著上升。1981—2001年，国内贷款比重由12.7%上升到19.1%，利用外资比重由3.8%上升到4.6%，自筹和其他资金比重由55.4%上升到69.6%（见表18）。

表18 1981—2001年全社会固定资产投资资金来源构成

单位：亿元人民币，%

年份	国家预算内资金	国内贷款	利用外资	自筹和其他资金
1981	269.96(28.1)	122(12.7)	36.68(3.8)	532.89(55.4)
1991	380.43(6.8)	1314.73(23.5)	318.89(5.7)	3580.44(64)
1997	696.74(2.8)	4782.55(18.9)	2683.89(10.6)	17096.49(67.7)
1998	1197.39(4.2)	5542.89(19.3)	2617.03(9.1)	19359.61(67.4)
1999	1852.14(6.2)	5725.93(19.2)	2006.78(6.7)	20169.80(67.8)
2000	2109.45(6.4)	6727.27(20.3)	1696.24(5.1)	22577.14(68.2)
2001	2546.42(6.7)	7239.79(19.1)	1730.73(4.6)	26470.04(69.6)

资料来源：引自《2002年中国统计年鉴》第177页，括号内数字为该种资金来源占全部资金来源的比重。

在投资主体日益市场化、投资来源日益多渠道的格局下，国家预算内资金所占比重的下降是必然趋势，1996年这一比重下降到2.7%的最低点，绝对量为625.88亿元。1998年以来预算内资金包括了每年增发的建设国债，2001年预算内资金比重逐年回升到6.7%，绝对量增加为2546.42亿元，其中2052.31亿元用于基本建设投资，占80.6%。随着建设国债减少发行规模直至停发，政府对全社会投资的调节手段是否会被削弱？应该说不会。

从经济增长趋势看，我国经济已经进入新一轮较快增长期，全社会投资来源规模将不断扩大，即使停发建设国债，国家可支配财力仍然会水涨船高。按1998—2001年投资来源总额年均增长7.3%的速度推算，到2004年投资来源总额将达到47204.82亿元。假定这一年停止发行建设国债，按1998年预算内资金比重4.2%估算，2004年预算内资金规模将为1975亿元，若80%用于基本建设，资金可达1580亿元。即使按1996年预算内资金比重2.7%的最低水平测算，2004年预算内资金规模也将达到约1270亿元，其中用于基本建设的资金可望超过1000亿元。这是比较保守的估算结果，尽管如此，2004年预算内资金以及可用于基本建设投资的绝对量仍然将超过开始发行建设国债的1998年。

更重要的是，应当着眼于投融资领域的市场化趋势，来考虑进一步转换宏观调节机制。目前，多主体、多渠道的市场化投融资活动日趋活跃，财政以外的投资来源越来越广，比重越来越大，宏观调节的微观基础发生很大变化，可以实施间接调节的对象范围日益广阔。这种趋势还将进一步发展，不仅要求政府调节全社会投资的手段应当相应地多样化，而且，信贷、利率、财政贴息和税收等间接调节手段起作用的条件也在逐步改善。这些间接调节手段，比预算内投资的调节作用更灵活、更有效。尤其是财政贴息，对于引导银行贷款方向进而调节投资的杠杆作用更为明显。因为，在投资来源中约占70%的自筹和其他资金，实际上很大一部分也来自银行贷款。

现实的投资格局表明，寄希望于财政投资来调节全社会投资，既不符合市场化改革的大趋势，也越来越不可能得心应手。因此，政府对投资领域的调节不能再依赖财政性投资，或直接掌握过多的基本建设投资项目，而应当更多地借鉴市场经济的办法，主要依靠多样化的间接手段。

三、财政的经济建设职能仍然偏重而公共服务职能不足，应当进一步向公共财政转换，优化支出结构，健全应急手段

经过20多年的市场化改革，我国计划经济时期形成的"建设财政"发生了重大变化，公共财政体制框架初步建立。1980—2001年，国家财政支出中经济建设费的比重由58.22%的绝对优势下降到34.24%，降低24个百分点，下降幅度很大。社会文教费比重由16.2%上升到27.58%，提高11.38个百分点，与经济建设费的差距明显缩小；行政管理费比重由6.15%上升到18.58%，提高12.45个百分点；其他支出由3.66%上升到11.97%，提高8.31个百分点（见表19）。财政支出结构的这种变化，反映了财政的经济建设职能趋于减弱，社会公共管理职能逐步增强。

表19　国家财政按功能性质分类的支出结构

单位：亿元，%

年份	支出合计	经济建设费	社会文教费	国防费	行政管理费	其他支出
1980	1228.83 (100)	715.46 (58.22)	199.01 (16.20)	193.84 (15.77)	75.53 (6.15)	44.99 (3.66)
1990	3083.59 (100)	1368.01 (44.36)	737.61 (23.92)	290.31 (9.41)	414.56 (13.44)	273.10 (8.86)
2001	18902.58 (100)	6472.56 (34.24)	5213.23 (27.58)	1442.04 (7.63)	3512.49 (18.58)	2262.26 (11.97)

资料来源：根据《2002年中国统计年鉴》第269页数字计算，括号内数字为比重。

但是，目前国家财政的经济建设职能仍然偏重，财政支出结构还保留着计划经济的部分特征，[1] 还存在不少缺位和越位的情况，缺位主要表现在用于社会保障、调节地区差距和收入分配差距，以及发展公益事业的支出不足；越位主要表现在对企业的资金投入、各种补贴过多，以及行政性支出范围过宽。公共财政体制的建设尚不到位，可由统计数字反映出来：

一是国家财政支出中的经济建设费占比仍然高于其余各类支出。按功能分类统计，国家财政支出包括经济建设费、社会文教费、国防费、行政管理费和其他支出5类。2001年这5类支出中，经济建设费比重（32.24%）仍然是最高的。

二是经济建设费的投向不够合理。基本建设支出比重高，2001年占经济建设费的38.79%，占预算总支出的13.28%；支援农业生产支出和农业事业费的比重低，2001年占经济建设费的14.14%，占预算总支出的4.86%，明显低于1990年7.19%的比重（见表20）。目前所公开的国家财政支出分项目统计共有11项（2002年这11项支出占财政总支出的68.6%），其中有5项属于经济建设费，分别是基本建设支出、挖潜改造资金和科技三项费用、支援农村生产支出和各项农业事业费、增拨企业流动资金、地质勘探费。2001年这5项支出合

---

[1]　倪红日、张俊伟，《加快构建公共财政体制的步伐》，《中国经济时报》2003年7月31日。

计为 4541.9 亿元，占当年经济建设费的 70.2%。也就是说，还有 1930.66 亿元（约占 30%）的经济建设费没有明确列出，而这些不公开的经济建设支出是否都应由财政负担，其投向是否合理，也是成问题的。

表20 国家财政主要支出项目构成

单位：%

支 出 项 目	1990 年	2001 年	2002 年
1. 国内基本建设支出	17.75	13.28	14.14
2. 挖潜改造资金和科技三项费用	4.99	5.25	4.35
3. 支援农村生产支出和各项农业事业费	7.19	4.86	4.94
4. 增拨企业流动资金	0.35	0.12	0.08
5. 地质勘探费	1.17	0.52	0.47
6. 行政管理费	9.83	11.63	13.16
7. 文教科技卫生事业费	20.02	17.78	18.04
8. 工交商部门事业费	1.52	1.06	1.06
9. 抚恤和社会福利救济费	1.78	1.41	1.67
10. 国防费	9.40	7.63	7.76
11. 政策性补贴支出	12.35	3.92	2.95

资料来源：根据《2003 年中国统计摘要》第 66 页数据计算，不包括国内外债务支出。

三是行政管理费增长过快，社会福利支出比重过低。1980—2001 年，行政管理费由 75.53 亿元增加到 3512.49 亿元，增长 45.5 倍，是各类支出中上升最快的。抚恤和社会福利救济费占财政支出的比重，由 1990 年的 1.78% 下降为 2002 年的 1.67%（不是社会保障支出的全口径，因为不在预算中）。这表明政府自身开支尤其是一般行政支出增长过快，而用于社会福利的支出不足。

公共财政的主要功能是弥补市场缺陷，是防范和化解公共危机的最后一道防线，[1] 而不是直接参与市场配置资源的过程。按照完善公共财政体制的要求，政府应当保证公共产品和公共服务领域的财政支出，提

[1] 刘尚希、陈少强，《如何构建公共财政应急机制》，《中国经济时报》2003 年 7 月 4 日。

供充分的、可靠的社会公共产品和服务，改进公共管理职能。

首先，进一步优化财政支出结构。（1）保证公共服务领域的财政支出，主要是社会保障、基础教育、基础科研、公共卫生、国防和外交等方面的政府开支，相关的支出比重应当继续提高。（2）结合行政管理体制改革，控制行政管理费上升过快的势头，使之保持在较低水平。（3）进一步减少基本建设、企业挖潜改造和流动资金等方面的财政支出，更多地通过股票、债券和贷款等市场化的融资方式，满足投资主体的资金需求。（4）认真清理不透明的经济建设费，凡是可以由企业自主投资的一般经济建设支出项目，都应当削减，重点压缩随意性大的支出项目。只保留必须由政府承担的公共投资支出，例如全国性的、社会公益性的以及自然垄断性的基础设施投资等。

其次，健全财政预算的应急手段。主要包括财政预备费、减免税费、转移支付等。其中，只有财政预备费已列入当年预算，一般占本级财政收入的1%—5%，专门用于处理重大意外冲击，因而具有稳定性（动用其他手段都需相应调整预算）。这次抗击"非典"，国家采取了这些应急手段，取得积极效果。近年来财政收入增长很快，在GDP中的比重明显回升，随着财政实力不断增强，政府运用财政预备费的余地随之扩大。因此，近期应当尽快完善财政预备费的功能，稳定提取比例，扩大资金来源，实行基金式管理，防止随意挪用，形成可滚动使用的机制。

为应对突发事件，还可以组合使用其他应急手段（如发行内债、政府征用社会资产或动用自身资产、向中央银行或国际金融机构借款、动用外汇储备等）。今后应当重视发挥短期国债的作用。其一，发行短期国债是弥补当年赤字的常规手段。其二，短期国债应对突发事件相对灵活，比长期国债带来的后遗症要小。其三，发行短期国债有利于扩大债券市场规模，也有利于扩大中央银行进行公开市场操作的回旋余地，促进财政政策和货币政策的相互协调。目前债券市场规模偏小，中央银行进行公开市场回购操作的余地有限，也难于形成市场化的基础利率，影响了财政政策和货币政策的灵活性和协调性。

四、政府履行公共职能，应当由主要依靠政府投资支出转向政府消费支出

适度的政府投资和消费，是政府履行公共管理职能、维护社会经济正常运转的必要条件，也是扩大内需、调节景气周期的重要手段。世界各国尤其是发达市场经济国家，通常主要依靠政府消费支出履行政府的公共管理职能，而政府投资支出则是相当次要的。从政府消费率（政府最终消费支出占 GDP 的比重）看，上世纪 90 年代美国平均为 16%，西欧和加拿大一般为 20% 左右，北欧福利国家通常更高，一些发展中国家的政府消费率也相当高，例如南非在 19% 左右，以色列接近 30%，沙特阿拉伯平均为 30%。从政府投资率（政府投资支出占 GDP 的比重）看，1996 年，韩国为 5.5%，巴基斯坦为 2.6%（1997 年），美国为 1.7%，加拿大为 2.2%（1997 年），德国为 2.2%，意大利为 1.3%，荷兰为 2.4%（1995 年），英国为 0.8%。[①]

目前我国的政府投资，主要集中在基础设施、公用事业、部分重大基础工业项目、区域开发、生态保护、国土整治、国防、航天和高新技术开发等领域。90 年代以来，我国的政府投资率逐年上升，由 1992 年的 2.3% 上升到 1998 年的 3.4% 和 2001 年的 3.8%（发行建设国债是一个重要原因）。政府投资率的高低取决于不同国家的历史条件、经济体制和经济发展道路。在我国目前所处的经济发展和体制转轨阶段，政府投资占 GDP 的比重高于发达国家，应当说是难以避免的。

从发展趋势看，考虑到积极财政政策逐步"淡出"、建设国债发行规模将逐步减少，今后政府投资率会相应有所回落。在政府投资率为既定的前提下，关键在于政府投资的方向是否合理，如果政府投资集中在公共产品和公共服务领域，这样就有利于带动而不是排斥非政府投资的增长，也表明政府合理地行使了经济职能。

---

① 卢中原，《关于投资和消费若干比例关系的探讨》，《财贸经济》2003 年第 4 期。

我国的政府消费，是指政府部门为全社会提供公共服务的消费支出，包括国防、社会保障、教科文卫，以及向住户以免费或低价提供的货物和服务等方面的开支。我国 90 年代政府消费率平均仅为 12% 左右，不仅明显低于发达国家，也低于与我国经济发展水平类似的国家和地区。国外学者对 118 个国家 1960—1985 年数据的一项研究表明，这些国家的政府消费率平均为 23% ，其中亚洲为 25% 。[①] 在我国全面建设小康社会的经济发展新阶段，如果政府消费率持续偏低，将难以满足社会对政府公共服务越来越大的需求。

今后，政府所承担的一般经济建设职能应当进一步向公共服务职能转换。按照完善社会主义市场经济体制的要求，一方面，除保留必要的公共投资外，尽可能削减政府投资所担负的一般经济建设职能。另一方面，公共服务职能应当主要由政府最终消费来体现，由政府投资所实施的部分也要尽量减少。为满足经济和社会发展对公共服务不断增长的需求，政府消费支出有必要随 GDP 增长而相应增加，但政府最终消费占 GDP 的比重不宜过快上升，应当保持大体稳定，以免影响居民消费率的提高。

五、行政性重复建设是经济生活中的顽症，应当通过深化投融资体制改革加以根治；对竞争性领域要进一步减少行政干预，对垄断行业要加强反垄断规制

制止低水平重复建设，一直是政府干预经济运行的重要理由。一旦认为某些行业出现"过热"和重复投资过多，往往习惯于采取行政手段加以控制，例如人为提高竞争性行业的准入门槛，保留甚至增加不必要的行政性审批，进行规模控制等。事实上，重复建设的病根在于行政干预，许多重复建设恰恰是经过层层审批才上马的，或是行政主导的投资造成的。一些热点行业的重大投资失误，几乎都可以追溯到花样繁多

---

① 北京师范大学经济与资源管理研究所，《2003 中国市场经济发展报告》，中国对外经济贸易出版社 2003 年版。

的行政干预。多年来，一些部门和地方政府通过运用财政资金、干预银行信贷、指令国有企业投资等多种方式，频繁介入一般竞争性行业的投资。不少城市脱离经济发展实际，通过大量土地批租和银行贷款搞政绩工程、形象工程；汽车和零部件行业的"散、乱、低、弱"问题也可以追溯到地方政府的干预。实践表明，行政干预导致的重复建设严重扭曲市场对资源的配置，增大了政府承担的财政金融风险；而依靠行政力量来限制市场竞争，既不能有效解决重复建设背后的体制问题，又削弱了市场的择优汰劣作用。

市场竞争也会产生一定的"重复投资"和"重复建设"，但是与行政干预导致的重复建设具有本质差别。第一，竞争性行业需要有足够多的市场主体进入，至于市场主体是否过多，竞争机制会自动进行选择和调节，实现优胜劣汰。而行政部门并不可能预先知道应当有多少进入者才算合适，才算"不重复"。依靠行政力量直接参与和主导投资，或是人为限制市场准入，通常适得其反。第二，市场竞争中存在的"重复投资"，本身是一种"错了再试"的自然筛选过程。由于信息不完全，会使市场主体"试错"的成本增加，但是比行政干预所付出的巨额"学费"和代价明显要小。行政干预导致的投资失误往往是大范围甚至宏观层次的，而企业自主投资即使发生失误，也主要是微观层次的。第三，企业家的理性比行政官员的理性要可靠得多。市场主体自主决策、自负盈亏、自担风险，对进入竞争性行业的成本、收益和风险会做出慎重权衡。而行政干预造成的投资失误，最终往往无人负责，不了了之。

深化投融资体制改革，形成市场化的投资机制，是纠正行政性重复建设的根本性举措，也是间接宏观调节方式有效发挥作用的重要基础。应当按照"管住政府、放开市场、吸引民间资本、加强风险约束"的思路，[1] 贯彻谁投资、谁决策，谁受益、谁承担风险的原则，完善投资的激励与约束机制，让各类民间投资主体在投融资活动中发挥主要作用。政府投资要严格限定在公共产品领域，并引入竞争机制，加强公共监督。

---

[1] 卢中原，《十四大以来经济体制改革的进展、存在问题和未来走向》，《经济学动态》2003年第8期。

扩大非国有企业和个人等国内民间投资的准入范围，即使是公共产品领域，也要尽可能吸引各类民间资本参与投资。加快建设财产保护、税收、政府规制、市场准入和退出等方面的制度，促进各类投资主体平等竞争。政府对全社会投资波动的调节，应当主要运用法律和经济的手段。

政府对市场竞争必然存在的"重复建设"，不应与行政性重复建设混同，而应转变观念，致力于维护市场机制的择优汰劣作用和自平衡能力。一方面，应当努力改善市场竞争的信息环境，提高行业信息和政策信息的透明度，减少企业搜寻信息和"试错"的成本，避免资源浪费。另一方面，应当健全竞争和反垄断规则。政府对竞争性行业的规制，应当着力反对不正当竞争行为，制定有关安全、卫生、环保、质量等方面的国家标准，以维护竞争秩序和公共利益；而不应当依赖对企业经济指标的行政性审批和规模控制。对垄断性行业，应当加快制定综合性的反垄断法以及针对特定垄断行业的专门法律法规，以制止和纠正不同形式的垄断行为，包括市场集中导致的经济性垄断、技术原因导致的自然垄断和政府保护导致的行政性垄断。在体制转轨过程中，重点应是反对行政性垄断，进一步打破条块分割和地方保护。

（原载《经济学动态》2003 年第 12 期）

5.3 税收体系要与经济发展新阶段相适应

在新一轮经济上升期，改善供给结构的压力日益迫切，需要注重发挥税收的调节作用。完善市场经济体制和落实科学发展观，也要求加快税制改革。完善税收体系似应符合如下原则，即：优化资源配置，维护公平竞争，调节收入分配，改善宏观调控，增加财政收入，促进统筹兼顾。据此探讨了完善税收体系后有若干设想。

一、经济发展新阶段对税制改革提出新要求

中国经济增长已经稳定地进入上升通道，并在较高水平运行。城乡居民消费结构由温饱型向小康型升级，创造了新的市场最终需求。支柱行业增势强劲，重化工业化特征日益突出。由消费升级带动的住房、汽车、电子通信等高成长产业群，正在成为产业升级和经济增长的主要动力。城市化进程明显加快，促进了投资需求和消费需求的扩大。民间投资正在加速启动，市场化的投融资活动相当活跃。在消费升级和相关高成长产业的拉动下，产业结构升级步伐加快，由市场导向的、内在的周期性扩张因素显著增强。经济运行面临新的突出矛盾，主要是投资规模偏大，部分行业和地区盲目投资和低水平扩张倾向有所加剧，能源、原材料和运力绷紧，资源约束和产能过剩的结构性失衡开始凸显。同时，就业负担重、农民增收难、资源环境压力大、社会事业发展滞后等老问题仍然困扰着我们。

当前，刺激需求（尤其是投资需求）和拉动经济快速增长的压力明显缓解，而改善供给结构、提高经济增长质量的压力日益突出。需要更加注意保持经济较快平稳增长，健全与市场经济相适应的调节机制，采取适当的宏观经济政策，防止投资和经济大起大落。需要更加注重增加有效供给，促进产业升级，增强国内产业和企业的竞争力；更加注重

顺应消费结构升级趋势，扩大消费需求，合理调整投资和消费的比例关系；更加注重适应新一轮重化工业化趋势，引导投资方向，优化投资结构，促进支柱产业成长；更加注重改善投资主体构成，进一步壮大民间投资，等等。党的十六大提出全面建设小康社会的宏伟目标，十六届三中全会进一步提出坚持以人为本，树立全面、协调、可持续的发展观，做好"五个统筹"，协调推进各个方面的改革，在更大程度上发挥市场配置资源的作用，形成有利于经济社会协调发展、有利于人与自然和谐共处的体制保障。无论是从加强和改善宏观调节、保持当前经济增长好势头的角度看，还是从落实科学发展观、实现经济长期良性循环的角度看，都对税制改革提出新的要求，税收手段应当而且可以有更大的作为。

1994 年以来，我国税制改革不断深入，初步建立起以流转税和所得税为主体、其他辅助税种相配合的复合税制体系，在创造公平竞争的市场经济环境、促进专业化分工和经济结构调整、保证财政收入稳定增长等方面，发挥了重要作用。但是还存在不少缺陷，主要有：税收制度存在所有制歧视和地区差别，税负不尽公平；城乡税制分割，不利于城乡二元经济结构的转换；存在重复征税，不利于产业升级和技术进步；调节收入差距、维护社会公正的税收手段不健全，力度不够，不利于经济社会协调发展；中央和地方税权、税种的划分不够合理，不利于维护宏观调控政策的统一性，也不利于发挥地方的积极性；税收优惠过多，相互缺乏协调，不利于公平竞争和提高对外开放水平；企业和居民的非税负担较繁杂，财政收入来源不够规范，容易扰乱税收的中性、简化、效率特性。

在经济发展新阶段和完善市场经济体制的新阶段，税制改革似应符合如下要求，即：优化资源配置，维护公平竞争，调节收入分配，改善宏观调控，增加财政收入，促进统筹兼顾。从长期制度建设看，应当按照"简税制、宽税基、低税率、严征管"的原则推进税制改革。从加强和改善当前宏观调控的需要看，可能应当强调公平税负，结构性调税，发挥税收政策特有的调节功能，做好与财政政策、货币政策、产业政策的相互协调，增强微观经济活力，保持宏观经济稳定，促进经济快速平稳协调发展。

二、推进税制改革、完善税收体系的设想

1. 合理调整税收结构。应当根据建立公共财政的要求、国家产业政策和市场需求的导向，以及国有经济战略性调整的方向，对财政支出结构和税种结构进行有增有减的调整，明确地体现鼓励类、限制类、禁止类的政策导向作用。实行有增有减的结构性调税，是和优化财政支出结构相辅相成的，两者不可偏废。应当在减少政府一般经济建设性支出、增加社会公共服务性支出的前提下，对税收结构进行相应的调整。结构性调税存在着"加法"多、还是"减法"多的问题，这一方面取决于公共财政建设的需要；另一方面可能要视财政收入和经济增长的态势而定，财政收入形势较好时，调税可以多做"减法"；反之，则"减法"要适度。一般地说，财政收入增长与经济增长应保持大体同步并略高一点，避免大起大落，才有利于中长期经济稳定增长。

2. 实行有利于壮大民间投资的税收政策。目前在财税政策方面还存在一些不利于民间投资扩大的制约因素，主要是税负不公，抑制了非公有企业的投资扩张。一是双重征税。非公有企业除了缴纳税率为33%的企业所得税外，还要缴纳税率为20%的个人所得税，投资收益大大削减。二是"低国民待遇"。外资企业利润转增资本金或另行投资，均可按投资额的40%得到所得税返还；国有企业享受技术改造贴息；国有、集体和股份制企业技术开发费以及技术改造投资购买国产设备可以部分抵扣所得税，等等，这些优惠政策都将私营企业排除在外。三是税收优惠打折扣。如所得税减免政策，对外资企业是从获利年度起，对私营企业则从开办期起，而企业在开办初期往往没有利润或者获利甚微。

为积极鼓励民间投资发展壮大，有必要调整不合时宜的相关财税政策。例如适当缩减国债投资规模，财政资金可以参股和补偿的形式参与

以民间资本为主的投资项目；继续清理、减轻企业和居民的非税负担，严格治理"三乱"；特别是在成本摊提、投资的税收抵扣和税收减免等方面，应当对各类企业一视同仁，消除按所有制划分的不公平税负，改善企业经营环境。通过完善财税政策，形成民间投资稳定增长的机制。

3. 在符合国际惯例的前提下，运用财税政策支持国内产业和企业增强国际竞争力。贯彻国民待遇和公平竞争等原则，需要在进出口、引进外商投资等方面对现行税收优惠政策进行调整。我国进口免税项目较多，需要进行清理。例如对一般性技术含量不高的进口设备，可以考虑不再免征增值税，这样有利于增加对国内机器设备的需求，也有利于引进国外先进技术设备。按照较低的税率统一内外资企业所得税，有利于降低内资企业税负，与外资企业平等竞争。为推动企业技术进步，可加快增值税由生产型转向消费型，政府还可运用财政贴息予以支持，同时应当取消技改贴息方面的所有制差别。

此外，我国正在积极开展国际双边和多边区域经济合作，也对现行税收体系提出新的要求。目前我国在东盟自由贸易区、中日韩经济合作以及上海五国合作（正在由反恐军事合作向经济合作扩大）等方面，取得不同程度进展。随着经济领域的区域性开放与合作程度不断加深，旅游、贸易和投资领域的便利化、自由化将是其中的重要内容，有些优惠政策可能作为例外而不受世贸组织规则约束，这为现行税收体系和相关税收优惠政策留下一定调整余地。税收政策的适当调整需要从两方面考虑，既要有利于加强区域经济合作，又要有利于增强国内产业竞争力。

4. 运用税收手段促进全面建设节约型社会，促进人与自然和谐共处。树立和落实科学发展观，一个重要内容是坚持贯彻可持续发展战略，促进经济增长方式由粗放型进一步向集约型转变，全面建设节约型社会。我国已明确提出把保护环境、节约资源作为基本国策，完善可持续发展的法律法规，实施有利于低投入、高产出、少排污、可循环的相应政策，遏制生态环境不断恶化的趋势，加快治理污染，厉行节约土地、水、能源等紧缺资源，大力发展循环经济，在全社会提倡绿色生产生活和投资消费方式。

税收体系需要适应上述要求进行必要调整，做出应有贡献。例如，可以考虑加强税收手段的扶优限劣作用，对能耗高、污染大的行业和产品实行重税政策，运用零税率甚或财政贴息的方式鼓励发展低能耗、无污染的行业和产品。再如，可以考虑完善资源税制度，运用税收手段建立有利于资源节约与合理开发的约束机制和补偿机制，引导资源型地区和城市适度合理开发资源，及早谋划接续性产业的发展，并预先积累起必要的财力，以利于在资源枯竭时比较顺利地实现经济转型。

5. 根据经济发展和消费结构升级趋势，适当调整税收政策。商品普遍短缺时期制定的一些限制消费的税费政策，特别是不利于新的消费热点成长的税费政策，应当进一步清理并取消，消费税的设计也应具有促进消费结构升级的作用。对于已经大众化的所谓高档消费品，应降低税率；对于需要限制的耗费资源、污染环境的消费品，可以加大消费税的调节力度。以摩托车行业的消费税为例。1994 年税制改革时，摩托车被当作高档消费品而征收较高税率的消费税。现在摩托车已经成为大众化的交通运输工具，消费群体的 2/3 在农村，普遍将摩托车用于生产运输；其余主要集中在城镇中等收入的工薪阶层。因此，应当适应消费群体的变化，满足中小城镇发展和农村居民消费结构升级的需要，考虑调整摩托车的消费税政策，降低平均税率，并根据污染情况和销售地区，采取不同税率，鼓励生产、销售无污染的产品和适应农村需要的产品。

6. 对于投资过热和投资结构性失衡，应当重视发挥税收的调节作用。我国的投资增长存在着周期性波动的规律，投资总量的变化是影响经济增长周期性波动的一个关键因素。而且，投资结构的变化对于经济波动也有重要影响，如果投资结构比较符合消费结构升级和产业升级的客观趋势，就会有利于经济持续快速协调发展；反之，则会导致经济出现结构性失衡，增长难以持续。在调节投资方向、优化投资结构方面，有关税种是可以直接有所作为的。

首先，可以继续发挥固定资产投资方向调节税的作用。这一税种普遍涉及不同行业的固定资产投资行为，征收与否和税率高低，直接影响到不同行业固定资产投资的成本，对于投资增长的周期性波动可以起到一定调节作用，尤其是有利于引导投资方向，促进投资结构优化，减少因投资结构失调而引起的经济大起大落的风险。前些年针对经济低迷、需求不足，投资方向调节税暂停征收，现在我国经济已经进入经济周期的上升阶段，投资增势迅猛，在防止投资过热的新形势下有必要恢复征收。对明显超过市场需求、不符合行业准入标准和产业升级方向的投资行为，可以实行较高税率；对符合市场需求和产业政策导向的投资项目，可以采取零税率，以收扶优限劣之效。当经济增长进入收缩期、投资增长乏力的时候，可以考虑再次暂停征收。即使将来开征物业税这一新税种，投资方向调节税可能仍有必要保留。一是因为物业税涉及面相对狭窄，主要适用于房地产行业，对于房地产之外的行业投资或设备投资，物业税的调节作用可能并不明显；二是物业税征收环节比较靠后，要以房地产估值作为征收依据，而不能预先根据产业政策导向对投资行为进行调节。因此，物业税可能难以替代投资方向调节税。

其次，可以运用出口退税手段调节某些行业的投资活动。对于那些耗费资源和能源、国内供给紧缺而且一般贸易比重较大的产品和行业，通过降低出口退税率，抑制出口，引导其满足国内市场需求，从而也遏制这些行业的投资过快增长。

7. 适时适度调整利息税，对于改善宏观经济调节来说也值得考虑。利息税是个人所得税的一个附属税种，主要具有调节收入差距的功能；同时，利息税直接降低实际存款利率水平，对宏观经济景气也会产生一定的影响。在总需求不足的情况下，存款利率适度低水平有利于分流居民储蓄，活跃我国证券市场（近期上证指数不过在 1750 点左右徘徊，离历史高位 2200 点以上还有相当距离），提高国内资金使用效率。但是，在需求升温、已经出现实际负利率的情况下，宏观调控宜注意防止通货膨胀率过高和实际利率过低，避免实际负利率导致居民储蓄持续缩水和其他负作用。目前我国 1 年期名义存款利率仅为 1.98%，扣除 20% 的利息税，存款利率只有 1.58%。今年一季度消费物价同比上涨约 3%，实际存款利率出现负值，预计全年消费物价涨幅将保持在 3% 左右，实际负利率将与之伴随。

目前对于运用加息手段防止经济过热，存在种种疑虑，诸如担心会加大人民币汇率升值压力，或不利于股市融资，或利率传导机制不灵等等。有鉴于此，似可考虑调低利息税税率，缓解实际负利率的程度，这样有利于扩大利率政策的选择余地，同时也可传递防范经济过热的宏观调控意图，起到抑制通货膨胀预期的作用。随着我国利率市场化改革的进展，利息税可以考虑稳定在较低水平，或实行累进的税率。这样，或许有利于加强税收政策与货币政策的配合，也有利于发挥利息税的收入差距调节功能。

8. 完善社会公益性的税收种类，增强政府维护社会公正的调节能力。在经济发展新阶段，由于产业结构调整和工业化加速等客观因素，导致失业增加，就业压力和社会保障负担日益沉重；同时，部分社会成员收入差距拉大，城乡低收入特别是贫困群体面临生计困难；社会事业发展滞后，难以适应经济持续高速增长和社会结构变化带来的新挑战。因此，需要改进和充实现有的税收体系，包括完善个人所得税及其附属税种，开征社会保障税、遗产和赠与税之类的新税种，等等，以增强政府发展社会保障和公益事业、调节地区差距和收入差距的能力，促进经济和社会协调发展。在保障公民合法的财产和收入的前提下，应当通过健全税收手段，加大对收入差距的调节力度，一方面，注意不应损害初次分配领域的效率导向机制，另一方面，努力提高收入再分配领域的社会公正程度。在完善市场经济体制和追求经济平稳较快增长的过程中，应当越来越注意健全这些调节收入差距、维护社会公正的税种，使之能够成为有效的"社会稳定器"。

9. 合理划分中央和地方的税权和税种，使各级政府的财政收入主要依靠规范的税收来源。在发展市场经济的条件下，地方政府发展当地经济和社会事业的能力和责任将不可避免地继续扩大，地区发展极不平衡的状况也将持续相当长时间。在设计中央税、地方税和共享税，以及如何使财权与事权相互对应等方面，需要认真考虑兼顾各方利益，实现良性互动，使地方政府能够有比较合理的税种和财源，中央政府也能够有不断壮大的财政实力，以实施更加规范的转移支付。合理划分的结果，既要有利于维护中央政府宏观调控的能力和宏观经济政策的统一性，也要有利于充分发挥地方政府的积极性，保证地方政府有必要的财力搞好地方性公共服务。通过中央和地方政府税权、税种的合理划分，引导地方政府转换经济职能，减少对当地经济的干预，将主要精力放到改善地方公共服务、加强地方市场监管和社会管理上来，按照科学发展观的要求，促进经济社会和人的全面、协调、可持续发展。

（原载《经济学动态》2004 年第 5 期）

5.4 提高理财能力，加强公共服务职能

党的十六届四中全会提出加强党的执政能力建设的重要任务，包括不断提高驾驭社会主义市场经济的能力，发展社会主义民主政治的能力，建设社会主义先进文化的能力，构建社会主义和谐社会的能力，应对国际局势和处理国际事务的能力。为落实四中全会精神，财政界的实际工作者和理论工作者正在进行如何加强理财能力的研讨，下面我从宏观经济和中长期发展的角度，对这个命题谈一些粗浅体会，并提出一些具体问题，以求教于专家学者。

一、增强财政支持各项改革的能力

十六届三中全会提出坚持以人为本，树立全面、协调、可持续的科学发展观，不仅强调不同方面的发展要统筹兼顾，而且强调各个领域的改革也要协调推进，包括微观和宏观经济改革要协调，城乡改革要协调，经济和社会领域改革要协调，经济和政治领域改革要协调。科学发展观不仅是发展观的飞跃，也是改革观的升华。只有通过协调推进各项改革，消除体制缺陷，才能为延长经济上升期、落实科学发展观、推进全面建设小康社会进程提供可靠的制度保障。根据保持宏观经济稳定和促进中长期发展的客观需要，2005 年的经济工作将突出以改革为主线，"十一五"期间完善新体制和改革旧体制的任务仍然相当繁重。财政领域在深化自身体制改革的同时，在支持其他各项体制改革方面也是可以有较大作为的。

1. 关于推进财税体制自身改革

财政税收体制不规范，不利于消除政府过多干预经济的内在动因。例如，中央和地方的财权和事权划分不够清晰合理，各级政府缺乏与本级公共服务职能及其公共开支相适应的正常财税收入来源，导致地方政

府纷纷开辟旁门左道以增加财政收入。又如，各级政府预算外收入和体制外融资的渠道和支出去向不规范、不透明，其中相当多资金直接投入公共服务以外的营利性投资项目，对投资膨胀和低水平扩张起到推波助澜的作用。再如，现行分税制和财政转移支付制度不完善，中央和地方税种结构及其分成比例不够合理，地方财政收入缺乏适合地方经济发展需要的主体税种（例如不动产税等），过于依赖增值税、营业税等流转税，加之与建设项目挂钩的专项转移支付还占较大比重，这就必然促使地方政府热衷于争建设项目、积极干预地方工商业投资。

需要研究的改革思路有：如何进一步明确中央和地方政府的事权和财权，使各级政府都能有规范而稳定的财政收入来源，以满足其正常的公共开支需要？如何合理调整中央税、地方税以及共享税的税种和分成比例？如何以及何时开征物业税、环保税等新税种？是否应当扩大资源税和耕地占用税的征收范围？怎样完善中央和省以下财政转移支付制度，减少专项转移支付，扩大一般性转移支付？怎样简化财政预算管理层次，推广"省直管县"等改革试点？是否应当以及怎样才能稳步扩大地方政府发行债券的权力？等等。

2. 关于财政如何促进政府职能转换和自身改革

按照完善社会主义市场经济体制的要求，各级政府都应当着力解决政府在经济发展领域越位过多、而在社会发展领域缺位严重的问题。在这一改革进程中，财政该撤火的就应当撤火，该加油的就应当加油。需要研究的问题有很多，例如：如何构建行政性国有资产的有效管理体制？如何设计合理的党政机关职务消费改革方案，采取更为透明、公正的方式改革灰色收入的体制根源？怎样使政府体制内的收入分配改革在不同地区做到统筹兼顾、进而推进公务员制度改革？怎样使公共财政建设的绩效统计和干部考核体系有效地结合起来，引导各地政府把主要精力和财力真正投入公共服务、市场监管和社会管理上去？等等。

3. 关于财政如何促进投资体制改革

投资体制改革的关键在于严格界定政府投资职能和范围，放手发展市场化的民间投资主体。在改革投资审批制的同时，需要进一步清理、规范政府投资范围，加强透明度和社会监督，用好管好财政投资资金。在长期建设国债逐步退出的过程中，应当控制建设国债过多地转为预算内投资。否则，既不利于财政政策由积极向稳健的转型，又不利于控制政府投资过重的职能和过大的范围。

4. 关于财政如何促进土地制度创新

需要研究的问题有：如何改革土地供给的行政性审批制度，打破政府对土地一级市场的垄断，扩大土地的市场化配置范围？如何完善土地法律和规划，严格界定公益性用途和经营性用途，建立规范的土地管理体制？如何通过必要的地租制度体现不同性质的土地收益，如何把不同性质的土地收益列入预算管理，如何合理分配土地收益，以便依法保障公共利益和公民私有财产，保证失地农民得到合理补偿和长期稳定收入来源，等等。

二、增强用间接手段调节全社会投资的能力

随着市场化投融资日趋活跃，政府调节全社会投资的手段应当多样化、间接化，减少对财政性直接投资的依赖。

改革开放以来，全社会固定资产投资资金来源越来越宽，包括国家预算内资金、国内贷款、利用外资、自筹资金（企业自有资金、发行债券和股票）以及其他资金（定金及预收款）等。其中，国家预算内资金的绝对量虽然明显增加，但在全部投资来源中所占比重大幅度下降，由 1981 年的 28.1% 下降为 2003 年的 4.6%。而国内贷款、自筹资金和其他资金的规模增加更为迅猛，占全部投资来源的比重随之显著上升。1981—2003 年，国内贷款比重由 12.7% 上升到 20.5%，利用外资比重由 3.8% 上升到 4.4%，自筹和其他资金比重由 55.4% 上升到 70.5%。

在投资主体日益市场化、投资来源日益多渠道的格局下，国家预算内资金所占比重的下降是必然趋势。1998 年以来预算内资金包括了每年增发的建设国债，预算内资金在投资来源中的比重有所上升；随着建

设国债减少发行规模直至停发，这一比重仍会逐步回落。那么，政府对全社会投资的调节手段是否会被削弱？应该说不会。

从经济增长趋势看，我国经济已经进入新一轮较快增长期，全社会投资来源规模将不断扩大，即使停发建设国债，国家可支配财力仍然会水涨船高。

更重要的是，应当着眼于投融资领域的市场化趋势，来考虑进一步转换宏观调节机制。目前，多主体、多渠道的市场化投融资活动日趋活跃，财政以外的投资来源越来越广，比重越来越大，宏观调节的微观基础发生很大变化，可以实施间接调节的对象范围日益广阔。这种趋势还将进一步发展，不仅要求政府调节全社会投资的手段应当相应地多样化，而且，信贷、利率、财政贴息和税收等间接调节手段起作用的条件也在逐步改善。这些间接调节手段，比预算内投资的调节作用更灵活、更有效。尤其是财政贴息，对于引导银行贷款方向进而调节投资的杠杆作用更为明显。因为，在投资来源中约占70%的自筹和其他资金，实际上很大一部分也来自银行贷款。

现实的投资格局表明，寄希望于财政投资来调节全社会投资，既不符合市场化改革的大趋势，也越来越不可能得心应手。因此，政府对投资领域的调节不能再依赖财政性投资，或直接掌握过多的基本建设投资项目，而应当更多地借鉴市场经济的办法，主要依靠多样化的间接手段。

三、增强公共财政的均等化公共服务能力

公共财政的主要功能是弥补市场缺陷，防范和化解公共危机，而不是直接参与市场配置资源的过程。按照完善公共财政体制的要求，政府应当保证公共产品和公共服务领域的财政支出，提供充分的、可靠的社会公共产品和服务，改进公共管理职能。根据"五个统筹"的要求，增强均等化公共服务能力可从常规性和应急性两个方面考虑：

1. 增强常规性公共服务能力

在统筹城乡发展方面，应当按以工带农、以城带乡的要求理顺财税

体制和收支结构，为促进农民进城和转向非农产业做好财力和相关的制度准备。许多城市的财政部门担心，扩大农民进城机会、消除城乡分割的种种体制壁垒，会增大城市的财政负担而难以为继。确实也有一些城市在放松户籍限制时因不堪重负而被迫停顿。这种困局恰好说明，我们现有的财政体系还很不适应新的形势，应当跳出"增加负担"的被动看法，积极地加快公共财政建设和调整支出结构，逐步形成稳定的制度保障，提高城市财政适应农民进城趋势的能力。

在统筹区域发展方面，公共财政应当着重改善不同地区发展的基础设施和公共服务条件，提高欠发达地区的自我发展能力和人民福利水平，缩小不同地区之间的社会发展差距。目前我国财政转移支付制度很不完善，中央财政对欠发达地区的转移支付力度还不够，一般性转移支付占比例较小，专项转移支付占比例较大，不利于体现地区间公共服务均等化的原则，致使区域政策在消弭市场缺陷方面的效果还不理想，因而也不利于改变目前全国低水平、不全面、不平衡的小康状况。因此，需要进一步完善财政转移支付制度和相关的财税政策，使之在促进区域协调发展方面发挥更好的作用。

在统筹经济与社会协调发展方面，财政需要研究的主要问题有：一是如何适应社会流动和社会分层趋势，改变公共资源配置的严重不公平状况，主要是改变公共卫生资源和公共教育资源过分向城市和高等教育倾斜的状况。二是如何正确处理收入分配问题。在初次分配领域，如何进一步打破"体制内"的平均主义，怎样克服体制不合理造成的灰色收入现象和调节不合理的收入差距？在收入再分配领域，由于我国相关税收和社会保障等再分配调节手段还不健全，对收入差距扩大势头难以进行有效调节。需要坚持"保护合法收入、打击非法收入、调节过高收入"的原则，此外还应再加上"救助贫困群体"。怎样使再分配手段既可有效调节过高收入、又不挫伤投资积极性？三是怎样建立适应我国现阶段经济发展水平、适应城市和农村的不同特点和需求的社会保障体系？总体上可能仍然应当坚持"广覆盖、低水平"的原则，但在具体制度设计上如何保证资金供应的可持续性，等等。

在统筹人与自然和谐发展方面，需要研究如何运用财税手段促进经济增长方式转变，提高资源使用效率，建立节约型社会。我国已明确提出，把保护环境、节约资源作为基本国策，完善可持续发展的法律法规，实施有利于低投入、高产出、少排污、可循环的相应政策，遏制生态环境不断恶化的趋势，加快治理污染，厉行节约土地、水、能源等紧缺资源，大力发展循环经济，在全社会提倡绿色生产生活和投资消费方式。财政税收政策需要适应上述要求进行必要调整，做出应有贡献。例如，可以考虑加强税收手段的扶优限劣作用，对能耗高、污染大的行业和产品实行重税政策，运用零税率甚或财政贴息的方式鼓励发展低能耗、无污染的行业和产品。又如，可以考虑完善资源税制度，运用税收手段建立有利于资源节约与合理开发的约束机制和补偿机制，引导资源型地区和城市适度合理开发资源，及早谋划接续性产业的发展，并预先积累起必要的财力，以利于在资源枯竭时比较顺利地实现经济转型。

在统筹国内发展和对外开放方面，应当在符合国际惯例的前提下，运用财税政策支持国内产业和企业增强国际竞争力。贯彻国民待遇和公平竞争等原则，需要在进出口、引进外商投资等领域对现行税收优惠政策进行调整，坚定不移地推进内外资企业所得税合一等税制改革，实现公平税负。此外，我国正在积极开展国际双边和多边区域经济合作，我国在同东盟建立自由贸易区等方面，取得不同程度进展。这也对现行财政税收体系提出新的要求。随着经济领域的区域性开放与合作程度不断加深，旅游、贸易和投资领域的便利化、自由化将是其中的重要内容，有些优惠政策可能作为例外而不受世贸组织规则约束，这为现行财政税收体系和相关税收优惠政策留下一定调整余地。财政税收政策的适当调整需要从两方面考虑，既要有利于加强区域经济合作，又要有利于增强国内产业竞争力。

2. 增强应急性公共服务能力，健全财政应急手段

主要包括财政预备费、减免税费、转移支付等。其中，只有财政预备费已列入当年预算，一般占本级财政收入的 1%—5%，专门用于处理重大意外冲击，因而具有稳定性（动用其他手段都需相应调整预

算）。近年来财政收入增长很快，在 GDP 中的比重明显回升，随着财政实力不断增强，政府运用财政预备费的余地随之扩大。因此，近期应当尽快完善财政预备费的功能，稳定提取比例，扩大资金来源，防止随意挪用，形成可滚动使用的机制。

为应对突发事件，还可以组合使用其他应急手段（如发行内债、政府征用社会资产或动用自身资产、向中央银行或国际金融机构借款、动用外汇储备等）。今后应当重视发挥短期国债的作用。其一，发行短期国债是弥补当年赤字的常规手段。其二，短期国债应对突发事件相对灵活，比长期国债带来的后遗症要小。其三，发行短期国债有利于扩大债券市场规模，也有利于扩大中央银行进行公开市场操作的回旋余地，促进财政政策和货币政策的相互协调。目前债券市场规模偏小，中央银行进行公开市场回购操作的余地有限，也难于形成市场化的基础利率，影响了财政政策和货币政策的灵活性和协调性。

四、进一步弱化财政的一般经济建设职能，按公共财政要求优化支出结构

经过 20 多年的市场化改革，我国计划经济时期形成的"建设财政"发生了重大变化，公共财政体制框架初步建立。1980—2003 年，国家财政支出中经济建设费的比重由 58.22% 的绝对优势下降到 30.06%，降低 28 个百分点以上，下降幅度很大。社会文教费比重由 16.2% 上升到 26.24%，提高约 10 个百分点，与经济建设费的差距明显缩小；行政管理费比重由 6.15% 上升到 19.03%，提高 12.88 个百分点；其他支出由 3.66% 上升到 16.92%，提高 13.26 个百分点。财政支出结构的这种变化，反映了财政的经济建设职能趋于减弱，社会公共管理职能逐步增强。

但是，目前国家财政的经济建设职能仍然偏重，财政支出结构还保留着计划经济的部分特征，还存在不少缺位和越位的情况，缺位主要表现在用于社会保障、调节地区差距和收入分配差距，以及发展公益事业

的支出不足；越位主要表现在对企业的资金投入、各种补贴过多，以及行政性支出范围过宽。公共财政体制的建设尚不到位，可由统计数字反映出来：

一是国家财政支出中的经济建设费占比仍然高于其余各类支出。按功能分类统计，国家财政支出包括经济建设费、社会文教费、国防费、行政管理费和其他支出 5 类。2003 年这 5 类支出中，经济建设费比重（30.06%）仍然是最高的。

二是经济建设费的投向不够合理。基本建设支出比重高，2003 年占经济建设费的 46.27%，占预算总支出的 13.91%；支援农业生产支出和农业事业费的比重低，2003 年占经济建设费的 15.31%，占预算总支出的 4.6%，明显低于 1990 年 7.19% 的比重。还有约占 30% 的经济建设费没有明确列出，而这些不公开的经济建设支出是否都应由财政负担，其投向是否合理，也是成问题的。

三是行政管理费增长过快，社会福利支出比重过低。1980—2003 年，行政管理费由 75.53 亿元增加到 4691.26 亿元，增长 62.1 倍（未剔除价格变动因素），是各类支出中上升最快的。抚恤和社会福利救济费占财政支出的比重，仅由 1990 年的 1.78% 上升为 2003 年的 2.02%（不是社会保障支出的全口径，因为不在预算中）。这表明政府自身开支尤其是一般行政支出增长过快，而用于社会福利的支出不足。

按公共财政原则进一步优化财政支出结构，应考虑：

（1）保证公共服务领域的财政支出，主要是社会保障、基础教育、基础科研、公共卫生、国防和外交等方面的政府开支，相关的支出比重应当继续提高。

（2）结合行政管理体制改革，控制行政管理费上升过快的势头，使之保持在较低水平。

（3）进一步减少基本建设、企业挖潜改造和流动资金等方面的财政支出，更多地通过股票、债券和贷款等市场化的融资方式，满足投资主体的资金需求。

（4）认真清理不透明的经济建设费，凡是可以由企业自主投资的一般经济建设支出项目，都应当削减，重点压缩随意性大的支出项目。只保留必须由政府承担的公共投资支出，例如全国性的、社会公益性的以及自然垄断性的基础设施投资等。

（5）合理调整政府投资和政府消费的比例关系，增强通过政府消费来改善公共服务的能力。政府履行公共职能，应当由主要依靠政府投资支出转向政府消费支出，这也是合理调整投资与消费关系的一项重要内容，或者说是一个重要"抓手"。

（原载《经济研究参考》2005 年第 37 期）

5.5　加强和改善金融宏观调控

与社会主义市场经济相适应的宏观调控体系，是由计划、财政、金融相互配合、协调运作而构成的有机整体，其中，金融调控具有综合性强、灵敏度高、对经济活动影响明显等特点，在我国宏观经济调控中发挥着越来越重要的作用。现代市场经济国家的宏观调控主要依靠货币政策和财政政策，金融调控处于更为关键的地位。加强和改善我国的金融宏观调控，要勇于学习和善于借鉴西方发达国家的成功经验，以使我们少走弯路。

我国金融体制改革的一个重要目标是建立以间接调控为主的现代金融调控体系，亦即中国人民银行在国务院领导下独立制定和执行货币政策，主要运用存款准备金、再贴现和公开市场操作，以及利率、中央银行再贷款等间接调控手段，调节货币供应量，稳定币值，以实现货币政策和国家宏观经济政策所要达到的调控目标。根据不同时期经济金融形势的变化，为实现货币政策目标，中央银行可以综合地或单独地运用经济的、法律的、行政的各种金融调控手段，其中既有直接的，也有间接的，随着市场经济体制逐步发展成熟，直接的、行政性的调控手段将会用得越来越少，而经济的、法律的和间接的调控手段则会处于主导地位。

一、货币政策的目标与操作工具的选择

中央银行进行金融调控的过程，实际上就是制定和实施货币政策的过程。货币政策是中央银行运用各种政策工具调节货币供求关系，借以实现宏观经济调控目标的一系列方针和策略的总称，它和计划、财政等方面的重大政策一起构成完整的宏观经济政策。货币政策一般包括最终目标、中介目标和政策工具等几个方面：货币政策的最终目标是指货币政策所要达到的宏观调控目标；货币政策的中介目标是指为实现最终目

标而选择的可调节变量，表现为与最终目标相关联的金融指标；货币政策工具是指中央银行为调控中介目标而采用的政策手段。在货币政策的制定和实施过程中，最终目标是货币政策的出发点和归宿，政策工具影响中介目标的变动和最终目标的实现。可以说，中介目标的正确选择和政策工具的合理运用是货币政策的核心。

在不同的经济体制下和不同的经济发展阶段，货币政策的目标、内容和作用会存在差别。我国在发展社会主义市场经济的过程中，货币政策在宏观调控中的地位逐步上升，它的最终目标、调控对象和调节方向等等，也随着经济体制、金融体制改革的进展以及经济金融形势的变化而相应调整、转变。这种转变既符合我国的国情，又借鉴了发达国家的成功经验和有效做法，体现了加强和改善金融宏观调控的要求。

（一） 货币政策最终目标的选择

制定和实施货币政策首先必须确定适宜的最终目标，这是选择合适的中介目标和货币政策工具的前提和依据。世界各国中央银行所共同追寻的宏观调控目标主要包括经济增长、充分就业、物价稳定和国际收支平衡。这四大目标的同时兼顾只是一种理想状态，实际上难以并列地实现，因为四大目标之间往往存在一定矛盾，容易顾此失彼。例如，要是把促进经济增长放在首位，那么稳定物价、控制通货膨胀的目标就容易被忽略；如果为了实现充分就业必须刺激经济增长，则需要增加货币供应，这样抑制通货膨胀的任务也难以完成。西方一些国家由于只重视经济增长和充分就业，而不重视控制通货膨胀，因此在70年代纷纷陷入经济增长停滞和通货膨胀严重的局面，以后被迫转向追求币值稳定。而日本、新加坡和泰国等由于重视控制通货膨胀，自50年代以来保持了长期的高增长、低通胀的良好态势。这四大目标的排列顺序和协调程度，取决于各国的经济发展水平、经济体制状况和中央银行的独立性。在发展中国家和经济体制转轨国家，由于市场经济不发达，中央银行独立性和调控能力比较差，因此更难同时实现上述四大目标。

我国改革开放以来的实践证明，货币政策的最终目标不宜过多，而应当比较单纯，并且不宜把促进经济增长放在首位，而应当首先强调控制通货膨胀。这是因为，我国不仅是最大的发展中国家，而且正在由计划经济向市场经济转轨，经济增长的内在冲动十分强烈，容易出现经济过热；在相当长的时期内通货膨胀的压力会比较大，以往的深刻教训恰恰是不惜以多发票子来支持经济增长。因此，为保持经济快速健康发展，必须正确制定货币政策的最终目标。《中国人民银行法》规定，"货币政策目标是保持货币币值的稳定，并以此促进经济增长。"这就明确了稳定币值优先，促进经济增长必须以此为前提。这是对过去几十年经验教训的正确总结，为我国制定和实施货币政策提供了符合实际的法律依据。

（二）货币政策中介目标的选择

实施货币政策需要较长的过程，具有自身的规律和传导机制，从政策的制定、实施直到最终目标的实现，必然经过一些中间环节，这些变量既是信号，也是被调节的对象，监测和把握这些中间环节的变化并加以调节，对最终目标的实现至关重要。中央银行为了正确制定和有效实施货币政策，必须及时掌握并灵活调节一些能够反映经济金融形势变化的指标，来判断货币政策工具的使用效果，以及最终目标的实现程度，这些金融指标就是货币政策的中介目标。

1. 货币政策中介目标的选择依据

在选择货币政策的中介目标时，要考虑所选变量能够在货币政策的传导过程中起到指示器和调节器的作用，通常认为中介目标应当符合相关性、可测性、可控性、抗干扰性和适应性五个标准，其中前三个标准是最主要的。所谓相关性，是指所选的中间变量与货币政策最终目标之间存在密切的关联，例如该变量能够反映币值是否稳定，是否出现通货膨胀，否则就不能作为中介目标。所谓可测性，其含义为所选择的中间变量能够用数字衡量，并且可以及时搜集到其变化情况。至于可控性，则表明这一变量可以被货币当局所控制，亦即按照货币政策设定的调节方向和力度发生变化。所谓抗干扰性，是指中介目标在货币政策实施过程中要不受或少受各种因素的干扰。而适应性则是指，作为中介指标的金融变量能够较好地适应经济金融体制的变化，在不同条件下要有所区别。

根据这些标准尤其是前三个标准所选择的中介目标，一般包括利率、货币供应量和基础货币；基础货币由流通中的现金和金融机构在中央银行的存款构成，是货币供应量成倍伸缩的基础。不少国家把利率和货币供应量作为中长期监控指标，而把基础货币视为比较理想的短期监控指标。选择好中介目标，也就找准了货币政策所要调节的对象，因而是有效实施货币政策的关键一环。

2. 我国货币政策中介目标的转变

90 年代中期以前，我国一直把贷款规模和现金发行量作为货币政策的中介目标，1996 年正式将中介目标改为货币供应量。所谓货币供应量，是指某一时点上全社会可用于购买商品和劳务的货币总额，具体表现为流通中的现金和金融机构的各种存款，它们代表着全社会总的货币购买力。按照货币的流动性划分，一般将货币供应量分为三个层次：一是流通中现金，通称 M0；二是狭义货币供应量，即 M0 + 企事业单位活期存款，通称 M1；三是广义货币供应量，即 M1 + 企事业单位定期存款 + 居民储蓄存款 + 其他存款，通称 M2。我国货币政策调节对象的变化，是由经济金融运行机制的变化所决定的。以往之所以把贷款规模和现金发行量作为调节对象，主要原因在于：居民存款很少，金融资产单一；经济对外开放程度低，国际收支状况对货币供应量的影响不大；财政预算管理长期坚持"收支平衡、略有节余"的方针，财政净存款抵消了相当一部分银行贷款所供应的货币；"大一统"的银行体制使国家银行贷款几乎成为唯一的货币供应渠道，企业和银行掌握的融资方式都很单调。因此，在过去几十年间，只要控制住国家银行贷款和现金发行，货币总量也就被控制住了。

改革开放以来情况发生了很大变化，1979—1995 年间，有 11 年广义货币供应量的增加额超过贷款增加额，进入 90 年代以来这种趋势更加明显。这是因为：居民储蓄迅速增加；多种金融机构在竞争中共同发展，融资渠道逐步拓宽；国债、企业债和股票等金融工具日益多样化，发行上市规模不断扩大；对外开放程度显著提高，国际收支的变动对国内货币供应量的增减也产生了越来越大的影响。所以，仅仅控制贷款规模已经不能全面控制货币供应总量，货币政策的调节对象必须由贷款和现金转向更具综合性、更能反映市场经济新形势的中介目标——多层次的货币供应量指标。只有这样才能准确判断全社会货币购买力的增减和银根松紧程度，继而作出相应调节，使其变化方向符合宏观经济调控的意图。

货币政策的中介目标是一个多层次的金融指标体系，不同层次的货币供应量与不同经济运行侧面具有相应的关联，体现不同经济主体的购买力，在金融监测和调控中的重要程度也不相同。M0 代表着居民消费需求的主体部分，与社会消费品零售状况和物价指数同步变化，是最活跃的货币，流动性最强。M1 是反映企业资金松紧程度的重要指标，其中的企业活期存款主要代表企业对生产资料的需求，与经济增长的关系比较密切，M1 的高增长往往表明工业生产增长过热，反之则反；它的流动性仅次于流通中现金。M2 的流动性最弱，但是能够反映全社会现实的和潜在的购买力；它对主要中长期经济指标尤其是物价水平的变化具有重大影响，例如 M2 增长过快时，通货膨胀率会迅速上升。从可测性、可控性和稳定性的角度看，这些特性在三个层次的金融指标之间是依次增强的，以 M2 为例，由于它包括了前两个层次的货币供应量指标，因此监测它的结构变化，可以分析各经济主体对宏观经济政策的反应，其总量变化则综合地体现社会总需求的变化。

由于各个层次的金融指标具有不同的作用和特点，中央银行不宜仅限于其中某一个，而应当把它们作为一个整体，在每一年度制定出各层次货币供应量的增长目标，对之加以监测和调节；同时也要有所侧重，按照发展社会主义市场经济的要求，逐步把监测和调节重点由 M0 转向M1 和 M2，把狭义货币供应量作为短期监测目标，把广义货币供应量作为中长期监测目标，并根据它们的变化适时调整松紧程度。这样，有利于提高金融调控的水平，实现货币政策的最终目标。

（三）货币政策工具的选择

中央银行实施货币政策，调节中介目标，离不开有效的操作工具。

货币政策的操作工具有多种类型，按是否具有强制性划分，可以分为直接控制和间接控制两种类型：直接控制手段通常指直接信用控制，中央银行通过规定利率最高限额、商业银行贷款配额、干预信贷业务和放款范围等强制性办法，直接调节社会信贷总量。间接控制手段主要包括存款准备金率、再贴现率、利率、中央银行再贷款、公开市场操作（即中央银行在公开市场买卖有价证券），以及道义劝告之类的间接信用指导等等，这类政策工具不是通过强制性的行政命令，而是通过影响经济主体的利益，使其相应调整自己的行为，进而调节社会上的货币供应总量。按货币政策工具的调节范围划分，可分为一般性和选择性两种类型：一般性政策工具主要包括法定准备金率、再贴现率和公开市场操作，其特点是经常使用，对货币供应总量进行调节并影响整个宏观经济；选择性货币政策工具则是对某些特定领域的信用加以调节的措施，包括消费者信用控制、证券市场信用控制、不动产信用控制以及优惠利率等等。

选择何种类型的货币政策工具及其何种组合，关键取决于经济体制、金融体制的性质，经济发展水平和经济金融形势的变化。在不同经济体制下和不同经济发展时期，应当根据需要选择符合国情的政策工具组合。从发展的角度看，在计划经济时期，基本上依靠直接控制手段；处于转轨时期的国家，则逐步减少直接控制，增加间接控制的分量；当市场经济体制比较成熟时，就会基本上采用间接控制手段，当然，间接控制手段的组合还是有所不同的。针对不同调节范围的特点，应当把一般性的政策工具同选择性的政策工具合理结合起来，以满足总量调节和结构调节的不同需要。

我国长期实行贷款限额控制，即把信贷计划以指令性方式下达给各个商业银行，作为贷款的最高限额，未经批准不得突破。这种直接控制手段对于控制货币供应量，保持物价稳定，促进国民经济持续快速健康发展，曾经起到积极作用。但是贷款限额的弊端也很明显，即贷款不是按市场经济规律进行配置，不利于从根本上提高信贷资产质量。随着商业银行的自我约束机制逐步强化，中央银行的独立性和宏观调控能力不断增强，货币政策中介目标转向多层次的货币供应量指标，取消贷款限额的时机已经成熟。从 1998 年开始，中央银行不再对商业银行进行贷款限额控制，各个商业银行包括国有独资商业银行全部实行资产负债比例管理。中央银行将主要运用间接型的货币政策工具对货币供应量进行调节，这标志着我国以间接调控为主的金融宏观调控体系初步形成，表明金融体制改革取得突破性进展。

二、正确把握货币政策的内容和作用

货币政策要根据宏观经济和金融形势的变化，正确把握调控方向和力度，适时适度进行微调，在保持货币币值稳定的前提下，使货币供应量的增加满足经济持续快速健康增长的需要。货币政策是最重要的宏观政策之一，但是不能替代其他经济政策，反之还需要其他政策的配合与支持，才能顺利地实现预定目标。

（一）货币政策包括的主要内容

从中期宏观经济政策的角度看，货币政策的主要内容可以从以下几个方面来把握：

第一，正确量化货币政策的最终目标。我国货币政策的最终目标是保持货币币值稳定，并以此促进经济增长，这属于定性的表述，在实际操作中还需要定量化。量化的货币政策目标应当是适度的，币值稳定并不等于固定不变，而是要使通货膨胀率控制在一个适度的、可容忍的范围内。这个限度在不同国家、不同时期很可能是相差较大的。所谓适度的货币政策目标，在我国是指通货膨胀率低于经济增长率。

第二，货币供应要保持基本适度。合理确定货币供应量的增长指标，要考虑控制物价、促进经济增长、货币流通速度的变化以及经济货币化程度的提高等因素，要综合分析物价上涨指数、经济增长率、社会资金利润率、利率等指标之间的关系。

第三，以间接调控手段为主对货币供应量进行灵活调节。中央银行将根据经济金融形势的变化，主要运用利率、准备金率、再贴现率、中

376

央银行再贷款和公开市场操作等间接型政策工具，对货币供应量的增长适时进行预调、微调，做到有松有紧，松紧搭配适度。这样，可以使各个层次的货币供应量保持恰当比例，适应城乡居民、企事业单位的生产、消费、储蓄和投资等各方面的合理需要；从而既有效控制通货膨胀，又保持经济平稳运行，避免经济增长大起大落。

第四，充分运用信贷政策引导贷款投向。信贷政策是货币政策的重要组成部分，属于选择性的货币政策工具。它主要根据国家产业政策和区域发展政策，指导商业银行的贷款投放，优化信贷结构，使贷款投向符合经济结构调整的需要。因为中央银行对各个层次货币供应量的调节，大体上还是属于总量范围的调控，对经济运行产生的影响具有综合性，并不针对某个或某些特定行业和企业，所以对经济结构的调节不太及时，作用也不那么直接。而信贷政策则可以通过引导贷款投向，对经济结构调整产生比较及时、比较直接的作用，有利于支持国有经济的战略性重组，促进产业结构升级和产业布局的优化；也有助于提高经济运行的稳定性，改善经济增长质量。

（二）货币政策需要其他经济政策的支持与配合

中央银行在国务院领导下独立制定和实施的货币政策，是涉及经济全局的宏观调控政策，而不是仅仅针对金融业的行业性政策，也不是中国人民银行一家的部门性政策，正像财政政策不是财政部的政策而是国家的宏观政策一样。经济生活中造成通货膨胀或通货紧缩的原因很多，而且，财政政策、收入分配政策、投资政策和引进外资政策等各有不同的作用，对货币运动乃至币值稳定会产生不同程度的影响，货币政策与这些宏观政策的关系十分密切。因此，货币政策本身并不能单枪匹马地包打天下，必须同其他政策综合配套、协调运作，才能实现稳定币值、保持经济快速健康发展的目标。

首先，货币政策需要与财政政策相互配合。各国普遍重视把这两种政策结合起来使用，它们的共同点在于通过调节总需求来影响产出。不同之处在于，财政政策对实现扩张性的调控目标具有更为直接的作用，例如降低税率可以直接刺激投资；扩大财政支出可以迅速引起货币供给增加。而货币政策在实现扩张性目标方面比较缓慢，因为降低利率对投资的刺激比较间接。在实行紧缩的目标时，货币政策有很多政策工具可以利用，对抑制过热的需求比较及时灵活；而财政政策要增加税收和减少支出，则比较困难。此外，财政政策具有增加供给的作用，但货币政策的这种作用却比较弱。

在正常情况下，财政政策和货币政策宜松紧搭配；而为了扭转严重的经济过热或衰退，两种政策的调节方向就需要同时紧缩或扩张。我国适度从紧的货币政策是和适度从紧的财政政策同时提出的。这是因为，财政收支不平衡所造成的预算赤字或"隐性"赤字，会迫使中央银行多发票子来弥补，从而使适度从紧的货币政策难以执行。所以，财政政策要鼓励增加收入，节约开支，保证收支平衡，减轻超额发行货币的压力。在经济增长势头减弱、市场疲软的情况下，为了刺激国内需求扩大，货币供应和财政支出也需要适当增加。

其次，货币政策需要收入分配政策的支持。改革开放以来，国民收入分配呈现出国家财政收入比重下降、企业收入增长缓慢、个人收入比重迅速上升的新格局，企业缺乏资本金注入，中央财政收支状况不理想，对控制通货膨胀的负面影响不容忽视。因此，需要采取正确的收入分配政策，着力扭转收入分配过于向个人倾斜的格局，逐步提高财政收入占国民收入的比重，以利缓解财政困难，增加国有企业资本金，降低其过高的资产负债率；进而也有利于改变企业过于依赖银行贷款的状况，减轻需求拉动型通货膨胀的压力。

再次，货币政策需要投资政策和投资体制改革的支持。我国经济生活中普遍存在着盲目的重复建设，固定资产投资规模增长屡屡失控，导致投资需求膨胀，经济增长过热，通货膨胀率上升。这里既有投资体制不合理的原因，例如缺乏投资风险约束机制，无人对投资失误负责；流动资金往往被挪用于固定资产投资，导致银行贷款不能按期收回，企业间资金相互拖欠严重等；也有投资政策不适当的原因，例如投资规模、结构、布局的安排不合理，投资项目的资金来源不落实等等。在这种情况下，货币政策再完善也难以收到预期效果。为了有效实施货币政策，必须加快投资体制改革，合理制定投资政策，形成适当的投资规模，促进投资结构的优化和投资效益的提高，消除通货膨胀的隐患。

最后，货币政策需要外资政策和外汇政策的支持。引进外资的政策和外汇政策涉及外汇收支平衡和国际收支平衡。如果利用外资的政策不合理，例如借用外债过多，吸收外商直接投资过少，或短期外债过多而长期外债过少，则会引起外汇流出失控，使外汇收支出现赤字。如果外汇政策不适当，例如本币汇率急剧贬值，或是过早地实行本币完全自由兑换，则会造成国内物价飞涨，大量资本外流，危及国际收支平衡与宏观经济稳定。这时单靠货币政策控制通货膨胀，将是难以奏效的。因此，要在外资政策和外汇政策的配合与支持下，货币政策才能顺利实现其调控目标。

三、1993—1998 年金融宏观调控的成效和经验

1992—1993 年上半年，在国民经济保持高速增长的同时，经济生活中出现了总需求过旺、金融秩序混乱、宏观经济失稳、通货膨胀严重的局面。针对这种情况，国家制定了加强和改进宏观调控的方针，宣布实行适度从紧的财政货币政策，从整顿金融秩序入手，采取了以抑制通货膨胀为首要任务的综合治理措施。到 1996 年底，经济运行成功地实现了"软着陆"，通货膨胀率控制在 6.1%，经济增长率达到 9.7%。1997 年宏观调控成果进一步巩固，国民经济保持了 8.8% 的快速增长，通货膨胀率只有 0.8%，实现了"高增长、低通胀"的良好局面。

1997 年下半年东南亚国家发生严重的金融危机，货币大幅度贬值，经济增长出现停滞甚至下降，对我国经济健康发展产生了相当不利的影响。为抵御金融风波的冲击，党中央、国务院于 1998 年初作出了扩大国内需求、保持国民经济快速健康发展的重大决策。在坚持适度从紧的财政货币政策的前提下，宏观调控部门适时调整了调控方向和力度，中央银行主要运用间接型的货币政策工具适度增加货币供应

量，使之适应经济增长的需要。这是整个宏观经济调控的新的实践，也是金融调控的新探索，为在新形势下加强和改进宏观调控积累了有益的经验。

（一）1993 年下半年至 1997 年底金融宏观调控的实践和成效

1992 年初，我国经济正处于经济周期的上升阶段，由于人们认识上的偏差，片面追求高速度、炒作房地产和盲目设立开发区，到 1993 年上半年经济出现过热，导致宏观经济失衡。突出表现在：一是投资率过高，国民经济运行超过了潜在的增长能力。投资率 1992 年为 36.2%，1993 年上升到 43.3%。二是货币投放过多，物价攀升。1993 年上半年货币发行 527 亿元，比上年同期多 550 亿元，比发生高通货膨胀的 1988 年同期多投放 439 亿元；全年各层次货币供应量的增长幅度都高达 35% 以上；零售物价上涨 13.2%，消费价格上涨 14.9%。三是金融秩序一度混乱。1993 年当年违章拆借资金达 3000 多亿元，黑市利率高达 25% 以上，银行储蓄存款急剧减少。

从 1993 年下半年开始，国家迅速采取了以控制通货膨胀为首要任务的综合治理措施，并配套推进了金融、财政税收、外汇、投资等方面的重大体制改革。货币政策作为主要的宏观经济政策之一，与财政政策、投资政策等其他经济政策相互配合，在这一轮宏观调控中发挥了重要作用。中央银行采取了一系列金融调控措施，例如，停止对财政透支，把货币发行权集中到中央银行总行；把货币政策中介目标由单纯调节信贷规模转向调节货币供应量；根据金融形势变化灵活上调或下调利率；实行政策性金融和商业性金融分开，注重运用信贷政策调整经济结构；加强金融监管，规范金融机构的行为；发展货币市场，逐步放开短期资金利率，等等。通过上述政策措施的综合治理，金融宏观调控收到了显著成效，国民经济"软着陆"取得了圆满成功。最主要的标志是在有效控制通货膨胀的同时，保持了国民经济的适度快速增长，避免了建国以来反复发生的经济大起大落。见表 21：

表 21 1993—1997 年宏观调控成效一览表

政策效果	指　标	1993 年	1994 年	1995 年	1996 年	1997 年
固定资产投资明显降温	固定资产投资增速(%)	58.6	31.4	17.5	18.2	10.1
国民经济持续快速增长	国内生产总值增速(%)	13.5	12.6	10.5	9.7	8.8
	工业增加值增速(%)	21.6	18.0	14.0	12.7	11.1
通货膨胀得到有效抑制	零售物价涨幅(%)	13.2	21.7	14.8	6.1	0.8
	消费价格涨幅(%)	14.7	24.1	17.1	8.3	2.8
	生产资料价格涨幅(%)	25.4	16.2	10.7	9.9	−2.6
货币供应增幅逐步回落	广义货币 M2 增幅(%)	37.3	34.4	29.5	25.3	17.3
	狭义货币 M1 增幅(%)	38.9	26.8	16.8	18.9	16.5
	流通中现金 M0 增幅(%)	35.3	24.3	8.2	11.6	15.6
乱拆借被基本制止	违章拆借资金(亿元)	3000	—	300	300	—
	同业拆借利率(%)	20 以上	—	15.0	11.4	10.8
国际收支状况明显改善	进出口贸易顺差(亿美元)	−122	53.5	167	122.4	403
	国家外汇储备(亿美元)	212	516	736	1050	1399
人民币汇率逐步稳定	汇率(人民币/美元)	11.9	8.7	8.4	8.3	8.3

资料来源：中国人民银行《中国金融展望 1997》第 20 页，以及国家统计局 1993—1997 年历年统计公报。

　　与 1989 年下半年开始的三年治理整顿相比，这一轮宏观调控的成效也是明显的。1991、1992 两年虽然出现过"高增长、低通胀"的局面，但这是在 1989、1990 连续两年低增长（国内生产总值增幅分别仅为 4.1% 和 3.8%）的基础上出现的恢复性增长，而且低物价状况主要是靠行政性手段控制和维持的。1993—1997 年间的经济增长平稳回落，在国际上依然是较高的速度；更重要的是，这 4 年间主要是靠推进改革、更多的是运用市场经济的办法，有效地抑制了通货膨胀。见表22：

表 22　1988—1997 年经济增长速度与物价涨幅

单位：%

年　份	1988	1989	1990	1991	1992	1993	1994	1995	1996	1997
GDP 增速	11.3	4.1	3.8	9.2	14.2	13.5	12.6	10.5	9.7	8.8
零售物价涨幅	18.5	17.8	2.1	2.9	5.4	13.2	21.7	14.8	6.1	0.8

（二）近几年金融宏观调控的主要经验

根据 1993 年以来金融调控的实践，可以概括出下面一些有益的经验：

第一，实行适度从紧的货币政策，是治理通货膨胀的重要政策保证。充分估量我国经济转轨时期通货膨胀压力的长期性，对于制定适当的货币政策目标十分重要。当物价上涨率高于经济增长率时，要首先努力使其低于经济增长率；即使物价涨幅已经降下来，也要注意防止其大幅度反弹。

第二，适应经济金融形势的变化，把握好宏观调控的方向和力度。贯彻适度从紧的财政货币政策，并不意味着不顾形势变化一味紧缩，而是在保持币值稳定的前提下，审时度势，灵活进行预先调节和微调，使投资增长、财政支出和货币供应量能够促进经济增长。当物价指数呈现持续负增长时（1997 年底到 1998 年 7 月我国零售物价指数逐月下降，呈现为负值），表明经济处于通货紧缩状态，总需求不足。此时应当把宏观调控的方向由防止经济过热转向防止经济停滞，政策着眼点由适度从紧转向适度从松，运用扩张性的财政政策和货币政策刺激需求，保持各层次货币供应量的合理比例和适度增长，以适应经济增长的需要。特别是如果经济面临不利的国际环境时，更要把财政政策与货币政策巧妙结合起来，刺激国内需求的扩大。

第三，通过推进改革，加强金融监管，保证货币政策的有效实施。

在加强和改进金融宏观调控的过程中，我国在财税、金融等领域不失时机地推出一系列重大改革举措，加快金融调控方式由直接调控为主向间接调控为主转变；先后颁布实施了十多部金融及其相关法律，保证了金融调控的法制化和规范化；加强金融监管力度，严肃整顿混乱的金融秩序，为宏观调控的正确传导扫清障碍。如果没有深化改革和强化监管所创造的体制条件，货币政策的作用将大打折扣。

第四，在调节总需求的同时，注重增加有效供给，促进经济结构调整。经过 20 年的改革和发展，长期困扰我们的商品紧缺现象已经根本改观，同时，有效供给不足的结构性矛盾日益突出。金融调控与产业政策、投资政策、财政政策密切配合，充分发挥信贷政策的导向作用，保证基础产业、国家重点建设以及国有经济战略性重组的资金需要，对促进有效供给的增加和物价涨幅的回落，起到了积极作用。

第五，采取必要的行政手段，注意舆论导向和监督。在以经济手段和法律手段为主实施宏观调控的前提下采取了"米袋子"省长负责制、"菜篮子"市长负责制等必要的行政措施，确保生活必需品的价格稳定。同时通过各种主要媒体，公布各地每月物价指数，以便社会舆论进行监督；并且向企业、社会公众反复说明适度从紧的货币政策的含义和重要意义，引导他们正确理解这一政策，以形成比较有利的政策实施环境。

这几条经验可以说是近几年金融宏观调控的突出特点，也是宏观调控能够取得显著成效的重要原因。1998 年以来，宏观调控的主要任务转为治理通货紧缩，这是新形势下的新挑战，有助于丰富我国在改革开放条件下改进宏观调控的实践经验，有助于提高国家进行宏观调控的艺术，自如地应对各种复杂的局面。但是，我国还处在经济体制转轨过程中，国有经济战略性重组和产业结构战略性调整的任务十分艰巨；国内多年积聚的金融风险不容忽视，必须加强防范；潜在的通货膨胀压力将长期存在，不能掉以轻心。在经济全球化的大趋势中，国际金融风波的变化和影响往往出人意料，对此也要有足够准备。

（原载《构筑现代经济的核心——面向新世纪的金融改革》，广西师范大学出版社 1999 年 12 月）

5.6 改善中小企业融资环境

融资困难，资金严重缺乏，已经成为中小企业进行技术改造、开发产品、扩大生产的重大制约因素，也是当前社会投资乏力的一个重要原因。我国中小企业融资难的主要症结在于，企业自身资信程度低，没有足够的资产可供抵押，社会上又找不到为其提供担保的机构；融资渠道狭窄，目前基本上靠银行，没有其他渠道，而银行对中小企业放款风险大，贷款成本远高于大企业，在实行商业化的进程中，银行放款日益谨慎，一些大银行即使成立了中小企业信贷部，积极性也不高。针对中小企业的特点，世界各国都十分重视从提供信贷担保、发放低息贷款、开展直接融资等方面，帮助中小企业筹集资金，有的国家如日本还把提供资金支持和运用产业政策引导结合起来，以促进中小企业健康发展。根据我国的实际情况，借鉴国际上的有益经验，应当综合运用财政税收政策、信贷政策、产业政策，改善中小企业的融资环境。

第一，逐步建立中小企业信贷担保体系。成立多种形式的信贷担保机构，开辟多条渠道筹集担保资金。一是中小企业贷款担保基金，主要靠财政注入资金和向社会发行债券，也可吸收中小企业出资和社会捐资；中央和地方财政给予支持，如由中央财政设立中小企业信用担保保险金等。一是由地方政府、金融机构和企业共同出资组建担保公司，主要为当地的中小企业提供担保。还有一类是会员制担保机构，由中小企业联合出资，发挥联保、互保的作用。各类担保机构都应当依据《担保法》等法律实行商业化经营，对各种所有制的中小企业进行信用等级评定和项目评估，帮助它们建立规范的财务制度，提高资信程度。同时，还要探索控制和分散贷款风险的措施和办法，如对中小企业贷款实行比例担保和联合担保等。

第二，改进银行对中小企业的信贷服务。各商业银行应当积极发展适应中小企业特点的融资业务，发挥好融资主渠道的作用。除了普遍成立中小企业信贷部以外，还有必要提高对中小企业贷款的比例。地方性商业银行、城市和农村信用社要把中小企业作为主要服务对象，满足它们合理的信贷需求。国家政策性银行也应当注意运用优惠贷款手段，扶持符合产业政策的中小企业发展壮大。对于符合产业政策导向、产品适销对路、有利于吸纳下岗职工的中小企业，以及下岗职工从事个体私营经济和兴办经济实体，各类金融机构应当给予贷款支持，特别是地方性商业银行、城市和农村信用社，更要优先安排贷款。银行需要适当放宽审批权限，缩短审批时间，改善服务方式，开拓新的服务项目，为中小企业提供结算、汇兑、转账、财务咨询、投资管理等多种金融服务。

当然，为防范和及时化解金融风险，银行对中小企业发放贷款必须坚持信贷原则，同时可适当提高对中小企业贷款的呆账准备金提取比例，还有必要建立中小企业贷款的信息反馈和风险预警系统，以提高贷款质量。

第三，发展直接融资，积极探索高科技中小企业风险投资机制。直接融资特别是风险投资，对于培育那些产品技术含量高、有潜力的高科技中小企业，具有孵化、催生的重要作用。可借鉴国外经验，组建专门为中小企业提供融资服务的工业投资公司，以直接持股和发放长期贷款的方式向中小企业投资。例如，英国有一家这样的工业投资公司，其股票市值在英国100家最大上市公司之列，可见其生命力之强。我国急需发展各种形式的风险投资基金，政府应当发挥好对风险投资的导向作用，引导社会上的风险投资支持高科技中小企业。还可考虑把从事中小企业风险投资的多种机构组成风险资本协会，以便更好地提供风险投资服务。

第四，运用税收优惠、贴息等手段鼓励向中小企业投资，支持其技术改造。对于中小企业研究开发新产品、新技术、新工艺以及购买技术和相关的技术服务，可采取减免所得税的措施，降低其费用。对于工业企业增值税小规模纳税人的征税率，可参照对商业企业的办法予以降低减轻纳税负担。对于安置下岗职工、综合利用资源、从事社区服务等政策鼓励发展的中小企业，也可实行税收优惠。中小企业新上技术含量高、市场前景好的技改项目，可适当降低投资总额中企业自筹资金的比例，有条件的地方可对项目给予财政贴息。这些做法，对中小企业是相当大的财力支持。

（原载《财贸经济》1999年第6期）

5.7　创新金融体制，加大科技投资 *

近年来我国金融业对科技投资的方式始终以科技贷款为主，股票市场融资、风险投资等其他投融资方式发展迅速，但规模依然有限。目前存在科技贷款相对下降、小企业贷款难、融资渠道单一、缺乏健全有效的政策性金融扶持机制等问题。解决问题的出路在于进行金融体制创新，在既有科技投入渠道的基础上，建立起以"市场引导投资方向，政府改善政策环境，企业作为投资主体，金融作为主要手段"为宗旨，全方位、多层次、多手段的科技投资金融服务体系。

一、我国金融业在科技投入方面的主要形式

金融业在科技投资方面有金融机构贷款、证券融资、创业投资、提供信用担保等多种形式，其中科技贷款始终是主要融资方式，其他融资方式发展迅速，但规模依然有限。

1. 金融机构贷款是金融业对科技投入的主要形式。我国企事业单位科技资金主要有三大来源：企业自筹资金、政府资金和金融机构贷款。其中，企业资金是科技经费的最大来源，1990—2001 年，从 174.4 亿元增加到 1458.4 亿元，年均增长 21.29%，占科技经费总额的比重从 43.2% 提高到 56.3%。政府资金是科技经费的第二大资金来源，同期从 124.1 亿元增加到 656.4 亿元，年均增长 16.35%，占科技经费的比重从 30.77% 下降到 25.35%。金融机构贷款是科技经费的第三大资金来源，同期从 49 亿元增加到 190.8 亿元，年均增长 13.15%，占科技经费的比重从 12.16% 下降到 7.37%。

---

* 本文是科技部委托课题"科技投入与金融创新"的研究报告，有删节。课题负责人卢中原；执笔人：卢中原、魏加宁、李建伟、王召。

从金融业对科技投入的方式看，主要渠道是金融机构的科技贷款。1995 年以后，金融机构对科技投资的支持力度逐步增强。金融机构科技贷款占金融机构贷款增加额的比重逐年递增，由 1996 年的 9.76% 提高到 2001 年的 20.05%。近年来金融机构科技贷款侧重于支持大中型工业企业，以自然科学中的农业科学和工程科学与技术领域的项目为主，对 300 万元以下的小型项目和 1000 万元以上的大型项目支持力度较大。

2. 股票市场融资成为高新技术企业的重要融资渠道，但总体规模有限。近年来我国股票市场发展迅速，已成为我国企业外源融资中仅次于金融机构贷款的第二大融资渠道。据统计，1990—2003 年 7 月，我国共有 1271 家上市公司，总计融资 4712.3 亿元；其中有 518 家属于信息技术产业、医药与生物制品业、机械设备和仪表业等高新技术行业，占整个上市公司数量的 40.76%；这些高新技术企业共融资 1655 亿元，占整个股市融资总额的 35.12%。股票市场对高新技术企业融资提供了重要支持。但高新技术企业的股市融资额与整个科技投资的筹资额相比，规模仍然有限：1990—2001 年间，科技经费资金筹集总额为13660.43 亿元，其中金融机构贷款总额为 1508.6 亿元，占 11.04%；高新技术上市公司股票融资总额为 1376.99 亿元，占 10.08%。

3. 债券融资、风险投资、投资基金、信用担保以及政府引导下的银企合作等其他科技投入方式，仅处于起步阶段。以债券融资促进科技投资，直到 2003 年才在科技部组织下进行首次尝试，发行了 8 亿元"中国高新技术产业区企业债券"，用于 12 个国家级高新区的 19 个基础设施建设项目。目前已成立的 200 余家风险投资公司，总资本规模仅100 亿元左右，与 8 万余家的民营科技企业数量相比，风险投资公司的数量、规模远不能满足中小型科技企业的融资需求。1998 年成立的"科技型中小企业技术创新基金"，对科技型中小企业的发展起到了促进作用，但资助规模有限：截至 2002 年，共收到申请项目 16200 项，资金总额约 172 亿元，已资助项目仅 3749 项，安排资金 28 亿元。目前国内已开展了多种方式的中小企业信用担保业务，但以地方政府主导下的信用担保方式为主，覆盖面较小。

二、当前金融业在科技投资方面存在的问题与原因分析

近年来我国金融业科技投入中存在科技贷款相对下降、小企业贷款难、其他融资渠道规模与作用十分有限、缺乏健全有效的政策性金融扶持机制等问题。

1. 金融业对科技投资的总体支持力度相对下降。1995 年以后，虽然科技贷款占金融机构贷款增加额的比重逐年递增，但金融机构贷款占科技经费筹集总额的比重不断下降。出现这一矛盾现象的主要原因是：（1）企业和政府对科技投资的力度不断增强，使金融机构贷款的重要性相对弱化。（2）1993 年下半年以后政府采取了紧缩性宏观调控政策，对科技贷款产生了较大冲击。受紧缩性政策影响，1995—1997 年金融机构贷款年均增速回落到 23.33%，科技贷款年均增速则大幅度回落到 10.5%，科技贷款占金融机构贷款增加额的比重也由 1990 年的 14% 以上下降到 1995—1997 年间的 10% 左右。（3）1997 年以后，为了解决结构性生产能力过剩问题，提升产业结构，政府和企业大幅度增强了科技投资力度，而国有银行的商业化改革使银行放贷、特别是对发放风险较高的科技贷款更为审慎，导致科技贷款在科技经费筹集额中的比重逐年下降。

2. 金融业科技贷款主要流向大中型企业，小企业融资难的问题始终存在。近年来科技贷款的 50% 以上流向大中型工业企业。据人民银行 2001 年专题调查，随着商业银行市场化改革进程的不断加快，金融机构规避风险意识增强，信贷资金日益向经济发达地区、重点行业、重点企业和优质企业集中；而中小企业特别是不发达地区的中小企业，则融资日益困难，主要是由于信用等级普遍偏低、信用担保和抵押困难、贷款金额较小、手续繁琐，以及部分小企业存在逃废银行债务等原因。2000 年以来出台了鼓励金融机构加强对中小企业融资服务的一系列政策措施，虽然在一定程度上缓解了中小企业贷款难的问题，但并未根本解决。

3. 企事业单位科技筹资的外源融资渠道单一，促进科技投资的金融市场机制比较落后。我国已形成包括股票市场、债券市场、外汇市

场、期货市场、同业拆借市场等在内的金融市场格局，但专门服务于科技投资的金融市场很不健全。股市融资相对于科技贷款而言，仍是金融业科技投资的次要方式。同时，金融业的其他科技投资方式，如债券融资、投资基金、信用担保、风险投资以及政府主导下的银企合作等，虽然已经启动，但规模和实际作用十分有限。

4. 缺乏健全的政策性金融扶持机制。面对科技投资的高风险，仅靠市场并不能完全解决科技型中小企业的初创投资需求。目前国内已有多种类型的中小企业融资服务机构，如科技型中小企业技术创新基金、中小企业信用担保机构、科技小企业的孵化器以及政府引导下的银企合作等。这些机构对部分中小企业的发展起到重要的促进作用，但均是部门性或地方性组织，财力有限，多数规模很小，覆盖面狭窄，远未形成区域或全国范围的政策性金融扶持机制，难以满足科技型中小企业的发展需要。

三、国外科技投入的主要方式及其对我国金融科技投入体制创新的启示

世界各国为了保证其科技型中小企业的快速发展，均建立了针对中小型科技企业的政策性金融扶持机制和风险投资服务体系。这些机构大致可以分为五类：（1）支持中小企业发展的政府和半政府组织。如美国国会的中小企业委员会、政府的中小企业会议和中小企业管理局，英国的小企业服务局，日本通产省的中小企业厅等。（2）政策性贷款机构。主要有三类：以政府部门形式出现的贷款机构，如日本的商工组中央金库、国民金融公库和中小企业金融公库；政策性银行，如韩国为扶持中小企业建立的产业银行；以基金形式出现的贷款机构，如为中小企业发放贷款并提供担保的英国凤凰基金等。（3）政策性担保机构。如美国中小企业管理局，日本的中小企业信用保险公库，韩国的信用保证基金和技术信用保证基金等。（4）风险投资公司。主要有独立私人风险投资公司、合作风险投资公司和政府中小企业投资公司三种类型。

（5）二板市场。如美国的 NASDAQ、韩国的 KODASQ、马来西亚的 MESDAQ、新加坡的 SESDAQ 等。上述前三种金融手段不但服务于科技型中小企业，也服务于普通中小企业；而后两种金融手段则专门针对科技型中小企业设置。

从各国实践看，政策性金融扶持体系对科技型中小企业的发展起到重要促进作用，只有建立全方位的政策性金融体系才能弥补市场缺陷。政府参与程度取决于经济发展水平和金融市场的发达程度，其资金使用仍要以市场运作方式为参照，而其组织形式则主要取决于服务的特定对象。目前，我国科技投资体制尚缺乏完善的政策性金融服务体系，可从各国经验中得到以下启示：

1. 筹建政策性金融服务体系需要政府出资参与，政府的参与程度需要适时调整。各国经验表明，政策性金融机构的资金来源主要有政府财政投入、发行债券、吸收存款或金融机构借款等四方面，其中政府资金以独资、控股和参股三种形式介入政策性金融体系。发展中国家由于资金相对短缺，需要政府更多干预经济，政策性金融体系多以政府独资模式为主。鉴于目前我国金融市场不发达，在筹措我国政策性金融体系启动资金的初期，政府在较大程度上参与是十分必要的，以尽快弥补科技型企业的融资不足。在时机成熟的时候，需要逐步引入市场机制，降低政府参与程度，使政策性金融体系实现可持续发展。

2. 我国政策性金融体系的资金使用要以市场利率为基准。在美国，中小企业管理局规定利率由借贷双方议定，但利率要以华尔街公布的当日基准利率为依据，最高不得超过基准利率 2.25 个百分点；在日本，中小企业金融公库提供的特别贷款通常只比基准利率高 0.1—0.3 个百分点；在韩国，韩国产业银行 1999 年向中小企业提供的贷款中 84% 是随基准利率波动的，此外，其提供的外币贷款利率也主要参照伦敦同业拆借市场利率（LIBOR）。我国建立政策性金融体系的时候，应当借鉴这些经验，资金使用需要以市场价格为参照系，否则极易重蹈过去我国政策性资金滥用的覆辙。

3. 政策性金融组织形式要满足特定服务对象的需求。虽然各国设置政策性金融机构都有一般原则，但国与国之间、相同国度的不同地域以及不同经济发展阶段之间，政策性金融的设置形式并不完全相同。因此，在参考国外模式建立我国全方位政策性金融体系的过程中，关键在于因地制宜。

4. 发展二板市场需要建立健全金融风险防范机制。二板市场在促进世界科技型中小企业发展中的作用功不可没。但近年来二板市场的"泡沫化"及泡沫崩溃引发的巨大金融风险，也给各国经济及股民带来惨重损失。因此，在积极倡导发展二板市场解决我国科技型中小企业融资难问题的同时，也需要未雨绸缪，加强风险防范。

四、我国科技投入与金融体制创新的基本思路与对策研究

国内外经验表明，以金融机构贷款为主的金融业科技投入机制，无法解决处于初创时期、经营风险很高的中小型科技企业的融资问题，而建立健全风险投资机制、并以政策性金融作为辅助，是解决中小型科技企业融资问题的有效途径。要从根本上解决我国金融业对科技投入的力度不足问题，必须进行金融体制创新，在既有科技投入渠道的基础上，建立起以"市场引导投资方向，政府提供政策环境，企业作为投资主体，金融作为主要手段"为宗旨，"全方位、全阶段、全手段"的金融科技投资服务体系。具体政策建议与备选方案设计包括：

1. 筹建政策性银行，扶持科技创新。根据中国的实际情况，目前有必要成立至少一家专门为中小企业服务、为科技创新服务的政策性银行。可供选择的方案有：一是成立一家专门商业银行性质的科技银行，其中部分业务属于专门为科技创新服务的政策性金融业务；二是成立一家专门为中小企业提供政策性金融服务的中小企业银行；三是成立一家专门为科技创新活动提供政策性金融服务的科技开发银行。鉴于商业银行去做政策性金融业务从理论和实践上都已被证明是不可行的，而成立政策性的科技开发银行与成立中小企业银行并不矛盾，因此建议首先应成立政策性科技开发银行。

2. 完善信贷担保，鼓励科技信贷。对于大中型企业和已步入成长期的中小型科技企业而言，金融机构贷款是成本较低、快捷方便的科技创新融资渠道，而银行在未来较长时期仍将是我国最发达的金融体系，今后科技投入仍需要大力借助银行的中介职能。可考虑成立专门服务于科技创新的信用担保机构，鼓励各类商业银行增加对企业科技创新活动的信贷支持。

3. 大力发展民营银行，鼓励支持科技创新。民营企业、中小企业和科技创新型企业是目前我国科技创新的三支主要力量，民营银行与这些企业有天然的密切联系，大力发展民营银行势必加大金融业对科技创新的支持力度。

4. 尽快创设科技板市场，加快风险投资市场的发展。风险投资可分为两种方式，一种是通过私募方式，从战略合伙人或风险投资者那里筹集；另一种是通过在风险资本市场上公开发售股票的方式进行筹集。通常，前一种方式是风险资本的进入方式，而后一种方式则是风险资本的退出方式。我国需要进一步发展风险投资公司和风险投资基金，更需要尽快推出针对科技型中小企业的二板市场等风险投资退出机制。

5. 发行科技创新债，促进债券市场发展。债券融资在发达国家是与股票融资和金融机构贷款同等重要的企业外源融资方式，有不可替代的优势。从完善金融市场、降低金融风险的角度看，发展企业债券市场是未来我国金融体制改革的必然选择之一，发行科技创新债券，是促进债券市场发展、加快技术进步的重要途径。在认真总结试点经验的基础上，可考虑扩大发债规模和发债范围，让更多的科技创新型企业（尤其是民营中小型科技创新企业）能够拥有发债的机会。

6. 继续发展投资基金，实现投资主体多元化。目前，国内已经成立了多种投资基金，但大多是以政府投资为主，管理方式也是以官办为主，存在着国有企事业单位的通病。同时，由于缺乏必要的风险投资渠道，长期以来我国各种形式的"非法集资"一直屡禁不止。从健全投资基金机制、"以疏代堵"、引导社会闲散资金合法投资的角度看，政府应放宽基金的设立条件和准入方式，加快风险投资基金的发展，允许设立私募基金，鼓励民间资金更多地流入科技创新领域。

7. 成立科技创新保险公司，开设科技创新保险品种。从国外经验看，为科技创新活动服务的，不仅限于银行业和资本市场，保险业通过为科技创新开辟各种新的保险品种，也同样可以为科技创新提供各种直接的或间接的服务。有必要尽快成立 2—3 家专门为科技创新服务的科技创新保险公司，为企业提供"科技创新险"或"新产品开发险"等必需的保险品种，为促进科技创新提供良好的保险服务。

8. 运用市场化手段，提高现有政策性金融资源的效力。目前，尽管从总体上讲国家对于科技创新的金融支持力度比较有限，但科技部手中仍掌握着一定的金融资源，如中小企业创新基金等。在争取更多的金融资源的同时，应当通过市场化运作，提高这部分资金的使用效率，放大其对科技创新的扶持力度。首先，可考虑以科技部掌握的部分资金作为"核心资本"，发起成立若干家带有风险投资性质的"国家科技创新种子基金"，吸纳数倍于己的民间资本进入，形成倍数效应。再次，建议由科技部发起并吸纳民间资本参股，共同组建我国第一家科技保险公司，以填补科技保险这一空白领域。最后，建议由科技部发起成立科技创新风险评估公司，对于未来科技创新的发展方向、潜在的经济效益及其风险进行评估，以引导和带动金融业加大对科技创新的支持。

（原载《上海投资》2004 年第 8 期）

5.8　以科学的宏观调控促进发展转轨

在发展社会主义市场经济、推进现代化建设的过程中，我国在加强和改善宏观调控方面进行了不断实践，得到许多宝贵经验和重要启示。对宏观调控的方式、内容、手段和作用，宏观调控与市场机制的关系，宏观调控与短期经济稳定的关系，宏观调控与中长期经济发展的关系，宏观调控与体制改革的关系等等，我们的认识都在逐步深化。加强和改善宏观调控的过程，实际上是对经济发展规律的认识和把握过程，是不断完善社会主义市场经济体制的探索过程。在树立科学发展观的背景下，最近两年多来宏观调控的实践，又是深刻理解和全面落实新的发展理念的过程。《中共中央关于制定国民经济和社会发展第十一个五年规划的建议》明确要求，把经济社会发展切实转入科学发展的轨道。明年是实施"十一五"规划的第一年，搞好宏观调控，提高其科学性、预见性和有效性，不仅是保持年度经济平稳较快增长的重要条件，而且对促进后几年发展切实转轨也具有重要意义。为此，需要在以下几个方面，对实现科学的宏观调控进行不断探索。

一、密切关注经济发展的周期性变化趋势，把握好宏观调控的方向、时机和力度，努力保持经济发展的稳定性

我国经济发展的实践表明，周期性的经济波动是一种长期存在的客观现象，经济增长本身表现为上升—平稳—回落—低谷—回升的波浪式前进，每一次经济波动都有大体可以划分的时间区段。经济波动的成因，主要取决于市场供求变化、微观主体预期变化和生产投资行为调整、技术进步、产业结构升级，以及体制变革等多种因素的综合作用。其中，市场供求变化和微观主体行为调整属于比较快的变量，通常会形成较短的经济波动周期；而体制变革、技术进步和产业结构升级这些因

素属于比较慢的变量，引起的经济波动周期比较长。需要注意的是，当这些快变量和慢变量集中出现、并且变动方向相同的时候，就可能引起经济运行发生比较大的起伏。问题的复杂性还在于，我国的市场经济新体制还不完善，政府不当干预导致的盲目扩张和速度攀比，往往加剧经济波动幅度。此外，还有许多不确定的因素，例如国内外突发事件的冲击，以及外部经济环境的变化等。随着我国开放性经济不断发展，世界经济的周期性波动也会对我国经济运行的稳定性产生越来越大的影响。

上世纪 90 年代中期以前，我国宏观调控主要应对的难题是如何防范和控制反复出现的经济过热和通货膨胀。90 年代中期以来，我国经济波动幅度逐步减小，但是保持经济稳定性的任务却趋于复杂。一个重大的变化或深刻的背景，就是我国市场供求总格局已经由商品普遍短缺转为相对过剩，特别是工业领域的产能相对过剩已经持续了十来年。1998—2002 年持续的经济低迷已经提醒我们，今后的经济发展过程中，通缩和通胀交替出现的可能性在增加，宏观调控不得不准备应对这两个方面的挑战。2002 年中国经济进入新一轮上升期，同时出现了局部地区和部分行业的投资增长过猛。今年以来，前期投资过猛导致的原材料行业产能过剩问题凸显出来，而这又是在工业产能普遍相对过剩背景下出现的，因此有可能引起工业增长减速，进而需要注意经济运行滑入通货紧缩的可能性。

我国经济增长已经连续三年高于 9%，进入上升期的稳定增长平台。当前经济运行呈现高位趋稳、稳中趋降的态势。一方面，一些扩张性因素仍然在起作用，例如当年新增投资项目增加较多；另一方面，一些周期性收缩因素也相继出现，例如产成品资金占用大幅提高，工业增长景气指数回落、固定资产投资增速放缓等。预计明后年经济增长速度会逐步回落，大幅反弹的可能性较小，需要更加关注经济下滑的幅度。在这种情况下，宏观经济政策应当保持连续性和稳定性，继续实施稳健的财政政策和货币政策。只要宏观调控比较得当，就可以防止经济大幅下滑。

今后，需要加强对经济周期性波动趋势的预测和波动成因的研究，及时采取相应措施"熨平"经济波动幅度，增强宏观调控的前瞻性和主动性。在经济上升期，既要乘势而上，又要防止过热。在经济下滑期，则既要刺激经济走出低迷状态，又要加紧促进结构调整，淘汰落后，为下一轮回升准备好稳定的支撑力量。从保持短期宏观经济稳定的角度看，主要应关注一些快变量或者先行指标的变动，适时进行预调和微调。例如订单、价格、企业存货投资等的变化，可能预示着经济的涨落，需要据此相机抉择，调整财政货币政策的取向、重点和力度。从保持中长期宏观经济稳定的角度看，对于具有中长期拉动作用的周期性因素，例如消费结构升级和产业结构变动趋势及其相互影响，也应当加强前瞻性研究和预测，采取相应措施因势利导，以促进新的产业关联顺利形成，在不断扩大的发展空间中实现经济持续快速平稳增长。

二、在实现总量平衡的前提下，着力推进结构调整和增长方式转变，提高经济发展的协调性和可持续性

宏观调控的首要任务是实现年度经济运行的总量平衡，主要调控目标包括经济增长、就业增加、币值稳定和国际收支基本平衡。2005年我国出口增长高达30%以上，进口增幅回落比较明显，贸易顺差增加较多，加之资本项目保持净流入，国际收支出现较大盈余，产生一定程度的失衡。这表明外需对今年经济增长的拉动作用较强，内需的拉动作用有所减弱，一旦明年国际经济环境发生动荡，可能影响国内宏观经济的稳定运行。扩大内需是我国经济发展的长期战略方针和基本立足点。鉴于当前国内需求相对不足，明年继续努力扩大内需，就成为保持宏观经济总量平衡的关键。明年乃至"十一五"期间，需要调整投资和消费的关系，在保持合理的、相对稳定的投资水平的前提下，更加重视扩大消费的作用，提高消费对经济增长的贡献率。把增加居民消费特别是农民消费作为扩大消费需求的重点，不断拓宽消费领域和改善消费环境，同时，继续积极发展新的消费热点和消费方式，促进居民消费结构升级。

GAIGE SHIDAI DE JINGJIXUE SIKAO

我国正处于经济结构剧烈变动时期，工业化和城市化势头迅猛，居民消费结构和产业结构升级加快，经济发展空间迅速扩大，各地加快发展的积极性日益高涨。同时，原有的产业关联和市场供求关系被打破，经济结构不合理的深层矛盾也日益暴露。由于经济增长方式还相当粗放，体制改革不到位，这就容易引发盲目投资和低水平扩张的倾向，既不利于结构优化升级，又可能导致总需求膨胀。而在经济过热的情况下，地方政府和各行各业很难把注意力转到科学发展的轨道上来。因此，要促进发展转轨，就需要把总量调节政策和结构引导政策有机结合起来，实行科学的宏观调控，首先把总需求保持在合理的水平上，为促进经济结构调整创造比较宽松的宏观经济环境，避免经济大起大落对结构调整带来负面影响。在总供求基本平衡的前提下，结构引导政策的着力点应当放在鼓励自主创新、节能降耗、减少排污等关键环节，推动经济增长方式由粗放型向质量效益型转变。在经济结构特别是产业结构不断优化升级、经济增长质量和效益不断改善的基础上，宏观经济的总量平衡也比较容易维持。

需要指出，结构引导政策必须坚持以市场为基础，而不能以行政部门甚至长官意志为导向，更不能变成政府直接配置资源的工具。对结构调整加以引导，应当由过去主要依靠审批具体项目和经济性指标，转向主要依靠行业规划、区域规划和行业准入手段，加强对涉及公共利益的社会性标准（如环保、质量、能耗、安全、卫生检疫等指标）的控制，特别要注重依靠经济杠杆进行调节，形成正确的利益导向。例如，如果我国资源价格体系能够反映资源稀缺程度、市场供求关系和污染造成的代价，这就比多少道行政命令更能有效引导各行各业节约资源，树立可持续发展的意识。

三、不断完善间接调控方式，坚持把经济和法律手段作为搞好宏观调控、促进科学发展的主要手段

现在，宏观调控面对的微观基础和国内外市场环境都在发生深刻变

化。国内经济市场化程度显著提高，公有制经济、民营经济、外资经济和混合所有制经济等多种经济主体十分活跃，经济活动的各种利益关系和各种参数变量越来越复杂。加入世贸组织的保护过渡期已经结束，国内市场将更加开放，我国在国际国内两个市场配置资源的机遇和挑战都在增加，在按照国际通行规则办事、增强应对外部经济冲击和不确定因素的能力等方面，也面临许多新情况和新要求。因此，必须根据复杂多变的国内经济运行情况和外部经济环境，不断完善宏观调控的方式、手段和政策组合，提高宏观调控的灵活性、针对性和有效性。

实施科学的宏观调控，应当自觉遵循市场经济规律，充分发挥市场配置资源的基础性作用，同时注意克服市场本身的缺陷，既保持经济发展的活力，又保持经济运行的平稳，促进经济发展转入全面协调可持续的轨道。实践证明，以利益导向为特征的间接调控方式，比行政干预为特征的直接调控方式更符合市场经济发展的客观需要。科学的宏观调控应当坚持以间接调控为主要方式。对于市场机制起支配作用的最大量、最广泛的经济活动，应当主要依靠税收、财政贴息、利率、汇率、价格等经济杠杆进行调节。同时也要看到，我国正处于体制转轨过程中，许多经济问题和矛盾是由违法违规或行政干预引起的。因此，加强和改善宏观调控，还需要具体问题具体分析，对症下药。对于违法违规行为导致的经济问题和矛盾，必须依靠法律手段加以解决。对于不适当行政干预导致的经济行为扭曲，则应当运用必要的行政手段进行纠正和规范。总体上说，科学的宏观调控应当以经济杠杆和法律手段作为主要的、常态性的调节手段，而行政手段则是辅助性的、应急性的。今后，需要继续加强财政政策、货币政策、产业政策等之间的衔接、协调与配合，完善和严格执行市场准入规则，引导资源优化配置，减少市场失灵带来的社会代价。

四、实现科学的宏观调控必须依靠深化改革、完善体制

从这一轮宏观调控的实践和经济运行中比较突出的问题看，宏观调

控的预期目标能否实现，有两个体制条件显得特别重要：一是政府职能规范合理，能够摆正政府、企业和市场的关系。目前政府职能转变不到位，政企不分尚未根本改观，行政权力过多地干预企业投资经营活动，这已经成为影响宏观调控效果、妨碍发展转轨的突出矛盾，因而必然成为深化改革的关键。今后，迫切需要加快行政管理体制改革，进一步减少政府直接配置资源的职能，切实把政府职能转到抓好经济调节、市场监管、社会管理和公共服务上来，转到创造良好的发展环境上来。二是财税、金融和发展规划密切配合，形成利益协调一致的经济调节机制。现在财税、金融和规划体制还不健全，政绩评价体系不完善，中央和地方的职权与财权还不对应，致使一些地方盲目投资和低水平重复建设难以根治，实现发展转轨也会面临不少困难。因此，应当继续完善公共财政体系，建立健全与事权相匹配的财政体制，这是规范各级政府行为的一项关键性举措。同时，需要加快金融体制和规划体制改革，建立稳健、高效、安全的金融体系和科学的规划体制。在相关的宏观调控主体协调运转的前提下，调控意图才能清晰统一，措施才能比较得当。在各个方面利益协调的基础上，宏观调控措施才能得到有效贯彻。

（原载《人民日报》2005 年 12 月 21 日）

第六篇

国际比较与借鉴

6.1 改革呼唤出来的经济理论家

——科尔奈及其经济学著作述评

近年来，一位东欧经济学家，以其独树一帜的社会主义经济体制理论，引起了国际学术界的瞩目。此人便是匈牙利科学院通讯院士、匈牙利社会科学院经济研究所教授亚诺什·科尔奈（Yános Kornai）。

科尔奈的学术经历和主要著作

科尔奈教授生于 1928 年，是一位在青年时期就显露出其出众才华的学者，也是匈牙利首先倡导改革的经济学家之一。他长期从事关于社会主义经济体制理论和数理规划的研究，论著颇丰，在学术上很有建树，对匈牙利经济改革也有相当贡献。早在 1957 年，他还是一个不到30 岁的年轻人，就对中央集权管理体制提出了尖锐批评，并提出了改革方案。不幸，却横遭指责，被抨击为"新经济体制下的修正主义"。然而经过其后十多年的检验，科尔奈的真知灼见终于得到实践的首肯，他的名字也被载入当代匈牙利经济改革的史册。科尔奈在学术上的建树，不仅有社会主义经济体制理论方面的，也有数学规划方面的。他既反对极端的"中央计划指令"观点，也不同意"市场社会主义"制度。他认为，社会主义计划经济应当是"国家计划工作、数学方法以及有选择地使用市场机制的复杂综合"。在这种认识指导下，他与另一位学者于 1977 年设计了一个有名的"多层规划模型"，以用于最优计划。

然而要说科尔奈最有影响的理论贡献，却还当属他对社会主义经济矛盾的集中表现形式——短缺现象的独到研究。在社会主义国家内，尤其是在经济改革前，从家庭主妇、企业采购员直至企业领导人，无不痛切地感到买东西的困难。这种短缺表现为生产者不能满足消费者需求（横向短缺），国家不能足量供应企业生产所需（纵向短缺），如此等等。科尔奈从生产者和消费者的切身感受中，深刻分析了商品短缺，以及由此引起的排队、囤积居奇、企业生产盲目追求数量乃至贪得无厌的投资饥饿，反过来又加剧商品短缺这一系列影响国民经济良性循环的连锁反应，指出其根本原因在于经济结构的不完善，致使信息阻塞，预测失灵；此外，国家对企业的家长式统治关系和扮演企业总保险公司的角色，使得企业不承担财务风险，预算约束不力，从而盲目扩大生产、争夺投资，终于造成一方面仓库积压，一方面市场上供不应求。研究这一问题的专著《短缺经济学》在 1980 年一经问世，立即在国内外引起很大轰动，很快被译成多种文字，并于 1982 年又以匈文再版。我国也在 1985 年出版此书中译本。国内外学术界对此书评价甚高，匈牙利经济学界人士认为，作者从社会主义国家最常见的商品短缺现象谈起，具有和马克思《资本论》从商品出发分析资本主义经济运动规律相似的研究特点，并称此书的问世，标志着人们对社会主义经济的研究达到了"新的高度"。西方学者则认为，对于任何一个想要了解苏联型经济的理论和实践的人来说，这本书发人深省，堪称一本必读书。

《短缺经济学》是科尔奈长期研究的结果。关于社会主义传统管理体制下的商品短缺问题，科尔奈早在 1957 年出版的《经济管理的过度集中化》一书中就已作过探讨。就科尔奈的整个社会主义经济体制理论体系来说，《短缺经济学》只是他所力图建立的这一庞大体系中的一个有机组成部分。构成这一体系的主要著作（出版年份均为英文版第一版）包括：《经济管理的过度集中化》（1959 年）、《结构决策的数理计划》（1967 年）、《反均衡论》（1971 年）、《短缺经济学》（1980 年）、《非价格控制》（1981 年）、《增长、短缺和效率》（1982 年）。科尔奈在《增长、短缺和效率》一书中介绍自己的理论体系说，《短缺经济学》构成社会主义经济的微观理论，《非价格控制》讨论数学控制理论及其在社会主义经济中的应用，《增长、短缺和效率》是社会主义经济的宏观动态理论，而《反均衡论》则奠定了对经济体制进行理论考察的一般方法论基础。

既然《反均衡论》在科尔奈的理论体系中有如此重要的地位，这里就着重对这本书和科尔奈非均衡理论的主要观点作一简要述评。

科尔奈的非均衡理论

科尔奈的非均衡理论，主要见于《反均衡论》一书和《市场的压力和吸力》一文。《反均衡论》英文版初版于1971年，再版于1975年，全名为《反均衡论——经济系统理论和研究任务》，全书共四篇二十六章。第一篇介绍自己的研究方法，对均衡学派的理论作了总括评价。第二篇建立自己的概念框架，详细分析经济系统的运行机制及特性。第三篇是本书核心，讨论经济系统运行的市场条件，提出市场的非均衡状态（一般压力状态和一般吸力状态）可能比均衡理论更真实地反映市场关系，更有利于指导现实经济运动。第四篇对非均衡理论作一回顾和展望，提出尚待进一步研究的若干问题。

关于非均衡理论的建立，科尔奈是以社会主义国家（尤其是匈牙利经济改革前）、资本主义发达国家和发展中国家的经济现实为实证依据，并以对一般均衡理论的分析批驳为基础的。一般均衡理论是西方经济学和市场理论所广为采用的主要分析工具，由瑞士洛桑大学教授瓦尔拉（1834—1910年）首创。这种理论认为各种经济现象均可表现为相互依存、相互制约的数量关系，并在一定条件下达到均衡。比如各种商品的供给、需求和价格都不是独立存在的，而是相互作用的结果；当市场上每一种商品的供求都相等时，这时的整个价格体系就形成一般均衡。一般均衡论只注意用数理方法来分析各种经济变量间的函数关系，寻求各种相互对立的力量如何达到均衡，而否定用因果方法去寻找每一经济变量的唯一决定性因素。简言之，它只重视经济现象的数量关系而回避实质原因的探讨，并且在方法上有点机械力学的味道。

科尔奈对一般均衡论的批评，主要是从这一理论的基本假定开始的。他承认，一般均衡理论重视分析供求关系、价格型信息以及追求如何达到经济活动的高效率，这些都是可取的，任何想要了解市场关系的人都不能不懂均衡理论。但是，这种理论的最大弊病在于它不能成为现实经济科学的指导理论。因为，一般均衡理论的基本假定诸如市场上不存在垄断、只有价格这一种经济信息、各经济组织的决策动机和决策规则是划一的（只根据价格变动作出反应）、产品结构不变、各经济组织的组合方式不变等等，是不符合经济现实的。恰恰相反，经济现实中的市场条件存在各种形式的垄断，供求双方不可能处于完全平等的竞争状态；经济信息除了价格型的以外还有非价格型的，例如生产企业的库存状况、消费者呼声等等；决策动机和规则也是多样化的，生产企业的决策可能受到企业内部的销售科、生产计划科等不同部门利益的影响，也可能只根据库存变动而不管价格信号如何来加以调整；由于技术进步，会同时发生产品的渐近性发展和革命性变革；此外，经济系统内各组织的存在状态和组合方式更不会是一成不变的，因而，市场上的均衡状态并不是一般情况。相反，由于这些因素的影响，无论是供给方面还是需求方面，最初愿望和实现的愿望并不总是一致的，一方面可能是消费者没有买到原先想买的那样多，另一方面可能是生产者没有卖出原先想卖的那样多。于是，市场上更为一般的状态也就往往呈不均衡的特征。

为了更准确地刻画复杂的市场图景，科尔奈建立了独特的概念体系，其主要概念是：1. 决策的愿望水平和实际决策。他认为决策的最初愿望和最终决策必须区分开，买方的购买愿望和实际购买之间、卖方的销售愿望和实际销售之间经常存在着差额，而传统的供求分析往往把这种区分忽视了。2. 扩张力。由于存在着上述差额，生产和消费双方都因初始愿望未获满足而分别产生不同的扩张力，一种是销售扩张力——供方扩大销售量的愿望；另一种是购买扩张力——需方扩大购买量的愿望。3. 压力和吸力。压力状态产生于需求不足，即销售愿望的扩张力强而购买愿望的扩张力弱，吸力状态则相反。压力和吸力状态分别对应于买方市场和卖方市场的概念，这两对概念虽有联系但并不直接等同。压力状态和吸力状态不是指暂时偏离均衡的上下波动，而是指持续地单向偏离供求均衡的两种状态，比如住房长期供不应求甚至日趋严重，这种商品的市场就处于吸力状态；而粮食长期供过于求甚至越来越多，这种商品的市场就处于压力状态。如果购买愿望和销售愿望的实际数值虽有偏离但趋势一致，那么此情形可视为动态均衡，比如汽车产量总是少于需求量一百辆，随着需求减少生产也相应下降，这一差额既未扩大也未缩小，就属于这种均衡。

科尔奈建立新的概念框架，意在创立一种新的分析市场机制的工具，克服均衡理论框架分析市场关系时的狭窄、笼统而肤浅的缺陷，为微观经济学的供求分析和市场理论提供更适用的"通论"。

导致市场上非均衡状态的直接原因是什么？在科尔奈看来，就吸力状态而言，主要是三类因素：一是消费品贸易中的购买扩张力；二是强加于企业的上级要求和比例失调；三是超乎实际潜力的投资扩张力；三者的共同根源是急于追求经济增长速度。就压力状态而言，主要是四类因素：其一，通货膨胀破坏了购买力的提高；其二，各企业为满足他企业的购买意图而创造了过剩生产能力；其三，新产品排挤老产品；其四，投资意图落后于投资能力。在两种非均衡状态中，投资意图和投资潜力的差额这一因素都起作用，因此科尔奈把控制投资意图和投资潜力之间的比率，或实际投资货物的生产，当作吸力状态和压力状态的主要调节器。

基于以上分析，科尔奈认为经济政策应当努力使一般压力在市场上占主导地位，但要有三个限定条件。一是在销售愿望和实际销售之间保持适度扩张力，但不能过大，而是容易感觉到的，以免造成资源过多闲置。二是销售愿望的强度应当是加强的而不应是减弱的。三是要让反作用力和反过程发挥作用，以抵消或减轻压力状态的不良后果，如投机、对竞争对手的无情、浪费性广告等等。

具体到匈牙利经济改革，科尔奈指出，以为决策分散化、利润刺激、价格的较自由运动同中央计划控制相结合，就能保证经济效率，是一种幻觉。这些只是必要的但不是充分的条件。保证社会主义经济效率的充分必要条件，是要造成经济中一定程度的压力状态。这就是科尔奈的一般结论。科尔奈的这一见解，对于正在从事经济改革的我国来说，是很值得反复思索的。

在《市场的压力和吸力》一文当中，科尔奈认为匈牙利彻底改革的关键在于如何由吸力状态转向压力状态。他建议的具体转化途径是：1. 投资计划不能达到投资可能的上限，在建筑业和机械工业中应允许投资呆滞。2. 应有意识地使某些投资不能立即形成社会的过度生产能力。3. 逐渐消除多余的购买力，并积累更多更好的商品存货，以增加实际工资和就业。4. 必须使企业发展更依赖于盈利，使生产更有效率，提高企业对降低成本和适应市场的兴趣。

在这篇论文中科尔奈还指出，均衡并不是经济的最理想状态，虽然均衡比吸力状态好，但均衡会导致僵化，健康的扰动比僵化更可取，因此轻微的压力比均衡更有利。但是他同时又认为，两种非均衡状态何者更有利，必须具体分析不同经济系统的特定条件，才好做出评价。比如，一个经济系统若处于经济发展的中间阶段，即必须满足日益多样化的消费需求阶段，则压力状态利大于弊，但压力不可过于强烈。在资源丰富的穷国，首要问题是如何最大限度地利用资源以使每人都有所得，消费需求的多样化暂不迫切，则吸力状态就较为有利。在战时经济条件下要求最大限度利用资源，也是吸力状态更有利些。由压力状态向吸力状态的转化是比较顺利的，而相反的过程则困难得多，特别是在社会主义国家。因为企业往往满足于支配消费者，国家又不愿放慢经济增长速度，不愿付出暂时牺牲消费的代价。

在《反均衡论》中，科尔奈写道，由吸力向压力的转化，是一种特殊投资类型，它在特定时期并不扩大产量，而是通过技术进步和改善系统的适应和选择性能，影响后续增长过程。尽管这种转化不太顺利，但是社会主义国家迫于面临的各种困难，迟早总会去组织由吸力状态向压力状态的转化。

在《反均衡论》一书中，科尔奈还向读者介绍了非均衡理论的理论背景。首先，科尔奈认为非均衡的思想可以在马克思的著作中找到。马克思在《资本论》第二卷谈到社会主义社会对再生产的有意识控制时，不是简单地说储备和库存，而是说持续的相对生产过剩。压力状态更为有利的思想在马克思再生产理论中出现过。第二，从事经济系统比较的研究者引入了"买方市场"和"卖方市场"的用语，"买方市场"

意味着持续的不均衡。第三，许多经济学家——不管是社会主义国家还是资本主义国家的——都认为经济保持一些"盈余"（剩余的、未动用的生产能力）是理想的，因为这会促使生产适应消费，刺激技术进步。而这种"盈余"，或资源的未充分利用，也意味着持续的不均衡。第四，西方文献特别谈到潜在生产能力和实际生产能力之间存在着缺口，主要基于资源局部闲置（首先是人力）的事实。经济中的这种缺口同样意味着持续的不均衡。只要这一缺口不过宽，不均衡的消极后果如失业、增长缓慢等等就不会出现，反而还会出现积极效果，诸如促进技术进步和新产品流动，改善产销适应过程和选择等等。第五，发展经济学中的"不平衡增长"理论也是主张一种非均衡状态，比如先发展当前生产部门后发展基础设施，对后者的需求将产生持续的吸力，经济中"瓶颈"（即短线产品或部门）的出现可能刺激欠发达国家经济的发展，比均衡意义上的增长更有利。但是这种不均衡只对数量增长有利而对质量提高和技术进步不利。根据匈牙利的经验，吸力状态的"不平衡增长"这种经济政策，在许多方面都是有害的。

　　非均衡理论尚需进一步研究的问题，科尔奈提出了如下几个：1. 更严密地考察测量和观察的条件。首先必须有更准确而有效的概念，如购买意图和销售意图、不满足、潜在的生产扩大、强度等等。2. 不太灵活的价格机制和其他管理机制、信息，如何一道控制经济过程。3. 大多数发展中国家存在着两种非均衡状态的典型混合，本书只探讨了一般压力和吸力两种纯粹情况，而非均衡两种状态的持续并存值得进一步研究。4. 本书考察了非均衡状态下通货膨胀的作用，但市场不均衡可以和相对稳定的通货并存。通货膨胀、通货稳定同市场持续不均衡之间的关系还很不清楚。5. 需要进一步弄清一般不均衡问题同凯恩斯学派提出的投资、储蓄和就业问题之间的关系。

简短的评论

　　科尔奈的非均衡理论和短缺经济学，对我们研究社会主义经济机制的有效运行和体制改革是很有启发的。

首先，科尔奈研究社会主义经济体制的方法值得我们借鉴。可资借鉴之处在于，其一，科尔奈的经济体制理论采用了系统论、控制论等横向科学的研究方法和成果，不局限于同一社会经济制度内不同国家间的比较研究，而是对于不同社会经济制度下的不同国家，力图建立一种能够统一处理各种经济运行系统的研究观察方法。科尔奈认为，对于每一个组织和单位来说，有必要说明它所控制的行动，它所支配的产品和资源，各单位之间的上下级关系，以及各单位之间的决策责任如何分配，这些因素恰恰是"所有制关系"最为重要的特点，比外部法律形式更有意义。他所致力的这种方法，能够深入到经济活动的内部机理而甩开解经注经式的陈腐气，又能通过横向比较而开阔人们的思路，因而使经济体制的比较研究具有新的广度和深度，为社会主义经济系统的运行机制和特性提供新的认识手段。其二，科尔奈以分析批判为基础，运用西方经济理论和分析工具研究社会主义经济体制理论，为马克思经济理论同西方经济理论中的科学成分有机结合，进行了大胆探索，值得我们重视。事实上，这一工作在我国学术界已引起不少人的兴趣，但同时不能不承认，还有许多框框尚待打破。其三，科尔奈在其理论研究中广为采用数学方法，使他的经济理论具有模型化和定量化的特点，同时又照顾广泛的读者对象，注意让数学基础不太好的读者也能读懂，这种尝试是可贵的。当今世界的发展，要求经济学家具有工程头脑、微观经济头脑和数学头脑，促使经济学研究讲究优化、精确化，真正能够指导实际经济运行过程，而我们在这方面还是比较薄弱的。

其次，在有计划的商品经济条件下如何搞好宏观平衡和发挥市场机制，非均衡理论很值得我们深入研究。我们现在常常提到的社会主义买方市场，不仅包括消费品买方市场，也包括在宏观平衡方面控制投资膨胀所要建立的生产资料买方市场，实际上和市场上的一般压力状态是一个意思，这也正是科尔奈所主张的保证社会主义经济效率的充分必要条件。那么需要进一步回答的是，在商品短缺现象还较严重的情况下，怎样组织由一般吸力状态向压力状态的转化？既然这种转化比相反的过程要困难，具体存在哪些障碍以及怎样消除它们就摆在我们面前。此外，一般压力状态与宏观平衡是个什么关系？中央控制和决策分散化、计划指令和价格自由运动等等，怎样在形成一般压力状态时相互协调？一般压力状态和局部吸力状态的并存是否也可为提高经济运行效率提供充分必要条件？如果能，它们的结合形态又是怎样的？再有，两种非均衡状态对新经济结构的形成有何影响？非均衡状态与社会主义企业行为的关系又如何？如此等等，都是值得进一步探讨的。总之，既然我们要建立社会主义买方市场，就不能不开展对非均衡理论的研究，以便弄清需要创造什么样的社会经济机制，才有助于形成这种一般不均衡的市场状况。

　　目前国内评介科尔奈的非均衡理论的文章尚不多见，从接触到的材料看，批评意见主要有四点：1. 没有深入研究非均衡状态对新经济结构的形成特别是产业结构的变动所起的根本性制约作用，而这正是非均衡理论中最有意义的基本问题。2. 对于企业的内部动力结构、环境、决策同非均衡状态的关系缺乏进一步研究。3. 如果经济系统的基本结构不变，经济系统处于轻微压力状态，仍可将其作为近似均衡状态来处理，运用均衡分析方法可获较满意效果。若此时过分强调非均衡的一般特征，则会使分析过于复杂。4. 非均衡理论不能代替均衡理论，后者作为市场关系的分析工具，作为研究资源最优配置的一种方法，不仅结构精美，逻辑严谨，而且其宗旨也不在于对均衡点的追求，而是为如何排除造成供求背离的各种因素，提供理论指导。

　　我以为，仅就《反均衡论》一书而言，它的缺点是抽象分析多而实际建议少，微观分析多而宏观分析少，论述方法和使用概念使全书有冗长繁琐之感。上述批评意见对本书也不乏针对性（它们主要是对《市场的压力和吸力》一文而发），但是，由于非均衡理论是一门新的学科，其不完善之处在所难免，而且正因为如此，恰恰有待于有志有识之士去推动它，完善它。

　　说到最后，我们再扯一点并非题外的话。近一二十年来，为什么在东欧会涌现出一大批具有远见卓识、在国际上很有影响、其经济理论也更值得我们重视的经济学家？科尔奈的经历也许能为我们提供某种答案。可以说，科尔奈是东欧各国面临改革挑战时，所呼唤出来的一批"杀回马枪"的理论家中富有代表性的一个人物。他所处的社会背景和个人遭遇，都是我们似曾相识也不难理解的，但如果没有献身科学的批判精神和理论勇气，他至今可能不过是一个陨星式的人物。正由于他具备了这些素质，又勇于采用新方法，善于在批判中汲取新成果，因而能够以高屋建瓴之势，跳出传统的窠臼，观察分析旧体制的弊病鞭辟入里，达到今天这样的学术造诣。科尔奈的理论贡献和学术经历值得引起我国学术界的重视。中华民族的腾飞需要理论的腾飞，同样，创新的理论也必然要求创新的精神和创新的方法。中国的改革大业，正在呼唤着创新的经济理论和创新的经济学家。

（原载《读书》1985 年总第 75 期）

6.2 向市场经济转轨的国际经验

在改革开放 14 年以后，我国开始了向社会主义市场经济转轨的深刻历史变革。这一历史性转变是我国前期改革坚持市场取向的必然逻辑，也标志着我国改革指导思想趋于成熟。在计划经济国家向市场经济转轨的世界潮流中，我国选择的新体制目标和转轨战略是独特的、富于创造性的。为了避免转轨中的挫折和少走弯路，研究借鉴其他计划经济国家转轨前后的经验教训仍是十分必要的。

一、前计划经济国家转轨前改革的基本教训

原东欧、苏联向市场经济转轨前，在社会主义条件下所做的改革尝试大多没有取得明显成效，这一历史阶段的经济改革提供的基本教训对于我国探索社会主义市场经济依然具有现实意义。

教训之一是，社会主义条件下的经济体制改革必须创造富有活力的经济运行机制，克服企业的软预算约束，提高经济效率，改善经济活动质量，增加人民的物质福利。否则，社会主义制度本身就会失去吸引力和说服力，甚至导致政权危机。

教训之二是，社会主义经济改革必须排除政治干扰，避免改革大政方针的摇摆不定甚至倒退。改革的停顿或局部倒退势必加剧双重体制的摩擦，激化潜伏的经济、政治、社会矛盾——归根结底是利益变化中新旧体制支撑因素的较量。只有坚定不移地推进改革，才能使新体制支撑因素强大到足以保证整个改革不致发生逆转。

教训之三是，社会主义经济改革必须坚持市场化的基本方向：建立完善的竞争性市场体系；创造真正独立的、拥有完全自主权和自我约束机制的企业；建立和维护良好的市场运行秩序。仅仅减少中央直接控制或废除命令体制并不能保证创造富有活力的市场，相反会走入改良的行

政协调体制的死胡同。

教训之四是，改革的方向可以随实践的深入而逐步明确，尽管一开始并没有十分完善的蓝图。逐步明确改革方向的关键是加重市场导向的分量，这可以巩固前期改革的成果，并为转向市场经济奠定较好的基础，减少转轨中的经济代价和社会政治代价。原苏联和波兰转轨前改革的不成功迫使它们采取激进的转轨战略，因此付出高昂的过渡成本；而匈牙利前期改革不断加大市场导向因素并取得明显成效，因而能够比较平稳地向市场经济过渡，较快摆脱转轨过程中的经济困难。

二、前计划经济国家激进式转轨的主要经验

原东欧、苏联转向市场经济大多采取激进战略，主要措施不外乎稳定化、自由化、私有化、建立社会保障体系和制定竞争政策五大内容。可供借鉴的经验包括：

1. 转轨过程首先要保证宏观经济的稳定，控制总需求和通货膨胀。必须实行无赤字预算，迅速恢复预算平衡；大幅度提高银行利率，严格控制国内信贷的净增长；对于国有企业职工和居民名义工资的增长要用税收政策加以限制；改革税制，以保证转轨期间的财政收入来源。转轨初期主要采取紧的宏观经济政策，稳定化措施的紧缩力度随经济稳定程度提高而适当调整。

2. 经贸自由化在稳定化前提下全面展开。在稳定化的基础上推进价格自由化，使汇率接近市场水平，推行外贸自由化（取消外贸补贴和大面积降低关税），同时，改革汇率体制使本币转向可自由兑换，以便纠正市场信号的扭曲。

3. 产权改革的目的是建立合理的所有权—控制权结构，形成具有明确的财产责任和财产能力的现代企业制度。尽管我国不采取大规模私有化的办法，但是必须通过可行的产权改革达到上述目的。产权改革要和产业政策密切结合，特别是在出售国有企业之前根据产业政策进行企业改组，这比企业出售之后更有利于产业政策的贯彻，而且有利于调动

管理人员的积极性，减少失业等。德国的经验证明了这一点。

4. 向市场经济转轨需要建立比较完善的社会保障体系。在转轨初期因社会保障体系不完善，可以采取一些紧急措施保证部分社会成员的生活水平，但是必须尽快建立覆盖面更广和制度化的社会保障体系，包括多渠道的资金来源，独立的组织机构，相关的法律保障等。

5. 运用竞争政策规范市场秩序，维护公平竞争，反对不正当竞争行为。竞争政策体现为反垄断法、公平交易法等法律法规，许多转轨国家一开始就制定和颁布了此类法律，使得保护竞争、维护市场秩序有了明确的法律依据，也减少了行政干预的随意性。

激进的转轨战略之所以被原苏东国家普遍采纳，主要是基于各国严峻的政治经济形势。当缺乏平稳转轨的初始条件和稳定的社会政治秩序和相对良好的前期改革基础时，仍然坚持渐进的转轨战略可能是一厢情愿的。我国没有采取激进的转轨战略，从根本上讲是具备了稳定的政治环境和良好的前期改革基础。此外，我国农村经济和城市经济的相对分离也提供了一个分步改革的缓冲基础。一国采取何种转轨战略关键取决于该国当时的经济、社会和政治条件，而不应以简单的价值判断来作取舍。根据我国的条件，我们在总体上应尽可能采取循序渐进的改革战略，但是并不排除在一定阶段或某些领域采取比较激进的改革措施。当某些体制障碍严重束缚向市场经济转轨的步伐时，迅速消除这些障碍就不能回避。而且，只要条件大体具备，就应不失时机地采取大的动作，把改革推向深入。

三、资本主义市场经济并非唯一答案

原苏东国家全部转向资本主义市场经济，并不能证明这是中央计划经济的唯一出路，也不能证明把各种资本主义市场经济模式混合起来转轨就能成功。

1. 政局剧烈动荡中的经济转轨陷入严重的两难困境。全面地转向市场经济需要一个有权威的领导核心和组织体系来制定、实施改革规划，争取广泛的社会支持和参与。而在政局动荡中仿效资本主义民主制，却严重削弱了政府对经济转轨的控制力，改革方案往往成为政治斗争的手段，无休止的政治纷争极大地涣散了人民的凝聚力，打击了公众对改革前景的信心。

2. 转轨前经济改革的失败和经济理论中的教条主义导致照搬西方经济政治制度的极端结论。前计划经济国家经济改革的失败使急于摆脱现状的民众易于接受西方式变革蓝图，也使相应的政治势力容易取得上风。传统经济理论中把计划经济等同于社会主义的教条引导人们走向反面，即转向市场经济必须建立资本主义制度。这种教条主义态度严重地束缚了前计划经济国家思考问题的眼界，限制了它们选择新体制模式的创造精神，这也导致各国过于依赖西方主导的转轨战略，丧失了探索其他模式的主动权。

3. 大规模私有化注定会产生巨大的转轨成本。经验表明，大规模私有化有许多负面影响和固有矛盾：一是失业急剧增加。快速私有化不可避免地会陷入两难困境：如果它不能导致大规模失业，那就无法遏制工资的膨胀势头；如果它确实引起失业急剧增加，那又会产生严重的政治后果。二是高度倾斜的收入再分配效果。在前计划经济国家，从私有化中得到巨额资本收益的人很可能是某些有权的官员和暴发户，从普通居民总储蓄中积累起来的国有资本存量转到少数人手里必然引起贫富两极分化。三是私人消费的急剧增加，这会加大市场需求压力，推动物价上涨，损害稳定化措施的效果。四是政府的缺陷将会膨胀起来。私有化是一种政府行为，出于维持岁入的需要和私有化实施过程的复杂性，政府必然直接卷入私有化过程，从而使行政干预、官员以权谋私等政府缺陷得以膨胀。因此，大规模私有化对于计划经济向市场经济过渡的作用是不确定的，甚至是危险的。

4. 依靠西方巨额资金支撑的经济转轨并不具有普遍适用性，说到底也是靠不住的。原东德的经济转轨每年需西德注入 1000 亿美元，波兰和俄罗斯的转轨也从西方得到数十亿或数百亿美元的资金援助。然而，以强烈政治倾向为背景的西方巨额援助并不适用任何转轨中国家。此外，指望通过西方援助实行经济转轨，这种希望本身的基础就是不牢靠的。由于东欧各国政局动荡，西方商业银行提供贷款或投资者进行直接投资都认为投资风险大，因而投资十分谨慎。西方政府已承诺的资金援助也迟迟不能如数提供，到 1992 年初西方政府对东欧承诺的 480 亿美元援助仅兑现 87 亿美元，东欧各国追随西方的幻想由西方自己打破了。

5. 发展情况不同的社会很难简单地移植别国现成模式，即使把几种现成模式各取一些成分加以混合也不一定适应本国的土壤。在漫长的历史过程中，资本主义各国才形成了自己的独特市场经济模式。英美、德国、北欧、日本、东南亚各国的市场经济模式都没有脱离自己不同的历史文化背景和经济发展道路，尽管各国也在取长补短，但都没有失去本国市场经济的特性。此外，市场经济各国当然有资本主义的共性，这就使它们相互学习时不必付出伤筋动骨的代价。而计划经济各国则不同，尤其是缺乏市场经济的制度、规则、知识、传统乃至价值观念，要想照搬任何一种模式都很难奏效，必须付出伤筋动骨的痛苦代价，作长期艰苦探索才有可能建立一种过去全然陌生的新体制。某些东欧国家的人民对经济转轨所付代价的思想准备相当不足，以为"休克疗法"只要一年就可大见成效，事实证明这是大大低估了向资本主义市场经济转轨的痛苦程度和复杂性。

向市场经济过渡的国际经验表明，各国只有根据本国的条件创造性地运用市场经济的普遍规律，吸取和借鉴发达资本主义国家建立市场经济的有益经验，自主地、审慎地选择经济体制模式和转轨战略，才能成功地向市场经济过渡。

四、我国向市场经济转轨面临的重大挑战

我国转轨前的经济改革和发展并没有根本改变我国的不发达状态，不少深层次的体制矛盾尚未解决。其他计划经济国家在工业、技术、人口素质等方面的优势一旦发挥出来，在国际上的竞争力有可能超过我国。我们应当始终保持紧迫感和危机意识，清醒认识我国面临的重大制

约因素，并采取措施尽快解决之。

如果把我国向市场经济的转轨放到现代化过程中来看，重大的挑战主要来自三个方面：

1. 经济高速增长主要依靠高投入支撑，必须始终注意提高经济增长的质量，以改善效率作为支撑经济增长的牢固基础。前期改革促进了经济高速增长，但是并没有根本改变我国经济增长的传统机制，即依靠高投入而不是高效率推动经济增长。国际比较可以清楚地反映这一问题（见表23）。

表23　经济增长质量的国际比较

单位：%

国　　家	国民收入增长	劳动力增长	资产总量增长	综合要素生产率增长	综合要素生产率增长占国民收入增长的比重
中　国（1979—1991）	8.5	2.5	11	2.6	30.6
巴　西（1950—1960）	—	—	—	3.7	54
韩　国（1955—1970）	—	—	—	5.0	57
西班牙（1959—1965）	—	—	—	5.0	44
日　本（1953—1971）	—	—	—	5.9	58

资料来源：中国数据系作者根据《中国统计年鉴1992》资料计算，国民收入增长按可比价格计算，劳动力指全民所有制单位职工，资产总量指全民所有制企业固定资产净值。计算方法参照了1984年世界银行经济考察团主报告附件五，其他国家的数据引自这一文件第26页。

表23所列其他四国的综合要素生产率增长及其占国民收入增长的比重都高于我国，我国这两项指标仅为2.6%和30.6%，与其他四国相比存在较大差距。虽然我国国民收入年均增长达到8.5%的高速度，但是综合要素生产率的增长很慢，对经济增长的贡献也就较小。统计数字表明，1979—1991年我国经济高速增长主要靠劳动和资本高投入的支撑，而不是主要靠综合要素生产率的提高来推动，因此我国经济增长的质量仍然很不理想。

改善我国经济增长的质量根本上要依靠深入改革，克服计划经济体制下形成的数量扩张冲动和投资饥渴症。持续、稳定和协调的增长必须建立在以效率为中心、以改革促发展的基础上。如果仅仅强调"抓住机遇、加速发展"而忽视创造加速发展的新体制基础，我国经济增长就不能摆脱高投入、低产出、高速度、低效益和结构扭曲的低水平循环。低质量的经济增长速度越高，越可能绷紧总供求关系，损害得之不易的宏观稳定环境，从而使转轨过程遇到不必要的麻烦。

2. 我国的二元经济结构及其内部的诸种不平衡随着体制转轨将进一步扩大。我国是世界上最大的发展中国家，具有相当典型的二元经济结构特征：一部分现代化工业同大量落后于现代水平几十年的工业并存；一部分经济比较发达的地区同广大不发达地区和贫困地区并存；一部分现代化城市同幅员辽阔的、以传统方式生产和生活的农村并存；少量的高级专业人才同大量的文盲、半文盲人口并存，等等。尽管改革开放以来农村兴起了以乡镇企业为代表的非农产业，但是传统农业尚未得到根本改造，自然经济和半自然经济的生产、消费方式仍未发生实质性转变。

向市场经济转轨最终会彻底改变二元经济结构，但是体制转轨过程也会在相当长一段时期内拉大二元经济结构内部的城乡差距、贫富差距和地区差距。随着商品和生产要素的流动日益接受市场调节，商品和生产要素必然越来越自由地流向能产生高收益的地区和部门，进而提高全社会的资源配置效率。然而这一过程同时不可避免地使城乡和地区差别扩大，拉开工业劳动者与农业劳动者之间、城市居民与农村居民之间、不同地区之间和不同社会成员之间的收入差距，引起新的利益矛盾，甚至有可能导致城市拥塞、地区贸易摩擦和贫富差距悬殊等后果。从优化资源配置的角度看，体制转轨过程必须打破原有的低效率资源配置格局，让市场机制充分调节资源流动。从经济社会协调发展的角度看，政府有责任弥补或纠正市场调节的某些不理想后果，当市场机制使某种差距过大而导致社会成本过高时，采取非市场手段减少社会成本就是必要的了。向市场经济转轨必须承认城乡差距、贫富差距和地区差距进一步扩大的不可避免性，同时又不能忽视经济社会协调发展的要求。这里的关键是既要避免付出过高的社会代价，又要不损害市场机制充分发挥作用的运行环境。这对发展中大国的体制转轨是一项艰巨的任务。

3. 转轨过程中的体制摩擦、利益矛盾和观念冲突随着改革深化必将加剧。向市场经济体制转轨比前期改革更广泛而深入地触及传统体制下形成的行为方式、利益格局和价值观念。市场经济必然触犯和瓦解官本位制、封建特权、行政隶属关系的一统天下，既得利益者会以不同方式抵触或扭曲改革措施的进步性质，甚至借新体制和新规则不完善之机以权力换取金钱，破坏改革的声誉。转轨过程释放的通货膨胀压力会损害普通群众的实际利益，竞争的加剧和淘汰弱者会使社会成员的主人翁身份感和职业安全感受到冲击。外来管理模式、消费方式、思想观念的涌入会使一些人对本民族的优良传统发生怀疑，本民族的落后观念和行为方式也会以时髦的面目重新登上新时代的舞台。这一切都使转轨过程充满坎坷。转轨越是深入，以前不太明显的矛盾越会充分暴露。可以说，向市场经济转轨是我国由传统社会迈向现代社会的深刻社会变革，它需要有一个强有力的政府来指导改革的方向并纠正任何扭曲改革或使改革倒退的行为，它还需要获得最广泛的社会响应和支持，它还需要将一切外来先进文明同本民族优良传统结合起来。唯其如此，才能有效地克服转轨过程中可能出现或加剧的种种矛盾，使转轨最终走向成功。

从体制转轨的角度看，我国向社会主义市场经济新体制的转轨面临以下重大挑战：

1. 国有企业产权制度改革。国有企业经历了放权让利、承包经营的改革，获得了一定范围的经营自主权，增加了活力和市场竞争压力，但是仍未解决产权关系不合理，预算约束软化和效率低下等老问题。国有企业的效率低下、预算约束软化和经营机制不健全，归根到底是缺乏明确的产权关系，未形成合理的所有权和控制权结构。传统国有制造成的所有者（政府）—经营者（企业）的产权关系，决定了企业对政府负责、政府干预企业的所有权—控制权结构。不突破这种产权关系和所有权—控制权结构，国有企业永远难以摆脱对政府的行政依赖。而要破除旧的国有企业产权制度，又必须以新的产权制度代替之，否则无法保证国有资产的保值和增值。目前已出现了瓜分国有资产、借改革产权制度中饱私囊、让职工得利而不顾国有资产保值、增值要求的种种怪现象，这对改革国有企业产权制度是一种反动。国有企业改革的深化必须触动原有的产权制度，但同时也必须建立有效的新制度，解决谁代表国有资产、企业对国有资产的法律地位、如何监控经营者、以何种方式保证国有资产保值增值等一系列重要问题。这一改革必将更深刻地触动旧体制的方方面面，其艰巨性和复杂性要大大超过以往的企业改革。

2. 政府职能转换。迄今为止政府职能的转换明显滞后于其他方面的改革，尤其是精简机构的反复、"翻牌公司"的出现、权力经商的改头换面等等，表明政府职能的转换远未跟上市场经济发展的步伐，反而往往成为改革深化过程中的绊脚石。政府职能转换的迟延对产权制度改革极为不利，当政府继续集资产所有者、行政管理者、经营者和法规制定者的职能于一身时，不管采取什么形式（如可能以企政合一的"翻牌公司"的面貌出现），都无法形成新的产权制度，无法形成合理的所有权—经营权结构。在政府职能转换中最有害的是改头换面的政企不分或"企政合一"，以及变相的以权经商、官商结合。这些现象对市场经济新秩序有极坏的瓦解作用，必须时刻警惕。如果不能始终以清醒的头脑认识这些问题，并加以有效防范和及时纠正，向市场经济转轨就可能被扭曲。

3. 金融体制改革。与市场经济相适应的金融体制既要能对宏观经济实行有效的间接调控，又要能充分调动国内资金，并解决企业的信贷软约束问题。改革以来我国已初步形成了中央银行和专业银行分立的两级银行体制，但是这种体制仍很不完善：中央银行还不能独立地控制货币供应和有效实行间接调控，在运用货币政策方面往往受到不适当的行政干预；专业银行也未成为真正的商业银行，不能根据资金运用效益自主决定对企业的贷款，政策性贷款往往冲击以资金使用效率为依据的信贷投放。在经济增长加速时期，中央银行和专业银行的这种软信贷约束极易导致增长过热，引发通货膨胀；在经济紧缩时期，信贷软约束面对大量资金拖欠以至贷款无法收回，往往束手无策。如果不加强中央银行的独立地位和专业银行的商业化，就不可能形成符合市场经济需要的金融环境，国有企业的软预算约束痼疾也难以根治，以大量注入政策性贷款"搞活"大中型企业的做法已被证明是行不通的。金融体制改革拖得越久，越不利于转换企业经营机制。

4. 财政税收体制改革。目前的财政税收体制很不适应市场经济新体制的要求，主要问题有三：一是政府通过财政分配直接参与经济活动的程度仍然过高。国家财政开支中的经济建设支出过大，1990 年多达约 1200 亿元，而当年企业全部留利仅为 224 亿元，即使全部用于投资，也不及财政开支中经济建设支出的 1/5。政府购买支出连年占到财政支出的 70% 以上，这表明政府购买支出构成现期社会总需求的重要组成部分，政府直接参与经济活动的比重很大。① 这种状况既不适应企业自主投资、自我发展的要求，也不利于政府职能的转换。二是地方财政包干体制对全国统一市场的形成起的消极作用日益突出。在地方政府为保证地方财政收入的经济动机驱使下，地方保护主义对统一市场的负面影响是难以根除的。三是税收体制在保护平等竞争、提高经济效率、维护社会公平三方面均存在很大漏洞。对同一个税种（如所得税），不同地区、不同所有制性质的企业却要按不同的税率缴纳，这实际上破坏了公平税负、平等竞争的原则。面对日益拉大的个人收入差距，税收制度的调节作用也显得十分薄弱。财政税收体制的改革要有新的突破，要加快步伐，否则就会拖住企业改革、政府职能转换的进展，影响统一市场的形成和巩固。

5. 个人收入分配制度改革。这一改革的难度在于如何协调效率与公平的矛盾，既要使稀缺资源的供给者、稀缺资源的有效使用者得到符合市场评价标准的高额收入；又要使部分处于贫困中的弱者得到社会扶助，让丧失劳动能力的人维持生存需要并享受经济发展成果，让有劳动能力的竞争失败者获得重新进入竞争的机会。政府不能放弃自己的责任，不应让非市场关系中的劳动者接受市场评价，或听任市场关系不适当地侵入非市场的工作领域。目前个人收入分配存在的社会不满情绪，

---

① 邢国钧：《财政分配的主要变动与经济改革》，《经济研究》1992 年第 12 期。

一方面导源于先进生产力的代表（包括掌握知识、科学技术和熟练技能的人，他们是稀缺资源的供给者）没有得到恰如其分的高报酬，另一方面导源于并非先进生产力代表的一部分社会成员，并非通过有效使用稀缺资源或诚实劳动合法地取得高报酬。如果对此不加调节，或不调整某些失当的政策，那就不能形成使人心悦诚服的个人收入分配格局。向市场经济过渡的成功与否，关键取决于能否形成激励人们掌握稀缺资源、有效使用稀缺资源、使高报酬流向先进生产力代表者的个人收入分配制度。由先进生产力代表者的首先致富带动起来的全社会共同致富，才是社会主义市场经济的最终成功标志。

五、向市场经济过渡的改革顺序

由中央计划经济向市场经济转轨涉及内容广泛而复杂的改革和制度创新，需要将不同时期的改革重点和其他领域的配套改革加以筹划，排出可行的改革顺序。关于改革顺序的安排在国际上有两种主要代表性意见：一种意见认为应把产权改革放在首位，或者是将产权改革同稳定宏观经济和培育市场并行，理由是私有化越早，越能减少国家干预的风险，加大市场改革的压力。另一种意见认为应把稳定宏观经济和培育市场的改革放在首位，产权改革放在第二阶段，至少是大型国有企业的私有化放在第二阶段，先使其商业化然后再实行私有化。两种意见均主张农业、零售商业和住宅等部门的私有化先行一步。①

由于各国基本国情和改革的历史不同，改革的顺序也不可能相同。向市场经济转轨之前，原波兰、苏联等国的宏观经济极不稳定，而匈牙利、捷克斯洛伐克则相对稳定，且有较长时期的改革经验和市场发育基础。上述国家的工业化水平较高，而中国、越南等国的农业仍占主要地位。更重要的区别在于，原苏联东欧国家都是在政权更迭之后全面转向资本主义市场经济，而中国、越南等国仍坚持在社会主义条件下向市场

① 世界银行：《1991 年世界发展报告》，中国财经出版社 1991 年。

经济转轨。因此，各国转轨过程的重点和顺序安排必然要服从于本国特有的经济、社会乃至政治条件。

国际经验显示，转轨过程应尽可能采取渐进的方式，以减少过高的社会经济代价，为建立市场经济的各项制度、机构和规则创造稳定的社会经济环境，给人们以学习和适应新制度、新规则的过程。当然，渐进的转轨方式并不等于拖延转轨过程，也不意味着始终排除必要的激进措施，在一定阶段针对某些领域的迫切需要，采取密集的改革行动或激进的改革步骤很可能是无法回避的。

在转轨初期阶段采取密集的改革行动的领域主要包括：迅速稳定宏观经济；放开绝大部分物价和劳务收费；取消对外贸易中的数量限制措施；分配领域的私有化和打破垄断；小企业的发展和私有化；修改规章以吸引外国投资；改革产权法、商法和税收制度；改革立法和规章机构及财政管理；满足社会保障方面的紧急需要等。转轨开始一段时间以后，仍有一些领域需要采取密集的改革行动，行动重点为：放开工资限额以发展劳动力市场；金融市场的开放和私有化；大企业的重组和私有化。政府改革中的制度性框架重组始终是行动重点，从一开始转轨一直伴随着转轨全过程，这方面的改革始终需要采取密集的行动，这表明政府本身的改革对转轨成功与否具有决定性意义。

我国的改革总目标是建立社会主义市场经济新体制，因此大规模的私有化尤其是大型国有企业的私有化不会提上日程，大型国有企业的改革重点将放在明确产权关系，构造合理的所有权—控制权结构，建立具有独立的财产能力和财产责任的现代企业制度上。宏观经济稳定始终应当保持，虽然我国转轨初期并没有面临某些中央计划经济国家那样险恶的宏观经济环境，但是在前期改革中出现过多次经济过热导致的宏观经济失衡，为避免经济过热再度干扰转轨过程，务必对保持宏观经济稳定给予足够注意。

由于我国有15年经济改革和对外开放积累的良好物质基础和逐渐成长的新体制条件，社会主义市场经济新体制的基本框架应当而且有可能在3—5年的时间内大体形成。市场经济新体制的基本框架初步确立起来以后，各个领域的改革逐步深化并使新体制框架不断完善，最终建成成熟的现代市场经济，这一过程至少需要 10 年以上甚至一代人的时间。

　　我国在改革开放新阶段的改革重点应放在前期改革的薄弱环节上。根据国际竞争力的比较，我国在金融环境、基础设施、企业管理水平三项要素上落后于印度和俄罗斯。在金融环境方面，我国的资金短缺程度最高，金融法规建设落后，中央银行调控机制不健全，专业银行经营机制不合理。在基础设施方面，我国落后于俄罗斯，基础设施投资不足、供给短缺已成为深化改革和加速经济发展的严重制约。在企业管理水平方面，我国在企业家精神和风险承担能力、职工参与决策、制造业人均产值等指标上均落后于印、俄两国。[1] 这三方面的差距暴露了我国现行体制的弱点和改革的不彻底，金融体制改革、投资体制改革和企业体制改革的滞后或迟缓已经影响到我国的国际竞争力，有必要成为向市场经济转轨的改革重点，并应采取比较密集的改革行动，才有可能扭转不利的局面。

　　　（原载《改革开放十五年研讨会优秀论文集》，北京科学技术出版社 1993 年 12 月）

---

① 参阅曹远征等：《中国排名转轨大国第一》，《瞭望》1993 年第 20 期。

6.3 所有制、市场和效率：私有化浪潮的经验教训

在我国实行社会主义市场经济新体制的改革进程中，越来越多的人认识到明确产权关系是使国有企业走向市场、提高效率的重要改革内容。在国际范围内，私有化几乎是明确产权的同义语，而且被视为使市场机制能够运转，以及提高国有企业效率的基本的甚至唯一的手段。然而有些问题需要讨论：所有制市场和效率之间存在着什么关系？明确产权是否必然意味着私有化？私有化是改善国有企业效率的唯一答案吗？私有化提供的主要信息是什么？中国可以从中得到哪些有益的启示？

对私有化的经济分析和研究国际私有化的经验教训有助于回答上述问题。

一、私有化的定义

在国际文献中，私有化的概念有不下十数种含义：（1）将公共资产（企业或企业的某些部分）卖给私人；（2）以立法的形式向私有化过渡；（3）将个别公共供给任务发包给个人，或称职能私有化；（4）转向以利润导向的私人企业管理；（5）扩大公有企业管理方的自主权；（6）非行政化，即摆脱行政束缚和干预；（7）决策、计划和行动的分散化；（8）使国有企业和私有企业的经营条件相一致；（9）通过市场刺激制度促进竞争；（10）废除对自然垄断行业的国家垄断；（11）使国有企业的工资、就业等条件与私有企业的惯例相适应，或称工作的私有化；（12）单方面减少公共服务的性质和范围；（13）公共资源的私有化；（14）公共收入的私有化：将公共投资的收入再分配给私人利润，或使私人得到公共资本及其收益；（15）减少国家保护：增加国际竞争压力，扩大在国外市场的活动，允许外国人接管或处置资本股份（拉玛纳德罕，1989）。

最广义的私有化概念包括任何强化市场竞争、减少国家干预的努力。上述含义的5、6、7、8、9、15恰恰属于强化竞争和扩大企业自主权。这些含义严格说来不应纳入私有化的概念。

比较一般的私有化概念是指把一个企业从公众获得净利润的权利转到私人部门，而并不一定涉及所有制的改变（私有化的方法可能有20多种）。按照这种定义，私有化包括三种类型：（1）竞争性企业的私有化，即把那些在不存在明显的市场失灵现象的竞争性产品市场上运营的国有企业转到私有部门。（2）垄断企业的私有化，即把具有明显的市场支配力量的企业转到私有部门，例如通讯和电力行业。在这里重要的是区分自然垄断（只有一个生产者可以利用规模经济的好处，或技术条件暗含着垄断）与"人为的"垄断，后一种垄断是由反竞争的工业政策和商业政策造成的。只要存在垄断力量或其他市场失灵现象，政府经常要以设立规则的形式保持某种控制权，但对国有企业和私有企业的控制程度是不同的。（3）把原先由公共组织经营、由国家财政资助的服务发包给私有部门。这种承包制虽然不涉及实物资产的买卖，也被认为是一种私有化，因为出售的资产是承包合同，私人承包者获得了拥有剩余收入的权利，而这种权利正是所有权的核心（维克斯和雅罗，1991）。

私有化的严格定义则是"所有权和控制权由公共部门转到私人部门，尤其与资产出售有关。"（海明和曼苏尔，1988）这一严格的定义有助于分析效率、市场和所有制之间的关系，而且有助于正确认识私有化和市场在提高效率方面的作用。而人们在谈论效率问题时常常把市场机制的作用混同于私有化，这是不正确的。

此外，在西方，私有化被看作资本主义思想的前进，而国有化被视为社会主义思想的胜利（鲍斯，1991）。从这个意义上说，私有化的概念是很难被社会主义经济改革所接受的。

二、所有制和效率之间的关系

在新古典经济学中，效率一般地与市场结构相联系，特别是与竞争程度相联系，所有制则处于次要的地位。公共选择学派和产权学派的出现加强了对私有制和效率之间关系的研究，他们的主要观点可归纳为：（1）在私有制下，对企业决策权不会存在过多政治干预；（2）私有企业的管理者（或许还有工人）将会或至少可能得到更明确反映生产率及盈利指标的高工薪；（3）私有化会迫使企业接受来自市场的商业约束和财务约束，减少软预算约束现象；（4）私有化会由关心自身利益的股东监督代替无切身利益的政府官僚监督，股东会把商业营利能力作为企业主要目标，并据此判断经理合格与否。简言之，公共选择学派和产权学派认为：私有化和效率之间的基本联系在于，与公有企业经理相比，私有企业经理得到了一组更简单也更富挑战性的信息和刺激措施。

一般说来，私有化的赞成者认为私有化是走向有效率的市场经济的必要条件。市场经济的最重要条件是竞争环境，在这种环境中市场价格反映资源的相对稀缺，企业和个人主要根据未经扭曲的市场信号作出决策。私有制使其获得这些条件。因为对私人所有者的刺激措施保证了他们的生产成本最小，而且保证了他们的产业结构由市场信号决定。

私有化过程还会向所有者提供监督、评估、控制经理阶层的手段，以使管理者有效经营企业。委托—代理人理论指出，在一个经济系统内，委托人试图对代理人（其决策能够影响委托人的利益）设定一套刺激措施，以促使代理人为满足委托人自身目标作出最大贡献。设立这样一种刺激结构会遇到两方面的困难：一是委托人和代理人的目标将显著分化；二是委托人和代理人所获信息通常是不同的，例如，前者可能无法观察到后者的某些决策。而在私有制条件下，尤其是在股份公司中，股东监督、接管和破产对管理者的刺激有非常重要的影响，并在很大程度上会减少信息方面的困难（维克斯和雅罗，1988）。

科尔奈（1990）针对社会主义国家的现实，指出所有制形式和协调机制之间存在密切关系，在社会主义国家，国有制和行政协调之间存在很强的联系，而私有制则与市场协调联系密切。所有制形式和协调机制之间的其他可能的联系是弱的。合作所有制、公社和劳动者自治等属于严格的国有制与常规的私有制之间的"第三种"所有制形式。"第三种"协调机制称为"协作协调"，包括各种自治、自由协作、互惠、利他主义和相互自愿调节等。这种协调机制和第三种所有制之间的联系倾向于被其他两种强联系所压倒。科尔奈认为，国有部门通过市场协调是不可能的，减少行政部门对国有企业的决定性影响也是做不到的。因此，只有进行私有化，市场协调才能对经济生活充分发挥重要作用。

其他经济学家（沃采尔等，1989）争辩说私有化不是唯一答案。在他们看来，一个企业成功或失败的决定性因素不是谁拥有它，而是取决于在什么程度上、在什么方向上，所有者执行与所有权相应的权威，管理者从事自己的工作，不管所有制如何，企业成功的关键是发展一种浓郁的、适宜的企业文化，雇用合适的经理，以及寻求建立一种正确指导管理者行为的恰当的控制和动力机制。

许多研究者指出，私有化具有极高的心理成本、机会成本和经济成本，因而并不是在所有情况下都可行的。在某些情况下，私有化以外的行动也会带来合意的收益，以非常小的成本获得建设性的变化。国有企业的问题并不是所有制问题而是缺乏明确的目的和目标，以及失当的控制、动力和报酬制度。补救基本上不在于简单地改变所有制。必须做的是要首先明确地界定企业的目的和目标，然后确定达到这些目的和目标的文化规范和行为。国有企业和私有企业各有不同的目的和手段，把国有企业私有化并非总能带来建设性变化。

的确，影响企业效率的因素绝非仅仅是所有制，更重要的因素是竞争环境。在发展中国家，私有化的反对者纷纷指出，许多影响国有企业经营绩效的因素同样也会影响私有部门的业绩。如果政府对市场的干预程度很强，宏观经济失调严重，许多国内市场的竞争很不完善，那么，引起国有企业无效率的相同因素也会对国有企业起作用。此外，在大多数发展中国家，刺激人们从事寻租、行贿和寻求庇护的因素并不取决于经济中国有企业的数量，而取决于价格在多大程度上偏离商品和劳务的稀缺价值。在这种情况下，交易成本（主要指谈判成本和信息成本）的增加不是因为国有制的存在，而是导源于国家对经济的种种干预。私有化不可能在效率方面产生重大收益，除非同时进行改变价格体系、完善竞争环境等方面的其他改革。

当所有制变革可能在提高生产效率方面产生效果时，没有理由期望这也会改善分配效率。因为分配效率的决定因素是市场结构而不是所有制（海明和曼苏尔，1988）。私有化本身并不会改变企业在其中运营的市场的性质，也不会改变形成企业价格决策的外部环境。在竞争的本来意义上，只有伴随着消除市场限制的自由化政策，私有化才能提高分配效率。况且，竞争的压力迫使私有企业寻找盈利的机会以最大限度降低被接管（而不是改变所有制）的风险，这也是提高生产效率的更重要源泉。通过私有化加强效率的余地受到市场性质的限制，换言之，市场在多大程度上能变得更具竞争性，决定着私有化对提高效率的作用程度，正像一些研究者（范·德·瓦尔，1989）指出的，许多被归功于私有化的收益，其实都是经济自由化的结果。的确，私有化并非必然提高效率，就自然垄断企业而言，无论是公有还是私有，这个企业都处于垄断的地位并可能降低生产效率。问题的关键是创造竞争环境，而不是所有权的转移。一些西方学者（麦克米兰和诺顿，1992）指出，中国经济改革的成功经验有三条：一是非国有企业的大量进入；二是竞争的急剧增加，包括国有企业之间和非国有企业同国有企业之间；三是国家采取了亲市场的刺激措施，改善了国有企业的经营实绩。因此，私有化不是关键，竞争才是关键。

三、迅速私有化是可行的吗？

为了促进向市场经济过渡，不少西方学者强烈建议前中央计划经济国家推行迅速的私有化。其主要理由是：

首先，迅速的私有化有利于经济稳定和结构调整。因为现存的产权结构不明确和缺乏刺激作用，企业不会对市场信号作出反应，稳定化和结构调整措施也不可能产生预期效果。

第二，迅速的私有化将消除不确定性并鼓励投资。只要所有制问题不解决，人们就不会有投资积极性，这会加剧经济衰退，阻碍外国投资并降低东欧经济的重要性。如果东欧要摆脱低水平陷阱，首要的事情就是建立私有产权。在东欧，资本主义或私有化已经成为投资复苏的必要条件。

第三，迅速的私有化保护企业资产和生产过程。一些中央计划经济国家正处于过渡阶段，命令体制失灵，市场经济仍未建立。产权关系不明朗和对管理者缺乏有效监督可能使管理者用企业资产牟取私利，导致企业资本瓦解和生产过程的破坏，这些国家等待的时间越长，私吞国有资产的现象就越泛滥。这势必引起政治上的反作用和改革计划的失败。因而当务之急是建立明确的所有权—控制权结构，而且必须在重建企业之前进行。

第四，迅速的私有化可阻止改革逆转。在东欧和苏联，随着资本主义的阵痛日益明显，对资本主义的热情会消退，迅速的私有化可以阻止这种逆转。因为广泛的私有制马上创造了一个新制度中的利益集团，这就能抑制旧的利益集团的重新集结或组成仇视资本主义的新利益集团，生产资料所有制的迅速变革可以保证旧政权的完全崩溃。而且，如果所有权的转移包括赠与成分的话，这会使新的所有者感到甚至在短期内也能得到好处，从而缓解经济衰退的痛苦，改革的逆转也就不大可能了。

第五，全面的私有化能促进其他方面的市场化改革。私有化是关键，而且是不可避免的过程。通过这一过程，生产领域的私人产权制度将被重新引入社会主义经济中。包括生产领域的私有化可以创造一种有利的社会环境，使其他市场化改革能较为容易引入并取得成功。

因此，西方学者的主流性看法是私有化应当是迅速的和全面的（布兰查德和雷亚德，1991）。但是，迅速的大规模私有化必然存在一些消极影响，注定会产生很高的过渡成本，从而增加向市场经济过渡的困难。相应的成本主要包括：

（1）失业的急剧增加，私有化被认为有助于改善企业的工资行为，减轻工人提高工资的压力。但是东西方私有化的经历并未提供明显证据。西欧的情况确定无疑地表明，如果不伴随大规模失业，资本主义本身并不足以保证非膨胀的工资行为。私有化会遇到一种两难困境：如果它不能导致大规模失业，那就无法改善工资行为，如果它确实引起失业急剧增加，那会产生严重的政治后果。

（2）高度倾斜的收入再分配。在东欧，国内私人金融财富远远低于国家资本存量，外国购买者数量也相当有限。结果必然是，以可行的价格迅速出售国有资产将使现有的金融资本所有者（例如某些官员和黑市上的暴发户）得到巨额资本收益。然而国有资本存量是从普通居民的总储蓄中获得，将这些储蓄转到小部分人手中是社会无法接受的。

（3）政府岁入的损失。在东欧，国有企业的税收负担极重，政府税制几乎唯一地依靠企业直接税，平均的直接税高达企业总利润的80%左右。如此高的税负在一个开放经济中很可能引起资本外流。在这种情况下，私有化会使预算收入减少。如果缺乏一种能够弥补岁入损失的税制改革或不能大幅度削减政府开支，私有化将引起国家财政的严重困难，为了保证预算收入的某种来源，政府不得不在私有企业中保留部分所有权。

（4）私人消费的急剧增加，任何涉及所有权自由配置的私有化建议都将冒急剧增加私人消费的风险，产权转向消费者实际上意味着私人财富的增加，随之而来的可能是私人消费的大量增加，这会加大市场需求压力，推动物价上涨，有损稳定化措施的效果。

（5）私有化对于吸收过多货币用处不大。有人建议用出售国有资产来吸收放松价格管制后的货币过多，但是这并不能有效地达到预期目的。因为任何大规模私有化方案都要耗费很长时间，而价格上涨却紧步价格自由化的后尘。

（6）缺少管理者和资本市场是快速私有化的巨大障碍。在大多数发展中国家和中央计划经济国家，合格的管理者十分短缺，运行良好的资本市场也不存在。大规模出售国有资产并不能迅速增加合格管理者的供给，资本市场的欠缺或不发达也不能为股东提供有效地控制管理者的手段。

总起来看，迅速的私有化产生的净收益是不确定的，它的正面作用很可能被反面影响所抵消。因此，很难说迅速的私有化是行之有效的。

四、私有化的条件

运转良好的资本市场是私有化的一个重要条件。股票市场提供了监督管理者行为和传递信息的重要手段。私人所有权的可转让性通过股票价格揭示了信息。如果股票市场是有效率的，股票价格预示着当前行动对未来利润的影响结果。由此产生的信息可以用于股东和经理之间的合同，例如包括股票择期优惠在内的一揽子报酬方案。经营者的劳动力市场提供了进一步的刺激作用。但是，如果有效率的市场前提不成立，股票价格传递的信息对于达到监督目的就没有什么价值（维克斯和雅诺，1991）。

有两项重要的改革对于私有化的成功有决定性影响。一是价格和外贸自由化，这相对容易一些。二是金融市场改革，这是比较困难的改革，包括制定法律规章、重组企业和银行、使企业和银行的地位正规化。如果不进行这两项基本的经济改革，私有化显然是不能尝试的。

私有化需要以企业重建作为保证。[①] 把主要企业转到私人手里具有象征意义，表明政府对经济体制转轨不可逆转的承诺。但是转得太多太快就会在经济上、政治上和社会心理上付出高昂代价。在出售企业之前进行企业重建，一般具有如下好处：一是有利于产生可比信息。股东可以比较同类企业的经营实绩，管理当局可以作出比较评估以决定恰当的管理规则。二是有利于市场机制的发展。垄断企业的分解可减少市场控制势力，加强产品市场的竞争。三是有利于加强资本市场对企业经营状况的有效约束。企业重建之前存在着过多冗员，资产负债严重，固定资本状况欠佳，其股票在资本市场是不可接受的。企业出售之前的重建将能创造股票上市的有利条件。

德国的经验证明，企业出售之前的重建还有其他好处：一是有利于减少失业和保证投资增加，因为企业被要求作出一定比例的工作保留和投资承诺。二是有利于事先形成有效的、合理的所有权—控制权结构。

---

① 企业重建是指重组企业规模结构，分解大企业及部分生产活动；重组企业组织结构，设立有效的决策、监督框架；清理企业债务，重建资产负债表；重建生产过程，裁减冗员等。

三是有利于调动现有经理阶层的积极性。四是提供了贯彻产业政策的好机会,如果企业卖出之后,私人所有者就会出于不同的购买目的而不愿执行产业政策。五是既能促进企业的出售又能改善企业的经营实绩。重要的是出售本身并不能改善企业的经营状况,因为购买者常常不想继续该企业的运营,而是出于以资本报废获取收入或拥有不动产等目的。企业重建之后再出售,可以通过明确产权、加强有效的所有权—控制权结构来巩固已经取得的经营业绩。

发展中国家的实践表明,从经济方面考察,私有化的有效范围和程度取决于若干因素:私有部门的经理是否比国有企业的经理更有积极性去寻求提高效率的机会;面向国内和国际竞争的国有企业的数量;公共垄断企业在多大程度上被看作"自然垄断",以及社会的和其他非商业性的(例如宏观经济的)目标。鉴于这些考虑,发展中国家的私有化不可能像发达国家那样广泛。发展中国家应优先考虑改进刺激机制,改革对公共企业经济上和财务上的控制,改善相关的立法和行政程序,以及探索替代私有化的可行方案(海明和曼苏尔,1988)。

五、私有化提供的主要信息

从产权明晰化的观点看,私有化是要建立一种明确的所有权—控制权结构(布兰查德等人,1991),特别是以股份公司和控股公司的形式。这种所有权和控制权的明确结构对于社会主义国家的企业改革是有借鉴价值的。机构持股或金融中介持股也许更有参考价值。它们有助于明确产权,而且并不改变公有制的基础地位。

一些研究者(瓦格纳,1990)认为,应当明确,创造独立的企业并不必然意味着生产资料的私人所有制。在资本主义市场经济中,许多公司或者是合作企业,或者是公有企业。实际上,创造独立的企业是指国家通过法律规章为经济博弈设置规划,同时避免对经济决策的直接干预。

即使在积极推行私有化的英国,私有化也并未被简单地当作仅仅把所有权向私人转移。一种有代表性的看法认为,私有化提供的主要信息，对经理阶层的刺激结构是由多种因素的交互作用决定的，这些因素主要包括所有制的类型、产品市场的竞争程度，以及管理规则的有效性（维克斯和雅罗，1988）。由于公有企业的所有权—控制权结构和刺激结构存在不少问题，公有企业的监督体系一般说来可能不如私有企业的监督体系那样有效。但是根据社会福利标准判断，这本身并不意味着公有企业的经营实绩必然差劲。对于公有企业和私有企业经营实绩的一些比较研究证实，在产品市场是竞争性的情况下，私人监督体系的收益（如改善内部效率）更可能超过任何伴生的缺陷（如恶化配置效率）。然而如果产品市场缺乏活跃的竞争，私人监督体系的有效性就不那么明显了。此时政府管理政策的有效性将起到决定性作用。

六、改善企业经营实绩必须进行私有化吗？

发达市场经济国家为改善工业效率，实行了两类不同的产业政策：一类是国有化，以法国为代表；一类是私有化，以英国为代表。比较一下两国的不同实践，我们可以看到国有化并不必然导致企业低效率，而是能够改善企业经营实绩的；私有化并不一定给国家企业带来更高的效率，一些国有企业在私有化以前就已明显改善了经营实绩。

法国在1981—1986年期间实行扩大国有部门的产业政策，使国有企业的工业销售份额达到30%（比过去增加一倍）。这一产业政策的特点是扩大竞争性制造业中大企业的国有化，而不像发达国家通常所做的那样仅仅在垄断行业设立国有企业。有关的大企业与政府签订5年的计划合同，在研究、开发和创新方面对私有部门起带头作用，企业经理享有全面的自主权。国有企业要采取满足国民经济需要的长远观点，不受短期盈利能力的局限。因而，用利润以外的指标表明企业经营实绩的改善更为合适一些。第一个指标是亏损的减少。国有化同时伴随着企业改组，对严重亏损企业采取严厉的合理化措施。到1985年新建的国有企业的总亏损下降到80亿法郎，相当于前4年平均总亏损的一半以下。第二个指标是投资的增长。1981—1984年，新的国有企业投资增长

44%，高于整个工业投资 26% 的增长率。第三个指标是失业的减少。
1981—1984 年，新的国有企业的失业率为 4%，而整个工业为 7.5%。
第四个指标是劳动生产率的增长。1981—1986 年期间，国有化和改组
措施促使法国工业劳动生产率每年增长 2.4%，与联邦德国相同。

英国的大规模私有化被广泛地视为一种样板。但是在同样严厉的要
求（如减少亏损）和改组措施下，英国一些国有企业在提高劳动生产
率和改善财务状况方面却比私有部门,干得更为出色。例如 1983—1988
年，已经私有化的英国电话公司的劳动生产率年均增长约 2.5%，低于
许多公有企业；某些公共服务实行个人承包后，尽管节省了大量开支，
但却不能达到质量要求，因而引起激烈争议。

从利润指标来看，英国许多国有企业在私有化以前就实现了利润增
长。见表 24：

表 24　英国公有企业私有化前后税前利润的变化

单位：百万英镑

公司名称与私有化年份	1979	1980	1981	1982	1983	1984	1985	1986	1987	1988
英国宇航公司（1981）	50.3	52.8	70.6	84.7	82.3	120.2	150.5	182.8	161	236
电缆电线公司（1981）	59.4	61	64.1	89.2	156.7	190.1	245.2	287.3	340.5	356.1
英国电话公司（1984）		424	570	936	1031	990	1480	1810	2067	2292
英国煤气公司（1986）							712	782	1058	1008
罗尔斯—罗伊斯公司（1987）							81	120	156	168
英国航空公司（1987）							72	84	90	136
英国钢铁公司（1988）							-425	133	207	472

资料来源：英国财政部《英国私有化背景简介》1990 年 3 月，《世界发展》1989 年第 17 卷第 5 期，第 653 页。

另一个有趣的现象是一些国有企业在私有化以后利润反而下降。

表25 英国一些公有企业私有化后税前利润的下降

单位：百万英镑

公司名称和私有化年份	1980	1981	1982	1983	1984	1985	1986	1987	1988
企业石油公司（1984）				83.2	138.5	111.1	2.9	72.5	46
Jaguar 汽车公司（1984）	-47.3	-31.7	9.6	50	91.5	121.3	120.8	97	47.5
英国石油公司（1982）	294	432.1	486.3	550.4	650.4	730.9	134	403.9	149

资料来源：同上表。

从表25我们可以看到三家国有企业的税前利润在私有化后先是上升，然后下降，甚至低于私有化以前的某些年份。也许两家石油公司的利润下降受到1986年世界油价下跌的严重影响，但是 Jaguar 汽车公司的例子仍能说明问题。

实际单位成本的下降是另一个衡量经营状况改善的重要指标，1979—1990年，国有企业英国煤炭公司的这一指标以每年4%的速度下降，快于私有化的英国航空公司、英国煤气公司和英国电话公司。同期，英国煤炭公司的劳动生产率每年上升10%，也比后三家私有化企业快。[①]

全要素生产率（TFP）是衡量经营状况改善的综合指标。一些国有企业这一指标比私有化的企业增长要快，例如1983—1988年间，国有英国煤炭公司的 TFP 年均增长4.2%，供电公司的 TFP 年均增长3.7%，快于私有化的英国航空公司（2.7%）和英国电话公司（2.3%）。一些私有化的企业在私有化以前 TFP 已经实现了快速增长，例如英国钢铁公司（1988年私有化）在1983—1988年期间，TFP 年均增长10%，比其他私有化的企业快得多。[②]

事实上，英国国有企业经营状况的改善并非仅仅是私有化的结果，

① 英国财政部公报，1991—1992冬季号，第47页。
② 比肖普和凯：《英国的私有化：经验与教训》，《世界发展》1989年第17卷第5期，第655页。

而是得力于许多因素，例如更为明确的合同内容、有效的刺激和约束结构、增加同类产品和劳务的竞争、减少对国有企业的保护等等。因此，不能简单地得出判断说，国有化一定导致低效率，私有化一定比国有化效率高；也不能凭某种信念认为企业绩效的改善必须诉诸私有化。

七、结论

根据经济分析和私有化的国际经验比较，我们可以得出一些对我国市场化改革有益的启示：

1. 决定企业经营绩效的因素包括明确的产权关系、合理的企业内部组织结构，以及刺激—约束机制和竞争环境。在企业层次，企业目标、竞争环境、经营控制权和员工面临的刺激机制比所有制问题更为重要。如果缺乏有效的经济自由化和相应的企业改组，私有化本身并不能取得显著的收益。如果进行有效的经济自由化和相应的企业改组，而并不一定伴随私有化，可能足以获得效率改善的效果。只要国有企业有明确的产权关系，合理的所有权—控制权结构和充分的自主权，并能与非国有企业平等竞争，私有化就不是非搞不可的。

对于我国这样的发展中国家来说，不宜轻率地将负有长期发展职能的企业私有化。但是在确保这些企业履行发展职能的同时，不能压制企业家的首创精神，正像不能压制私营企业家的首创精神一样。

2. 政府政策的现实目标应当是重构国有企业的组织结构和外部经营条件，以创造和非国有企业一样的平等竞争环境。在缺乏资本市场、熟练的管理人员和市场基础设施的情况下，对国有企业和公共部门实行不改变所有制的承包经营，可能是较为行之有效的办法。因为这时改变所有制会使国家垄断变为私人垄断，而对效率的改善起不到积极作用。通过竞争性承包确定的合同条件可以约束市场上的潜在垄断力量，并且能使经营者获得充分的自主权，减少政府干预。这样，承包经营可能比国家垄断和无管理的私有市场更有利于效率的改善。承包经营在发达国家和发展中国家有广泛的实践，它是和产权改革并存的经营方式变革，两者是互补的关系。随着市场体系的发育，承包经营的竞争性特点和具体形式也将日趋完善，而且可以更广泛地与产权改革结合起来。

3. 所有制变革对经济福利和效率的影响取决于市场机制的完善程度以及委托人—代理人结构的合理程度。任何所有制形式都不是完美无缺的。市场缺陷会导致私人企业的利润目标和社会福利目标发生偏离。政府的缺陷会导致国有企业的行政、政治目标与社会福利目标偏离。在不合理的委托人—代理人结构中，监督的失灵会导致管理者的目标同委托人的目标分道扬镳，而不管委托人是私人所有者还是政府官员。尽管私有化可以减少政府缺陷的影响，但是也会出现另外两种风险：一是增加市场失灵，二是打乱原有合理的监督体系。

经验表明，甚至在私有化以后，公共部门的委托－代理问题仍会受到政府干预的消极影响。首先，私有化是一种政府行为，实施过程是复杂的，而且经常需要政府的持续卷入。资产转移过程往往给政府决策者提供干预企业日常事务的新机会。其次，在市场缺陷比较明显（有时市场缺陷并不明显）的情况下，既使私有化以后政府干预仍然继续，从而导致政治目标和行政目标的直接贯彻。再次，政府出于增加预算收入的目的，可以重新实行国有化，实行较严格的管理，以及征收较高的利润税。因此，正像其他领域的公共政策一样，私有化不可能避免政府缺陷的影响。

任何特定意义上的所有制变革（如明确产权、私有化、国有化）本身并不能对效率和经济福利产生决定性影响。而某种所有制变革的效果如何，取决于该种所有制形式所处的市场结构、政府的管理规则和相应的制度环境。不应当简单地寄希望于一种毕其功于一役的改革（例如片面强调产权改革或减少政府干预），更富挑战性的任务是深入了解影响企业行为的诸种因素的交互作用，在形成竞争性市场、合理的所有权—控制权结构、有效的监督和刺激机制、健全的市场规则等方面，全面地推进经济体制改革。

（原载《改革》1993 年第 4 期）

6.4 原苏联东欧国家在经济转型期的竞争政策和借鉴

我国正在向社会主义市场经济转轨，竞争政策对建立市场经济新秩序的作用日益重要。研究借鉴原苏联东欧国家在经济转轨中制定和运用竞争政策的经验教训，对我国制定和完善竞争政策具有较大参考价值。

一、竞争政策对经济转轨的重要意义

计划经济国家向市场经济转轨，通常面临四大任务：一是改革国有企业，逐步减少甚至取消财政补贴，取消价格管制，形成竞争性市场；二是稳定宏观经济，采取适宜的宏观经济政策，控制物价飞涨，防止大量失业，保证生活必需品的供应；三是建设完善的基础设施，既包括交通、通讯，也包括金融市场、通货自由兑换等；四是创造有利于企业家成长、提高效率、鼓励技术进步的制度环境，包括建立健全法律体系，以保护财产权利。

竞争政策被视为有助于完成上述任务的重要工具。竞争是自由市场制度的核心机制，追求盈利机会的自由引起竞争，竞争迫使商品生产者保持高度灵活反应。竞争政策主要由一系列激励性措施和法律框架组成，其目的在于鼓励从事经济活动的个人和企业努力提高生产率，对市场变化作出灵活反应，积极进行创新活动。竞争政策也包括反垄断法一类禁止某些反竞争行为的法律法规，但整个竞争政策的立足点在于促进自由企业制度，促进商品和要素自由流动，促进生产者为消费者提供更多的商品和服务。对于向市场经济过渡的计划经济国家来说，竞争政策最重要的部分应是打破政府干预造成的竞争壁垒，消除商品和要素流动的障碍，减少自由设立企业的种种限制。商品和要素自由流动以及设立

企业自由等原则，受到市场经济国家高度重视，因此成为欧共体罗马条约的支柱。原苏联东欧国家实行计划经济的历史较长，工业集中程度高，因而其竞争政策的基本任务就是取消贸易壁垒，对国有企业实行私有化，废除对进入市场、扩大经营范围的种种限制，以及对垄断企业和其他低效率的企业进行结构重组，等等。

匈牙利的经验表明，竞争政策加速了价格放开过程，减少了国内垄断势力。80年代中期匈牙利加快放开价格，1984年政府已有了保护竞争的一些政策规定。随着价格自由化程度大大提高，政府力图加强进口竞争，维护宏观经济平衡，完善竞争政策，制定竞争法，使放开的价格能够顺利运行。到1991年，匈牙利消费品价格90%由市场决定，政府定价只占10%。向市场经济转轨，必须放开价格，因为自由价格是竞争的基础，同时，也必须运用法律手段保护竞争秩序，这是市场价格机制正常运转的重要条件。

引入外国竞争，对减少国内垄断势力发挥了极重要的作用。匈牙利引入外国竞争，主要采取吸引外资和进口自由化两种方式。从1989年开始，进口自由化分三个阶段：首先使技术进口自由化，以弥补技术差距；其次放松原材料和半成品的进口限制，以改善出口能力；接着放开消费品进口，激励国内生产者改进产品质量。进口自由化的结果表明，匈牙利市场上可自由选择的供给迅速扩大，竞争者明显增多。1989年，不受任何限制的进口产品在匈牙利进口中占42%，1990年上升到72%，1991年则达到90%左右。以往匈牙利的原材料、半成品和机器设备等大多是由一个企业生产的，进口自由化和外资增加，使大部分垄断生产者面临外国产品的竞争，据估计在60%—70%的工业生产中可以明显感到外国竞争的压力。从经济组织数量变化看，1988—1990年间，总数由10811家增加到29470家，增长近2倍。其中，托拉斯类型的企业基本稳定在2000家左右，合作社稳定在7000家左右，发展最快的是有限责任公司（含公众有限公司），由567家增加到18963家，增长32倍。[①]

---

① Dr. Ferenc Vissi: Privatization and Monopolies in Hungary, in S. A. Rayner（edt.）: Privatization in Central and Eastern Europe, Butterworth 1992.

经济组织的迅速增加，尤其是有限责任公司的迅猛发展，表明匈牙利市场竞争结构有了极大改善。

二、经济转轨中竞争政策的基本框架

向市场经济转轨的一个基本要素是创造自由竞争环境。一些国际组织和西方学者对此提出许多建议。比较有代表性的建议认为，建立自由竞争需要四个前提条件，即保护私有财产，企业活动自由，自由进入和退出市场，劳动力自由流动。为了创造和维护竞争，向市场经济转轨国家需要在四个方面采取行动：1. 运用法律和行政手段促进市场参与者（主要是中小企业）的成长和多样化；2. 充分利用外国竞争促进效率提高，在所有经济单位引入竞争机制；3. 实施分散化方案，消除因技术、经济上的考虑以及外国竞争缺乏而引起的垄断；4. 建立竞争和反垄断机构，制定和执行法律法规，保证竞争性市场的有效运行。①

原苏联东欧国家大都在转轨初期制定和颁布了保护竞争、反对垄断的法律，并成立相应机构。例如，匈牙利颁布了竞争法，设立了竞争和公平交易署；波兰颁布了反垄断法，成立了波兰反垄断署，负责控制限制竞争行为和整个经济的结构变革，并在全国设立了7个区域性分支机构；捷克斯洛伐克颁布了竞争保护法，成立了联邦经济竞争署；俄罗斯、立陶宛等国也制定了各自的竞争和反垄断法，设立了相应的执行机构。

原苏联东欧各国的竞争政策主要体现在竞争法和反垄断法中，以欧共体的罗马条约和竞争政策为蓝本，并参照北美国家的竞争法律体系。在法律体系的基本框架上原苏联东欧各国大体相同，就某一项法律调整的对象看，则略有差异。

例如，捷克斯洛伐克的竞争保护法实际上是反垄断法，该法不仅禁止在境内产生的垄断和限制竞争行为，而且规定，如果在境外采取的行

---

① The International Blue Ribbon Conmmission, Hungary: Transformation to Freedom and Prosperity 1990.

为限制了国内市场竞争，也要依法制裁。但是，该法只对消除和限制竞争的行为进行调整，而不涉及所有扭曲竞争的行为（如不正当竞争）。对不正当竞争行为，捷克斯洛伐克用1992年颁布的商法典进行规制。

匈牙利的竞争法规定了必须符合公平竞争利益的行为规范。竞争法确定的规则适用于任何私有企业、公司、合作社和国有企业，而不考虑其国籍；这些规则适用于各种经济行为，对产品市场、货币和证券市场、银行和保险活动一视同仁；该竞争法涉及现代竞争法的所有内容，以传统上分门别类的法律作为依据，包括反对不正当竞争法、卡特尔法、禁止滥用经济优势，控制兼并行为，以及保护消费者权益的法律规定。匈牙利竞争法规定了反垄断的一些条款，但并未使用垄断一词，而是用"经济优势"代之。经济优势产生于缺乏竞争，或对市场的支配地位，经济优势比垄断更广泛地存在着，法律不禁止经济优势，而只是禁止滥用这种优势。竞争法对企业兼并规定了许可程序，基本原则是兼并要增强竞争性和效率，经济上的好处要大于对竞争的不利影响，要使消费者分享这种好处。为了控制卡特尔协议对竞争的损害，竞争法规定了合法与否的标准，若卡特尔协议超过了市场份额的10%，则被禁止，若低于10%，则不在禁止之列。

波兰的反垄断法总体上是为了防止垄断行为，保护消费者利益，帮助所有生产者和交易者以质量和价格为基础展开自由竞争。这部法律有两个实质性内容：（1）禁止垄断行为。在其第二章中界定了限制性商业行为，这些行为可能产生于公司滥用其在市场上的支配地位，或是产生于竞争者之间的限制性协议，如设定价格和产量，划分销售势力范围。根据这些界定可以检验经济行为合理与否，如果一个企业利用其垄断地位抬高价格，那么定价政策绝对属于限制性商业行为，应予以禁止。（2）处理经济结构变化。其第三章涉及兼并和收购、所有制改变、企业重组和设立新企业。这些活动如果导致对市场的支配地位，就要被禁止。波兰反垄断署有权决定分解支配市场的企业。如果这些企业削弱了实际的或潜在的竞争，就可能被分解。这一章的另一个很重要内容是减少进入市场的障碍，保证新来者自由参与竞争。

与西方发达国家的竞争法律体系相比较，东欧等国的竞争法或反垄断法还是不完备的，例如匈牙利竞争法很短，也比较笼统，一些关键概念不很明确，等等。东欧各国也在不断修改其竞争法，使之逐渐完善。波兰 1990 年颁布竞争法后，1991 年又作出修正，使法律条文更为详尽和明确。例如 1990 年竞争法对市场支配地位的定义是在国内或地方市场的份额超过 30%，1991 年修订为"超过 40%"，放宽了市场支配地位的标准。[①]

三、反垄断法在经济转型期的作用

反垄断法在西方被当作竞争政策的一个基本组成部分，而不简单等同于竞争政策。竞争政策以鼓励竞争、鼓励提高效率、鼓励自由企业制度为主要内容，而反垄断法主要是由一系列法律禁令组成的，它并不说明允许企业做什么，或鼓励企业去做任何可以做的事情，除非这些行为不违背法律。因此这些法律禁令只是竞争政策中的附属部分。在向市场经济转轨的原苏联东欧等国，反垄断法可能出于不同目的而设计成作用不同的工具。它可以设计成促进自由企业制度的法律手段，例如禁止提高价格或降低质量。但是，也有可能把反垄断法用于遏制市场机制，扼杀利润动机，或阻止资本主义的不平等，在东欧和苏联，许多人有强烈的冲动把反垄断当作公平手段，用来协调经济效率和社会公平的目标，这些混合的动机会影响反垄断法的目标和职能。

在理论上说，没有反垄断法，自由市场经济也能提供产品和劳务。那么，在转向市场经济时，反垄断法在什么意义上可以成为新市场经济的基本要素？对这个问题有三种看法：一种观点认为，对于原苏联东欧国家的经济增长和加强竞争性来说，更关键的任务是促进资本形成，而通过反垄断法限制私人权力和强化竞争是较次要的；反垄

① Dr. Anna Fornalcayk：Competition Law and Competition Rolicy in Poland，附录，in S. A. Rayner（edt）：Privatization in Central and Eastern Europe，Butterworth 1992。

断充其量不过是一种代价高昂的措施，弄不好还可能成为促进投资的障碍。另一种意见认为，通过反垄断措施拆除自由企业的障碍是促进企业投资的最好方式，市场是比政府更好的调节者，盈利机会是对企业最好的刺激，私人权力的滥用会导致自我毁灭。第三种看法则认为，上述两种观点都有缺陷。有效率企业的投资和成长更有可能出现在竞争环境而不是非竞争环境中，因为竞争激发起企业追求卓越的动机。如果需要扶植特定企业或产业，政府可以采取专门方案，例如产业政策。相信自由市场会使权力自我毁灭是幼稚的，因为这不过是纯粹的理论假设，在原苏联东欧这种假设前提再错误不过了，因为这些国家的企业家精神从人们生下来就从未得到培育。相反，反垄断法能够有效地检查原有企业的反竞争本性，并把反竞争行为引导到有利于竞争的轨道上。因此，反垄断法对原苏联东欧等国也许是特别重要的工具。[1]

在实践上，经济转型期的反垄断法通常是以打破计划经济中的国家保护为重点的，但是，与经济转轨相伴随的私有化过程也对反垄断法提出了新的要求。国际经验显示，不论是发达国家还是发展中国家，私有化过程中都出现了一种导致垄断的倾向，即政府为了尽可能以高价出售国有企业，往往通过提供某种受保护的市场，而创造出一些私人垄断者。这时政府的竞争当局很可能面临一种困境：既要有效制止受保护的私人垄断者按垄断价格收费，又不能像以前那样简单地规定价格。另一种危险是，把原有国家垄断企业分解成私有竞争企业后，由于原来的管理者在长期计划经济的协调过程中形成了合作传统，缺乏竞争文化，因此会出现串通共谋的寡头垄断行为。随着前计划经济国家推进私有化，相伴而生的新垄断行为也会成为市场竞争的破坏因素，用反垄断法加以调整就显得十分必要了。在北美和西欧，反垄断法的主要着眼点在于控制定价卡特尔、合并以及纵向限制等

---

[1]　E. M. Fox. and J. A. Ordover: Free Enterprise and Competition Policy for Central and Eastern Europe and the Soviet Union, in S. A. Rayner (edt), Privatization in Central and Eastern Europe, 1992.

等，经济转轨国家处在困难的过渡时期，其反垄断问题更为复杂，因此很难照搬成熟市场经济国家的竞争法及其政策。对于经济转轨国家来说，竞争政策的重要目的之一在于加强本国在国际市场上的竞争力，私有化和反垄断还要考虑规模经济问题。如果在分解国有垄断企业时破坏了必要的规模经济水平，则会损害本国工业在国际上的竞争能力，无法同国外大企业抗衡。同样，如果反垄断法不考虑规模经济要求，简单地禁止企业兼并行为，也可能遏制民族工业的成长壮大。可见，经济转型期的反垄断法，其作用和内容要视经济转轨国家的需要和目标而定。

四、反垄断法的主要内容

由于计划经济国家在创造竞争环境方面存在许多体制性障碍和结构性壁垒，因此这些国家向市场经济转轨时，制定竞争政策或反垄断法的首要步骤应是取消价格控制，大幅度削减甚至取消补贴，减少国有企业和种种进入市场的人为障碍，促进信息和各种生产要素的自由流动。在对国有企业实行私有化以前，必须先进行企业重组，改变不合理的企业组织结构，以利提高效率。否则，不经重组就匆忙实行私有化，依然会保留垄断性的企业组织结构，严重损害效率。英国私有化过程中就有这方面的教训，如英国煤气公司私有化之前未进行重组，私有化后便很难对之进行规制。英国电气公司私有化前实行了纵向和横向的重组，在经济效率上取得了成功。企业重组是促进竞争的有效途径，而且也减少了反垄断法的实施成本。

根据发达市场经济国家的经验和原苏联东欧各国的需要，西方专家学者建议反垄断法应包括以下主要内容：

1. 禁止卡特尔协议，包括固定价格、分配生产限额、划分市场势力范围或操纵投标等。卡特尔协议通常对效率和竞争是有害的，法律应当明令禁止。但在特殊情况下，卡特尔协议也有合理之处，例如需要减少某行业的生产能力或保护某产业的生存时，必要的卡特尔协议是允许的。

2. 禁止滥用市场支配地位。市场支配地位通常指能够提高并维持大大高于成本的价格这样一种明显的权力，定量地说，就是一个企业在某一特定市场上占有近50%的份额。这一数量上的划分在不同国家有所区别，大多在30%—40%之间。滥用市场支配地位也涉及掠夺性定价，即先以低于成本的价格挤出竞争对手，然后再抬高成垄断高价。对竞争当局来说，要仔细区分有些价格策略虽然对小型竞争对手有伤害，但却是对消费者需求的灵敏反应。富于挑战的任务是既要限制滥用市场支配地位，又要防止破坏市场活力。

3. 禁止竞争者勾结。竞争者勾结可能产生反竞争的支配作用，例如联合抵制对竞争者的惩罚，或把自己的竞争方式强加于人，或剥夺其他竞争者进销渠道等等，都属于造成支配地位的行为，应被禁止。交换资料和设置标准有时可能是意在抬价的反对竞争协议，但大多数情况下则有利于竞争。

4. 关于分销限制。分销过程的限制既可能是积极的，也可能是消极的。在历史上的自由企业制度中，单方面的分销限制通常是有效率的，有利于竞争的，因为这些限制表明一个生产者如何选择最有效地接近消费者。但是由于传统计划经济培育了无效率的经济增长，并且阻碍了投入品市场和销售市场的发展，因此在东欧人们对设置分销限制抱有较大疑虑。西方学者建议，为了促进市场发育，要打破反市场的习惯，并仔细区分有益的或有害的纵向分销限制，对有利于提高效率的纵向分销限制，应允许其存在，反之则要禁止。

5. 关于技术。反垄断法应反对各种阻碍技术开发利用的行为，鼓励开发利用技术的各种手段。只有当技术所有者拥有明显的市场支配地位，而且技术许可证之类的限制因素压抑了技术竞争的种种形式时，此类限制才应被禁止。即使技术所有者拥有市场支配地位，某些限制也不一定要禁止，因为，有些限制对技术竞争的不利影响仅是偶然的，而且有些限制对推销和扩散技术还是重要手段，如保护知识产权方面的限制性规定等。可见，有些限制性规定是合理的，不能仅从技术所有者是否拥有市场支配地位来判断应否将其列为反垄断对象。

6. 关于合资企业。反垄断法对合资企业应是友善的，因为合资企业对于引进所需的技术诀窍、管理方法和设备有巨大的作用。但是，如果合资企业产生或加强了市场支配地位，不能改善竞争和促进经济进步，它们就应被禁止。对于从事技术研究开发的合资企业应予特别鼓励，它们通常对促进经济进步有较大贡献。对于主要是竞争性但带有某些反竞争特点的合资企业，反垄断当局应有权取消某些附带限制，并规定关于时间和范围的条件。

7. 关于合并。合并与收购有可能成为引进专门知识的手段。只有当合并与收购显著削弱了竞争时，才应被禁止。如果合并消灭了公开的竞争对手或重要的潜在竞争对手，由此产生或显著加强了市场支配地位，这种合并就属应禁止之列。在处理合并事宜时，有两个重要的相关问题需要解决：第一个问题是如何判断一项合并的后果。有的合并可能产生双重作用，一方面会明显削弱国内相关市场上的竞争，一方面又可能提高效率，促进技术进步，加强国际竞争力。如果积极作用抵消甚或超过了消极作用，此项合并就不应被禁止。对于具有双重作用的合并必须十分慎重地作出分析，否则，有些企业声称其合并的积极作用可以抵消或超过消极作用，实际上却相反，待合并已经完成再去纠正，就太迟了。为了防止这种被动局面出现，反垄断当局要作出明确的规定，并采取有效手段阻止严重损害竞争的合并。有些西方学者认为，反垄断法在对待合并行为时，应当以防止反竞争的合并为单一目标，这样通常更有利于促进效率和竞争。第二个问题是如何对待外国接管。东欧各国在经济转轨过程中，迫于资本匮乏和国有企业低效率的压力，可能急于把国有垄断企业（往往就是某一个行业整体）卖给出价最高的买者，此类买者往往是拥有充足资本的外国企业；而且，东欧各国政府多半会迅速批准外商收购，而不在出售之前对垄断企业进行重组。研究者指出对于外商收购本国企业，如果它损害了竞争，同样应当制止，而不应仅仅为了增加财政收入一味迁就外国企业。从促进竞争的目标出发，对外国企业和本国企业应一视同仁，不要单纯为了保护本国工业完整和维持就业而对国内外企业采取双重标准。既不歧视外国企业，也不要把外商（尤其是大型跨国公司）收购的危险看得过重。[①]

8. 关于反垄断法的覆盖范围。在西方发达国家，反垄断法不仅适用于本国企业，也适用于外国企业；不仅适用于私有企业，也适用于政府所有企业和受政府规制的企业。所有类型的企业都要服从反垄断法的约束。有的东欧国家最初的反垄断法并未涵盖受政府规制的企业，如公共设施，后来逐渐把此类企业也纳入反垄断法的适用范围。

五、对我国竞争政策的启示

改革开放 15 年来，我国正在逐步形成一套鼓励竞争的法律、政策体系和执行框架，对促进竞争发展生产力、维护市场秩序起着重要作用。随着向市场经济转轨步伐的加快，我国竞争政策还需要不断修订和完善。从原苏联东欧各国经济转轨时期的竞争政策中，可以得出的有益启示主要有以下几点：

1. 经济转轨时期的竞争政策与转轨完成后的竞争政策侧重点不同。在成熟市场经济条件下，竞争政策主要针对市场机制的功能性缺陷，如经济性垄断等。由计划经济向市场经济转轨国家面临的竞争和反垄断问题，比成熟市场经济国家复杂得多，既存在传统计划经济下形成的行政性垄断，也存在日益活跃的经济性垄断；既要引入外国竞争，又要加强本国企业的国际竞争力；既要打破工业的过于集中，又要保持合理的规模经济水平，如此等等。处于经济转型期的国家不能简单模仿发达市场经济条件下的竞争政策，而应当根据本国迫切需要，参照发达市场经济国家竞争政策的经验，按照其中反映市场经济规律的一般原则，针对主要矛盾制定竞争政策。转轨时期的竞争政策应重点打破行政性垄断，鼓

---

① E. M. Fox and J. A. Ordover: Free Enterprise and Competition policy for Central and Eastern Europe and the Soviet Union, in S. A. Rayner（ed.）, Privatization in Central and Eastern Europe, 1992.

励发展各种有利于竞争的经济组织，随着市场机制作用的逐渐增强，逐步使竞争政策与国际惯例接轨。

2. 经济转轨期竞争政策的内容、体系和执行手段要与转轨进程相适应。发达市场经济国家竞争政策的内容十分详尽，法律体系相当完备，执行手段高度法制化。前计划经济国家的竞争政策在内容上并不严密，在法律体系上也不完备，执行手段的法制化程度也较低。这是转轨时期难以避免的现象。因为，转轨期竞争政策的有效性不仅取决于法律体系及条文的完备程度，更重要的还取决于新体制因素的强大程度和社会上法制观念的确立程度。如果阻碍竞争的地方和部门保护主义还很严重，各种行政性壁垒重重叠叠，仅仅颁布若干法律是难以奏效的。如果人们的法制观念还很淡薄，执法手段落后，那就会因实施成本过高而使竞争法实际难以执行。与东欧各国相比，我国的地方和部门保护主义问题和法制观念薄弱问题更为严重，我们既要加紧这两方面的制度创新，又要采取更有针对性的措施。我们应当加快经济转轨步伐，从体制上消除阻碍竞争和要素流动的种种人为障碍，并通过立法手段巩固新体制的权威，已颁布的法律务必严格执行。竞争法律体系及内容不必一开始就十分严密，可在粗线条的法律框架指导下适用行政手段的权威，维护竞争秩序，规范竞争环境。

3. 经济转型期的竞争政策要适应本国经济发展水平和结构特征。与我国相比，原苏联东欧各国的工业化程度较高，国有工业集中程度也相当高，尤其是东欧各国，因地域狭小，地区差距不太明显，国内统一市场容易形成，工业过于集中而引起的垄断问题十分突出。因此，东欧各国的竞争政策非常强调以分解国有企业和引入外商企业来强化竞争。我国地域辽阔，地区差距悬殊，工业化程度低，不少产业尚未达到必要的规模经济水平，但门类比较齐全，而且工业集中程度并不像原苏联东欧国家那样严重，基本上不存在一个行业只有一家企业的独家垄断局面。因此，我国不可能把分解国有企业、引入外商企业和大幅度放宽进口限制作为促进竞争的主要手段，而应把着眼点放在促进国内各类企业的竞争上，诸如继续发展多种经济成分，鼓励非国有经济开拓新经营领域，形成更多的新的经济增长点；对国有经济实行必要的组织结构调整；减少进入市场的行政性障碍，取消对非公有企业进入国有企业经营领域的种种限制，允许非公有企业和外商企业享有同等竞争权利；鼓励生产要素的跨行业、跨地区流动，等等。

4. 经济转型期竞争政策的目标和功能要简单明了。对于我国这样一个发展中的社会主义大国来说，对外开放、引进外资、国有企业改革、分配制度改革等等一系列重大政策都有利于促进竞争、提高经济效率。但是这些政策并不等于、也不能取代竞争政策。竞争政策的调整对象是微观经济主体在市场上的竞争行为，其主要目的在于防止和纠正对正当竞争的伤害。在设计和制定竞争政策时，无疑要依据国家基本法律和长远的、宏观的目标选择，但竞争政策本身的目标和功能不宜复杂化。例如，竞争政策不能从维护社会公平的需要出发去限制垄断，而只能从提高效率、维护其他竞争者的平等竞争权利出发，对垄断行为予以禁止。如果从某个垄断者造成收入分配不公的角度去限制垄断，就有可能对经济效率和经济进步产生损害。竞争政策的基本功能是保护竞争环境和竞争机会的公平，不论何种企业在统一的竞争规则面前一律平等，而不是保护特定的竞争者。为了扶植特定的企业或产业，政府可以运用产业政策作指导，利用经济杠杆刺激该企业或产业提高效率。反垄断法的制定和实施不可避免地会碰到如何处理企业兼并问题，作为竞争政策的组成部分，反垄断法应禁止严重削弱竞争的兼并行为。如果某项兼并行为符合产业政策要求，但可能造成垄断地位，此项兼并行为应当按反垄断法的规定进行调整，否则，兼并后的垄断企业会因缺乏竞争压力而不思进取，反而违背效率原则，无法实现产业政策的预期目标。正确的做法应当是让竞争政策只管它能管的事情，避免使它的目标和功能过于复杂。

（原载《改革》1994 年第 6 期）

6.5 当代市场经济国家竞争政策及其对中国的启示 *

我国正在向社会主义市场经济转轨，制定和完善竞争政策对建立市场经济新秩序的作用日益重要。考察发达国家和经济转轨国家竞争政策的理论和实践经验，对于我国研究制定竞争政策体系具有重大参考价值。

一、竞争政策的地位、立法依据和法律框架

在现代市场经济国家，竞争政策是旨在促进和加强竞争过程的微观经济政策，它始终被视为可对一国经济产生深远影响的基本国策，在政府赖以调节经济运行的各项政策中，占有头等重要的基础地位。国家运用立法手段确立竞争政策的历史最为悠久，至今仍在不断加以修订和完善，以致竞争政策的调整会使得一国基本经济格局发生某些变化；竞争政策的差异会决定不同国家实行市场经济的某些差别。随着国际经济联系日益密切，各国也在力图统一竞争政策的基本规范。

（一）关于竞争和竞争政策的基本理解

市场经济国家把竞争视为市场机制有效运转的基本要素。竞争机制会刺激经济活力，推动经济增长和增强经济实力。基于这一信念的竞争政策，由一系列激励性措施和法律框架组成，其基本涵义是在现代市场经济条件下，国家运用法律手段维护竞争秩序，排除对市场竞争行为的不合理限制，反对和阻止垄断势力的扩张，促进自由企业制度，促进商

---

* 本文是中国社会科学院重点课题"竞争政策比较研究"的总报告（有删节），课题负责人：卢中原，报告执笔人：卢中原、宋则、房汉廷。

品和要素自由流动，促进生产者提供更多更好的商品和服务。即使在当代发达的市场经济国家，对市场竞争秩序的侵蚀和破坏因素，也在不断衍生出来，削弱和排除来自各个方面对竞争秩序的冲击，使竞争过程正常展开，便成了推行竞争政策的宗旨。

各国把制定竞争政策和立法的必要性，主要归结为市场秩序的动态性和不稳定性。造成这种经常变动状况的基本原因来自主观和客观两个方面。

从主观方面看，经济主体为了摆脱竞争压力，获取比竞争环境下更高的利润，有可能通过卡特尔等垄断形式，扩大市场占有率，取得市场统治地位。例如，第一次世界大战以前，卡特尔作为企业之间为控制产品生产、销售及其价格而订立的一种协议，在德国等国家十分盛行，几乎遍及所有经济领域，成为企业限制竞争的主要方式，但当时尚无限制垄断行为的立法。二战后，竞争政策的地位重新确立，调整企业垄断活动，反对限制竞争就成了微观经济政策及其立法的主要目标。

从客观方面看，技术和经济的因素有时会使某一市场上活动的企业数量减少到无法保持竞争的程度。例如，某些生产行业的技术决定了企业只有达到一定的产量规模，才能使单位产品成本降到最低点（即规模经济），而这种供给量却已能满足市场的大部分或全部需求。这就是说，技术的因素也会强迫人们建立一个拥有市场统治地位的企业。此外，如果某些新产品、新技术的开发和引进费用非常高或者风险特别大，非财力雄厚的巨型企业无力承担，那么人们就不得不默认市场垄断。可见，大企业通过这类创新很容易在市场竞争中形成效率垄断地位。追求规模经济以及少数大企业的效率垄断地位，会导致行业集中程度提高的趋势，即一个行业中的少数几家最大企业在产值或销售额里占据统治地位，从而削弱该行业的竞争。二战以后，特别是六七十年代以后，各国主要工业领域的企业集中程度都呈上升趋势，突出表现在采掘业、汽车业、化工业、冶金业和办公设备行业。对于这种技术和经济原因造成的垄断，同样需要运用竞争政策予以调整，并且引起各国的普遍重视。

（二） 发达市场经济国家竞争政策的法律框架

体现竞争政策的法律体系，广义地说包含了许可性和禁止性两类法律。许可性法律主要确认市场主体的资格和权利，例如民法、商法、物权法和公司法等私法中对此有明确而详尽的规定，市场主体可依法自由结成契约、参与竞争并享有市场活动带来的收益。禁止性法律则以"不允许做什么"的形式设立市场竞争规则，强制竞争者必须遵守。此类法律主要包括反不正当竞争法和反垄断法等。狭义地说，竞争政策的法律体现是指由国家公共管理权力决定的、对市场竞争行为设立的一套禁止性规则，属于公法性质，任何市场主体若不遵循这些规则，将要承担相应的法律责任。国家由此达到维护竞争秩序的目的。在发达市场经济国家，人们通常在狭义上使用竞争政策这一概念，亦指竞争立法。而在讨论原苏联东欧经济转轨期间的竞争政策时，西方学者往往在广义上使用竞争政策的概念，其涵义不仅包括禁止性的竞争立法，而且涉及经济体制改革的诸方面政策措施。

发达市场经济国家竞争政策的法律框架，在立法宗旨和基本内容上大体相同，都是以反不正当竞争和反垄断为核心。但由于历史和经济发展战略的影响，也存在一些差异，如美国、加拿大更强调防止行业协会垄断和价格垄断，而日本曾长期将反垄断服从于产业政策，比较宽容反垄断立法中的例外条款。在立法形式上，由于西方各国法律传统不同，竞争立法包括法典式和法群式两类。法典式竞争立法内容全面，结构严谨，实体规定详尽，程序规则完善，比较有代表性的是德国的《反对限制竞争法》（又称卡特尔法），以及日本的《关于禁止私人垄断和确保公正交易的法律》。法群式竞争立法由一系列相关的单行法组成，是边实践边立法的结果。例如，美国的反垄断法就是由各时期制定的单行法组成的法律群体，包括《谢尔曼法》、《克莱顿法》、《威廉斯法》等。英国的竞争法由四部法律组成：一是处理合并与垄断的《公平交易法》；二是《限制性贸易行为法》，调整对象是各种限制自由独立经营的协议；三是《再销售价格法》，专门规制最低再销售价格的行为；四是处理其他反竞争行为的竞争法。在竞争政策的执法体系上，发达国家不仅有独立的行政机构，而且设立专门的法庭。如英国由工贸部、公平交易部和垄断与合并委员会组成行政执法体系，工贸大臣总负责，并设有一个专门的限制性行为法庭，处理反竞争案件。美国、德国的法院甚至享有"域外管辖权"，即有权对境外发生的有损本国利益的反竞争活动进行审理。有些国家对违反竞争法者制裁相当严厉，除民事制裁外，还采取刑事制裁，以加强竞争法的威慑力。

竞争立法的早期历史可追溯到古罗马时期。英国是近代最早直接规定保护竞争的国家，其判例法在 17 世纪初即已确立了反对垄断和绝对的营业自由等原则，这些原则成为现代第一部反垄断法（美国 1890 年《谢尔曼法》）的基础。第二次世界大战后发达国家不断修订和完善竞争立法，形成完备的竞争法律制度，一些发展中国家也纷纷制定了本国的竞争法律。前计划经济国家在向市场经济转轨时十分重视以法律形式确立竞争关系。随着国际贸易的扩大和区域经济合作的加强，禁止垄断、保护竞争的问题引起国际社会的普遍关注，竞争立法的一些原则和条款逐渐被引入国际性条约中，在国际经济领域甚至出现了制定关于限制垄断和不正当竞争的统一立法的趋势。

二、部分国家竞争政策的实践

从比较借鉴角度看，联邦德国和经济转轨国家的竞争政策或许更值得我们注意。联邦德国的竞争政策既有发达国家的规范性特点，在执行中又遇到两德合并带来的新问题；原苏联东欧国家则正在建立竞争新秩序。下面我们侧重分析这些国家竞争政策的实践。

（一）联邦德国的竞争政策：主要特点和遇到的难题

在德国的竞争立法中，本世纪初制定的《反对不正当竞争法》仍然发挥着重要作用。该法对企业开展竞争有详细的规定，对商业欺诈、行贿、诽谤、出卖商业秘密等不正当竞争行为都列有惩戒性条款，并授权"调解委员会"依法"解决工商业经济生活中的竞争纠纷"。随着德国市场经济的成熟、规模经济的成长以及企业集中化程度的提高，保护竞争的重点已从反对上述"不正当行为"转向反垄断行为。垄断在一定意义上也属于不正当竞争，但它又有更深层的原因、更严重的影响和更独特的表现，以致原有法律已对其缺乏约束力。因此，在德国现代市场经济中，最重要的竞争法律当属1957年颁布的《反对限制竞争法》。该法的核心内容包括：为企业界规定了市场竞争的原则和具体的行为规范，涉及国内市场竞争和国际自由贸易；普遍禁止企业间建立旨在限制竞争的协议，仅允许尽可能少的"例外"，并严格控制；对企业兼并实行法律约束，只有在企业兼并是出于经济和技术进步的需要，不会削弱竞争的情况下，才不予以限制；对企业生产经营活动进行监督，重点检查企业是否滥用竞争能力，法律规定，如果企业凭借其经济实力或商品劳务供应上的优势地位，利用压价或抬价办法阻碍其他企业进入市场，有关的经济合同必须取消。

德国的竞争政策具有以下特点：

1. 严格规范企业之间达成卡特尔协议的行为。德国的竞争政策，并未笼统地排除所有的企业协议，而是对企业间达成协议的行为作出了合法与非法的明确界定。其要点是，只要不涉及限制竞争，企业之间达成某些协议是允许的，例如统一使用标准合同、交货付款条件、非歧视性回扣、合理使用标准型号、生产专业化、有助于中小企业协作便利以及进出口方面的企业协议等等（反对限制竞争法第1至第8条）。但是，所有这些卡特尔都必须按法律程序登记公布，置于社会和法律的监督之下，协议内容必须随时供任何人查阅，卡特尔当局有权依法审批协议，并终止不适当的企业协议。

2. 在法律中定性、定量地确认阻止竞争、"控制市场的企业"。从定性角度说，控制市场的企业是指，"作为某种特定商品或劳务的供应者或需求者：它没有竞争者，或者竞争者很少，或者相对竞争者它具有一个突出的市场地位"；只要不存在真正的竞争，"两个或多个企业亦得作为控制市场的企业"。从定量角度说，某种特定的商品和劳务，在大多数情况下具有三分之一的市场比重，三个或三个以下的企业共同拥有百分之五十或百分之五十以上的市场比重，五个或五个以下的企业共同拥有三分之二或三分之二以上的市场比重时，则被视为控制市场的企业。当这类企业滥用其控制市场的地位时，卡特尔当局有权依法干预和禁止。

3. 突出强调禁止市场歧视的行为。法律规定，禁止为了限制竞争而在市场上采取协调一致的企业行为；禁止利用中断供货、区别待遇、特别酬金、提供优惠等手段，在企业间制造市场歧视；禁止强迫或阻止某些企业加入某一经济联合会或行业联合会，制造不公平对待。

4. 对各行业的竞争规则实行依法管理。法律允许经济联合会和行业联合会"建立其业务范围内的竞争规则"，"反对竞争中的违反公正原则的、或违反适合商品和劳务有效竞争原则的竞争行为，鼓励竞争中符合这些原则的行为"。为便于社会和法律的监督，法律还规定，所有竞争规则都必须向卡特尔当局申请、登记，并在"联邦广告报"上公告，供大众查阅。卡特尔当局有权拒绝含有不正当竞争因素的"游戏规则"。

5. 重视保护中小企业的经济利益。德国竞争政策鼓励和扶持中小企业的发展，对中小企业之间的联合、协议和"游戏规则"在法律上采取比较宽容的态度。例如，《卡特尔法》第38条中规定，如果中小企业及其联合会推荐的产品或建议的价格，"促进了成员相对大规模营业或大规模经营，从而改善了竞争条件的"，被视为合法行为。

6. 强调限制竞争行为的社会危害性。在反对限制竞争法中，将全部违背此法的行为一律视作"扰乱治安"的危害行为，并按此追究责任。该法第二篇规定，对扰乱治安行为"可以处以100万马克以下的罚款"，对情节较轻者处以5万马克的罚款警告。可见，为确保竞争秩序，德国对限制竞争的行为在性质确认上和处罚上都是相当严厉的。

总起来看，体现竞争政策的德国法律，其基本指向是那些最可能限制竞争、以维持自己垄断地位的大企业的卡特尔行为，突出强调对卡特尔和大企业实行法律监督和社会监督，同时注意对众多中小企业的地位和利益实行法律保护，重视对企业界各种"游戏规则"的规范和依法管理，维护法律的绝对权威（卡特尔当局依法拥有很大的管理权限），讲求立法和执法的质量，根据竞争政策和实践的需要，不断调整、补充和修订法律本身。

在德国推行竞争政策并不总是顺利的，当政府需要权衡经济增长、扩大就业、稳定物价和平衡外贸等多项政策目标的时候，竞争政策的实践问题就变得复杂化了，有时不得不做出某种妥协，致使竞争政策本身受到一定程度的扭曲。

1. 国有企业的状况使竞争政策处于两难境地。国有企业或国家参股企业在德国占有重要地位。虽然这些企业的销售额在整个经济中所占的比重不足百分之十，但它们同政府的关系、待遇以及所承担的职能仍然是各界关注的焦点。人们普遍认为，在以盈利为目标的私人企业和被作为政策工具使用的国有企业之间，不可能存在完全平等的竞争地位。联邦参股企业在价格、就业或生产领域采取的"反周期"的政策行为，必然导致竞争状况的长期扭曲和经营亏损。在经济繁荣时期，反周期目标要求联邦企业必须放弃某些市场机会，这些机会常常被私有企业的竞争者抓住，用来扩大自己的市场份额或抬高物价，于是联邦企业的"社会成效"便被私有企业无偿占有了。而在危机时期，联邦企业必须进行投资、稳住就业队伍甚至雇用新人，这些企业的产品则可能无法投放市场或被迫削价销售。由此造成的亏损不得不由联邦财政来弥补。如果联邦企业采取积极进攻的价格策略，则有可能加剧私有企业的危机和破产，这将从另一面加重国家的财政预算负担。另外，由于私有大型企业的倒闭可能造成上万个就业机会的丧失，联邦和各州政府通常也会提供担保和给予补贴，帮助它们渡过难关。因此，虽然联邦政府极力保证竞争秩序以作为经济政策的首要目标，但在复杂的现实面前，国家却不得不采取损害竞争的税收政策和补贴政策，使大企业特别是国有企业受到过多的保护，中小企业反而处于不利的地位。

2. 国家调节和竞争政策的矛盾。根据德国学界的普遍意见，国家调节包含国家对契约自由的一切干预。由于"外部效应"、自然垄断等因素的存在，会导致"市场失灵"和竞争的例外，从而竞争政策也无从谈起。在这种场合，政府采取直接调节的手段，对相关企业的投资、作价和收益做出某种安排是不可避免的。困难在于，现实中很难将非竞争领域和竞争领域截然分清，政府也很难就此划清直接干预的界线。尽管德国将国家调节的重点放在交通、航空、通讯、水电供应和农产品等领域，但国家调节的范围和力度总会产生"连带效应"，损害公平竞争的市场秩序。例如，在就业、工资、定价、贷款、订货、成本、收益和补贴等许多方面，上述两个领域的交叉、渗透是普遍的，政府很难界定和构筑两种完全不同的经济运行体系。更重要的是，即使在政府控制的领域，要想阻止企业滥用自己的垄断力量，也是极为困难的，至少需要大大增加为约束"滥用"而支付的管理成本。有鉴于此，德国经济学界和政界一直存在"多一点市场，少一点政府"和强化竞争政策地位的呼声，主张重新界定"自然垄断"的含义，解除供电、供水、农业、交通等领域的行业垄断，以竞争的方式重组其运行过程。

3. 两德统一以来对原东德的扶持与保护向竞争政策提出了新的挑战。1990 年 10 月 3 日的两德统一是二战后的巨大变化之一。然而，棘手的问题接踵而来，主要是改组原东德的国有企业扰乱了政府和企业的关系，造成经济低速增长，财政赤字激增和高失业率。经济学界的一种观点认为，政府在处理原两德关系问题上操之过急，政治上考虑过多，经济上考虑不周、决策失当，主要表现是重东轻西，抽肥补瘦，高税收，高利率，高补贴，这样既抑制了原西部经济一贯具有的市场型的增长活力，也阻止了东部经济依靠市场发展的动力和压力。德国正在从原有的竞争政策向后倒退，社会市场经济中的公正原则和福利原则被滥用了。重振全德经济的核心是重申竞争政策，强化市场地位，削减不适当的税收、福利、补贴和政府干预，以扶植原有的强大的西部经济为主，以优先发展的西部逐步带动东部。然而，部分经济学家的良好愿望在目前的德国很难实现。这是因为，原东德的劳动生产率只相当于西部的四分之一到三分之一，许多企业的技术只达到西部 50—60 年代的水平。更不利的是，原东德百分之七十的产品销往原东欧、苏联等经互会国家，东欧剧变以后，这些市场早已不复存在。政府考虑的是，果真在这种场合过于强调严厉的竞争政策，无疑将会对东部经济雪上加霜，加速拉大东西部的差距，继续增加失业和财政困难，引起剧烈的社会动荡。由此对经济发展造成的危害，将远超过一项经济政策上的"失误"。既定的竞争政策在目前情况下只能是"温和"的，至少对东部经济需要这样。尽管如此，德国将竞争政策作为基本国策的方针不会改变，从长远看，加快东部经济的改革与发展，依然离不开竞争机制的建立和完善。

（二）原苏联东欧国家经济转轨期间的竞争政策实践

向市场经济转轨的一个基本条件是创造自由竞争环境。一些国际组织和西方学者对此提出许多建议。比较有代表性的建议认为，建立自由竞争体制需要四个前提条件，即保护私有财产，企业活动自由，自由进入和退出市场，劳动力自由流动。为了创造和维护竞争，原苏联东欧国家需要在四个方面采取行动：一是运用法律和行政手段促进市场参与者（主要是中小企业）的成长和多样化；二是充分利用外国竞争促进效率提高，在所有经济单位引入竞争机制；三是实施分散化方案，消除因技术、经济上的考虑以及缺乏外国竞争而引起的垄断；四是建立竞争和反垄断机构，制定和执行法律法规，保证竞争性市场的有效运行。

在这种政策思路之下，原苏联东欧国家大都在转轨初期，制定和颁布了保护竞争、反对垄断的法律，并成立了相应的机构。例如，匈牙利颁布了竞争法，设立了竞争和公平交易署；波兰颁布了反垄断法，成立了反垄断署，负责控制限制竞争的行为和整个经济的结构变革，并在全国设立了7个区域性分支机构；捷克斯洛伐克颁布了竞争保护法，成立了联邦经济竞争署；俄罗斯、立陶宛等国也制定了各自的竞争和反垄断法，设立了相应的执行机构。

从实质内容来看，原苏联东欧各国的竞争政策，也是主要体现在竞争立法之中。这些法律以欧共体的罗马条约和竞争政策为蓝本，并参照了美国、加拿大的竞争法律体系。在法律体系的基本框架上，原苏联东欧各国大体相同，只是在内容和法律调整的对象上略有差异。

捷克斯洛伐克的竞争保护法，实际上是反垄断法。该法不仅禁止在境内产生的垄断和限制竞争的行为，而且规定，如果在境外采取的行为限制了国内市场竞争，也要依法制裁。但是，该法只对消除和限制竞争的行为进行调整，而不涉及所有扭曲竞争的行为（如不正当竞争）。对不正当竞争行为，该国采用1992年颁布的商法典进行规制。

匈牙利的竞争法规定了必须符合公平竞争利益的行为规范。这些规则适用于任何私有企业、公司、合作社与国有企业；适用于各种经济行为，对产品市场、货币和证券市场、银行和保险活动一视同仁。该法涉及现代竞争法的所有内容，包括反对不正当竞争和卡特尔，控制兼并行为，以及保护消费者权益的法律规定。匈牙利竞争法规定了反垄断的一些条款，但并未使用垄断一词，而是用"经济优势"代之。认为经济优势产生于缺乏竞争，或对市场的支配地位，经济优势比垄断更广泛地存在着，法律不禁止经济优势，而只是禁止滥用这种优势。竞争法对企业兼并规定了许可程序，基本原则是，兼并要增强竞争性和效率，经济上的"好处"要大于对竞争的不利影响，要使得消费者分享到这种好处。为了控制卡特尔协议对竞争的损害，竞争法规定了合法与否的定量标准，若卡特尔协议超过了市场份额的10%，则被禁止。

波兰的反垄断法总体上是为了防止垄断行为，保护消费者利益，帮助所有生产者和交易者，以质量和价格展开竞争。这部法律有两项实质性内容：（1）禁止垄断行为。第二章界定了限制性商业行为，这些行为可能产生于公司滥用其在市场上的支配地位，或是产生于竞争者之间的限制性协议，如限定价格和产量，划分销售势力范围。根据这些界定，可以检验经济行为合理与否，如果一个企业利用其垄断地位抬高价格，那么定价政策绝对属于限制性商业行为，应予禁止。（2）处理经济结构变化。第三章涉及兼并和收购、所有制变更、企业重组和设立新企业。这些活动如果导致对市场的支配地位，就要被禁止。波兰反垄断署有权决定分解支配市场的企业。如果这些企业削弱了实际的或潜在的竞争，就可能被分解。这一章的另一个很重要的内容是减少进入市场的障碍，保证新来者自由参与竞争。

与西方发达国家的竞争法律体系相比较，东欧等国的竞争法和反垄断法都还是不完备的。例如，匈牙利的竞争法很短，比较笼统，一些关键概念不够明确，等等。因而，原苏联和东欧各国在不断修改其竞争法，使之逐渐完善。波兰 1990 年颁布竞争法后，1991 年又作出修正，使法律条文更为详尽和明确。例如 1990 年竞争法对市场支配地位的定义是在国内或地方市场的份额超过 30%，1991 年修订为"超过 40%"，即放宽了市场支配地位的标准。在制定竞争法的过程中，也遇到新旧体制及观念的矛盾与冲突。例如，反垄断法本应是促进自由企业制度的法律手段，但是，在东欧和苏联，许多人难以接受经济急剧转轨和收入差距拉大的现实，坚持要把"反垄断"当作实现"社会公平"的手段，用来协调经济效率和社会公平的目标。这些混合的动机，会扭曲反垄断法的目标和职能，使反垄断误入歧途变成扼杀市场机制的政策工具。

在经济转型期，反垄断法通常是以打破计划经济中的国家保护为重点的，但值得注意的是，与经济转轨相伴随的私有化过程也对反垄断法提出了新的要求。国际经验显示，不论是发达国家还是发展中国家，私有化过程中都出现了导致垄断的倾向。一种危险是，政府为了尽可能以高价出售国有企业，往往通过提供某种受保护的市场，而创造出一些私人垄断者。这时政府的竞争当局很可能面临一种困境：既要有效制止新的私人垄断者按垄断价格收费，又不能像以前那样简单地规定价格。另一种危险是，把原有国家垄断企业分解成私有竞争企业后，由于原来的管理者在长期计划经济的协调过程中形成了合作传统，缺乏竞争文化，因此会出现串通共谋的寡头垄断行为。新垄断行为同样是市场竞争的破坏因素，必须用反垄断法加以调整。在北美和西欧，反垄断法的主要着眼点在于控制定价卡特尔、合并以及纵向限制等等，而经济转轨国家处在困难的过渡时期，其反垄断问题更为复杂，因此很难照搬成熟市场经济国家的竞争法及其政策。对于经济转轨国家来说，竞争政策的重要目的之一在于加强本国在国际市场上的竞争力，私有化和反垄断还要考虑规模经济问题。如果在分解国有垄断企业时破坏了必要的规模经济水平，或简单地禁止企业合并，则会损害本国工业在国际上的竞争能力，无法同国外大企业抗衡。这说明，经济转轨期的竞争政策面临着如何促进市场化进程和产业组织合理重组的新课题，因而在反垄断立法时对此要做出正确的分析和抉择。

三、我国有关维护竞争的法律法规的发展

自 1979 年实行改革开放以来，随着多种经济成分的共同发展、企业自主权的扩大和市场机制作用的逐步增强，竞争在我国经济生活中显示出越来越重要的积极影响，有力地促进了经济增长和技术进步，为改善经济运行质量、优化资源配置注入了强大的刺激。不少西方学者对竞争在中国改革与发展中所起的作用给予高度评价，认为中国经济改革成功的关键正是竞争的急剧增加。但是，在由计划经济向市场经济转轨过程中，竞争的健康展开仍然受到两方面的困扰，一是传统体制下行政性干预造成的种种反竞争行为，特别以部门或地方保护主义为害最烈；二是转轨中双重体制并存产生的空隙和摩擦，致使不正当竞争行为泛滥，权力与金钱内幕交易严重破坏公平竞争秩序。这就迫切需要制定一套竞争政策，并使之不断趋于完善。

（一）我国竞争政策的形成与发展

虽然我国并未使用"竞争政策"这样明确的概念，但是在改革开放中陆续制定了一系列有关维护竞争的法规和法律，可视为我国竞争政策的基本框架。这些法律法规的形成与发展，大体可分为两个阶段：第一阶段为 1980 年至 1992 年，这一阶段维护竞争的政策主要以政府行政法规的形式体现出来，中央政府和地方政府分别颁布了保护竞争、反对不正当竞争的法规、规章。1980 年 10 月国务院通过的《关于开展和保护社会主义竞争的暂行规定》，可以看作我国竞争政策的最初蓝本。1985 年以后，一些地方政府陆续制定了关于制止不正当竞争的暂行规定或试行办法，为以后的竞争立法奠定了实践基础。第二个阶段为

1993 年以来，这一阶段维护竞争的政策突出了法律化，即以立法手段确立竞争政策的法律地位。1993 年《反不正当竞争法》、《消费者权益保护法》和《产品质量法》的颁布，是这一阶段开始的明显标志，表明我国维护竞争的法律框架正在形成，为各级政府制定法规规章，更好地维护竞争秩序，提供了具有权威性、规范性的法律依据。

我国有关维护竞争的法律法规的发展轨迹具有以下特点：

第一，我国竞争政策本身就是经济体制改革的重要组成部分。《关于开展和保护社会主义竞争的暂行规定》明确指出，开展竞争必须扩大企业自主权，尊重企业相对独立的商品生产者地位；在社会主义公有制经济占优势的情况下，允许和提倡各种经济成分之间、各个企业之间发挥所长，开展竞争；广开商品流通渠道，为竞争开辟场所；开展竞争必须对不合理的价格进行调整；必须打破地区封锁和部门分割；鼓励革新技术和创造发明，保障有关单位和人员应有的经济利益；竞争要严格遵守国家的政策法令，采取合法的手段；各级政府要学会掌握经济规律，运用经济杠杆，制定必要的经济法规，指导竞争的健康发展。这些规定反映了改革初期人们对社会主义经济也要引入竞争的认识，而且涉及了扩大企业自主权、发展多种经济成分、开放商品市场、价格改革等重要改革内容。这些鼓励竞争和反对垄断的规定对经济体制改革的深化起了有力的促进作用。

第二，我国竞争政策随改革深化而逐步增强其针对性。市场取向的改革越是深化，确立竞争关系面临的新问题、新领域越是增多，也就越有必要制定新的专门法规。在价格放开过程中，国务院相继颁布了《价格管理条例》（1986 年）和《制止牟取暴利的暂行规定》（1995年），以规范市场定价行为。为搞活商品流通、维护正常流通秩序，政府专门制定了打击投机倒把管理条例以及打破地区间市场封锁的有关通知。适应金融市场发育的新形势，政府颁布了关于股票交易的管理条例和禁止证券欺诈行为暂行办法等。这些专门性法规对于处理市场化加深过程中的新问题具有较强针对性，有利于纠正不同领域中专业性较强的反竞争行为，维护该领域正常的竞争秩序。

第三，我国竞争政策的法律化程度逐步提高。1992年党的十四大明确提出建立社会主义市场经济体制之后，有关市场经济的立法进程加快。我国竞争政策在行政法规、规章的基础上，逐步以立法形式得到确认、调整、充实和规范。有关竞争政策的立法主要在市场主体立法和市场秩序立法中得到体现。在市场主体立法中，新颁布了公司法和商业银行法，并正在制定独资企业法和合伙企业法等，这些法律已经并将要确立各类市场竞争主体的合法地位。在市场秩序立法中，则更为集中地体现了有关市场竞争行为的法律规范，主要有反不正当竞争法、产品质量法、消费者权益保护法、商标法、经济合同法、广告法、对外贸易法、票据法等。这些法律涉及市场交易行为的多个领域，明确规定了市场交易中经营者的权利义务和消费者的正当权益，对于规范市场交易行为、维护公平竞争秩序具有重要作用。特别是反不正当竞争法的颁布与实施，将过去散见于其他法律法规中规范市场交易行为的内容集中统一起来，形成更高层次、更强权威性的法律文件，是确立市场竞争一般规则的一部综合性的基本法。

第四，我国竞争政策在立法上加强了可操作性。有关维护竞争的法律法规在实践中不断修订和充实，实体规定趋于细致，程序规则也趋于严谨，使市场竞争主体的行为有了更为具体明确的遵循依据，法律法规的可操作性由此增强。例如，全国人大修改商标法及实施细则后，又颁布了《关于惩治假冒注册商标犯罪的补充决定》；产品质量法出台后，人大常委会随即颁布了《关于惩治生产、销售伪劣商品犯罪的决定》。反不正当竞争法相当详细地列举了应禁止的不正当竞争行为（尽管不可能穷尽），并规定了违法者的法律责任。消费者权益保护法也明确规定了经营者的义务及法律责任。这些表明我国经济立法技术上的进步，有利于避免人为的主观随意性，强化竞争政策的法律威慑力。

第五，我国竞争政策的权威执行机构初步形成，职能逐渐明确。各级政府的工商行政管理部门作为执行竞争政策的综合部门，其职能和作用较过去发生了实质性变化，突出地表现为由限制市场机制转向促进市场机制充分发挥作用，维护公平竞争秩序。在审定市场主体资格、规范

463

GAIGE SHIDAI DE JINGJIXUE SIKAO

市场交易行为、培育社会主义市场体系、查处违法案件等方面，各级工商行政管理部门集中统一执行维护竞争的法律法规，执法独立性和执法力度有所加强。同时，随着市场经济发展调整内部体制，如成立公平交易局，以适应维护公平竞争的需要。各级技术监督部门和消费者协会对于产品质量法、消费者权益保护法等法律法规的实施，起到了有力的配合作用。在证券市场、期货市场等新兴的市场领域，我国成立了专门的权威性管理机构，如国务院证券委和中国证监会等，以确保证券市场和期货市场上公开、公平、公正的交易秩序。

（二）我国竞争政策存在的缺陷

由于我国正处于经济体制转轨过程中，市场经济很不成熟，竞争政策及其立法的实践历史很短，因而在不少方面存在着明显的不足。

第一，公平性、统一性较差。一套公平统一的竞争政策应能使所有市场主体面临同等的外部竞争环境，应对经济体制各个方面产生指导作用。从这个角度看，我国现行竞争政策缺乏公平性和统一性，突出地表现为按不同所有制、按内资外资企业来划分市场主体，在税收、贷款、收费标准和进入领域等方面采取区别对待的政策。尽管改革以来逐步减少了一些不公平的政策区别，如统一了内资企业的所得税率，但仍然存在影响各类市场主体平等竞争的不合理体制和歧视性政策。就内资企业的竞争环境而言，国有企业受到政企不分的困扰，非公有制企业抱怨在获得贷款和经营领域方面受到种种限制；在改革试点企业与非试点企业之间，存在给前者"吃偏饭"、给优惠的倾向。就内资企业和外资企业的竞争环境而言，仍然存在着不统一的所得税率和双重收费标准等，一方面各地竞相以名目繁多的特殊政策吸引外商投资，另一方面外资企业又抱怨没有给它们国民待遇。以上种种问题涉及经济体制诸多方面和环节，有损公平竞争环境的确立。这从反面表明，我国竞争政策的发展与完善应当是同整个经济体制改革的推进相辅相成的，各方面的经济改革应当有利于创造公平竞争环境。这可以看作广义竞争政策的基本指导原则。

第二，某些维护市场秩序的法规存在不适应市场经济发展形势的内容。在逐步放开市场经营活动的过程中，一项新的课题是，从促进市场发育的角度界定合法与非法行为，对破坏公平交易行为和违法违规经营活动加强管理，保护合法经营和正当竞争。随着市场化改革向深层次和宽领域发展，改革初期颁布的法规和其中的有些规定已显得过时，或不甚明确，或过于简单。例如，1987 年颁布的《投机倒把行政处罚暂行条例》就存在这些问题。其中关于投机倒把行为的界定不尽合理，有些规定似乎同商品市场、证券市场、期货市场的发展不相吻合。此外，有些规定与新的法律不尽一致，例如把制售假冒伪劣商品等行为列为投机倒把，就与产品质量法的界定不统一。

第三，确立竞争规则的基本立法尚不健全。在发达市场经济国家，反不正当竞争法和反垄断法被视为竞争规则的基本立法，并被称为市场经济的"宪章"。向市场经济转轨的前计划经济国家，大都及早制定了反垄断、反不正当竞争的立法。我国则是先制定一些有关的行政法规，再逐步上升为立法形式。目前，我国竞争规则基本立法不健全主要表现在两个方面，一是已颁布的反不正当竞争法尚存在一些不足，二是缺乏一部反垄断法。我国经济生活中的垄断日益突出，反垄断立法的时机已经成熟。但对此认识还不统一。有种意见认为我国当前应扶植企业提高规模经济水平，而不应急于反垄断，否则会妨害企业发展规模经济。其实，企业规模经济说到底是在竞争中形成的长期效率（即批量生产引起长期平均成本下降、收益递增），反垄断正是为此创造条件。而且，国家可以运用产业政策支持规模经济的发展。

第四，与竞争基本立法配套的法律法规尚不完备。规范市场定价行为是维护公平竞争的重要内容，相关的法律法规是竞争基本立法的重要配套条件。目前我国绝大部分商品和服务的价格已经放开，这是符合市场经济发展要求的，但是同时也出现了不少价格欺诈、价格垄断、乱收费和牟取暴利的行为，对竞争性定价机制产生严重损害。虽然各级政府及其所属部门颁布了一些规范市场定价行为的法规规章，但是仍不够完备。例如，对于价格欺诈和牟取暴利问题，目前的反暴利法规存在处罚过轻、威慑不力的缺陷。此外，政府管理价格的义务、范围及其主要方式方法也需要加以规范，以便做到既能有效合理地实施价格管理，又不伤害竞争性定价机制。而这方面的法律也是欠缺的。

第五，竞争政策的执行机构还较薄弱。随着竞争基本立法和配套法律法规的发展完善，依法处理不正当竞争和垄断案件的任务将日趋繁重。在发达市场经济国家和经济转轨中的原苏联东欧国家，负责执行竞争立法的机构大都是独立的，如专门的反垄断机构和公平交易委员会等，甚至设有专门的法院，以增强其执法的权威性。相比之下，我国现有的竞争执法机构显得地位较低，权威性较差，执法体系也不健全。

四、启示与建议

在我国建立社会主义市场经济体制的过程中，竞争与限制竞争、正当竞争与不正当竞争的矛盾已经相当尖锐，并将以各种新的形式表现出来。为有效解决这些矛盾和可能出现的新问题，必须充分吸收和借鉴各国竞争政策的经验和教训，制定和调整满足市场竞争需要的法律、政策体系和执行框架，完善我国的竞争政策。

（一）来自他国经验的启示

1. 经济转轨时期首先要通过推进市场化改革来确立市场竞争关系。在转轨时期，竞争性的市场极不发达，必须坚定不移地深化市场取向的各项改革，不断完善相关的法律制度，把竞争关系确立起来。经济转轨期间竞争政策针对的问题，既有市场本身缺陷所致，如正在形成中的经济性垄断，又有传统经济体制改革不彻底的因素，而这方面的影响更为严重。对于像我国这样一个处于转轨期的经济体制来说，竞争政策的重点在于清理传统体制的影响，培育和壮大市场竞争关系。这意味着不仅在反不正当竞争、反垄断等法律法规中，而且在其他经济改革政策设计中，都要注意突出相关内容。确立市场竞争关系，既要制定禁止性的法律，排除旧体制干扰，更要完善许可性、鼓励性的政策法规，促使新的竞争环境形成和完善。

2. 运用立法手段确立竞争政策的重要地位和基本原则。日本、德国等发达市场经济以及原苏联东欧转轨时期的经验表明，通过立法手段确立竞争政策的地位和基本原则，是竞争政策有效实施并发展完善的可靠保障。虽然竞争政策开始可能比较粗糙，但其重要地位和基本原则一经法律确定下来，便具有全局性和长远的指导意义，成为进一步完善竞争政策的依据。这些原则包括：（1）以法律的形式对不正当竞争、垄断作出界定，明确竞争与限制竞争的界限、正当竞争与不正当竞争的界限，从而划定不正当竞争、垄断各自的范围。（2）明确经营主体进入市场应遵守的行为规则和应承担的义务。规范市场竞争的规则，不仅要从质的规定性告诉人们什么是垄断和不正当竞争，还应列举出法律禁止的垄断行为和不正当竞争行为，从而使经营主体懂得进入市场应履行的不作为义务，迫使经营主体不实施法律禁止的垄断行为和不正当竞争行为，或者一旦个别经营主体实施这些行为，能使受害者及时得到应有的救助，行为人能受到应有的制裁。（3）确认政府在市场上的监护者、组织者和调节者职能。政府作为监护者，应该履行下列职责，即：保护每一个竞争者，并使其不受他人侵犯；规定竞争规则，严格执行正义的法律；维护和经营无利可图而又为社会所必需的公共事业。作为组织者，政府要制定一系列产业组织政策和产业结构政策，使企业之间的竞争有序化、合理化，并扶植那些尚未形成有效竞争市场的行业的竞争。作为调节者，政府要以财政、税收、信贷、投资、价格、指导性计划等一系列经济杠杆，对企业竞争行为进行调节。

3. 竞争政策既要与国际惯例接轨，又要适应本国经济发展水平和结构特征。我国是向市场经济过渡的发展中国家，面临着国内市场对外开放与适度保护、形成规模经济与限制经济性垄断等新矛盾、新课题。我们无疑必须努力与国际惯例接轨。而目前市场竞争方面的各种国际惯例，基本上都是发达市场经济国家政策或法律的国际延伸，是适应发达国家经济发展水平和结构特征的。从我国现有经济发展水平和经济结构特征出发，我国的竞争政策体系不能完全照搬发达国家现行的政策体系，但不妨多借鉴一些与中国情况相似国家的做法。这样做，虽然可能在短期内不利于使国内竞争国际化，或有贸易保护主义之嫌，但它有利于国内市场的统一和发育。随着国内市场承受能力和秩序化程度逐步加强，再修订竞争政策，使其与国际惯例循序渐进地接轨，这样可能比较适宜。因而，目前我国的竞争政策应以培育国内市场为主要目标，着力促进国内市场竞争的有序化、合理化。

4. 竞争政策的性质、目的和功能要明确，政策体系内部必须协调一致。从狭义的角度看，竞争政策属于规范市场主体行为、维护公平竞争的禁止性法律，与确认市场主体权利的许可性法律有性质上的区别。竞争立法所要禁止的行为，大体可分为商业欺诈行为、操纵市场行为、内线交易行为以及损害竞争对手信誉和权利的行为。这四类行为中的任何一种，市场主体都不得实施。依据"法不禁止即自由"的原则，凡竞争立法未予禁止的行为，市场主体在自由交易中都可以实施。竞争政策的调整对象是市场主体的行为而不是其权利，主要目的在于防止和纠正对正当竞争行为的伤害，以促进经济进步和效率的提高。竞争政策的基本功能是保护竞争环境和竞争机会的公平，而不是保护特定的竞争者。不论何种市场主体（国内的、国外的、国有的、非国有的），在统一的竞争规则面前一律平等行事。为了扶植特定的企业或产业，政府可以运用其他政策手段如产业政策加以指导，利用经济杠杆刺激该企业或产业提高效率。而包括产业政策在内的其他政策工具都必须和竞争政策的目的相协调。例如在处理企业兼并问题时，通常会遇到如何形成规模经济与防止产生垄断的矛盾，反垄断法应禁止削弱竞争的兼并行为，产业政策不能用来作为逃避禁止的借口。否则，兼并后的垄断企业会因缺乏竞争压力而不思进取，反而违背效率原则，无法实现产业政策的预期目标。

（二）几点建议

我国已初步形成了一个由法律、政策和执行机构构成的竞争保护机制，对维护和促进市场竞争起到了极为重要的作用。但竞争政策体系还很不完善，对有效地保护市场竞争还存在许多"盲区"。结合我国经济现状和主要国家的经验，今后在完善我国竞争政策中要注意以下几个方面的问题。

1. 清理、弥补反不正当竞争法及现行政策法规中的矛盾和缺陷，加强竞争政策法规的统一协调性。现行反不正当竞争法在立法内容上存在一些漏洞。例如在总则中，对不正当竞争行为的主体仅界定为经营者，而未列上政府及其所属部门；但在第二章列举不正当竞争行为时，又规定政府及其所属部门不得滥用行政权力。这就使得前后不协调，故应在总则中补充相关内容。又如在第四章"法律责任"中，仅规定用行政手段纠正政府及其所属部门的违法行为，而未规定受侵害的当事人运用法律手段纠正之。这就削弱了该法对政府及其所属部门的法律约束力，故应予以修订补充。通过完善反不正当竞争法，使其地位提高，真正成为调整竞争关系的基本法。同时，应清理现有法规中不适应市场经济发展形势的内容，并抓紧各项维护竞争秩序的配套立法和政策立法的制定与修改，包括反倾销法、反补贴法、产业政策法等。

2. 加快反垄断实体法的立法进程。从我国的现实来看，行政型垄断仍然是破坏竞争关系的大敌。这就决定了我国的反垄断立法要突出地把行政型垄断纳入规制之列。此外，在反垄断立法上，应参照发达国家经验，对经济垄断采取广义理解并加以规制。最早采用现代反垄断法的美国，在谢尔曼法中，就明确禁止所有"限制贸易的合同、联合和阴谋以及在商业中的任何方面"的垄断和旨在实现垄断的联合和协定。其后，克莱顿法、罗宾逊-帕特曼法和塞勒-凯弗维尔反合并法又先后增加了新的内容，包括禁止价格歧视、独家经营合同和连锁董事会；禁止任何部门任何商品行业中对贸易的实质限制或趋于成立垄断的公司合并；禁止可能导致垄断的对另一公司部分股票的直接或间接的转让或收购。此后仿效美国制定反托拉斯法的德国、日本等，虽然对垄断行为的规制重点不同，但它们都明文禁止托拉斯、卡特尔及垄断状态、不公正交易方法，限制持股量和公司合并等。这表明，在确立反垄断法制的国家中，采用广义经济垄断概念已成为一种趋势。随着市场化改革的深入，我国反垄断立法应注意经济垄断的共性问题。

我国反垄断立法还要正确处理好几个关系：一是反垄断与发展规模

经济的关系。为提高我国企业规模经济水平和国际竞争力，需要鼓励合并、联合，走集团化经营道路；但必须通过正当竞争来实现，反垄断法禁止不正当的滥用经济优势，但并不禁止符合经济效率和竞争原则的必要的生产集中。二是反垄断与实施产业政策的关系。反垄断立法可视为产业组织政策的一个组成部分，对符合产业组织政策的企业发展和反垄断法规制的企业重组，需要根据经济发展水平做好两者的衔接。三是反垄断和例外条款的关系。反垄断立法中的例外条款或除外规定主要适用于某些特殊情况，如出于公共目的对特殊产业、产品或服务予以除外。日本这种规定比较明确，但欧美、苏联东欧等国则把公共设施等政府管制的部门或企业都纳入反垄断法的约束。在我国目前条件下，可能有必要在反垄断法中设立除外规定，但应严格界定范围，而且范围越小越好。

3. 建立健全严格的法律责任制度，加强执法的严肃性和权威性。竞争政策的实施依靠健全的法律责任制度和执法力度的强化。只以有这两者作为条件，竞争政策才能由法律条文变成市场主体不得不遵守的规范。法律责任制度的核心是责任自负原则，不论是法人还是自然人，只要违反了法律，都必须依法追究其应负的法律责任，包括民事责任、行政责任直至刑事责任。我国已颁布实施的有关维护竞争的法律中列有法律责任的条款，这是重大的进步，但存在责任形式界定不甚明确、责任落实不到位等缺陷，如行政责任的任意性较大，以罚代赔、以罚代刑的现象比较普遍，行政处罚偏轻等等，民事赔偿责任制度和刑事责任制度亦不健全。这样就使不正当竞争行为得不到有力的约束，特别突出地表现在违约、侵权、牟取暴利等方面。为有效地实施维护竞争的法律法规，不仅需要完善立法，更需要准确、严格、有力地执法，使法律责任制度落实到责任人。加大执法力度必然涉及执法机构的独立性与权威性是否能够满足形势发展的需要。目前我国维护竞争秩序的执法机关在机构设置、人员素质、执法手段等方面都还存在不小差距，应当随市场经济发展的进程，适时调整、健全相关的执法机构，培训和选拔更多的合格人才充实执法队伍，并加速执法手段的现代化。

（原载《财贸经济》1995 年第 12 期）

6.6 资本主义国家产业政策的理论、实践和参考

现代市场经济摆脱了早期资本主义推崇备至的自由放任政策。为了实现宏观稳定和微观效率的协调，各资本主义国家程度不同地对市场经济采取了干预政策，包括从需求面进行管理的财政政策和货币政策，以及从供给面调节经济的产业政策和人力政策等主要内容。需求管理政策以宏观经济为管理对象，主要通过政府公共开支和货币供应量的变动，影响总需求与总供给之间的关系。供给管理政策以产业政策为核心，将微观经济作为管理对象，主要通过指导性计划、信贷政策、税收政策，促进企业或产业效率的提高以及结构调整。可以说，产业政策作为市场经济国家干预微观经济的主要手段，标志着人类社会用有形之手调节无形之手的重大进步。在不损害市场机制的前提下弥补市场的缺陷，从而提高资源配置效率，促进宏观经济稳定，是产业政策的基本宗旨和职能。产业政策的正确运用对市场经济的成功发展具有不可抹杀的重要推动作用，日本、韩国等国的经验充分证明了这一点（尽管某些日本人对此极力否认）。在探索社会主义市场经济新体制的过程中，十分有必要研究借鉴资本主义国家用产业政策这只有形之手调节市场机制这只无形之手的有益经验。

一、什么是产业政策？

经济合作与发展组织（OECD）在 1975 年发表的文献《产业政策的目的和手段》中，将产业政策定义为与促进产业增长和效率有关的政策，产业政策的基本特点是主要通过刺激和规劝来贯彻。为了达到提高产业效率的目标，需要在许多方面采取适当政策，包括培育有利于自由竞争的条件，刺激管理者改善经营，加强劳动力的适应性和流动性，鼓励新技术的扩散和应用，推动产业结构调整等等。

一些日本经济学家把产业政策看作"通过干预产业之间或特定产业内的产业组织之间的资源配置，影响一国经济福利的一种政策"。①产业政策包括四个要点：（1）产业结构政策，通过干预对外贸易和外国直接投资，或通过补贴和税收等金钱刺激，培育和保护朝阳产业，或调节和帮助资源从夕阳产业转移出来。（2）各种关于纠正市场失灵（如技术开发方面和信息不完善方面的问题）的政策，这些政策通过提供准确的信息或补贴、税收手段，鼓励资源配置达到更合理的状态。（3）产业组织政策，例如建立萧条卡特尔和投资卡特尔，直接地干预产业的竞争结构，或产业的资源配置。（4）基于政治考虑而采取的某些政策，如处理贸易摩擦的自愿出口限制和多边协议等。

以上对产业政策的解释被归于广泛的产业政策，反映了西方国家的产业政策由特定产业部门向整个产业部门扩大的趋势。此外还有被称为"有选择的产业政策"，即针对特定产业部门或其中的企业，以达到提高整个经济的效率的目的。首先，这种产业政策不包括涉及其他经济领域的政策（如教育投资和基础设施发展）。其次，这种产业政策强调效率是产业政策的唯一目的，但是效率的含义比较广泛，尤其是把交易成本的节约作为重要内容。再次，这种产业政策强调，产业政策的最终目的是提高经济整体的效率而不限于特定产业。换言之，一个产业的效率目标要服从整个经济的效率目标。最后，这种产业政策的概念强调，国家对每一种事务的认识和干预并不必然是正确的或合理的。

二、为什么产业政策是必要的和合理的？

产业政策的必要性与合理性主要产生于市场的功能性缺陷，即市场机制在达到帕累托效率方面可能出现的失灵。在福利经济学的框架中，市场失灵主要包括公共物品问题、非竞争市场和相邻效应等。新近的研究表明，不确定性、风险和交易成本也是导致市场机制失灵或无效率的

① 伊藤元重等著：《产业政策的经济分析》，学术出版社，1991 年。

重要因素。通过产业政策进行国家干预可以成为克服这些市场失灵的某种工具。

1. 公共物品问题。公共物品是指那些既能被付钱的人消费、也能被不付钱的人消费的商品或劳务。由于"搭便车"问题和集体行动问题（个人合理性导致集体不合理性），私人生产积极性下降，公共物品将生产不足。国家有必要通过强制或刺激手段使公共物品的供给达到足够数量。

2. 非竞争市场问题。生产集中（规模经济）和串通共谋会导致垄断或寡头垄断，影响市场上的质量和价格，剥夺消费者剩余，降低经济效率。国家有必要进行干预以维护竞争，通常这属于竞争政策的适用领域。在计划经济中，垄断往往产生于行政保护，这种国家干预必须减少。产业政策在解决垄断问题时也可发挥作用，例如分解垄断企业，改组企业组织等。

3. 相邻效应问题。相互依存的个人或企业活动必然产生外部影响，而又得不到应有补偿。这会导致私人成本/收益和社会成本/收益之间的差距。相邻效应问题或许可由明确产权来克服，但是交易成本又使这种解决办法在经济上不可行。国家可以通过补贴有积极的外部影响的活动（如基础设施），以及对有消极的外部影响的活动（如污染）征税，来调节相邻效应。反对国家干预的意见认为相邻效应几乎可以有无限多种，而且纠正一组可能引发另外一组，因此国家干预将会过多。但这并不能否定国家干预的合理性，重要的是干预的条件和范围。

4. 不确定性和协调问题。市场机制是一种事后的协调装置。供求关系变化之后价格才随之变化。由于搜集和处理他人活动的信息需要付出高成本，预测未来变化十分困难。个人在迅速变化的市场上面临许多不确定因素。现代大生产需要大量固定资本，为减少不确定性就要有长期预测和事先协调。否则就会出现生产过剩、投资过度或投资不足。尽管长期供货合同、技术合作和企业纵向联合可减少战略不确定性，使微观长期计划成为可能，但是不能替代产业政策。因为产业政策可以作为事先的协调装置，帮助避免投资过度或投资不足，保持企业的灵活性，

473

以免发生投资决策失误。

5. 经济发展中的风险问题。在经济发展的动态过程中，技术、管理和生产的创新经常面临巨大风险，即未来市场条件的不确定性。许多高技术研究开发的风险往往是市场上的个人无法承担的，这种风险只能由社会来承担。通过国家干预使风险社会化，是促进经济变化和技术发展的重要手段。在市场经济的发展中，许多使私人投资的成本外部化而收益内部化的制度安排发挥了重要作用，产业政策可以推动这些制度安排的演变和创新。

6. 交易成本问题。由市场配置资源会产生大量交易成本，诸如在搜集信息、谈判、签约、履行合同和监督等等方面产生的成本。交易成本被认为导源于界定或重新界定产权以及经济主体的其他权利。从这一角度看，由国家干预招致的信息成本和寻租成本也可以看作交易成本。这里的关键问题是哪一种交易成本更高。当协调机制涉及众多分散的经济主体时，市场协调的交易成本将高于国家协调的交易成本。这是因为，国家可以通过改变社会的制度安排减少市场协调的交易成本；还可以通过协商、达成共识和发展优先顺序，来协调微观决策，减少信息交换和谈判等交易成本。作为一种协调机制，产业政策对于存在重要相互依存关系和具有资产专业性的领域可能尤为有效。在这些领域，中央计划协调将产生高的信息成本，市场协调会产生高的谈判成本，而产业政策带来的两种成本则比较小。[①] 产业政策并不扼杀利润动机，同时，还能分散风险，减少交易成本或协调成本，因而是很有用的国家干预手段。

并非只要存在市场失灵就得用产业政策进行干预。有效运用产业政策取决于一系列必要条件：首先，政府必须掌握有关某个经济领域市场失灵的原因，扭曲的程度的准确信息。这对于正确诊断市场的功能性扭曲是必要的。其次，政府必须有足够的行政权威，以便采取有效的措施去处理确诊的每一种扭曲。这是正确治疗扭曲现象的必要条件。再次，

① H. J. Chang：《产业政策的政治经济学——对国家干预作用的思考》，剑桥大学博士论文，1991年。

政府必须具备超越短期的、直接的政策效果的眼光和能力，抓住政策的长期的、间接的效果，着眼于经济整体的未来，制定针对可能产生的副作用的防范措施。这是调养治疗后的副作用的必要条件。

如果政府能够满足这些条件，那它将是一个全知全能的政府。事实上这是办不到的，因为许多因素限制了政府去满足这些条件。因此，即使市场失灵已经出现，也不存在确保产业政策总能提高经济效率的必然性。政府干预可能带来信息成本和寻租成本，但是这两种成本可以由适当的改革加以减少。例如，通过组织结构变化和形成共识可以降低信息成本；通过采取适当的国家干预工具和减少不必要的行政干预，可以使寻租成本降低。

三、日本和韩国运用产业政策的经验

日本和韩国的经济奇迹在很大程度上得力于产业政策，在西方文献中，这两个国家被公认为政府运用产业政策推动经济高速增长的典型。第二次世界大战后，日本采取了三组产业政策来纠正和补救市场失灵，推动经济增长。

第一组产业政策旨在创造有利于经济发展的工业和贸易结构。50—60年代日本政府对需要付出大量创建成本的工业给予资助，采取鼓励多样化的措施，对国内工业实行高保护，提供对世界市场长期变化的预测，指导产业结构调整的方向。

第二组产业政策旨在缓解研究开发活动、风险、信息和相邻效应方面的市场失灵。这组产业政策集中鼓励发展那些具有较高创新潜力和扩大需求前景的产业，并引进适当机制鼓励小革新的积累和技术的广泛扩散与转让。

第三组产业政策旨在提高国际竞争力和利用规模经济，由直接干预某一特定产业部门的产业组织的各种措施组成。日本政府支持国内企业组成必要的卡特尔，以减少过度竞争，促进资源流向朝阳产业。针对国际垄断力量，采取贸易限制措施保护本国产业，并积极培育有抗争能力的本国大企业。

日本产业政策的工具主要有四类：一是直接管理手段，包括许可证、审批、配额、组成卡特尔和控制进入市场等。二是金钱刺激手段，包括补贴、税收、关税和政府贷款。三是改变产业运行环境的手段，如贸易限制和公共投资。四是与信息有关的政策手段，主要包括政府制定、颁布的计划和产业结构的长期"设想"，以及同企业界的协商。

近些年来，一些日本学者把日本的产业政策制度淡化为一种交流和传递信息的制度，只承认这个意义上的产业政策才是日本经济高速增长的最重要因素。就市场和产业政策的不同作用而言，日本产业政策仅仅是在经济活跃发展的旁边提供某些支持，市场机制才是经济活跃发展的基础。换言之，"日本的产业发展基本上依靠市场机制，产业政策则是加速发展的催化剂。"①

韩国产业政策同样致力于防止和补救市场协调的失灵，尤其是关注过度竞争及其引起的社会浪费。而且，韩国产业政策的核心不是关注市场的配置效率（这是竞争政策的事情），而是对市场中的技术变革和学习过程采取长远的动态观点。同时，韩国的国家干预并不意味着不相信市场力量，而是更认真地看待市场机制的作用，正像产业政策全力以赴帮助国内企业打入国际市场所表明的那样。在许多方面，韩国的产业政策和日本的产业政策十分相似。为了促进经济迅速增长，两国都采取了出口导向、经济计划、大企业导向和政府支持等政策。取得明显成功以后，两国又都采取了建立"国际和谐"的类似政策，例如进口自由化，引入外国资本和技术，有限度地放松外汇管制，更有力地保护知识产权，促进产业结构升级，以及支持中小企业等。②

根据不同国情，两国的产业政策亦有一些差别。一是在早期发展阶段的产业发展顺序有所不同。日本经历了由资本密集型基础工业到重化工业再到高技术产业的发展过程，韩国的产业政策重点的变化则是从劳动密集产业到重化工业，然后发展高技术产业。二是韩国的公有企业在

---

① 小宫隆太郎等编：《日本的产业政策》，学术出版社，1988 年。
② T. W. Kang：《韩国是下一个日本吗?》，自由出版社，1989 年。

工业化中发挥了更为重要的作用。在韩国，只要认为有必要，就会建立公有企业或公私合营企业。1983 年以前，公有企业的投资已达到总投资的 2/5。三是在引进技术方面，韩国采取了比日本更为灵活的政策。四是在执行产业政策的过程中，日本带有明显的人事参与特点，政府官员有较大的指导权（即"行政指导"），或将政府高层官员调入企业任董事长，以保证政府和企业的利益一致性。韩国执行产业政策似乎更依靠法律程序。为了实施产业政策，韩国颁布了相应法律，并建立定期报告制度。违法者或不遵守报告制度者将受到吊销执照、罚款甚至监禁等制裁。

四、产业政策对中国经济改革的启示

产业政策作为市场经济国家的主要干预手段，其目的是弥补而不是替代市场机制，它的优点是既能纠正和补救市场失灵，同时又保证市场机制的基础作用。可供中国经济改革参考借鉴的经验主要包括：

1. 产业政策可以作为连接计划机制和市场机制的桥梁。指令性计划过于僵硬而且排斥市场机制，指导性计划或指示性计划对企业似乎缺乏必要的约束力。产业政策可以作为执行指导性计划的重要手段。这是因为产业政策不扼杀利润动机，而且，它既能减少中央计划带来的大量信息成本和管理成本，又能减少市场协调带来的大量谈判成本。产业政策的另一个重要特点是它主要通过金钱刺激和协商来贯彻，这可以有效地引导企业决策，不损害市场机制的运作，而且减少国家对企业经营过程的直接干预。

在经济发展战略的指导下，产业政策应当规定中国的主导产业，相应地协调产业结构、技术结构、企业规模分布和产业布局。产业政策指明资源长期配置的方向、目标和执行方案，为企业生产和投资提供明确的指导。

2. 产业发展重点的选择应当以普遍原则和国情为基础。一般说来，产业发展重点的选择标准包括需求的收入弹性、生产率增长率和比较利益。不同国家应当根据本国国情将普遍准则具体化。例如，韩国选择战略产业的标准包括：（1）出口潜力，（2）国内需求前景，（3）国家整体的进步，（4）原材料依赖性降到最低程度和创造高附加值的潜力，（5）贸易摩擦最小化，（6）有利的副作用。该国据此选择的工业化道路已被公认是成功的。

中国是一个地区差距悬殊的发展中大国，在选择产业发展重点时应当考虑：（1）为制定产业政策和指导消费，政府应正确预测主要产品的未来变化趋势。（2）政府应支持那些具有远大发展前景的产业和项目，例如可以改变旧的生产结构，开辟资源利用新领域和新方式，以及改善国际竞争力的产业和企业。即使这些产业暂时是幼稚的，通过政府支持它们很可能变为发达的甚至是主导产业。（3）政策制定者应当充分利用不同地区的比较优势，形成合理的地区专业化分工。重要的是改变各地雷同的产业结构，调动各地的资金、技术和管理技能等潜力，而不是单纯向落后地区追加投资或将夕阳产业由城市迁向农村。

3. 产业政策的实施取决于有效的政策工具，包括经济、行政和法律手段，而不是仅仅发布一个产业发展重点的清单。西方国家贯彻产业政策主要靠刺激和规劝，日本加上了行政指导的特点，韩国更以严厉的法律制裁为保证。各国产业政策的实施离不开有力的政府干预，但其共同之处在于：首先，产业政策的贯彻以自由企业制度为基础，并承认市场机制的根本作用。其次，随着企业竞争力的增强，直接的行政干预逐渐削减，产业政策的工具变"软"，主要政策工具由区别对待的政策转向针对整个产业的一般性政策。

对我国有益的重要经验之一是，产业政策的贯彻必须依靠有效的贷款政策、价格政策和税收政策。政府不应取代企业家，而应为企业家执行产业政策创造必要的条件。既要用法律形式保证企业的自主地位，也要用法律形式维护产业政策的严肃性。

4. 政府应当协调产业政策和其他经济政策之间的关系。70 年代以后西方国家开始强调协调产业政策同其他经济政策诸如能源政策、环境政策、竞争政策、人力政策、区域政策和宏观经济政策之间的关系，以便更好地达到产业政策的预期目的。

我国特别需要注意产业政策、竞争政策和宏观经济政策之间的协调。首先，国家保护使国有大企业拥有行政性垄断地位。在非国有部门中存在过度竞争问题，例如迅速增长的乡镇企业导致规模不经济现象的出现。因此，我国需要通过适当的竞争政策和产业政策来解决垄断和过度竞争的双重问题。这种情况与强调反垄断的西方国家不同，也与强调限制过度竞争的日本、韩国不同。其次，产业政策不应当被宏观经济政策所扰乱。当执行"宽松的"宏观经济政策时，政府应当控制对夕阳产业的贷款和投资；当执行"紧缩的"宏观经济政策时，政府应当保证对朝阳产业的贷款和投资。否则，产业发展重点将受到损害，产业结构的升级也会受到阻碍。韩国的经验表明这是一个重要的教训。韩国在80年代中期紧缩宏观经济时，政府坚定地削减了对某些夕阳产业的贷款，而确保贷款投入朝阳产业，因而促进了该国产业结构的升级。

5. 国有企业的改革应当接受产业政策的指导。我国的国有企业改革特别需要同产业政策结合起来。如果国有企业改革仅仅接受市场机制的调节，将会出现大量失业、投资减少、国有资产流失和设备大量闲置。在产业政策指导下，企业重组、关、停、并、转和分解将会比较顺利地进行。此外，也可避免失业增加和投资下降。这对减轻向市场经济过渡的震荡是有利的，正像德国改造东德国有企业的经验所证明的那样。

（原载《财贸经济》1993 年第 6 期）

479

6.7　我们应向美国连锁商业学习什么？

　　发展连锁经营是我国改革流通体制和实现流通现代化的一项重要举措。1997 年 8—9 月，我们赴美进行了一个月的连锁商业培训和考察。美国作为最发达的国家，其连锁经营的发展现状、主要原因、未来趋势以及在美国经济中的重要作用等，对我国推动连锁经营的发展具有参考价值。

一、美国连锁经营发展概况

（一）美国连锁商业的迅速发展及其原因

　　连锁经营方式首创于美国，到现在已有 130 多年的历史。从 1859 年在纽约出现世界上第一家连锁店到二战前，连锁商业处于萌芽与成长阶段。这是传统连锁时代。其主要特征是统一商店、商标名称，但在管理制度上统一性较小。在这一时期美国的连锁商业发展并不快，1918 年时全美连锁公司仅有 645 家，营业额 10 亿美元，占全社会销售额的比重不到 4%。本世纪 50 年代以后，伴随着美国经济的繁荣发展，连锁商业也进入了高速发展阶段。到 80 年代，美国连锁商业从内容到形式日益完善，进入现代连锁商业时代。连锁作为一种非常成熟的经营方式被广泛应用于商业零售、餐饮、旅店等许多服务行业。据美国商务部统计，全美 19 个较大的行业都已连锁化。1995 年美国零售业销售额 23000 亿美元，占 GDP 的 32%，零售业销售额的 50% 是连锁商业创造的。连锁店遍布美国城镇的各个角落，不仅成为美国经济的重要组成部分，更代表了一种独特的美国社会文化，并通过在国外的连锁店把这种文化传播到其他国家和地区。

　　连锁商业在美国得以迅速发展的主要原因是：

——二战后美国经济繁荣，市场供应与需求扩大，对连锁商业的发展提出客观要求。战后美国人口大量增加，城市规模迅速扩大，居民收入和消费水平大幅度提高，国内制造业提供的商品更加丰富，这一切都有力地刺激了连锁商业的发展壮大。

——交通运输业特别是高速公路网的迅速发展，为货畅其流创造了便利条件。美国的高速公路贯通全国，现在总长已达 7 万公里，占世界高速公路的三分之二，使商品在全国范围内的配送非常及时便捷。

——现代科技的发展和计算机的普及，为连锁经营提供了现代化管理手段。70 年代后新技术革命的成果在流通业广泛应用，目前美国90% 的连锁店已基本实现了计算机网络化管理，普遍采用了商品条形码、电子扫描、电子出纳设备等先进技术，通讯设施、商品检验、配送中心等都是世界一流水平。这就为连锁经营的高效管理提供了有力的技术支持。

——连锁企业的规模优势和组织化程度提高，增强了企业抗风险能力。据统计，美国 5 年内开业的商业企业的倒闭率为 50%，而连锁企业的倒闭率只有 5%。

——形成了一大批高素质的管理人才。现代经营管理科学的发展运用，为连锁企业更好地参与市场竞争，提供了智力支持。

（二）美国连锁商业的主要经营型态

连锁经营的基本含义是：经营同类商品、使用统一商号的若干企业，在同一总部的管理下，按统一经营方针进行共同的经营活动，以共享规模效益。一般来说，连锁企业至少要由 10 个以上分店组成，必须做到统一采购配送商品，统一经营，规范管理，采购同销售相分离。从组织管理角度分，美国有以下三种连锁形式：

——正规连锁（又称直营连锁、公司连锁）。有两个特点：一是所有权统一，全部成员归属同一所有者。二是高度统一管理。总部掌握着全公司的经营管理权和人事权，统一负责采购、计划、配送和广告等，所属各分店实行标准化管理。在美国，正规连锁所占比重很大，零售业主要采取这种连锁方式。如著名的沃尔玛公司和科斯科仓储式商店即属于这种类型。

——特许连锁（又叫合同连锁、契约连锁、加盟连锁）。其特点，一是以特许权的转让为核心，特许权批发商把注册商标和经营模式卖给特许权经营商。总部为转让方，加盟店为受让方。二是所有权分散在加盟店，经营权集中在总部。总部提供技术专利和商号信息，加盟店按总部统一指令经营。美国目前有40%的零售企业采取特许连锁的形式，餐饮业、旅店业等也广泛采用，如麦当劳、肯德基快餐店和柯达胶卷冲印店，即为典型。特许权批发商约3000家，特许权经营商约60万家，年销售额8000亿美元，提供800万个就业机会，1993年以来特许连锁销售额年均增长10%以上。

——自由连锁（又叫自愿连锁、共同连锁）。其特点，一是所有权、经营权、财务核算都是独立的。二是在协商自愿条件下共同合作，统一进货，分散销售，成员店的灵活性强，自主性大。通常由一家较大的批发商作为龙头企业，众多的零售商参与，形成一个半松散的连锁集团。我们在洛杉矶考察的金证国际超市集团公司就属这类形式。这个公司是一家合作制的批发公司，成员多为零售商。公司成立已75年，1996年销售额达30亿美元，计划在本世纪末达到50亿美元。自由连锁在便利店中比较普遍。

美国习惯于从比较直观且便于统计的角度分类。零售业连锁中主要有以下几种经营型态：

超级市场。主要经营杂货和食品两大类商品，以品种齐全、价格低廉、自我服务为特色，每个店平均面积为3.5—4万平方英尺。超级市场已全部实行连锁经营。

折扣商店。主要经营食品以外的一般性商品，有的店也经营少量食品。商品大众化，大多削价出售，适合工薪阶层购买。每个店平均面积9万平方英尺，比超级市场大一两倍。最大的是沃尔玛公司，其次是凯马特公司。1987—1995年，折扣店销售额占零售业销售额的比重由35%上升到47%。

仓储式商店（又称平价俱乐部）。这种形式是近十年来连锁商业的后起之秀，经营范围包括了食品和非食品类商品。其特色是实行会员制，设施简单，以库为店，内部不装修；实行少品种大批量销售；商品价格低，同样商品的价格比普通商店要低 20%—50%。平价俱乐部的目标顾客是小企业主。但由于商品售价比超级市场和折扣商店更低，因此也吸引了不少个人会员。美国人日常消费最多的大宗商品中，相当大的比重来自平价商店。比较著名的店有科斯科公司，其次是山姆公司。

超级购物中心。这是 80 年代后期在美国零售商业中出现的最新的连锁类型。其特点是许多连锁店集中在一个商城内，规模大，品种全。一般每个购物中心的面积达 15—17 万平方英尺，商品品种多达十几万个。有的购物中心面向中高收入者。

便利店。经营日常用品和食品，每个店 100—200 平方英尺，80 年代遭到冷落，90 年代东山再起。预计今后 5 年便利店销售额的实际增长幅度将超过一般的超级市场。此外还有专卖店、无店铺售货（如通过互联网进行销售）等经营型态，其中网上销售发展势头看好。

（三）连锁店基本运作方式及其管理

连锁企业把社会化大生产原理引入商业和服务业，对商品采购、配送、销售、财务等业务环节实行专业化分工，各门店专门负责日常销售。这种运作方式既适应了各零售店规模小、分布广的特点，又形成总体规模效益，使经营管理水平大大提高。所以，又被称为"组织起来的零售商"。

首先看订货系统。集中采购、统一进货是连锁店的突出特色。美国连锁店货源的 95% 由总部来确定，5% 由门店自定，主要是生鲜类商品。连锁店总部或大区分部的配送中心负责订货，为了保证商品质量，它们要对供应商进行严格的考察比较，选择那些产品质量有保证、资信度高、经济实力强以及与需方合作信誉好的生产企业来签订合同。

其次是配送系统。配送中心是连锁店的物流机构，承担着各门店所需商品的进货、库存、分拣、加工、送货等任务。配送中心主要为本连锁企业服务，也可面向社会。美国连锁企业都有一个完善、高效率的配送系统。如沃尔玛公司现有各种形式的连锁店近 3000 家，配送中心 25 个；科斯科公司有连锁店 270 多个，配送中心 15 个，配送半径为 300 英里。配送中心完全采用计算机管理，与总部联网，使总部能及时准确地掌握库存动态，科学地控制进货种类与数量，缩短商品库存时间，确保库存商品质量。高效的配送中心使连锁企业降低了成本，例如沃尔玛的经营费用已从 1984 年的 19% 降到目前的 14%。

再次是连锁分店。这是连锁公司的基础，主要职责是按照总部的指示和服务规范要求，承担日常销售业务。每个连锁公司都有一套科学统一的经营策略和管理要求，详细规定了商品质量标准、服务标准、商品价格及操作规程等，所有分店必须严格执行，从而保证了高质量规范化服务。以退货服务为例，电器类的商品可以在三个月内，凭发票在全美境内同一家连锁企业的任何一家门店退货，并可不讲出任何理由。此类商品注明"退货"，以较低的价格卖出。有的连锁店甚至不要求顾客提供发票，也同样退货。他们认为 98% 的顾客是诚实的，不能因为有 2% 不诚实的顾客而惩罚 98% 诚实的顾客。

（四）连锁企业的发展趋势

1. 从总体上看，美国商业连锁正在向全球化方向发展。一是大型连锁企业集团实现了国际化的大规模采购进货。连锁企业的规模化经营使其在全球范围内处于有利的交易地位，可以选择那些商品质量好、价格低的供应商进货。二是大的连锁企业拓展海外市场，发展组合式经营，已逐步形成了国际性的跨国连锁集团。美国排名前 20 位的零售业连锁公司都是这样的集团，有些公司海外分店的营业额已超过其在本土的营业额。目前亚洲对全球的零售商来说是极具吸引力的市场。据有关资料统计，1996 年全球食品零售商的收益平均水平为 3%，在亚洲地区高达 16%，而且这种增长势头还在持续。因此这一地区是各大连锁集团抢滩设点的重点地区。

2. 从连锁企业的经营型态发展趋势看，有如下几个特点：一是折扣店和仓储会员店势头正劲。这类店一般建于城乡结合部，地价便宜，装修简单，商品价格低，有较大的停车场，因而深受消费者欢迎。它们在国外新建企业也主要是这种类型。二是专业店、专卖店有大型化趋势。在美国的大型购物中心和商业中心中，全国连锁经营的大型专业店和专卖店成为其经营主体，超级购物中心与专业店之间形成了相辅相成的发展态势。超级购物中心以其整体的广告策划、公共促销活动和市场调研手段，为专业店提供了信息和发展空间；专业店也以其知名度、信誉和优质服务，为超级购物中心吸引了广泛的客源。三是百货商店在零售业中的主导地位下降，市场份额减少。百货店一般占地面积大，装修豪华，经营品种繁杂，店员多，使得管理成本太高，商品价格上升，效益下降。近几年百货店在不断收缩经营面积，调整结构，向小型化、专业化方向发展。

3. 从连锁企业规模扩张的方式来看，特许连锁前景广阔，连锁加盟店将逐年明显增加；连锁企业将继续通过兼并其他中小企业扩大市场份额，在并购浪潮中保持主动地位。

4. 从行业分布看，连锁经营向各个领域扩张，尤其是在服务业将继续蓬勃发展。范围包括律师业、会计师业、信息咨询业等高层次的服务行业，也包括餐饮业、洗衣业、娱乐业等传统普通性行业，还包括保健服务业等新兴服务行业。

二、连锁经营的优势和在美国经济中的积极作用

（一）提高流通效率，降低成本费用，在流通领域引起革命性变化

传统的流通，是以批发和零售两个环节分立为特点的。从历史上看，批发商的产生，曾经促进过生产企业与零售商之间的流通效率的提高。连锁经营将批发和零售两个环节合为一体，形成了确保竞争优势的两个基本特点：一是集中了批发功能，二是对所有零售分店进行整体管理。这样，与各生产企业直接向各零售商发货相比，减少了总的发货次

数，还通过大批量统一订货、运输和储存，降低了进货价格和储运成本，保留了批发商的功能优势。并且，连锁经营跨越了批零分立造成的种种障碍，更为充分地发挥了现代技术手段的作用。在对零售分店进行统一管理的条件下，连锁经营能够充分运用电脑联网等现代技术，（相对于销售额而言）减少存货，加快资金周转速度。据典型调查，一些公司原来需要 6 个星期存货，通过应用这方面的现代信息技术，立刻降为只需 3 星期存货，目前进一步降为只需 1.5 星期的存货，其中效率最高的只需 6—10 小时的存货。连锁经营在美国的日益发展，促进了整个零售业商品和流动资金周转的加快。表 26 反映了这种情况：

表 26　1990 年与 1994 年美国零售业存货/销售额的比率

	总　计	建材类	百货类	食品类	汽车类	衣着类	家具类
1990	1.57	2.28	2.34	0.81	2.05	2.50	2.36
1994	1.51	2.00	2.30	0.78	1.74	2.56	2.15

由表可见，除衣着类之外，其他商品存货对销售额的比率均呈下降趋势，整个零售业周转速度加快。

连锁经营除了采购费用较低的优势之外，所有零售分店由于实行统一管理，并有总公司专业部门的帮助，因而能享有较优越的管理条件。总公司统一进行经营技术的研究开发，对市场信息进行广泛的收集分析，统一进行广告宣传，选择对各零售分店都有效的销售方法、商品品种、促销和利润政策。这样，在美国零售业（包括餐饮业）就能够不断形成广为人知的成功经营模式，如沃尔玛、山姆、麦当劳等。可以说，连锁经营把现代技术手段和科学管理方式引入流通领域，必然引起传统流通方式的革命性变化。

（二）实行较低的零售价格，使消费者受益

连锁经营的主要型态如折扣店、专业种类店和仓储式商店等，由于在很多环节降低成本费用，提高运作效率，因而为明显降低零售价格打下了可靠的基础。归纳起来，一是大批量进货，迅速准确掌握各分店销

售信息，工商之间产销合作关系较为稳定，可以获得较低的进货价格；二是统一进货再分配给各零售分店，总的发货次数比直接由各生产企业分散发货次数明显减少；三是集中运货、储存比分散运货、储存的费用更省；四是存货相对减少，商品和流动资金周转加快；五是商品开架陈列，便于顾客比较选择，售货人员减少，节省了工资成本；六是统一广告宣传，比分散的广告节省费用；七是统一市场信息调查分析和经营技术开发，比分散调查分析和开发更有规模效益；八是配送中心和零售分店建立在城区之外，地价较为便宜；九是商店建筑装修简朴实用，不求豪华；十是由于低价薄利，吸引更多顾客，使销售额不断上升，促进薄利多销的良性循环。

因此，连锁经营与非连锁经营在成本费用上的差别很明显。这可从三方面来看，其一，连锁经营的平价店经营费用（工资除外），据估计通常占销售额的 20% 多一点，如沃尔玛为 14%，电路城为 19%，凯玛特为 22%，而独立的大百货商店经营费用通常占销售额的 1/3 以上。其二，由于连锁经营的平价店销售价格低，同样商品在独立的大百货商店价格较高，所以在这两类商店中，同一商品的经营费用绝对额差别更大。其三，平价店由于顾客自我选购，自我服务较多，雇员相对较少，工资成本节省，因而，连锁经营与非连锁经营在总的成本费用上差别进一步拉开。

据了解，折扣店等平价店的商品价格，比平均价格低 20% 至 50%。若按照近两年美国年度零售总额、连锁店零售额比重以及平价店销售的大致份额来作保守估计，美国消费者一年从连锁经营的平价销售中，相对于平均价格节省开支总量在一千亿美元以上，平均每个家庭一年可节省开支在一千美元以上。

（三）　使流通领域对生产领域的引导作用更为明显

连锁经营的发展促使流通企业日益大型化。现在美国前 50 家零售企业的零售额，已经占全国零售总额的 22%。最大的零售企业沃尔玛，1996 年销售额 1005 亿美元，跃居全美各行业销售额最大企业的第四位，仅次于通用、福特和埃克森这三个老牌生产企业。在其他发达国家，大的零售商也占有越来越大的市场份额。例如在澳大利亚、芬兰、瑞典、荷兰，其国内食品零售额中，前10家最大的食品零售商占有的份额都在95%以上，美国、法国、德国为80%以上。基本原因是零售市场上"需求有规律的商品"仍占主体，在现代化技术不断发展的推动下，经营的规模效益越来越重要，连锁经营正是适应这一趋势的产物。

通过连锁经营日益广泛迅速的大批量统一订货，流通企业对社会"生产什么"拥有更大的发言权和影响力。随着连锁经营对现代信息技术的推广应用，流通领域比过去更能大范围收集和迅速处理市场信息，为社会"生产什么"提供了更为准确、迅速的决策条件，更充分地发挥着生产和消费的中介作用。因此，流通领域日益远离对生产领域的依附，发展成为独立的现代流通产业，流通企业已经开始创立自己的品牌向厂家订货，或者形成商工一体化的新型企业。

（四）促进了社会就业的增加

零售业是美国就业最多的行业之一。1995年，零售业的就业人数达2200万，占全美就业总数的17%，占全美非农产业就业人数的18%；一年新增加的就业机会为80多万，占总增加量的23%强，新增比重占第二位。据预测，1994年至2005年间，零售业还将提供200万至300万个新的工作机会。相比之下，制造业将减少50万至200万个就业机会。从就业增长率来看，以1994年为例，全美非农产业就业人数比上年增长3.1%，其中零售业增长4.0%，明显高于平均水平。

零售业是连锁经营的典型产业。零售业就业的明显增长，是同连锁经营的迅速发展分不开的。1981年至1994年间，美国零售业中的连锁企业零售额平均每年递增6.7%，保持了长期较快增长；1995年连锁企业零售额比上年增长6%左右，比当年整个零售额增长快1个多百分点，在整个零售额中占一半左右，因此对零售业就业的增加起了主要的促进作用。

从对全社会就业的影响来看，一方面，零售业中的连锁经营由于效率的提高，单位零售额对应的雇员减少了，同时迫使一些相对劣势企业倒闭或裁员；但是，由于连锁经营薄利多销，零售额和雇员增加更快。因此整个零售业在效率提高、规模扩大的情况下，统计表明该行业就业总量还是增加了。另一方面，零售业中的连锁经营大范围明显降低商品零售价格，等于相对增加了消费者收入，使其可以更多地购买其他商品和服务，或更多地进行储蓄投资，从而扩大了社会总需求，必然进一步促进社会各相关行业的就业增加。

三、几点启示和建议

1. 大力发展连锁经营，对引导企业开拓市场、加快产品结构调整具有重要意义。我国居民日益增长的消费需求远未满足，国内最大的上海联华超市经营的商品也只有 4000 多种，生产和市场脱节的矛盾十分突出。连锁企业的大批量采购带动了专业化、标准化的生产，而且通过创造自己的品牌和商标，建立起农工商一体化的产销联系，对生产具有日益明显的引导作用，有利于满足多样化的消费需求。因此，在我国发展连锁经营是密切产销衔接、增加市场供应的重大举措。这项工作不仅是流通领域或商业部门的事情，而且需要生产领域各部门的配合，特别是在标准化、条码化生产方面，更是如此。

2. 以满足大众化需求为目标，不断改进经营内容和方式，是连锁企业长盛不衰的首要内因。在美国这样的富国，普通的消费者越来越注重实惠，大型豪华的百货商店日趋衰落，除少数实力雄厚者以外，大部分百货商店的市场份额被各种连锁经营的折扣店、便利店所瓜分。无论是大型折扣店，还是小型便利店，都在不断调整经营观念和手段，以更贴近大众化消费需求。例如沃尔玛公司开设了几家环保示范店，通过树立社会公益形象来促销。小型便利店则增加商品种类，提高自动化水平，以更好地发扬其方便、省时等优点。在我国，随着收入水平的提高，开设少量的高档百货商店可以适应消费的分层发展，但绝对不宜多建。大众化消费需求始终是市场需求的主体，而且日益丰富多样，只有注重面向普通消费者，使他们更多地受益，我们的连锁企业乃至整个商业才能不断发展壮大。

3. 连锁经营投资风险小，市场开拓能力强，有利于中小企业发展壮大，对打破市场封锁也有积极意义。美国的连锁店大都是中小企业，由于连锁经营形成规模经济，实行统一的科学管理，因而分散的中小企业成本降低，信誉提高，整体实力增强，更加适应市场变化，并带动为之服务的部门共同发展。1941 年以前，美国曾有 28 个州颁布过反连锁店的税收法案，对连锁店额外征税。但这并未限制住连锁店的成长，反而迫使其以正规连锁、特许连锁和自由连锁等多种形式冲破了阻力。60年代发展起来的特许连锁业，通过取得已成功的商品和经营方式的特许权来降低投资风险，提高经营效益，更加适合中小企业的需要，同时带动了银行、律师、会计等服务业的繁荣。当今美国的零售市场已高度成熟，过多的商店导致竞争白热化，大量商店被淘汰出局，连锁店却欣欣向荣。近五年来，美国的非连锁企业投资成功率 50% 左右，而连锁企业高达 95% 。在我国，应当充分发挥连锁经营的联合优势，为打破市场封锁注入经济动力；加紧培育自己的名牌产品和成功的经营模式，完善产权保护制度，发展特许连锁经营，为进一步放活国有中小企业提供更大的选择空间。

4. 现代化配送中心不仅是连锁店的重要依托，而且成为加速物流、创造利润的新手段。激烈的竞争和发达的流通设施使商品批零差价十分接近，必须找到新的物流形式，加快信息处理和资金周转速度，靠降低成本来取得利润。这就产生了两种新的物流形式，一种是批零一体化，即大型零售企业运用配送中心搞批发。美国许多连锁企业拥有十分先进的配送中心，为自己也为社会服务，甚至在扩展业务时先建配送中心再设商店。另一种是专业化配送业取代传统批发业。连锁企业的发展促进了社会分工的细化，洛杉矶的专业化配送业正在发展成仅次于电影业的第二大行业。目前我国的连锁店普遍缺乏先进的配送中心，对连锁店的进一步发展形成很大制约，亟待加强这方面的建设。配送中心的建设属于企业投资行为，应当由企业自己决定；政府可通过城市规划、融资政策等予以指导。

5. 灵活的融资手段和要素自由流动，是连锁店迅速扩大规模的关键性市场条件。美国连锁店筹集长期资本最普遍的方式是发行股票，其次是向银行和保险公司借贷；筹集短期资本的方式则更为灵活，包括商业票据、银行借款、供应商信贷和发行短期债券等。在美国，发行270天以内的短期债券不需证券委员会审批，而且利率低于银行，因此企业大多采取这种办法筹集流动资金。美国各州在税收、企业注册、地价等方面存在差别，例如联邦政府按35%的税率征收公司所得税，加利福尼亚州政府额外加征11%，有的州则不再另征；各州的消费税率也高低不一。由于生产要素能够自由流动，这些差别并没有成为发展连锁店的障碍，企业可以综合比较影响因素，自由选择有利的经营环境扩展业务。而融资渠道不畅，市场割据顽固，正是目前我国连锁店扩大规模面临的主要难题。我们应当加大改革步伐，通过资产划拨，发行股票、债券，以及加速折旧等政策，改善连锁店的融资条件；调整企业隶属关系和税收上交关系，打破部门和地方利益造成的市场割据，支持连锁企业跨地区、跨部门、跨行业、跨所有制扩展经营规模。

6. 健全的法律体系和服务机构，是连锁店有序竞争、健康发展的可靠保障。以特许连锁为例，美国比较重要的联邦法律有《特许权公开交易及消费者保障法》，《特许权公平实施法》以及《特许权数据和公共信息法》，此外各州还制定自己的有关法律。各州政府均设有小企业管理中心，为已成立和即将成立的小企业提供辅导、咨询和贷款担保。联邦贸易委员会制定规则并审理投诉，商务部执行政策，负责统计并侧重开拓海外市场。私人服务机构有优良企业局（专为客户提供有关优良企业和商品的咨询）、大型零售商协会以及国际特许权协会等。比较完善的法律规则和服务机构，为连锁店依法经营，公平竞争，优胜劣汰，提供了良好的法制环境。我国发展连锁店的法制条件和服务机构还相当欠缺，应当根据实际需要和改革进程，将成熟的政策法规上升为法律，对特许连锁经营，宜加紧研究制定有关特许权公告、转让和投资保护的法律法规，以适应扩大开放、引进外资的新形势；建立连锁店行业协会，促进政企分开，满足连锁店发展中的培训、咨询、协调和自律等需要。

7. 发展连锁店要与本国国情相结合，适应当地产业结构调整，居民消费需求和社会文化习俗。美国的连锁店产生于美国的经济、法律和社会文化背景，各国特别是日本和东南亚国家引入连锁店后，在消化、吸收的基础上加以创新和发展，形成自己的特点。例如，日本的连锁店具有自由连锁与特许连锁相结合，区域性连锁和店铺群发展快等特点。东南亚国家注重满足本地产业发展和居民生活的需要，在金融、咨询、房地产等服务领域加速发展连锁经营。在对连锁企业的管理和支持方面，美国政府主要运用法律手段管理，几乎不再以其他手段进行干预；而日本和东南亚政府起的作用比较大。日本政府除运用行业规划和中央金库引导、支持连锁店发展外，还运用"大店法"反对垄断，对外来竞争也有限制，如超过 11 个店铺的外国连锁公司不允许进入日本市场。东南亚国家对连锁店也采取扶持政策，并进行严格的行业管理。我们应当借鉴各国发展连锁店的成功经验，把连锁店的发展同优化产业结构结合起来，把满足社会生产和人民生活需要的服务业作为重点发展领域，以大城市为依托培育有竞争力的大型连锁公司，迎接服务业逐步开放带来的挑战。

（原载《财贸经济》1998 年第 5 期，与陈志理等合作）

6.8　英德两国如何改造传统工业？

2000 年秋季，我们到英国、德国对其传统工业改造和产业结构调整情况进行了考察。考察期间走访了政府有关部门、行业协会、职业培训中心、老工业城市和企业等。考察中感到，他们在这些方面取得了明显成效，其主要做法和经验给我们以重要启示。

一、英国、德国传统工业改造的主要情况及成效

煤炭、纺织和钢铁等传统工业曾在英国、德国经济中占有很大比重，六七十年代以来，两国加速了传统工业改造和产业结构调整步伐，取得明显成效，有力地促进了经济增长。

1. 纺织、煤炭和汽车等传统产业改造

英国服装和纺织业现有 1 万多家公司，雇用职工 36.4 万人，年产值达 166 亿英镑，占制造业的 6%，占英国 GDP 的 2.5%。在纺织行业转型过程中，有许多企业破产和关闭。在过去 25 年中，服装纺织业的劳动力从 100 万人减少到目前的 36.4 万人。

英国在纺织工业的改造中，一方面，把一些技术含量低的服装纺织业向发展中国家转移，如到东南亚的马来西亚、印尼等国投资建厂，以大幅度降低劳动力成本，提高行业效益；另一方面，在英国国内提高纺织服装业的科技含量，用高新技术进行产业改造。例如，开发高质量的新型纺织面料，用电脑设计服装样式，与香港等地联网，实现快速、新颖、多样化和小批量生产，以迅速适应市场的变化，满足顾客的不同需要。目前高科技纺织品产量已占到纺织品总产量的 25% 以上。

英国煤炭工业 1985 年产量为 1 亿吨，1999 年下降到 3600 万吨；同期就业人数从 11.4 万人减少到 1.13 万人。英国的煤炭价格比进口煤炭价格高出 25%，而且含硫量高，煤炭工业面临着日益严重的需求减少

和效益下降问题。与私有化过程相联系，煤炭工业调整主要是对亏损严重和效益低下的煤炭企业实行关闭、破产和出售，以提高效益和竞争力。除对煤炭行业实行税收减免政策外，国家拿出一部分钱用于补贴职工退休金、失业救济和健康保险等方面的支出，另外，每年还给予煤炭局价格补贴 3000 万英镑、煤炭工人免费自用煤补贴 7000 万英镑。

德国拥有奔驰、大众和宝马等大汽车公司，汽车年产量 570 多万辆，全国 1/7 的人从事与汽车有关的工作。汽车行业的改造主要是采用高新技术，实现生产的自动化和管理设计的电脑化，大幅度提高产品科技含量和劳动生产率。

德国煤炭年产量约 2.1 亿吨，居世界第 6 位。但德国产煤成本较高，价格远高于进口煤，近年来德国煤炭企业数量持续减少。但受石油价格波动的影响，有人提出要保持一定的煤炭生产能力，不能大量依赖进口。因此，政府对煤炭生产实行财政补贴政策，并规定每个发电厂必须使用一定比例的国内煤炭。但随着欧盟贸易自由化，法国的电力比德国便宜，德国又面临着从法国进口电力的竞争压力。

鲁尔地区是德国的煤炭工业基地，1971 年组建了鲁尔股份有限公司。80 年代政府每年给予鲁尔地区 90 亿马克补贴，现在每年还要补贴约 50 亿马克。通过逐步压缩煤炭生产，发展新兴产业，鲁尔公司已从单一的煤炭企业，发展成为能源、化工和信息等产业并举的综合性公司，实现了盈利，并到国外投资买矿采煤。政府通过补贴和减免税收方式来支持产业结构调整，但这种补贴是有限的和附加了明确要求的。

2. 传统产业改造和产业结构调整取得成效

经过三十多年的传统工业改造，英国、德国的产业结构调整取得了明显成效。主要有：

第一，传统工业改造和产业结构调整，为传统工业注入了新的活力，推动了经济增长。英国的纺织服装业，虽然就业人数减少了 60%，但劳动生产率和产品竞争力却迅速提高。纺织品出口额从 1990 年的 46.4 亿英镑增加到 1997 年的 72.92 亿英镑。英、德两国煤炭行业就业人数大规模减少，劳动生产率不断提高，经济效益实现好转。产业结构调整特别是服务行业和高新技术产业的发展，推动经济持续增长。英国1980—1990 年，经济增长平均为 3.2%，其中 1985—1990 年达到 4.6%，速度是比较快的；1990—1995 年为 1.7%；1995—2000 年为 2.0%。德国经济 1980—1990 年平均增长 2.2%，其中工业增长 1.2%，服务业增长 2.9%。

第二，在制造业比重下降的同时，新兴产业快速发展，总体上实现了产业升级和结构优化。1981—2000 年，英国制造业产值所占比重从 36.6% 下降为 25.7%，而金融和商务服务业产值所占比重却从 17.3% 上升到 24.7%，运输与通信业产值所占比重从 6.7% 上升到 11.3%。近 30 多年来，德国的传统工业得到全面改造，产业结构发生了重要变化。1970—2000 年，农业就业人数所占比重从 7% 下降为 3%，工业制造业就业人数所占比重从 43% 以上降低到 26%，而服务业就业人数所占比重从 20% 上升为 25%，信息业就业人数所占比重从 24% 上升到 38%。两国新兴产业特别是信息产业的快速发展，正在对社会经济生活产生越来越大的影响。

第三，在传统工业改造和产业结构调整中，较好地解决了劳动就业问题。德国有近 4000 万就业人口，去年失业人数约 380 万。失业率在原来的东、西德地区差别很大，原东德地区高达 16.7%，原西德地区约为 7.2%。总的来看，德国在传统工业改造过程中，积极促进劳动力从传统工业向第三产业大规模转移，使失业率不断下降，社会就业结构发生重大变化，逐步解决了就业问题。这主要是由于，一方面，德国建立了比较完善的社会保障制度，失业者可以享受比较优厚的失业保险，没有很大的生活问题；另一方面，产业结构调整也创造了许多新的就业岗位。高新技术产业特别是计算机软件和网络技术人才，目前的需求量仍然很大，不得不雇用大量的外籍人员。

英国伯明翰市曾是英国工业革命的中心。过去 20 多年中，该市工业制造业经历了巨大变化。由于传统制造业的缩减，这些行业失业人数不断增加。1982—1987 年失业率达到 20% 以上，之后缓慢下降，1998 年失业率为 9% 左右。产业结构调整主要是从工业制造业向服务业转移。从 70 年代开始，伯明翰市先后建立了国际展览中心、国际会议中心以及金融和服务中心，并大力发展经济、法律和传播媒体等多种中介机构，旅游业也发展较快。产业结构调整带来了就业结构的变化。从 1981 年到 1995 年，制造业就业人数从 19.8 万人减少到 10.6 万人，而金融和专业服务业、旅游娱乐业、公共与汽车服务业这三类行业增加了 4.6 万个就业岗位。1978 年到 1995 年，该市制造业就业人数所占比重从 44% 下降到 24%，公共服务业就业人数所占比重从 22% 上升到 30%，金融和专业服务业就业人数所占比重从 7% 上升到 16%。随着伯明翰市经济的发展，就业空间不断扩大。从 1992 年到 1998 年，该市居民就业人数增加了 9% 以上。

经过产业结构调整，英国和德国现都呈现较为典型的发达社会"三、二、一"就业结构（即就业比重由高到低依次为第三产业、第二产业、第一产业）。从社会就业结构看，目前，英国农业已下降到 2% 以下，工业建筑业占 27% 左右，而服务业则占到近 70%；德国农业下降到 3% 以下，工业建筑业占 34% 左右，而信息服务业则占到 60% 以上。

英、德两国传统工业改造和产业结构调整过程中也还存在一些问题，主要是结构性失业人数增加，重新就业对人们的技术水平和文化素质提出了更高的要求，传统工业萎缩后留下了大量污染、废弃的土地和闲置的工业设备，大规模的技术改造仍需要大量资金投入等，这些都需要继续逐步加以解决。

二、英国、德国传统工业改造的主要措施

根据本国不同时期的实际情况，英、德两国在改造传统工业方面采取了一系列针对性政策措施。比较突出的有：

1. 在主动缩小传统工业比重的同时，加快用高新技术改造和提升传统产业，增加产品科技含量，提高产品附加值和竞争力，为传统工业开拓新的市场需求。英国纺织品行业及时采取两大战略，即"走出去"

战略和"精品"战略，一方面积极向国外转移劳动密集型的低附加值产品，在国内减少和停止一般性布料的生产；另一方面，加快技术改造，采用高新技术研制出多种高附加值的新型布料，大幅度提高了纺织品需求层次和领域，如研制生产出的透气性好、抗皱和舒适的汽车座垫用布，很快打开和占领了市场。

2. 坚持"两条腿走路"，将国家必要的补贴支持与企业自身努力紧密结合起来，既加快了传统工业改造步伐，又实现了较高的经济与社会效益。即使是作为市场经济国家，政府也采取了许多具有鲜明的倾斜性、多样性和连续性的政策措施，既有直接补贴，又有间接扶持，以重点支持传统工业改造。例如，直接由财政给予国家保留的煤炭生产以价格补贴；国家拨款投资或资助传统产业的环保工程建设；对部分特殊的传统产业企业，国家直接提供一些出口信用保险、减免税政策；对部分老企业（生产技术尚可，破产会造成较大的失业动荡），采取先由国家出资买下，经过重组、发展后再卖掉的办法，实现稳妥的转型过渡；采取新的船舶加速折旧政策，强制缩短船舶使用年限，以支持造船业加快技术改造与更新，等等。更为重要的是，政府在资金、政策支持的同时，始终十分重视鼓励、敦促和监督受帮助的行业、企业立足于自力更生，以市场为导向，通过兼并、资产重组、增资扩股、产品结构调整和技术改造等方式，加快改造和转型步伐。在考察中，从政府官员到企业人士，我们无不感受到这种动力与压力的结合。

3. 将传统工业改造、产业布局调整与城市规划紧密结合，拓展新的需求与生机。在新的城市规划中，充分考虑到产业布局调整的要求，通过倾斜性城市建设，特别是城市特大型基础设施和标志性建设，为传统工业改造提供有利条件和开发出新的商机。如英国的伯明翰市，政府牵头，多方出资，将本市的国际展览中心、国际会议中心等社会瞩目的重点工程，分别兴建在原来的两个钢铁和制造业的老工业区，很快吸引了新的人流和物流，有效地加快了这些地区由单一的老工业区向综合性的新兴城区的转变。一些老工业城市设立了高新技术园区，通过降低地价、减免税、发展企业孵化器等措施，引导企业向高新技术开发的方向

497

GAIGE SHIDAI DE JINGJIXUE SIKAO

转型。

4. 建立强大稳定的社会保障体系，特别重视培训教育和再就业，使传统工业富余人员的安置、新兴产业所需劳动力的培养和吸纳有机地结合起来。一方面，国家按月给予失业工人及其家庭成员失业救济、失业补助或社会救济（分别由政府不同部门按递减的标准发放）；同时，还在住房、医疗、交通和必需的大件消费品等方面，给予失业工人补贴，对 50 岁以上失业工人实行提前退休。

另一方面，十分注重工人的培训教育、转岗与再就业。德国的职业教育闻名于世，在失业培训与再就业方面运作得更为成熟。一是建立了严密的再就业教育培训、资格考试和就业咨询服务体系，在待就业工人（包括失业工人和主动转岗工人）、职业培训学校、社会中介性考试机构、用人企业、政府劳动部门和社会救济部门之间，形成了相互配合、相互制约和相互竞争的运作机制：工人转岗和再就业一律必须经过合格培训；职业培训学校与政府劳动部门签订合同，得到专项资金资助，免费为待就业工人提供就业培训（政府为此每年投入约二百亿马克）；社会中介考试机构独立地对培训后工人进行职业资格考核并颁发资格证书；用人企业发布招聘信息（就业信息全国联网并免费查询）并选录有资格证书人员；劳动部门根据培训后的工人再就业率（规定 70% 为合格），对职业培训学校实施考核，决定是否继续给予资金资助；劳动部门与社会救济部门联网，超过期限的未就业人员按期转为最低社会保障对象。二是对培训工作提出严格要求。主要有：本职业的再提高培训，培训期限为 3—12 个月（课时每天 8 小时，每周 5 天，不含 2 个月的学前预备班——主要是为学员提供再就业及其培训的选择指导）；转工种的再就业培训，培训期限为 21—24 个月。三是在培训失业人员的同时，也为在岗人员离职重新就业免费提供培训机会，使许多人可以及早主动地从传统产业退出，经选择性培训后，进入新兴产业就业。

三、几点启示

1. 传统工业改造是一个长期的历史过程，我们需要充分认识它的复杂性和艰巨性；针对我国的具体情况，我们又应当有紧迫感，综合运用各种有效的措施和机制推动这一进程。英、德两国都是早已完成工业化的发达国家，其传统工业的改造历经数十年仍未彻底结束。我国尚处在工业化过程当中，传统工业的发展还有较大差距，更有不小潜力。在世界科技革命日新月异、经济全球化日益明显、国际竞争日趋激烈、世界性经济结构调整日甚一日的形势下，我们必须加速用高新技术和先进适用技术改造传统产业，增强其竞争力，使我国工业化进程与产业升级优化紧密结合起来，形成自己的后发优势。

2. 改造传统产业，市场的导向和企业的自主选择是根本的。在传统产业的改造中，英、德两国政府都给予一定的支持，包括财政补贴、金融保险等，但无论是英国的自由市场经济，还是德国的社会市场经济，都强调企业是结构调整的主体，自己承担全部责任，面向市场选择结构调整的方向；政府只起辅助作用，而不是包办代替。

我国正在由计划经济向市场经济转轨，因此需要特别注意避免旧体制对产业结构调整的阻碍，充分发挥市场经济新体制的作用，让企业成为结构调整的主体，让市场机制有效地引导企业决策。政府有责任综合运用多种手段引导和支持传统产业改造，但是这种引导和支持主要是着眼于增强企业的竞争能力，为企业提供一个良好的生存与发展环境，而不是保证传统产业的各个企业都能存活。该淘汰的必须淘汰，能够适应竞争的企业才能继续发展。只有这样，也才能达到产业优化升级的目的。

四、政策建议

1. 加快完善社会保障体系，为传统工业改造创造体制条件。从英、德两国传统工业改造的情况看，完善的社会保障体系比较好地解决了煤炭、纺织等行业失业人员再就业过程中的基本生活等问题，这对社会稳定起到了缓冲器的作用。更为重要的是，为传统工业改造和转型创造了宽松的体制条件。从我国现状看，实现传统工业的改造和转型，不可避免地要通过关闭、破产等途径淘汰一大批落后企业，这必然导致下岗职工人数在一段时间内会十分庞大。因此，加快我国传统工业的改造，更加有赖于建立完善的社会保障制度，否则，将会极大地制约我国传统工业改造。"十五"期间，必须加快建立健全统一规范的社会保障体系，进一步完善失业保险制度、城市居民最低生活保障制度，同时积极发展社会福利、社会救济等社会保障事业。

2. 对传统工业存续企业加快进行改组改造，提高竞争力。英、德两国煤炭、纺织和汽车等行业在转型过程中，一些存续企业在政府的支持下，主要依靠自身力量，通过私有化、兼并联合重组、采用高新技术手段实施系统的自我改造，以及向发展中国家转移生产能力以降低成本等方式，成功地实现企业再造和产业升级，提高了竞争力，重新焕发了生机。

我国传统工业企业大都是国有企业，对一部分经营状况尚好、产品有市场、发展有潜力的企业，国家应当给予必要的政策支持，充分利用税收减免、加速折旧、信贷贴息、产业调整发展基金、吸引外资和境外加工贸易等手段，促进企业提高工艺技术和装备水平。同时引导企业依靠自身力量，把改造传统工业同发展高新技术产业结合起来，利用信息技术改造传统产业；加快改革、改组步伐，力争在能源、冶金、化工、轻纺、机械、汽车等行业尽快形成一批在国内外市场有竞争力的大企业集团，迎接"入世"后国内外市场激烈竞争的挑战。

3. 大力发展新兴产业和第三产业，实现工业和国民经济的可持续发展。英、德两国在传统工业改造过程中，积极发展新兴产业和第三产业，培育新的经济增长点，既为传统工业失业工人创造更多的就业机会，也直接促进了工业和国民经济的可持续发展。

我国新兴产业和第三产业近年来发展有所加快，但对就业和国民经济发展的贡献度仍然偏低，下岗工人的再就业市场空间太小，制约了传统工业的改造和转型。推动我国传统工业的改造和转型，必须加快发展电子信息、生物工程和新材料等高新技术产业，形成工业发展新的增长点。同时大力发展教育、信息、金融、会计、咨询、法律、社区服务等第三产业，提高新兴产业和第三产业增加值占国内生产总值的比重和从业人员占全社会从业人员的比重，在实现工业和国民经济可持续发展的同时，为传统工业下岗工人再就业创造更为广阔的就业门路。

4. 建立健全培训体系，帮助传统工业失业人员解决好再就业问题。英、德两国特别是德国在解决传统工业失业人员再就业问题上，其系统完善的再就业培训体系发挥了重要作用，值得我们借鉴。解决我国传统工业工人转岗、再就业的问题，必须按照建立社会主义市场经济体制的要求，加快建立健全再就业职工培训体系，充分发挥政府机构、中介组织、教育培训机构、企业和个人等社会各方面的作用，适应产业结构不断调整与升级的要求，根据劳动力市场需求，建立各级再就业培训机构，举办各类长中短期培训班，帮助传统工业失业人员提高技能素质，解决好再就业问题。

（原载国务院研究室《研究报告》2000年第16号，刘应杰等参加考察和执笔）

第七篇

为新体制定型

7.1 中国经济体制：变革、挑战和走向 *

党的十四大明确提出建立社会主义市场经济体制的目标以来，发端于上世纪70年代末的市场化改革不断深入，市场配置资源的基础性作用明显增强，中国已经成为发展中的市场经济国家。但是，目前建立的新体制仍然是初步的，不少领域的改革仍然处于艰苦的攻坚阶段。加入世贸组织后，计划经济遗留的许多深层次矛盾更加尖锐地暴露出来。中国的经济体制改革处在新的起点上，进一步向纵深推进的紧迫性也日益突出。

一、市场化改革取得突破性进展，社会主义市场经济体制初步建立

十四大以来的十年，是全面推进市场化改革、不断加大除旧布新力度的十年，改革在不少领域取得重要突破，推动了传统计划经济体制的根本性转变。

1. 所有制结构日趋多元化，国民经济的微观活力增强。公司制改造推动了国有企业制度创新和机制转换。国有经济实行战略性调整，虽然在GDP中的比重下降，但是效益提高。1989—2001年，国有企业户数由10.23万户减少到4.68万户，但实现利润从743亿元增加到2388.56亿元。各种新型的混合所有制经济迅速壮大，成为经济发展的重要支撑力量。个体、私营等非公有经济蓬勃发展，占工业增加值的比重由1990年的10%左右上升到目前的1/3以上。多元化的所有制结构符合社会主义初级阶段生产力发展的内在要求，日益显现出旺盛的生命力。

2. 市场体系基本形成，生产要素市场初具规模。农产品指令性计

---

* 本文是国务院发展研究中心重点课题"完善社会主义市场经济体制"的系列研究报告之一，课题负责人谢伏瞻、刘世锦；执笔人卢中原。

划全部取消，目前农产品批发市场年交易额 1.3 万亿元，占农业总产值的一半。工业品指令性计划仅限于 5 种，绝大多数商品和服务价格由市场竞争决定，企业普遍实现自主生产经营。资本市场发展迅速，证券市价总值超过 4.5 万亿元，全国统一的同业拆借市场和外汇市场相继建立。劳动力市场的发展促进了劳动者自主择业，技术市场和房地产市场交易量不断扩大。市场基础设施逐步改善，物流中心、配送中心和电子商务等现代化的流通方式正在兴起。行业垄断和地区封锁逐渐打破，整顿市场秩序取得积极成效。

3. 积极探索新型宏观调节体系，间接调节方式开始发挥主要作用。按照现代市场经济规律，中央银行宏观调节职能得到加强，金融分业监管体制逐步完善。公共财政框架初步建立，分税制改革进一步深化。宏观调节由主要依靠计划指令和信贷规模控制等直接手段，转向综合运用发展规划、货币政策和财政政策等间接手段。宏观调节重点由干预微观经济转向调节市场供求总量变动，由追求速度、数量扩张转向提高质量、效益和优化结构，注重实现经济和社会协调发展。根据国内外经济形势变化，适时调整宏观经济政策取向和力度，积累了治理通货膨胀和应对通货紧缩趋势的经验。

4. 收入分配领域的改革逐步深入。平均主义、大锅饭式的分配制度基本打破，按劳分配为主体、多种分配方式并存的格局不断发展，劳动、资本、技术和管理等生产要素相结合参与分配的新制度正在形成，各种劳动收入与合法的非劳动收入得到国家保护和社会认可。初次分配领域坚持以效率和贡献为导向，积极探索市场化的薪酬制度。再分配领域侧重维护社会公正，努力保证低收入群体分享社会经济发展成果。各类市场主体创造财富的积极性得到调动。

5. 社会保障制度建设稳步推进。以养老、失业、医疗保险和城镇最低生活保障为主要内容，独立于企事业单位之外的社会保障体系初步形成。到 2002 年底，全国职工基本养老保险覆盖面达 1.47 亿人，是 1990 年的 2 倍多，农村参加养老保险人数 5462 万人；全国参加失业保险的人数超过 1 亿人；基本医疗保险全面启动，覆盖面达 9400 万人。

初步建立的"社会安全网",为形成市场导向的就业机制、深化企业改革和维护社会稳定,发挥了重要作用。

6. 政府机构改革和职能转换步伐加快。适应发展市场经济和加入世贸组织的要求,我国加强相关法制建设,陆续颁布了规范市场经济秩序的一系列重要法律,国务院各部门共清理涉外规章和有关政策规定2300件,废止830件,修订325件。国务院和地方各级政府机构进一步精简,上一轮机构改革全国精简行政编制共计115万人。行政审批和微观经济干预逐步减少,国务院已取消1195个行政审批事项。中央、地方党政机关与所办经济实体和管理的直属企业脱钩,军队、武警和政法机关不再经商办企业,推进了政企分开。

改革的深化明显提高了国民经济的市场化程度,市场配置资源的基础性作用逐步增强。农村经济的商品化和市场化进程也在加快。从商品率看,目前粮食、蔬菜类产品已超过30%,畜产品、水产品超过50%,水果接近90%。综合国内学者研究测算结果,我国经济的市场化程度已经超过60%(一些国际研究机构的研究也表明,中国经济的自由化程度正在提高,在国际比较中的排位逐步前移)。

中国已经初步建立起社会主义市场经济体制,成为发展中的市场经济国家。这是改革20多年来尤其是十四大以来中国经济体制发生的根本性变化。这个基本判断,无论是对国内深入研究如何完善新体制,还是在国际经贸体系中维护我方权益,争取对中国有利的谈判地位,都具有重要的意义。

二、经济体制实现根本性转变的基本经验

中国的经济体制改革是一场前无古人的伟大变革,十四大以来,党领导全国人民坚持解放思想,实事求是,大胆实践,不断加深对改革的规律性认识,积累了宝贵的经验。

1. 不断推进理论创新,科学指导开创性的改革实践。十四大明确提出建立社会主义市场经济体制的改革目标,根本解除传统计划经济理

论的束缚，勾画了新体制的基本框架，为经济体制的根本性变革指明了正确方向。十五大、十六大继续推进理论创新，在国有经济战略性调整、非公有制经济的地位、国有资产管理体制改革和理顺收入分配关系等一系列重大问题上，进一步做出创造性的理论贡献，为推动改革实践的不断突破，提供了科学的理论依据和操作指南。

2. 坚持走中国特色的改革道路，善于吸收市场经济的通行规则。市场经济既有其自身规律和基本要求，又是一个受制于各国经济、政治和历史条件、在实践中不断发展的过程。我们立足于基本国情，积极研究、努力遵循市场经济的一般规律，借鉴发达市场经济国家和其他国家经济体制转轨的有益经验，少走弯路。只有从中国实际出发，坚持与时俱进，不断探索社会主义和市场经济相结合的可行途径，建立起符合先进生产力发展要求的经济体制和运行机制，才能使社会主义制度充满活力和生机。

3. 着力解决深层次体制矛盾，注重制度建设和创新。在建立社会主义市场经济体制的改革新阶段，一方面必将深刻冲击旧体制的核心部分，另一方面更需要以新制度取而代之。因此，需要掌握好"破旧"和"立新"、"废除"和"建设"的辩证关系，以更大的决心和力度，由易到难，不断消除深层次的旧体制障碍，同时全面加强各项新制度的建设。及时总结改革的成功经验，上升为法律法规，建立健全具有稳定性、权威性的新制度和新机制。

4. 整体推进和重点突破相结合。最近十多年来，国有企业改革、计划体制、财税体制、金融体制改革和政府职能转换等相继进入攻坚阶段，既需要统筹规划，协调推进，同时也要审时度势，不失时机地实现改革的重点突破。实践证明，高屋建瓴，统揽改革全局，循序渐进和大力度突破相辅相成，既可减少社会震荡，又可避免重大改革久拖不决。

5. 改革和开放相互促进，良性互动。闭关锁国不仅导致经济落后，更造成旧体制故步自封。对外开放越是扩大，越能注入新的改革动力。扩大对外开放特别是争取"入世"的进程，尖锐揭示了计划经济的深层次弊端，强烈冲击着落后观念，空前开阔了国人的视野，鞭策我们主动借鉴世界各国创造的一切先进的制度文明，把改革引向纵深，增强中国经济体制在经济全球化中的适应性和灵活性。

6. 正确处理改革、发展、稳定的关系。适时有序地推进改革开放，关键是把握好改革力度、开放节奏、发展速度和社会承受能力的协调统一，在保持社会政治稳定的前提下推进改革和发展，在改革和发展的进程中尊重群众首创精神，关心群众切身利益，维护社会政治稳定，在全社会形成推动改革的高度共识和强大动力，实现稳中求进。

7. 用深化改革和市场经济的办法防范、化解风险，增强经济机体的抗冲击能力。发展市场经济和开放型经济，经济运行环境的不稳定性和不确定性增加，经济机体内部的潜在风险也会加大。近十年来，中国经济之所以能够比较成功地渡过经济过热和亚洲金融危机的难关，逐渐缓解近期经济偏冷的压力，很重要的经验是通过推进计划、财税、金融体制改革和国有企业改革，化解金融风险，更多地运用市场经济的办法加强和改进宏观经济调节，引导经济结构调整，从而避免了经济大起大落，使之步入相对平稳的持续增长轨道。

三、深化经济体制改革面临的主要挑战

初步建立的社会主义市场经济体制，还存在两个方面的缺陷：一方面，计划经济体制的核心部分尚未彻底触动，深层问题没有完全解决，这是完善新体制面临的首要挑战；另一方面，一些新建立的重大制度仍是框架性的，尚不稳固，还有不少漏洞。这两方面的缺陷具体表现为：

1. 政府职能与改革开放新阶段的要求还有较大差距。进一步完善社会主义市场经济体制，履行我国加入世贸组织的承诺，对政府深化行政管理体制改革、加快职能转换提出更高要求。目前，政府在提高依法行政水平、增加政策透明度和统一性、减少行政审批和微观事务干预、正确行使对经济和社会的公共管理职能等方面，还有不小差距。社会公共管理部门的职能明显薄弱，应对突发事件的预警、组织协调和危机处理等方面的机制很不健全。在开放型经济不断发展和不确定因素日趋增

加的情况下，建立有效政府的任务更加迫切。

2. 国有大企业改革难度加大，垄断领域的改革相对滞后。国有大企业机制不合理、社会负担重、创新能力弱等问题仍然比较严重，尚未脱困的大企业尤为突出。垄断行业的大企业缺乏优胜劣汰的压力，在经营机制、收费标准和服务质量等方面，与整个社会和消费者的要求还有较大差距。国有经济布局战略性调整任重道远，该加强的还未完全到位，该退出的也未退够。国有资产管理体制还不适应新形势的需要。深化国有经济改革，仍然是整个经济体制改革中最关键的环节和最繁重的任务。

3. 投融资体制改革进展缓慢。投融资活动中的行政干预仍然过多，地方政府通过动用财政性资金、指令国有企业投资和国有银行贷款等不同方式，频繁介入一般竞争性领域的投融资活动，往往是低水平重复建设和局部投资过热的直接诱因。基础设施等公共产品的投融资领域，仍然欠缺风险约束机制和竞争机制，导致资金流失（包括挪用、侵吞等）和投资效率低下。保护私有财产的法律制度不健全，非公有经济面对的投资审批过于繁琐，相关财税政策、金融政策和投资服务体系也不完善，制约着国内民间投资的进一步扩大。

4. 金融体制存在较大缺陷，金融资源配置效率低。国有金融企业尤其是国有独资商业银行的治理结构和经营机制不健全。直接融资发展不足，证券市场的制度设计缺陷相当突出。金融体系不适应多种所有制经济和中小企业迅速发展的需要。金融业不良资产比例较高，金融监管比较薄弱。金融业在日益扩大对外开放的情况下，潜伏着较大的金融风险。

5. 社会信用严重缺损，市场秩序比较混乱。政府、企业、个人的信用体系残缺不全，已经成为市场经济正常运行的重大障碍。一些部门和地方政府干预经济活动引起的诚信缺失，比企业或个人的诚信缺失更有害，不仅扰乱市场经济秩序，而且导致政府公信力下降。国家整顿市场秩序的努力，往往受到行业垄断和地方保护行为的干扰，规范市场秩序的法律制度和执法监督还存在不少薄弱环节。

6. 社会保障制度漏洞较多。对国有企业老职工的原有欠账还未完全弥补，存在较大资金缺口。养老、失业和医疗保险的新机制不完善，突出问题是：覆盖面仍然狭窄，缴费率过高而影响覆盖面扩大；资金来源的可持续性不牢固，国家、单位和个人负担的比例不够合理，个人账户多是空账；制度设计过于复杂且不统一，管理成本过高。症结在于可能产生新的资金缺口，导致制度性的不堪重负。

此外，城乡分割的体制性障碍仍然比较严重。即使在大量使用农民工的城市，仍然存在不少对农民工的歧视性政策（包括就业、子女入学、户口、社会保障等方面）。这些计划经济遗留的深层壁垒严重阻碍工业化、市场化和城市化进程，在下一步改革中应当大力攻克。

四、存在问题的原因分析

深化改革所面临的各种矛盾和问题，其根本原因在于，以社会主义市场经济体制为目标的改革，加大了调整原有利益格局、冲击旧体制旧观念的力度，使一部分改革主体变为改革对象；同时，建设各项新制度本身，也对改革方案的科学性和预见性提出了更高要求，从决策者、研究者到执行者，都面临着重新学习、转变观念和不断适应变革的新挑战。

1. 我国正处于经济结构剧烈变化、各种矛盾集中暴露的经济发展阶段，改革的复杂性和艰巨性日益突出。我国的经济体制改革，是在传统二元经济结构向现代经济结构转变、经济增长方式由数量扩张型向质量效益型转变的进程中展开的，各种经济问题和社会矛盾盘根错节。这些变革都具有根本的性质，所涉及的规模之大和程度之深，无论在中国还是在世界的现代化历史上，可能都是空前的。目前，我国浅层次的、容易改的改革任务基本上都已完成，改革进入更深层次的攻坚阶段。改革的社会基础正在发生分化，改革初期各方面普遍受益的局面转变为部分受益、部分受损的复杂格局。一方面，政府职能转换势必精简机构、人员，削弱一些部门的权力和利益，国有企业深化改革也必然打破一些行业及其主管部门的垄断地位。另一方面，市场化改革和经济结构调整不可避免地导致失业增加，并引起国有企业职工身份变化。因此，深化改革面临的难度和阻力无疑也会加大。在重大改革设想的反复论证、协调乃至改革方案实施的整个过程中，难免产生推诿扯皮、延误战机甚至南辕北辙的情况。面对这种复杂局面，既要坚定不移地推进改革，又要注意保护弱势群体，使大多数人受益。

2. 部门自我改革很难彻底，容易引起改革偏离正轨。目前的行政审批制改革，主要依靠政府部门自我申报、自我清理，往往出现避重就轻、避实就虚的问题，不利于根治行政审批权与收费利益密切挂钩的"权力造租"机制。垄断行业的改革方案和相关法规，也主要由该行业和主管部门自己制定，难以超脱部门利益、集团利益的狭隘眼界。由于缺乏利益相关方（企业、行业协会、消费者）和利益超脱方（专家、社会公众、舆论媒介）的公共参与和评议，部门自我改革可能流于形式，甚至被既得利益集团扭曲。

3. 非经济因素对深化经济体制改革的制约越来越明显。经济体制改革的逐步深入，越来越触及民主政治、政权建设、干部制度、党的领导方式等非经济领域。如果政治体制和上层建筑领域的改革进程跟不上经济体制改革的步伐，势必导致经济领域的一些重大改革难以推开，甚至产生局部逆转。农村税费改革在局部地区的反复，其根本原因就在于农村基层政权叠床架屋，"生之者寡、食之者众"，使我们面临陷入"黄宗羲怪圈"的危险。这次抗击"非典"斗争中政府曾一度陷于被动，信誉受到损害，明显暴露了高官失职、体制分割、观念陈旧、舆论监督薄弱等问题，这不仅是严重的教训，更是协调推进经济领域和非经济领域改革的重大契机。

4. 计划经济下形成的传统观念和行为方式，仍然有较强的惯性。一些部门习惯于依赖行政手段对经济生活中出现的问题实行禁和堵（如对年年出现的棉花市场波动和涨价现象），不善于运用市场经济的办法加以调节，实际效果并不理想。一些执法部门的自由裁量权过大，在非常时期和处理突发事件的过程中公共权力容易过度膨胀（例如最近一些地方开始强制征收消毒费、民工体检费等）。政府干预经济活动的权力仍然缺乏有效监督和制约，对不当干预导致的后果缺乏责任追究，公权侵害私权、行政权侵害财产权、政府漠视诚信的现象难以根绝。

5. 缺乏前瞻性或依赖经验容易导致某些改革不到位，甚至产生始料不及的后果。证券市场在最初的制度设计上缺乏预见性，导致股市问题积重难返，应有的制度创新迟迟不能出台。渐进式改革道路产生了一些成功经验，加之领导干部结构正在发生变化，在改革的指导上可能受到原有经验和知识背景的局限。此外，决策科学化、民主化机制还不健全，决策程序规则以及决策咨询制度等方面的建设和实际执行还有较多漏洞，也容易影响改革方案的科学性。

以上概括和分析仅是初步的、参考性的。对重点领域的改革经验和教训，还需要更深入地总结，以利于深层次改革的推进。

五、近中期深化经济体制改革的设想

党的十六大报告指出，21 世纪头 20 年，是我国必须紧紧抓住而且可以大有作为的重要战略机遇期，是实现现代化建设第三步战略目标必经的承上启下的发展阶段，也是完善社会主义市场经济体制和扩大对外开放的关键阶段。这表明，我国不仅在现代化建设方面要大有作为，而且在经济体制改革方面也要大有作为。

继续深化改革，可以分阶段进行考虑。从近中期看，例如在"十一五"期间，首先应当加大改革攻坚力度，努力在一些主要的改革攻坚领域取得新的突破；同时，进一步充实和稳定初步建立的各项市场经济新制度。然后，再用五年时间，基本攻克计划经济的核心部分，并使各项新制度不断巩固和完善。社会主义市场经济体制的完善需要一个相当长的过程，尤其是一些与社会、历史、文化因素密切相关的新制度，例如信用制度的建设，更是如此。对"十一五"期间的经济体制改革，大致可以提出以下设想：

1. 加大国有经济战略性调整力度，进一步发展多元化的所有制格局。目前国有经济比重仍然偏高，战线仍然过长。2001 年全社会固定资产投资中，国有及控股投资比重高达 53.5%（其中纯国有投资为 47.3%，国有控股投资为 6.2%），国内民间投资比重 38.4%，外商及港澳台投资为 8.1%。今后，应当继续大力发展形式多样的公有经济、混合经济和非公有经济，使原本过高的国有经济比重逐步回落到符合市场经济规律的正常水平。国有经济的控制力不再体现为分布行业的广泛和国有企业数量的优势，而体现为向关键领域和命脉行业集中，以较少的国有资本带动更多的社会资本。国有企业的多重职能（稳定社会、推进工业化、主要税源、政权基础、调控经济等）应当重新定位，进一步分离、解脱、简化，政府除了出于公共管理目的而设立少量特殊的国有企业外，不应再兴办与民争利的国有企业。

推进国有大企业的公司化改革，完善法人治理结构，切实转换经营机制，在产权制度、经营者激励机制和减轻社会负担等方面，应当有新的突破。垄断行业的国有大企业应当成为改革的重点，主要改革途径有两条：一是着力培育竞争机制，包括加强同类业务竞争，放宽对国内资本的准入限制等；二是完善公共管理的制度规则，尽快颁布反垄断法和针对某一垄断行业的专门法律法规，以使不同领域、不同性质的垄断行为得到有效规制。

2. 按照"管住政府、放开市场、吸引民间资本、加强风险约束"的思路，深化投融资体制改革。贯彻谁投资、谁决策，谁受益、谁承担风险的原则，完善投资的激励与约束机制，让各类民间投资主体在投融资活动中发挥主要作用。进一步减少行政性审批，严格限制各级政府参与竞争性领域的投资活动，财政性投资（包括国债投资）要严格界定在社会公共产品和基础设施领域，提高透明度，接受公众审议和监督，并尽可能引入竞争机制。进一步巩固和培育全社会投资的自主成长能力，减少投资审批程序，放宽产业准入限制，积极发展适应中小企业需要的金融机构、资本市场、信贷担保体系和投资服务机构，完善保护私有财产的法律制度和鼓励民间投资的财税金融政策，充分调动社会蕴藏的创业积极性。

3. 统筹考虑国有资产管理体制改革和社会保障制度建设。"十一五"期间，应当按照党的十六大指出的改革方向，基本建立新型的国有资产管理体制。在国有资产管理体制改革过程中，需要注意充实社保基金，弥补历史欠账，特别要采取有效措施，防止出现遗留社会保障包袱、国有资产流失和逃废银行债务等问题。在社会保障制度的设计上，应当避免标准过高、项目过繁和制度缺乏调整余地，例如失业保险和城镇"低保"逐步合一，就是较合理的选择。

国有资产管理体制改革还需要研究一些重大问题。一是对于国有资产保值增值的适用范围、相关条件和考核体系，如何制定科学的办法。例如在局部范围，国有资产的重组和退出可能由于市场因素而导致资产贬值（这并不是国有资产流失），对此应当有符合实际的衡量标准，既要防止少数人故意压低国有资产价格，中饱私囊，也要避免因顾虑重重而裹足不前。二是地方政府是否应当拥有发债权。既然地方政府能够分级行使出资者权利，有投资权和股权，那么没有发债权似乎并不妥当。目前中央政府掌握全部发债权，实际上很难控制全部债务风险，因为地方政府设法变相发债，中央财政赤字却反映不出来。明确地方政府有一定发债权和相应还债责任，可能更有利于地方政府正确行使出资人职能，分散中央财政风险。

4. 完善公共财政体制，优化财政支出结构。公共财政体制着眼于弥补市场缺陷，而不是直接参与市场配置资源的过程。

政府财政投资应当基本退出一般竞争性领域，尽可能削减政府投资所担负的一般经济建设职能。进一步减少基本建设、企业挖潜改造、增拨企业流动资金等方面的财政支出，更多地通过市场化的直接融资和间接融资方式，例如发行股票、企业债券以及银行贷款等，满足投资主体的资金需求。同时，应当认真清理未公开列出的经济建设费，凡是可以由市场机制调节、企业自主进行投资的一般经济建设支出项目，都应当减少，尤其是应当重点压缩随意性大的支出项目；只保留必须由政府承担的公共产品投资支出，例如全国性的、社会公益性的以及自然垄断性的基础设施投资等。

政府履行公共职能，应当由主要依靠政府投资支出转向政府消费支出，把财政支出的重点转到发展社会保障和公益事业、帮助弱势群体和维护社会稳定上来。政府消费支出是指政府部门为全社会提供公共服务的消费支出，包括国防、社会保障、教科文卫，以及向住户以免费或低价提供的货物和服务等方面的开支。我国 90 年代政府消费率平均仅为12% 左右，不仅明显低于发达国家，也低于与我国经济发展水平类似的国家和地区。为满足经济和社会发展对公共服务不断增长的需求，政府消费支出有必要随 GDP 增长而相应增加，但政府最终消费占 GDP 的比重不宜过快上升，应当保持大体稳定，以免影响居民消费率的提高。

5. 按照中性、简化、效率等原则，推进税制改革。一是进一步清理、减轻企业和居民的非税负担，使财政收入主要依靠规范的税收来源。相应地，完善个人所得税，开征社会保障税、遗产和赠与税之类的新税种，以增强政府发展社会保障和公益事业、调节地区差距和收入差距的能力。二是贯彻国民待遇和公平竞争等原则，在进出口、引进外商投资等方面对现行税收优惠政策进行调整。"出口退税、进口征税"是各国通行的做法，我国进口免税项目较多，需要进行清理。同时，尽快统一内外资企业所得税。三是减轻企业的税内负担，包括推进增值税转型，取消重复征税等，增强企业的投资意愿和投资能力，充分发挥税收对经济结构的调整作用，形成经济增长和税收增长的良性循环。

6. 加快农村经济改革，进一步打破城乡分割的壁垒。需要从农村外部和内部两方面努力。从农村外部考虑：一是加强国家财政和金融方面对农村经济的扶持力度。管好用好财政支农资金，尽快取消农业特产税，并逐年递减农业税税率，力争在本届政府任期内完全取消农业税。积极发展适合农民需要的信贷方式，改革农村信用社，规范和发展农村民间金融，改善农村金融服务。二是加快城市化进程，促进农村人口向城市和非农产业转移。对农村征地给予合理补偿，缓解城市化占地和农用土地的矛盾；进一步清除对农民进城的歧视性政策，保障农民工子女受义务教育的权利，创造有利于农民外出就业的公平环境。

在农村内部，重点可考虑：一是完善土地流转制度，逐步开放集体土地产权市场，引导集体土地流转。二是积极发展各类农村专业合作组织，提高农村经济的专业化和市场化程度，增强农民的抗风险能力。三是大力精简县乡机构和人员，在精简、撤并乡镇政府的同时，因地制宜取消乡镇财政，从根本上减轻农民负担。

7. 推进金融体制改革，健全符合现代市场经济要求的金融组织体系、金融市场体系和金融宏观调节体系。根据市场经济不断发展、对外开放不断扩大的新情况，加强金融组织体系的开放性和竞争性。国有独资商业银行应当加快进行股份制改造，健全内部治理结构，打破行政区划限制，根据市场竞争的需要合理调整分支机构布局。积极发展各类非国有的中小金融机构，吸收社会资本进入，拓展非公有经济和中小企业的融资渠道。

进一步发展多种形式的金融市场，循序渐进实现利率市场化。在加强外部金融监管和内控机制的基础上，促进金融工具创新，发展多样化金融服务，扩大股票、债券等直接融资方式的比重。对证券市场进行深层次的制度改造，解决国有股不能流通的问题，使股票市场规范化运作，真正成为有效配置资本的交易场所。

继续完善以间接调节为主的金融宏观调节方式，适应金融创新和金融深化的发展趋势，不断改进货币政策的操作工具和目标体系。改进中央银行体制，进一步增强货币政策的独立性和科学性。

（原载《经济学动态》2003 年第 8 期）

7.2 "十一五"期间改革攻坚任重道远

进入新世纪以来，我国经济体制改革进入新阶段。"十五"期间，改革在两个方面展开：一是不断完善初步建立的社会主义市场经济新体制。现在，市场配置资源的基础性作用明显增强，公有制为主体、多种所有制经济共同发展的基本经济制度正在确立。但是新体制在许多方面还不健全，还不适应国民经济市场化程度不断提高、非公有经济日益活跃、中央和地方关系不断变化的新形势。计划经济时期取得的社会发展的一些积极成果也有所丧失。因此，完善新体制的改革任务并不轻松。二是向计划经济体制的核心部分发起攻坚战。投资体制改革、国有银行股份制改造正在推开。但是，政府职能、垄断行业、大型国有企业等领域的改革进展还比较迟缓。当前经济发展中存在的许多突出问题和深层次矛盾，都和计划经济核心部分的改革不到位直接相关。

我国新一轮经济增长目前已进入稳定状态，但还存在一些不确定、不稳定因素，其体制根源在于投资、财税、金融、土地管理和政府职能等关键领域的改革还不到位。"十一五"期间，应当抓住经济持续快速增长的有利时机加快改革步伐，着力推进体制创新和规则完善，加大这些关键领域的改革力度，力争在一些重要环节取得突破性进展，以增强经济自主增长的能力，努力延长稳定增长期。

一、认清影响经济稳定的六大体制性根源

我国经济运行容易出现较大波动，经济增长的质量和效益偏低，深层次体制原因在于市场经济体制不健全，经济领域和政治领域的改革不协调，政府对经济的行政干预仍然过多，盲目投资和低水平扩张的体制根源还没有彻底消除。主要表现在以下几方面：

1. 投资体制不适应市场经济发展的需要。一是政府投资范围界定

不清，对竞争性领域的市场化投资介入过宽，行政干预过多。习惯于借助预算内投资来调控经济运行，而不善于通过政府消费来提供公共服务。二是对全社会投资存在重审批、轻服务的倾向。投资审批政出多门，对民间投资缺乏有关行业供求信息和产业发展导向的服务。行业主管部门撤销后，相关行业信息服务尤其欠缺。三是缺乏科学的、有预见性的宏观产业导向。这一轮经济上升期遇到的能源紧张，很大程度上是因为前期规划缺乏预见、投资不足而造成的。四是在市场准入方面偏重经济性指标，忽视社会性指标。按投资规模层层划分投资审批权，过分相信对投资项目微观经济效益的行政性审批，而对涉及公共利益的社会性指标（主要是环保、安全、质量、能耗、技术和卫生等标准）却长期疏漏。这就既不利于通过市场提高投资的经济效益，又不利于弥补市场缺陷造成的社会代价。

2. 财政税收体制不规范，不利于消除政府过多干预经济的内在动因。一是公共财政体系不健全，政府用于弥补公共服务领域"职能缺位"的开支仍然不足，而一般经济建设领域开支"越位"过多，经济建设费在财政主要开支中比重仍然最高。二是中央和地方的财权和事权划分不够清晰合理，各级政府缺乏与本级公共服务职能及其公共开支相适应的正常财税收入来源，导致地方政府纷纷开辟旁门左道以增加财政收入。三是各级政府预算外收入和体制外融资的渠道和支出去向不规范、不透明，其中相当多资金直接投入公共服务以外的营利性投资项目，对投资膨胀和低水平扩张起到推波助澜的作用。四是现行分税制和财政转移支付制度不完善，中央和地方税种结构及其分成比例不够合理，地方财政收入缺乏适合地方经济发展需要的主体税种（例如不动产税等），过于依赖增值税、营业税等流转税，加之与建设项目挂钩的专项转移支付还占较大比重，这就必然促使地方政府热衷于争建设项目、积极干预地方工商业投资。

3. 金融体制改革滞后，金融参数失真。第一，银行体系不能满足经济增长对市场化融资的需要。国有商业银行的组织结构和经营机制不合理，贷款行为扭曲；中小企业融资渠道狭窄，贷款仍然困难。第二，利率决定机制的行政化程度较高，资金价格对市场供求变化的反应迟缓。利率不能真实反映资金成本和投资风险，加剧了低水平扩张。第三，汇率机制僵化，阻碍了市场供求变动对外汇和人民币比价关系的合理调整。在美元贬值情况下，与美元单独挂钩的人民币相应贬值，容易刺激粗放型出口增长，不利于国内产业结构优化升级。既影响到金融资源的配置效率，又缩小了货币政策的选择空间。第四，证券市场的制度缺陷日益明显，股权分置和上市公司质量差的问题迟迟未能解决。证券市场难以健康发展，也难以发挥扩大直接融资、提高资本配置效率的作用。

4. 环境和资源的使用成本过低，难以形成相应的替代、节约资源的激励和约束机制。环保和资源利用方面缺少必要的准入标准和补偿标准，建设项目几乎不计环境、资源的使用成本。我国矿产资源税目前还是按照实物量征收，在煤炭等资源价格大幅上涨时，对资源开采的补偿明显偏低；而且煤、电价格脱节，资源型产品价格的上涨没有相应传导到最终产品。在土地、资金、资源、环境等方面的使用成本都很低的状况下，容易导致不计成本、忽视效益的低水平扩张，不利于投资结构和产业结构的优化，也妨害经济增长方式由粗放型向集约型转变。

5. 土地资源配置缺乏规范、长效的管理制度，引发盲目投资和新的社会矛盾。一是缺乏科学、权威的国土资源总体规划和跨行政区域规划，而分省规划在全国建设中起决定作用，必然导致各自为政、任意调整和低水平重复建设，违背区域经济专业化、市场化合理分工的客观要求。二是土地产权主体和权利界定不清，保护不力，对拆迁市民和征地农民缺乏合理补偿，城市国有土地权益大量流失，农村集体土地权益和农民利益受到严重侵害。三是土地收益分配相当混乱，土地收入没有纳入预算管理，也没有完善的房地产税种，该收的土地收益收不上来，对土地收益的不合理使用也难以监督。四是土地供应方式过于行政化，土地使用性质缺乏明确界定，营利性用地往往假借公益性名义低价甚至无偿征收、征用，导致地价严重扭曲，各种"黑箱操作"和腐败行为猖獗。凡此种种，成为许多地方盲目推进城市化、工业化的制度诱因，城市超大规模建设、野蛮拆迁、乱建开发区、乱占耕地现象十分严重，农民失地失业等新的社会矛盾空前尖锐。

6. 政治领域的改革滞后于经济领域的改革，导致增长速度攀比和数量扩张冲动。我国经济波动的"政治周期效应"十分明显，经济增长和投资增长的高峰，往往正是地方党委和政府换届的时间。现行干部选拔、考核制度和行政管理体制都存在明显缺陷，对权力运行的社会监督机制也很薄弱，科学民主决策、依法执政等缺乏有效的制度保障，不利于引导各级政府和党政干部树立正确的政绩观，不利于抑制低水平扩张和转变增长方式，因之也不利于国民经济按照客观规律稳定运行。

二、协调推进投资、财税、金融和土地管理等体制改革，加快政府职能转换

落实科学发展观，促进经济增长方式转变，必须加快各项经济体制改革，消除阻碍全面、协调、可持续发展的体制缺陷。

1. 继续改革投资体制。为落实投资体制改革方案，应当限期制定系列配套文件，废止或修改不符合要求的投资管理法规、产业政策和行业准入制度。改革投资审批制应当与清理、规范政府投资范围同时进行，以防政府投资职能和范围不适当地扩大，甚至冲击审批制的改革。政府投资范围应当严格界定在公共产品和公共服务领域，尽可能吸引社会资本参与公共投资，加强对政府投资的社会监督和责任约束。政府所承担的一般经济建设职能要进一步向公共服务职能转换。按照完善社会主义市场经济体制的要求，政府投资要基本退出一般竞争性领域，尽可能削减政府投资所担负的一般经济建设职能，保留必要的公共投资。而且，公共服务职能由政府投资所实施的部分也应当尽量减少，而转向主要由政府最终消费来体现。严格控制预算内投资增长，防止政府投资占GDP的比重上升过快。

政府对全社会投资应当依法进行管理，由依赖经济性规制转向加强社会性规制，即淡化对投资规模和经济规模等指标的监管，而强化对涉

及社会公共利益的行业准入标准（主要是环保、质量、安全、能耗、技术等）的监管。同时，加强对全社会投资的信息服务和政策导向，避免重监管而轻服务的倾向。遵循工业化和产业结构升级的阶段性规律，引导投资方向和优化投资结构。国家应当按照三次产业结构和工业内部结构升级的需要，运用规划、政策和信息发布等手段，引导产业发展和投资方向。各类投资主体应当以市场导向为主要依据，关注政策导向，优化投资资源的配置。应当在结构优化的前提下保持适当的投资率，避免单纯的投资规模扩张。

放手发展市场化的民间投资主体。扩大非国有企业和个人等国内民间投资的准入领域，为各类非政府投资主体创造平等竞争条件。应当加快促进各类投资主体平等竞争的制度建设，包括财产保护、税收、政府规制、市场准入和退出等方面的制度。政府对全社会投资波动的调节，应当主要运用法律和经济的手段。

2. 推进财税体制改革。按照"统一税法、公平税负"的原则，应明确各类所有制企业税制合并的改革时间，宜早不宜迟。尽快完善调节收入差距、促进环境保护和资源合理利用的税收制度，改革利息税和个人所得税，逐步推出遗产与赠与税、不动产税、环保税等新税种，扩大资源税和耕地占用税的征收范围。

进一步明确中央和地方政府的事权和财权，使各级政府都能有规范而稳定的财政收入来源，以满足其正常的公共开支需要。合理调整中央税、地方税以及共享税的税种和分成比例，完善中央和省以下财政转移支付制度，减少专项转移支付，扩大一般性转移支付。简化财政预算管理层次，推广"省直管县"等改革试点。稳步扩大地方政府发行债券的权力。

3. 深化金融和外汇体制改革。首先，尽快改变金融参数扭曲状况。推进利率市场化进程，在加快贷款利率市场化的基础上，逐步实行存款利率市场化。积极创造条件完善人民币汇率形成机制，放宽汇率浮动范围，使人民币汇率能够围绕均衡水平合理浮动。改革现行的银行强制结售汇制度，放松外汇使用管制，放缓外汇储备增长速度，释放人民币升值的内部经济压力，同时需要加快完善外汇市场的避险工具。其次，加快国有商业银行改革，积极发展地方性中小银行和农村金融，加快研究和出台民营银行准入规则，根本打破银行业的垄断格局。既要加强风险控制，又要适应经济发展和各类市场主体的融资需要。再次，继续规范和发展证券市场，扩大直接融资比重，促进直接融资和间接融资的均衡发展。适时解决股权分置造成的制度缺陷，使证券市场正常发挥应有的职能。

4. 加快土地制度创新，建立规范的土地管理体制。改革土地供给的行政性审批制度，打破政府对土地一级市场的垄断，扩大土地的市场化配置范围。全面推行公开招投标方式，推进土地价格市场化。完善土地法律和规划，严格界定公益性用途和经营性用途，依法保障公共利益和公民私有财产。把土地收益列入预算管理，合理分配土地收益，保证失地农民得到合理补偿和长期稳定的收入来源。加快改革农村集体土地产权制度，包括明确所有权、使用权、处分权和收益权等各项权利，及其代表主体、行使方式、流转方式和权益保障等。

5. 加快政府职能转换和自身改革。按照完善社会主义市场经济体制和落实科学发展观的要求，中央和地方政府应当分别正确履行政府职能。中央政府主要履行全局性的宏观经济调节、市场监管、社会管理和公共服务职责，地方政府则主要行使地方性的市场监管、社会管理和公共服务职责，并贯彻统一的国家宏观调节政策。

各级政府都应当着力解决政府在经济发展领域越位过多、而在社会发展领域缺位严重的问题。一是进一步减少行政审批和对微观事务的直接干预，加大产权保护力度，保证市场机制在更大程度上发挥配置资源的基础作用。二是完善公共政策和宏观调节方式。增加公共产品，改善公共服务，切实把政府掌握的公共资源用于加强社会发展的薄弱环节，弥补市场缺陷。坚持主要运用经济手段和法律手段进行宏观经济调节，注重发挥好规划、政策和信息服务的引导作用。坚持和完善科学民主决策制度，避免重大决策失误。三是在构建社会信用体系方面，各级政府务必率先垂范，依法行政、公正执法，建设诚信政府，带头维护市场经济秩序；同时不断健全市场监管体系和质量监督机制。

三、不断完善社会主义市场经济体制，是实现科学发展与社会和谐的根本保障

应当清醒地看到，要把经济社会发展转入科学发展的轨道，现有的体制条件还不够充分。要想克服阻碍又快又好发展的体制弊端，归根结底要靠深化改革，要靠体制创新。改革不仅是发展的动力，而且更是全面协调可持续发展的充分条件。

1. 坚持改革的基本方向：继续高扬社会主义市场经济体制的改革旗帜。今后，我们仍然应当毫不动摇地坚持社会主义基本经济制度，进一步加深经济的市场化程度，为经济又快又好发展注入新的活力；同时，进一步完善社会管理方面的体制和政策，为促进社会和谐提供体制保障。深化改革，应当从两个方面推进：一方面，继续加大对计划经济核心部分的改革攻坚力度，进一步排除旧体制对实现科学发展的干扰和障碍。另一方面，努力完善市场经济新体制，同时注意补救市场失灵引起的社会代价，但绝不是回到计划经济旧体制。现在提出注重社会公平，也不是回到平均主义，而是通过提高社会公平程度，特别是关注就业机会和分配过程的公平，进一步解放和发展生产力。事实上，强调机会公平和起点公平，本身仍然是效率原则，也就是"效率优先"的题中应有之义。所谓"兼顾公平"，意味着统筹好发展成果的再分配，使多数社会成员尤其是贫困者能够分享不断增进的社会财富，分配结果的必要均等化应当体现在公共服务的不断改进上，从而既能激发人们创造财富的积极性，又能促进社会和谐程度的提高。

目前改革的着力点，是解决阻碍科学发展和社会和谐的突出体制矛盾。例如，深化行政管理体制改革，转变政府职能，已经成为全面深化改革、促进科学发展的关键。这是因为，政府职能转变不彻底，在经济领域仍然过多地直接配置资源，社会管理和公共服务职能薄弱，已经成为影响科学发展观落实的突出障碍。只有加大这方面的改革力度，才能创造有利于科学发展的体制条件。又如，要加快转变经济增长方式，必

须深入改革价格体系，完善财税体制和政策，综合运用价格、税收和信贷杠杆，通过利益机制的激励和约束作用，引导各类企业和行业走节能降耗、减少排污、提高质量的发展路子。再如，要针对新时期人民内部矛盾的新变化、新特点，改革社会管理体制，畅通诉求渠道，完善社会纠纷调处机制、社会预警体系和应急救援机制，等等。只有不断完善体制环境，社会和谐程度才能得到巩固，并且逐步提高。

2. 坚持行之有效的改革经验，不断完善改革的思路和举措。在20多年的改革开放进程中，我们积累了许多成功经验和重要启示：例如，不断推进理论创新，科学指导开创性的改革实践；坚持走中国特色的改革道路，善于吸收市场经济的通行规则；着力解决深层次体制矛盾，注重制度建设和创新；整体推进和重点突破相结合；改革和开放相互促进，良性互动；用深化改革和市场经济的办法防范、化解风险，增强经济机体的抗冲击能力；正确处理改革、发展、稳定的关系，等等。这些改革的基本经验和重要启示，在新的条件下仍然具有现实意义。

在新的改革阶段，继续深化改革面临的形势更为复杂，难度也比过去加大。一是我国经济社会结构处于重大转型时期，改革的深刻性和艰巨性日益凸显。这一时期的突出特征，是利益主体日益多元化，利益诉求多样化，各种矛盾盘根错节甚至可能集中暴露。改革的社会基础正在发生分化。因此，随着改革由浅层次的、容易改的领域和环节向更深层次的攻坚目标推进，达成改革共识的社会氛围可能变得不太确定。二是现在许多改革越来越变成部门自我改革，这样的改革很难彻底，容易引起改革偏离正轨。特别是在改革计划经济的核心部分，例如垄断行业改革和政府职能转换过程中，存在着社会利益部门化、部门利益法制化的倾向，使既得利益的调整变得相当困难。三是改革的协调性要求提高，但是相应的协调机制有所弱化。越是深层次的改革，越是会触动多方面的利益，因而也越是需要跨部门的、综合的研究与部署，单兵突进的改革已很难奏效。四是越来越多的改革措施可能带有非普惠的性质。改革初期各方面普遍受益的局面正在转变为部分受益、部分受损的复杂格局，这就使对受损者的补偿问题日益突出。

　　面对改革的新形势，在坚持原有成功经验的前提下，以下原则也是需要重视的：一是积极稳妥原则。对深层次体制矛盾，要以更大的决心、下更大的气力推进改革攻坚。对涉及全局的重大改革要周密论证，循序渐进，避免反复。体制改革和政策调整，要尽可能保持前进中的稳定性。二是协调性和法制化原则。对于涉及多部门、触动深层利益格局的关键性改革，应当加强跨部门的综合性研究和高层次协调，运用超脱部门利益的法律手段推动改革方案的实施，避免部门扯皮和久拖不决。三是普惠或共享原则。改革方案应当尽可能使多数人受益，让多数人特别是社会贫困弱势群体能够分享改革带来的成果。四是合理补偿原则。对于非普惠性的改革举措，需要使受损者得到合理补偿，补偿的限度要有助于兴利除弊，避免反向调节。

（原载《人民论坛》2004 年第 6 期，2006 年 1 月补充新内容）

7.3　关于建设和谐社会的几点探讨

构建社会主义和谐社会是指导中国现代化进程的重大战略决策。在经济社会条件发生阶段性变化的条件下，构建和谐社会所面临的挑战和任务十分艰巨，涉及领域相当广泛。下面主要从经济社会领域做简要分析。

一、清醒认识当前和谐社会建设面临的突出矛盾和问题

我们已经站在全面建设小康社会、开始实施"十一五"规划的新的历史起点上。经过 20 多年的改革开放和现代化建设，我国经济市场化程度明显提高，综合国力和人民生活水平不断迈上新的台阶，各项社会事业取得长足发展，为进一步激发国民经济的活力和保持社会总体的安定祥和打下了良好基础。同时必须清醒看到，社会主义市场经济体制还远非完善，对计划经济旧体制的改革攻坚尚未完成，我国又处于经济社会结构剧烈变革时期，各种新旧矛盾和问题正在交织出现，处理不好会愈演愈烈，干扰社会和谐。主要表现在：

1. 公民权利保护制度不适应城乡居民生活水平和创业积极性提高的新趋势。随着多种经济成分日趋活跃、住房改革和创业机会扩大，城乡居民的自有住房和自主创办的企业日益增加，对加强保护公民权利（主要指城乡居民的财产权利和相关的经济权利）的要求日益强烈。国家、集体、单位、社区和个人之间的各种利益关系日趋复杂，而目前财产权界定和保护制度不清晰、不健全，协调利益矛盾的难度加大。公共权力侵害私人权利、行政权侵害财产权的现象屡见不鲜。在城市拆迁、物业管理和农村征地等方面不断发生经济纠纷和财产纠纷，不仅影响社会安定，而且危及社会诚信。

2. 公共产品和公共服务供给不足与人民群众日益增长的需求之间

出现巨大落差。在初步实现小康的基础上，人民群众对增加和改善公共服务的要求不断提高。但是，在推进住房、医疗、养老、教育等方面的改革中，政府公共服务职能出现不适当的弱化，导致相关的公共产品和服务供给不足，质量下降。公共服务资源配置严重失衡，教育和卫生领域尤为突出。公共教育资源向高等教育（甚至少数重点高校）过分倾斜，而义务教育的公共投入严重不足，农村义务教育面临危机。公共卫生资源过分向城市倾斜，而农村缺医少药仍很严重。2000 年世界卫生组织的评估中，认为我国是"世界上公共资源分配最不公平、分布最不平衡的国家之一"。

3. 收入分配政策和社会保障体系不适应维护社会公正的需要和严峻的人口态势。目前收入分配领域存在两个层面的问题：一方面在初次分配领域，平均主义和差距拉大并存。在国有企业和国家机关等"体制内"部分，收入分配的主要弊端仍然是平均主义。同时，在垄断行业和享有特许经营权的国有经济部门，也存在由于非经营性因素而导致的收入差距过大。而在"体制外"部分，即外资经济和私营经济等领域，收入分配由市场调节，差距明显拉大是不可避免的。社会不满主要集中在非法暴富者、体制不合理造成的灰色收入现象以及非经营因素导致的收入差距过大。另一方面在收入再分配领域，由于我国相关税收和社会保障等再分配调节手段还不健全，对收入差距扩大势头难以进行有效调节。在失业人口、流动农民工、失地农民和老年人口中正在形成新型贫困群体，城乡低收入和贫困群体生活困难，导致贫富差距迅速拉大。

未来二三十年我国人口发展的基本态势，呈现基数大、增长偏快、素质偏低、"未富先老"的特征，人口总量、劳动年龄人口和老龄人口三大增长高峰叠加，出生性别比例严重失调，出生人口素质、身体健康素质和文化道德素质等都亟待提高。这对社会转型期的就业、养老、教育、卫生、城乡融合和社会稳定造成巨大压力。

4. 现有公共财政不适应统筹城乡发展和转变二元经济结构的客观要求。整个公共财政支出过分偏向城市，农村公共设施和服务长期缺失。2004 年财政支农支出（扣除农村税费改革转移支付和粮食储备支出等）占农业产值的比重不足 10%，低于印度、巴西等发展中国家10%—20% 的水平。1/3 的农村五保户得不到供养。城市财政体系与户籍制度捆绑在一起，固化了城乡割裂的体制，没有为农民转为城市人口和大量进城务工人员做好应有的准备。一些城市在放松户籍管制上之所以步履维艰，关键在于现有城市财政和基础设施远远落后于农民进城的强劲趋势。如果仅在财政支出增量上做文章，而不触及财政支出的既得利益格局，恐难改变被动局面。

5. 社会协调机制不适应社会结构剧烈变动的新挑战。我国正处于社会流动加快、社会分层明显的社会转型期，新的社会阶层不断生成，利益主体和利益诉求日益多元化，社会交往范围急剧扩大，信息传播空前便捷。不同阶层的利益诉求和扩大社会参与的呼声日益高涨，但是强势群体和弱势群体的利益表达渠道和参与机会严重不对称，贫困群体和社会边缘群体的呼声还不能得到充分表达。社会成员的职业和地位势必在流动中不断变化，既得利益的减少或丧失将引发不满情绪甚至过激行为，狭窄的沟通渠道和单调的社会协调机制已经不适应这种复杂的社会局面。

6. 农村经济的专业化、社会化和组织化程度低，不利于保障农民合法权益和改变农村落后的生产生活方式。农村缺少各类专业合作经济组织，财税金融等政策支持乏力，分散的农户难以改变在市场竞争和谈判中的弱势地位，难以发展先进的农业生产方式，难以分享市场经济欣欣向荣的成果。农村各类基层社会中介组织发育严重落后，难以解决大量青壮年劳力流向城市而产生的农村老弱病残集中的社会问题，一些地区非法宗教组织趁机渗透，黑恶势力横行乡里。在城镇化进程中，行政区划变动、"城中村"改造以及农民工权益保障等新的问题不断出现，都对原有的农村基层政权建设和社会组织发育提出新的要求。

7. 国家区域政策的整合能力较弱和欠发达地区自我发展能力不足，不利于统筹区域协调发展。改革开放初期向局部地区倾斜的优惠政策形成刚性，引起各地纷纷要求优惠政策的攀比。国家区域政策对改善地方公共服务的均等化导向不清晰，力度不够，中央和地方政府事权和财权不够匹配，影响各级政府改进公共服务和弥补薄弱环节，贫困地区和资源枯竭地区的负担越来越重。长期以来，各地十分重视靠争投资、争项目发展地方经济，而忽视加强和改善地方政府的公共服务职能。不少地区一直存在牺牲资源环境甚至以邻为壑的不合理竞争。欠发达地区的地方政府往往采取集资、摊派办法搞城市建设，据有关调查，建筑领域拖欠工资在国有单位更为普遍，背后实际上是当地政府在拖欠。凡此种种，不仅导致侵害中央权威的负面后果，而且不利于各地把注意力转到构建和谐社会上来。

8. 在对外经济领域，大量进口和盲目招商引资造成农民利益受损、失业、污染等社会矛盾。在受进口冲击企业集中的局部地区，企业破产倒闭和失业现象增加。农产品领域受进口冲击尤为严重。2004 年开始，我国从农产品贸易的净出口国转变成为净进口国，主要原因在于农产品进口增长过快。大量农产品进口压低了国内价格，恶化农民增收条件，目前缺乏对受损地区农民应有的援助，加剧农民向城市转移的压力。局部地区存在恶性引资竞争，不惜资源环境代价，不顾员工利益受损和农民失地失业，片面迎合部分外商的过分要求，引发当地群众严重不满。一些跨国公司在部分行业形成垄断，产品不符合健康和质量标准，损害公共利益和消费者权益的现象时有发生。

9. 劳动者权益保障问题突出，企业的社会责任不容忽视。伴随企业改制、结构调整和多种所有制经济迅速发展，目前就业形式日益多样化，特别是"非正规就业"形式在新增就业中的比重越来越大。[①] 非正规就业人员游离于正规社会保障体系之外，其合法权益保护往往被忽视。在外资经济和私营经济中，一些企业不遵守我国劳动法、工会法和社会保障规定，用工条件恶劣，劳资纠纷凸现，劳资关系紧张。在国有企业改制中，一些下岗失业职工得不到合理的经济补偿，生活、养老、

---

① 所谓非正规就业，主要是指尚未纳入社会保障体系的就业形式，包括个体经济、私营经济的雇工以及其他临时的、不固定的就业等等。据国务院发展研究中心社会部的调查，近年来此类就业形式在新增就业中占到一半以上。

医疗等切身利益缺乏应有的保障。

这些矛盾和问题是在前进和发展中出现的，既有长期重视不够的观念性原因，也有改革不到位的体制性原因，还有经济社会转型的阶段性原因。因此必须在改革和发展的战略指导思想上予以高度关注，在继续改革开放和加快发展中努力加以解决。决不能因为目前存在的各种矛盾和问题而怀疑甚至否定改革开放的大方向，也不能因为强调构建和谐社会而偏离经济建设这个中心，停滞、偏离和倒退都是没有出路的。

二、促进和谐社会建设需要把握的重点

构建和谐社会的能力受到经济发展水平的制约，应当随着经济发展水平提高而逐步增强这种能力，在不同发展阶段提出有限目标和工作重点，避免超越实际条件。当前我国的物质基础已经大有改善，中央财政收入增长很快，社会保障体制改革积累了一定经验，国家可以拿出更多的财力物力来办一些以前即使想办也办不到的事情。同时也要清醒看到，我国仍然处于社会主义初级阶段，仍然是一个人均 GDP 只有 1700 美元的发展中人口大国，对办不到的事情不宜做过高承诺。在现有物质基础上，针对当前存在的突出矛盾和问题，应当按照统筹兼顾、循序渐进、尽力而为、量力而行的原则，把以下几个方面作为加强和谐社会建设的主要任务和重点。

1. 加强保护公民的财产权利和相关的经济权利。城乡居民在自主创业、创造发明、购置房产、经济交往、积累财富和扩大投资等过程中，将会遇到越来越多、越来越复杂的财产关系和权责问题，既可能涉及个人之间，也可能涉及个人与集体、个人与社区、个人与国家之间的权利、利益和责任关系。有恒产者有恒心。完善产权界定和保护制度，不仅是经济活动正常进行的关键，也是社会安定和社会诚信的基础。因此，应当把保护公民权利（首先是财产权），防止公权侵害私权和行政权侵害财产权，作为和谐社会的一项基础性制度建设。

531

GAIGE SHIDAI DE JINGJIXUE SIKAO

2. 加强政府提供公共产品和公共服务的职能，增加公共产品供给，提高公共服务质量。在建立现代产权制度、反垄断、维护市场秩序、构建社会诚信体系、解决收入分配不公、加强基础教育和基本医疗卫生服务，以及完善社会保障体系等方面，政府要发挥主导作用，强化建设、服务和管理职能，以减少和纠正"市场失效"带来的社会代价。在公共产品和公共服务领域，总的说不能盲目推行商业化和市场化，而弱化政府的基本职能。但是在提供公共产品和公共服务的若干环节，也可以引入必要的市场竞争机制，以利于节约公共资源的使用成本，提高供给效率，改进服务质量。加大公共资源配置方向的调整力度，合理配置公共资源，尽可能减少公共资源配置结构和方向的不公平、不均衡，向社会发展的薄弱环节倾斜，使城乡贫困群体和欠发达地区能够获得比较公平的发展机会、发展条件，享受大体均等的公共服务。

3. 把就业放在更加突出的位置。就业是提高居民收入水平和改善生活质量的基本来源。未来十几年，我国将一直处于劳动年龄人口快速增长期，预计每年新增约 800—1000 万，就业压力将长期存在。在工业化加速、技术进步、资本有机构成提高、企业改革不断深化的过程中，既有减少就业容量的一面，又有扩大就业容量的一面。这就需要我们用更为开阔的视野来研究如何扩大就业的问题。例如：经济增长、产业结构调整和技术进步对扩大就业的影响，政府、市场、企业和劳动者在扩大就业方面各自应当扮演什么角色，扩大就业与深化国有企业改革、发展多种所有制经济的关系，扩大就业与发展多种就业形式、拓宽就业门路的关系，扩大就业与保护劳动者权益、增强企业的社会责任之间的关系，等等。

4. 积极而又有序地扩大社会流动。目前重点在于逐步实现教育和城乡流动的机会均等。政府应当义不容辞地全面满足全民基础教育需求，逐步提高义务教育水平和质量，进一步打破对高等教育的政府垄断，放松对高等教育资源的行政控制，逐步实现社会办学机会和学生求学机会的均等化。国家公共财政投入应当向中等、初等教育加大倾斜力度，并增加对农村和中西部贫困地区教育事业的财政转移支付。进一步打破户籍、就业、义务教育和社会福利等方面的城乡分割壁垒，尽快建立健全适应大量农民进城趋势的城乡公共财政体系。

5. 加快健全适合中国国情的社会保障体系。这是构建和谐社会的重要支柱，也是促进社会流动的基本制度依托。我国目前正处于建立和完善社会保障体系的紧要关口。从国际经验看，在人口老龄化高峰到来的至少前 20—30 年，务必建立起社会化的、资金储备充裕的养老保障制度。如果错过这一时机，以后应对养老压力和社会危机的难度将难以估量。应当及早建立适应城乡经济发展水平的社会保障体系，尤其是比较健全的养老保障和社会救助制度，并逐步提高养老保障和社会救助水平。"十一五"期间，应当加快探索农村社保体系，扩大养老保障在农村的覆盖范围，着重建立农村的社会救助或最低保障制度；到 2020 年，力争建立起覆盖城乡的多层次社会保障体系，并着重发展农村的社会化养老保障。

6. 拓宽社会沟通渠道，完善社会协调机制。在社会剧烈变革时期，要注重壮大各种社会积极力量和稳定力量，激发和保持社会活力，同时及时有效地疏导和化解矛盾，减少不稳定因素，消弭破坏性力量。应当适应新的社会发展状况、利益群体分化状况和现代信息传播手段的普及趋势，不断完善矛盾疏导机制和化解手段。既要加快健全危机应对机制，更要注重加强常规制度建设，发展多元化的社会沟通渠道和矛盾协调机制，规范和引导各种非政府组织，拓宽民间和政府之间的沟通渠道，形成多层次的疏导机制和对话平台。要努力使社会不同阶层和利益群体都能享有表达意愿和参与公共事务的平等机会，特别要及时反映贫困、边缘、弱势群体的呼声，反对社会歧视和排斥。

7. 以反贫困为核心处理好收入分配问题。政策制定和舆论导向宜更多地关注城乡贫困群体，而不宜把缩小居民个人收入差距当成和谐社会的焦点，以防激化社会情绪。应当着力使农村现有的 2600 多万贫困人口实现温饱，特别要支持"老少边穷"地区完成脱贫任务，并建立起有效的防止返贫机制。需要注意，贫困是一个随着社会经济发展而不断变化的概念，在同一国家不同的经济发展阶段，都会有一部分社会群

GAIGE SHIDAI DE JINGJIXUE SIKAO

体处于贫困状态，需要密切关注贫困群体的变化状况，并根据我国经济和社会发展水平，在关于贫困的标准、扶贫方式、资金筹措和社会救助等方面，采取比较务实的和具有前瞻性的措施，使公共资源能够更多地、更为有效地用于缓解贫困。同时，逐步完善初次分配制度和再分配调节手段，努力将收入差距保持在适当范围内，既要健全效率刺激机制，又要维护社会公正。

8. 围绕公共服务均等化和缩小社会发展差距，促进地区协调发展。未来十几年间，各地区经济发展差距的继续扩大将势所难免，充其量只能遏制继续扩大的势头，很难使其明显缩小。这主要是因为，继续发展市场经济，在更大程度上发挥市场配置资源的基础性作用，生产要素自由流动的程度会不断提高，要素流动将越来越取决于投资回报率等经济效益标准和区域经济专业化分工等客观经济规律的导向。区域发展不平衡的要害并不在于经济发展差距的扩大，而在于有没有整合效果较好的区域政策，能不能通过这种区域政策使欠发达地区得到均等化的公共服务，改善其发展经济的基础设施条件，提高当地人民群众的福利水平，尽快缩小不同地区之间的社会发展差距。因此，中央政府应当加强运用财政转移支付等手段，为欠发达地区加快发展提供充分的均等化的公共服务，增强地方政府的公共服务能力，加快当地社会事业发展，弥补市场缺陷，这已日益成为促进区域协调发展、构建和谐社会的重要任务。

9. 重视培育农村的新型合作经济组织和社会组织，提高农民组织化程度。要想切实改变农村的落后生产方式和农户的弱势谈判地位，迫切需要培育千千万万能够联结市场经济、促进农村先进生产力发展的专业化合作社，包括生产、投资、销售、融资、农业技术推广和社会化服务各个环节。在农村培养文明的生活方式和改善生活环境，迫切需要培育农村社区自治组织、农村消费者维权组织、老龄协会、妇女协会和邻里互助组织等。应当结合农村基层民主制度建设、乡镇机构改革和城镇化进程，积极探索有利于保障农民合法权益、有利于建设和谐新农村的各种新型农民组织。

三、关于加强和谐社会建设的政策建议

在我国经济社会转型加快的过程中，对如何保持社会和谐提出很多新的课题，要求我们善于发现问题，积极探索适宜的、有效的应对措施。构建和谐社会，解决经济社会发展中的突出矛盾，归根结底要靠协调推进各项关键领域的改革，为之提供有效的制度保障。同时，要切实贯彻科学发展观，推进经济社会全面协调可持续发展。这是应对构建和谐社会面临的各项挑战的基本前提。在此前提下，建议采取以下政策措施：

1. 开源与维权并重，积极扩大就业。坚持劳动者自主择业、市场引导就业、政府服务就业的方针，落实财税、金融、投资服务等方面鼓励自谋职业、自主创业和支持中小企业发展的政策。积极发展多种就业形式，开拓新的服务性就业领域和各类就业渠道，完善就业指导和劳动力市场信息服务，大力发展职业教育和培训，加强维护非正规就业领域的劳动者权益，健全劳资纠纷协调机制。

敦促企业增强社会责任意识，妥善处理劳资关系。完善相关的经济手段和法律手段，切实保障投资者和劳动者各方的合法权益。针对劳动者往往处于弱势的状况，要更加强调劳动者权益保障。政府应当要求投资方和企业主（尤其是跨国公司和私营企业）认真执行我国劳动法和工会法，并加强检查和监督；同时，应当采取税收和培训等措施，鼓励和支持企业积极改善劳工条件，引导企业把保障劳动者权益、改善劳工条件同提高企业整体素质结合起来，避免企业以牺牲劳动者利益为代价片面追求资本的利益。

2. 明确收入分配政策取向，深化分配制度改革。收入分配政策取向可概括为：保护合法收入，取缔非法收入，清理灰色收入，调节过高收入，提高低收入者收入水平，妥善救助贫困群体，扩大中等收入阶层。在初次分配领域仍然应当坚持效率优先，继续打破平均主义，完善按劳动和其他生产要素进行分配的激励机制。深化垄断行业改革，加强

对少数垄断行业与企业收入分配的全程监管。采取更为透明、公正的方式改革灰色收入的体制根源，使体制内的收入分配改革在不同地区做到统筹兼顾。对收入差距的调节重点应当放在二次分配领域。在切实保护合法的劳动所得和非劳动所得的前提下，尽快完善调节收入差距的税收手段和相关配套手段，发展慈善事业，引导高收入阶层为社会做出更多的贡献。再分配手段要注意既能有效调节过高收入，又不挫伤投资积极性。对城乡低收入和贫困群体，在满足其基本生活保障的前提下，应当不断完善最低生活保障和开发式扶贫等制度，使他们能够分享经济社会发展的成果。收入分配改革十分敏感，需要周到考虑社会反响，提出比较妥当的方案。解决收入分配领域的突出问题重在完善新体制，也要正确引导社会情绪，避免炒作，以利于形成良好的收入分配改革氛围。

3. 大力实施人力资源优先开发战略。在继续保持低生育水平、控制人口规模的前提下，应当把提高人口素质，加大人力资源开发力度，作为未来社会发展领域的战略重点。着重推动我国由人口大国向人力资本大国转变，将人口压力转化为人力资本优势。紧紧抓住中西部、农村地区、低素质人口和贫困人口等突出薄弱环节，以及政府公共服务职能严重缺位的领域，加强和改善人口、扶贫、教育工作，大力发展义务教育、职业教育和农村基本卫生服务。公平配置公共卫生和公共教育资源，在贯彻国家人口发展战略过程中形成合力，显著提高人力资本对经济增长和社会和谐发展的贡献程度。

4. 完善公共财政体系，加强国家财政在和谐社会建设中的重要职能。理顺中央和地方的事权和财权关系，建立事权和财权相匹配的财政体制。在财政收入方面，调整税收体系，合理设计中央税、地方税和共享税，形成中央政府主要依靠流转税和所得税、地方政府主要依靠资源类、财产类税收的收入格局。在财政支出方面，继续优化支出结构，减少政府投资职能，压缩一般经济建设开支，增加公共服务和社会管理支出，特别要加大对农业、义务教育、基础科研、社会保障、公共卫生等方面的投入。完善财政转移支付制度，减少不规范的税收返还，增加一般性转移支付，压缩专项转移支付，提高转移支付的公平性。加大中央财政对欠发达地区尤其是老少边穷地区的转移支付力度，着重改善这些地区的基础设施条件，增强其自我发展的能力和后劲，普遍提高当地城乡居民的社会福利水平。推广"省直管县"的财政体制改革试点，减少财政层级，节约管理成本，保证公共财政资源真正用于改善地方公共服务。

5. 加快政府职能转换和自身改革。当前要着力解决各级政府在经济发展领域越位过多、而在社会发展领域缺位严重的问题。一是进一步减少行政审批和对微观经济的直接干预，着重抓好战略规划、制度创新和涉及社会公共利益的强制性标准，维护市场经济秩序，保证市场机制在更大程度上发挥配置资源的基础作用。二是完善公共政策和宏观调节方式。切实把政府掌握的公共资源用于加强社会发展的薄弱环节，弥补市场缺陷。坚持主要运用经济手段和法律手段进行宏观经济调节。坚持和完善科学民主决策制度，避免重大决策失误。三是在构建社会诚信体系方面，各级政府务必率先垂范，依法行政、公正执法，建设法治政府、责任政府和诚信政府；同时不断健全市场监管体系和质量监督机制。四是深化社会管理体制改革，健全危机预警和矛盾调处机制，规范和发展民间组织，推动和谐社区、和谐乡村、和谐单位等建设。五是尽快改进统计制度、统计方法和考核评价体系，引导各级政府和领导干部树立正确的政绩观，真正把行动转到落实科学发展观上来。

6. 完善区域公平竞争环境，建立区域合理补偿机制。制定科学的国土整治规划和跨行政区划的功能区发展规划，引导重大生产力布局和生产要素流动方向，促进区域经济合理分工。国家区域政策要有利于区域公平竞争和体现产业导向，尽快实施那些具有全局意义的财政税收（如增值税转型）政策、环保政策和产业政策，防止产生新的政策不平等。明晰资源要素的产权归属，加快资源价格的市场化改革，改善中西部资源富集地区的比较利益。对因生态保护而限制开发和禁止开发的地区，应建立相应的经济补偿机制。对资源衰退和枯竭的地区，要建立预先积累机制和长期援助机制，如设立政府转型基金，运用财政贴息和开发性金融等手段，帮助困难地区发展接续产业，开辟新的就业门路。对

537

GAIGE SHIDAI DE JINGJIXUE SIKAO

生存条件极其恶劣、自然资源极度贫乏的地区，应进行有计划、有组织的人口迁移。对由于贸易条件恶化而贫困落后的地区、受进口冲击严重的产业和社会群体，要建立政府的补偿机制，如加大中央财政转移支付的力度，设立贸易冲击补偿基金等。

7. 统筹城镇化进程和新农村建设，加深城乡经济融合。积极发展能够带动农副产品深加工的制造业和相关服务业，通过工业化链条延伸来拉动城镇化，使农民从非农产业发展和城镇化进程中得到更多实惠。城镇化建设要坚决避免以损害农民利益为代价，切实保障农民土地权益，保障进城务工人员在工资、社会保障和子女教育等方面的实际利益。新农村建设要注重制度创新和组织创新。在农村内部，应着力推进集体土地流转制度创新、税费改革和乡镇机构改革，大力发展适应农村经济变革趋势的新型经济合作组织和基层社会组织，把分散的农户与社会化大生产和大市场连结起来，促进农村转换传统农业的小生产方式和落后的生活方式，努力使农村居民能够分享经济改革和现代化建设带来的物质文明、政治文明和精神文明成果。

8. 推进改革要毫不动摇，完善思路要周到缜密。对深层次体制矛盾，应当以更大的决心、下更大的气力推进改革攻坚。我们既要坚持行之有效的改革经验，也要重视以下原则：一是积极稳妥和科学决策原则，二是协调性和法制化原则，三是普惠或共享原则，四是合理补偿原则，五是公共参与原则。总之，要让人民群众成为制度创新的参与者和受益者。

（写于 2006 年 3 月 21 日，未发表）

7.4 毫不动摇地高扬改革的旗帜

改革开放是关系中国前途命运的重大战略决策。在全面建设小康社会的新阶段，加快转变经济增长方式，消除束缚生产力发展的体制障碍，归根结底要靠深化改革，构造完善的新体制。落实科学发展观和构建和谐社会，解决经济社会发展中的突出矛盾，归根结底也要靠协调推进各项关键领域的改革，为之提供有效的制度保障。

我国经济社会正处于重大转型时期，旧体制遗留的矛盾和问题还没有完全解决，新的矛盾和问题又在不断出现，其中不少矛盾和问题都直接涉及人民群众的切身利益，例如看病难、房价高、学费负担重等。这些矛盾和问题是在前进和发展中出现的，归根结底在于社会主义市场经济新体制还不完善，对计划经济旧体制的改革还不到位。因此必须在改革的战略指导思想上予以高度关注，在继续改革开放中努力推进制度创新和机制创新，用加大改革力度的办法解决前进中的矛盾和问题，维护好人民群众的根本利益。

站在新的发展起点上深化改革，面临的形势更为复杂，难度也比过去加大。随着改革由浅层次的、容易改的领域和环节向更深层次的攻坚目标推进，改革的深刻性和艰巨性日益凸显。越是深层次的改革，越是会触动深层次的既得利益，这就对改革的坚定性和科学性提出更高要求。面对改革的新形势，我们应当毫不动摇地坚持社会主义市场经济的改革方向，毫不动摇地坚持社会主义基本经济制度，在更大程度上发挥市场配置资源的基础性作用，为经济又快又好发展注入新的活力；同时，进一步改革宏观调控体系和社会管理体制，为保持经济稳定和促进社会和谐奠定体制基础。深化改革，概括地说，应当从两个方面推进：一方面，继续加大对计划经济核心部分的改革攻坚力度，进一步排除旧体制对实现科学发展的干扰和障碍。另一方面，努力完善市场经济新体制，同时注意补救市场失灵引起的社会代价，但绝不是回到计划经济旧体制。现在提出注重社会公平，不是否定效率原则，更不是回到平均主义，而是强调通过提高社会公平程度，特别是关注就业机会和分配过程的公平（这实际上仍然属于效率原则），进一步解放和发展生产力。在此前提下，统筹好发展成果的再分配，不断改进公共服务，使多数社会成员尤其是贫困者能够分享不断增进的社会财富，从而既能激发人们创造财富的积极性，又能促进社会和谐程度的提高。

继续推进改革，需要进一步明确改革的思路和重点。例如，政府职能转变不彻底，在经济领域仍然过多地直接配置资源，社会管理和公共服务职能薄弱，已经成为突出的体制障碍，也必然成为全面深化改革的关键。为顺利推进改革，我们既要坚持行之有效的改革经验，也要重视以下原则：一是积极稳妥和科学决策原则。对深层次体制矛盾，应当以更大的决心、下更大的气力推进改革攻坚。对涉及全局的重大改革要周密论证，循序渐进，避免反复。体制改革和政策调整，应当尽可能保持前进中的稳定性。二是协调性和法制化原则。应当努力做到宏观经济改革和微观经济改革相协调，经济领域改革和社会领域改革相协调，城市改革和农村改革相协调，经济体制改革和政治体制改革相协调。对于涉及多部门、触动深层利益格局的关键性改革，应当加强跨部门的综合性研究和高层次协调，运用超脱部门利益的法律手段推动改革方案的实施，避免部门扯皮和久拖不决。三是普惠或共享原则。改革方案应当尽可能使多数人受益，让多数人特别是社会贫困弱势群体能够分享改革带来的成果。四是合理补偿原则。一些改革措施可能带有非普惠的性质，可能造成部分人受益、部分人受损的复杂格局，这就使对受损者的补偿问题日益突出。对于非普惠性的改革举措，需要使受损者得到合理补偿，补偿的限度要有助于兴利除弊，避免反向调节。五是公共参与原则。尽可能广泛地吸收各界公众参与改革方案的论证，包括利益相关方（企业、行业协会、消费者）和利益超脱方（专家、社会公众、舆论媒介）的代表，特别应当关注贫困弱势群体的利益诉求，以超脱部门利益或强势集团利益的狭隘眼界，防止改革被扭曲或流于形式。

（原载中央党校《学习时报》2006 年 3 月 21 日，发表时有删节，现略加补充。）

后　记

改革开放在中国大地拉开序幕时，我选择了攻读经济学专业。上世纪 80 年代以来，我先后在中央党校、中国社会科学院、国务院研究室和国务院发展研究中心工作，从事经济理论教学和经济政策研究。这本文集收录的论文和研究报告，从学术研究和政策研究的不同角度，反映了我对改革不同时期面临的若干重大实践问题和理论问题的观察与思考，绝大多数已公开发表过。其中，有些文章提出的说法 20 年来一直存在时起时伏的争论，如中央党校同窗周为民和我在 1985 年写就的《效率优先、兼顾公平——通向繁荣的权衡》一文，就是这种情况。还有的文章中涉及的一些基本概念已经时过境迁，如"有计划的商品经济"、"国家组织市场"和"治理整顿"等，现在看来已显得有些生疏。为客观记录一定阶段上个人的认识水平，忠实于历史的原貌，文章的基本观点和内容都未作改动，只是在最后一两篇补充了一些新内容。

书中研究成果主要得益于我在上述单位的学习和工作经历，得益于老师和领导的教诲、同学的切磋以及同事的合作与指教。书中的文章基本上是我个人完成的，也有少量合作研究成果（均已注明合作者）。在此谨向改革前沿的开拓探索者和经济学界的前辈表示敬意，并向合作者表示诚挚的感谢。

本书能够问世，我要特别感谢人民出版社教育出版中心主任张文勇，他的选题见识和鼎力支持鼓起了我编写这本文集的勇气；也要感谢责任编辑张京丽，她的专业知识和敬业精神保证了本书的质量。但愿本书能够为支持改革大业贡献作者的绵薄之力。

卢中原

2006 年 4 月 10 日

541

GAIGE SHIDAI DE JINGJIXUE SIKAO

策划编辑：张文勇
责任编辑：张京丽
装帧设计：肖　辉

图书在版编目(CIP)数据

改革时代的经济学思考 /卢中原著. – 北京：人民出版社,2006.11
ISBN 7 – 01 – 005972 – 1

Ⅰ. 改… Ⅱ. 卢… Ⅲ. 经济学 – 文集 Ⅳ. F0 – 53

中国版本图书馆 CIP 数据核字（2006）第 145981 号

改革时代的经济学思考
GAIGE SHIDAI DE JINGJIXUE SIKAO

卢中原　著

人民出版社 出版发行

（100706　北京朝阳门内大街 166 号）

北京中文天地文化艺术有限公司排版
北京瑞古冠中印刷厂印刷　新华书店经销
2006 年 11 月第 1 版　2006 年 11 月北京第 1 次印刷
开本：710 毫米 ×1000 毫米　1/16　印张：34.25
字数：500 千字　印数：0, 001 – 3, 000 册

ISBN 7 – 01 – 005972 – 1　定价：50.00 元

邮购地址 100706　北京朝阳门内大街 166 号
人民东方图书销售中心　电话（010）65250042　65289539